SLUITINGSTIJD

ISBN 90 6074 950 2 (Paperback)
ISBN 90 6074 951 0 (Gebonden)

Oorspronkelijke titel: *Closing Time*
Omslagontwerp: Paul Bacon
Typografie omslag: Robert Nix
Foto auteur: Sjaak Ramakers

Verspreiding voor België:
Uitgeverij Westland nv, Schoten

Vertaald door Piet Verhagen

ANTHOS

BOEK EEN

1

SAMMY

Als mensen van onze leeftijd het over de oorlog hebben, bedoelen ze niet Vietnam, maar de oorlog die meer dan vijftig jaar geleden begon en vrijwel de hele wereld meesleepte. Het vechten duurde al ruim twee jaar toen wij ons ermee begonnen te bemoeien. Rond de tijd dat we in Normandië landden zouden al meer dan twintig miljoen Russen omgekomen zijn. Het tij was gekeerd bij Stalingrad voordat we voet in Europa zetten, en de Slag om Engeland was al gewonnen. Toch kostte de oorlog nog een miljoen Amerikanen het leven – waaronder driehonderdduizend frontsoldaten. Die ene schandelijke dag in Pearl Harbor, bijna een halve eeuw geleden, kwam ons op ongeveer drieëntwintighonderd doden en meer dan vijfentwintighonderd gewonden te staan – meer dan tijdens de gevechten in de Stille Oceaan, uitgezonderd de langste en bloedigste, meer dan op D-Day in Frankrijk.

Geen wonder dat we uiteindelijk ingrepen.

God zij gedankt voor de atoombom, juichte ik bijna een halve eeuw geleden samen met de rest van de beschaafde westerse wereld bij het lezen van de enorme krantekoppen die berichtten dat hij ontploft was. Ik was inmiddels afgezwaaid, na ongedeerd teruggekomen te zijn, en had als gewezen militair een veel beter leven dan daarvoor. Ik kon gaan studeren. Na mijn studie doceerde ik zelfs twee jaar in Pennsylvania. Daarna keerde ik terug naar New York, waar ik een poosje later werk vond als schrijver van reclameteksten op de promotieafdeling van het tijdschrift *Time*.

Nog maar twintig jaar, op zijn hoogst, en alle lokale Amerikaanse kranten zullen foto's publiceren van de oudste nog levende plaatselijke veteranen van die oorlog, defilerend in het handjevol parades dat op nationale feestdagen nog gehouden wordt. Er zijn er nu al weinig meer over. Ik heb nooit meegelopen. Mijn vader volgens mij ook niet. Jaren en jaren geleden, toen ik klein was, haalde de gekke Henry Markowitz, een oude huisbewaarder van mijn vaders generatie in de flat tegenover ons, op Wapenstilstandsdag en Herdenkingsdag zijn antieke Eerste-Wereldoorloguniform uit de kist – inclusief de gerafelde beenwindsels uit de beginjaren – en marcheerde de hele dag over het trottoir tussen de tramhalte bij Norton's Point op Railroad Avenue en het snoepwinkeltje op de hoek van Surf Avenue, bij de oceaan. Dan blafte de ouwe Markowitz – die evenals mijn vader waarschijnlijk net over de veertig was – stoer bevelen tegen de vermoeide vrouwen die beladen met bruine zakken van de kruidenier of de slager op gezwollen benen naar hun kleine flatjes sjokten en hem totaal negeerden. Zijn twee dochters, die zich vreselijk schaamden, negeerden hem ook, kleine meisjes, de jongste even oud als ik, de tweede een jaartje ouder. Hij had shellshock opgelopen in de oorlog, zeiden sommige mensen, maar dat leek me sterk. Ik betwijfel trouwens of we wel wisten wat shellshock was.

Onze bakstenen flatgebouwen, drie of vier verdiepingen hoog, hadden geen liften in die tijd en voor oudere mensen en bejaarden kon het trappen klimmen een verschrikking zijn. In de kelders lag steenkool, aangevoerd in vrachtwagens die hun lading ratelend in een metalen stortkoker lieten vallen; eveneens beneden was de verwarmingsketel en de stoomketel, plus een huisbewaarder die soms in de flat woonde en soms niet en die we, meer uit ontzag dan uit respect, met 'meneer' aanspraken omdat hij een oogje in het zeil hield voor de huisbaas, voor wie we in die tijd vrijwel allemaal – en sommige mensen nog steeds – een beetje bang waren. Nog geen twee kilometer van onze flat lag het beroemde pretpark van Coney Island met zijn honderdduizenden kleurige lichtjes en spelletjes en roetsjbanen en eetkraampjes. Het Lunapark was een zeer beroemde attractie in die tijd, en hetzelfde gold voor Kermisland ('Kermisland – Amusant!') van ene meneer George C. Tilyou, die al jaren dood was en van wie niemand het fijne wist. Op alle schuttingen rondom Kermisland stond trots het onvergetelijke handelsmerk, een opvallende, felroze afbeelding van de groteske, platte, grijnzende tronie van een ietwat debiele man, bijna laaiend van satanische hilariteit en met een ongelooflijke, simplistisch geschilderde mond die soms wel een straat breed was en een schokkend en onmogelijk aantal gigantische tanden telde. De bewakers droegen rode jasjes en groene jockeypetjes en stonken vrijwel allemaal naar whisky. Tilyou had een eigen huis aan Surf Avenue gehad, een ruime houten woning met een plankenpad tussen de veranda en een laag stenen trapje aan het trottoir dat aan het verzakken leek te zijn. Toen ik ouder werd en er voorbij kwam op weg naar de openbare bibliotheek, de ondergrondse of de zaterdagmiddagvoorstelling in de bioscoop, zag ik dat zijn achternaam, die in betonnen letters op de opstaande rand van de onderste trede stond, al scheef hing en half in de grond was gezakt. In mijn eigen buurt was het installeren van verwarmingsketels, met gaten in het trottoir voor buizen en brandstoftanks, steevast een grote gebeurtenis, een teken van vooruitgang.

Over twintig jaar zullen we er allemaal tamelijk raar bijstaan op die krantefoto's en televisiebeelden, een beetje vreemd, als mensen uit een andere wereld, oud en beverig, kalend, misschien enigszins imbeciel ogend, gekrompen, met tandeloze glimlachjes in ingevallen, gerimpelde wangen. Sommige mensen die ik ken liggen op sterven, andere zijn al dood. We zien er niet zo aantrekkelijk meer uit. We dragen een bril en worden hardhorend, praten soms te veel, vervallen in herhaling, krijgen groeisels op ons lichaam, en zelfs de kleinste kneuzingen genezen langzamer en laten sporen achter.

En dan nog even en we zijn allemaal dood.

Alleen archiefstukken en aandenkens voor anderen, en de beelden die ze toevallig oproepen. Op een goede dag zal een van de kinderen – ik heb ze officieel geadopteerd, uiteraard met hun toestemming – of een van mijn volwassen kleinkinderen mijn boordschuttersvleugels of vliegeniersmedaille vinden, of mijn schouderklep met de sergeantsstrepen, of dat jongensachtige kiekje van me – de kleine Sammy Singer, de beste speller van zijn leeftijd in Coney Island en altijd een van de besten van de klas in rekenen, elementaire algebra en planimetrie – in mijn wollige winterse vliegeniersjack en parachute, een jaar of vijftig geleden genomen op het eiland Pianosa aan de westkust van Italië. Het is vroeg in de morgen en we kijken glimlachend in de lens, zittend op een stapeltje nog niet scherpgestelde duizendponders bij ons vliegtuig, wachtend op het startsignaal voor de zoveelste bombardementsvlucht, terwijl onze bommenrichter voor die dag, een kapitein als ik me goed herinner, van een afstandje toekijkt. Die bommenrichter was een onbesuisde, impulsieve, nogal angstaanjagende Armeniër, die er niet in slaagde het navigeren onder de knie te krijgen op de stoomcursus die hij moest volgen tijdens de opleiding op de luchtmachtbasis in Columbia, South Carolina, waar we een tijdelijk ploegje vormden, gevechtstraining kregen en een vliegtuig naar het Europese front moesten brengen. De piloot was een nuchtere Texaan met de naam Appleby, een zeer methodische en vakkundige man, God zegene hem, die al meteen niet met de bommenrichter kon opschieten. Ik was op de hand van Yossarian, die geestig en gevat was, iets aan de wilde kant, maar net als ik een jongen uit de grote stad die nog liever stierf dan dat hij sneuvelde, zoals hij tegen het eind half serieus tegen me zei, en die vastbesloten was om nooit dood te gaan, tenzij over zijn lijk. Daar was ik het hartgrondig mee eens. Hij leerde me nee zeggen. Toen ze me nog een streep aanboden en een nieuw trosje aan mijn vliegeniersmedaille wilden hangen als ik nog eens tien vluchten maakte, weigerde ik en stuurden ze me naar huis. Ik hield me angstvallig buiten zijn onenigheden met Appleby, want ik was een angsthaas, klein, dienstplichtig en joods. Ik had in die tijd de vaste gewoonte bij nieuwe mensen altijd eerst de kat uit de boom te kijken, alvorens ergens mijn mening over te geven, alhoewel ik mezelf in principe – zij het misschien niet altijd met het zo vurig gewenste zelfvertrouwen – even hoog aansloeg als de rest, inclusief de officieren, ook die grote, ongezouten Armeense bommenrichter die voortdurend het maffe mopje vertelde dat hij in werkelijkheid een Assyriër en al zo goed als uitgestorven was. Ik merkte dat ik veel belezener was dan de anderen en veel beter kon spellen, en ook slim genoeg om me daar nooit op voor te laten staan.

Uiteraard raakte Yossarian op elke nachtvlucht die we tijdens onze opleiding boven South Carolina en Georgia uitvoerden uit de koers. Dat werd een standaardgeintje. Van de andere dienstplichtigen die ik in de kazerne en de kantine tegenkwam, hoorde ik dat hun tot navigator omgeschoolde bommenrichters eveneens op elke nachtvlucht verdwaald raakten, en ook dat werd een vast geintje. De derde officier in onze ploeg was een verlegen tweede vlieger met de naam Kraft, die nadat hij in Europa tot eerste vlieger was bevorderd tijdens een vlucht boven Ferrara in Noord-Italië, toen hij voor de tweede keer een brug aanviel, door afweergeschut werd neergehaald en sneuvelde. Yossarian, de bommenrichter in het voorste vliegtuig, die de eerste keer geen bommen had laten vallen, kreeg een onderscheiding omdat hij terugkeerde toen hij zag dat de anderen gemist hadden en de brug onbeschadigd was. Tijdens die oefenvluchten boven South Carolina wist Appleby ons altijd veilig naar huis te loodsen op zijn radiokompas. In een stikdonkere nacht raakten we uit de koers en zaten we vanwege atmosferische storingen door onweer zeker een uur lang zonder radiokompas, en nog steeds hoor ik Yossarian duidelijk in de intercom roepen:

'Ik zie een rivieroever. Als je links aanhoudt en oversteekt, zoek ik aan de overkant wel een herkenningspunt.'

De oever van die rivier bleek de Atlantische-Oceaankust te zijn en we waren op weg naar Afrika. Appleby verloor voor de zoveelste keer zijn geduld en nam een half uur later de leiding. Toen hij de radiosignalen eindelijk zover had ontcijferd dat hij ons terug kon loodsen, hadden we nog precies genoeg brandstof om na het landen naar onze standplaats te taxiën. De motoren sloegen af voordat de vlieger ze uit kon zetten.

We waren allemaal op het nippertje aan de dood ontsnapt.

Ik was al over de veertig voordat dit goed tot me doordrong en als ik het verhaal daarna vertelde, was het niet alleen om te lachen.

Naast me op die foto zitten mijn maatje Bill Knight, koepelschutter voor die dag, een paar jaar ouder dan ik en al getrouwd en vader van een baby die hij maar een week gekend had, en een mager kereltje van mijn eigen leeftijd, rompschutter en telegrafist Howard Snowden, ergens uit Alabama vandaan, die een kleine maand later tijdens een vlucht naar Avignon geraakt werd en langzaam krepeerde, kreunend van de pijn en jammerend dat hij het koud had. We zijn twintig en zien eruit als twintigjarige kinderen. Howie Snowden was de eerste en laatste dode die ik ooit buiten een mortuarium heb gezien. Mijn vrouw stierf 's nachts en was al van haar kamer gehaald toen ik in het ziekenhuis kwam om de papierwinkel af te werken en de begrafenis te regelen. Ze vertrok op de manier die de oncoloog voorspeld had, bijna op de dag af. Ze was misselijk maar had zelden pijn en wij houden het erop dat de pijn haar bespaard is gebleven omdat ze zo'n goed mens was, althans voor mij en de kinderen, vrijwel altijd opgewekt en grootmoedig. Als ze al eens kwaad werd, was dat altijd op haar eerste man, voornamelijk omdat hij vaak geen geld had voor haar alimentatie maar wel voor nieuwe vriendinnen en om nog een paar keer te trouwen. Ik had geluk met doden, zei Lew vlak na de oorlog, een jeugdvriend die in Europa als infanterist krijgsgevangen was gemaakt en voordat hij weer naar huis mocht honderden doden had gezien, Amerikanen en Duitsers en tientallen Duitse burgers in Dresden toen hij daarheen werd gestuurd om te helpen puin te ruimen na het Britse brandbombardement waar ik pas via hem van hoorde, een luchtaanval waarbij zowat de hele stad, op die krijgsgevangenen en hun bewakers na, om het leven was gekomen en waar ik niets van wist en in eerste instantie niets van geloofde.

'Meer dan honderdduizend? Je bent niet goed wijs, Lew. Da's meer dan na die atoombom op Hiroshima.'

Ik zocht het op en moest toegeven dat hij gelijk had.

Maar dat was bijna vijftig jaar geleden. Geen wonder dat onze nakomelingen nauwelijks in de Tweede Wereldoorlog geïnteresseerd zijn. Ze waren nog vrijwel geen van allen geboren. Anders zouden ze al rond de vijftig zijn.

Maar misschien trekt een van de kinderen of kleinkinderen op een dag in een toekomst waar ik niet eens naar kan raden, toevallig een doos of la met mijn boordschuttersvleugels, vliegeniersmedaille, sergeantsstrepen en oorlogsfoto's open en staat even ontroerd stil bij bepaalde incidenten in ons gezin of bij dingen die juist niet gebeurd waren en beter hadden kunnen gebeuren. Bijvoorbeeld ik met het gasmasker van mijn vader uit de Eerste Wereldoorlog op.

Ik vraag me af waar het gebleven is. Ik was gek op dat masker toen ik klein was en speelde er stiekem mee als hij naar zijn werk in de stad was, patronen knippen voor meisjesjurken. Een foto van hem als soldaat heb ik ook. Toen ik op de lagere school een biografie las van de Duitse aas uit de Eerste Wereldoorlog, Baron Manfred von Richthofen, wilde ik een poosje gevechtsvlieger worden als ik groot was en elke dag met hem duelleren boven de loopgraven in Frankrijk en hem elke keer neerhalen. Hij was mijn held en ik droomde ervan hem neer te schieten. Kort na de oorlog, mijn oorlog, stierf mijn vader en ze noemden het kanker. Hij rookte graag sigaren. Die kocht hij in het buurtwinkeltje om de hoek op Surf Avenue, waar een tevreden meneer Levinson met messen en tabaksbladeren en een glimlach aan een werktafel zat en zijn sigaren met de hand afmat en draaide, terwijl mevrouw Levinson, een klein, stil vrouwtje met donker haar en sproeten, badmutsen, oordoppen, zwembanden, schepjes, emmers en andere prullaria verkocht voor het strand dat maar één straat verderop lag. Ze hadden geen kinderen.

Iedereen werkte. Als kind ventte ik een poosje met kranten, op straat en in de strandcafés. 's Zomers verkochten mijn zusjes bevroren custard en limonade in een kraampje aan de promenade. Davey Goldsmith verkocht hotdogs. Op het strand werkten illegale venters met zongebruinde armen vol zware, van droog-ijs dampende dozen zich te pletter om al hun bevroren repen en papieren bekertjes à raison van een stuiver aan de man te brengen, voordat ze werden ingerekend door agenten die hen nazaten over het zachte zand tussen het in zwemtenue geklede publiek, dat uit alle macht hoopte dat ze zouden ontkomen. Van die snelvoetige oudere jongens die dat riskante werk deden kende ik er een hoop.

In ons appartement konden we altijd de branding van de oceaan en het loeien van de belboei horen (wij noemden hem de 'belhamel' en dat vind ik nog steeds een goede naam). Als het heel stil was, vroeg of laat in de middag, konden we zelfs heel zwakjes de vage, spookachtige muziek van de dichtstbijzijnde mallemolen horen, het exotische stoomorgel van de fantastische carrousel aan de promenade met zijn draaiende ring met hengsten van caramelkleurig goud en zijn blinkend zwarte strepen en de andere snoepkleurtjes, het opzichtig blauw en roze van geleibonen, drop en gomballen – waar kwamen die schitterende glijdende paarden vandaan? Was er ergens een fabriek die alleen maar carrouselpaarden maakte? Was daar dik geld aan te verdienen? – driekwart kilometer verderop. Niemand was rijk.

2

HET LULLETJE

De nieuwe president aanvaardde na het aftreden van zijn voorganger zijn ambt in een staat van verregaande geestelijke uitputting ten gevolge van de noodzaak voortdurend uit te leggen hoe hij ooit zo'n figuur als kandidaat voor het vice-presidentschap had kunnen kiezen.

'Waarom heb je hem genomen?' voelde zijn beste vriend, de minister van Buitenlandse Zaken, zich telkens genoopt opnieuw te informeren. 'Mij kun je het gerust vertellen. Je geheim is veilig.'

'Er was niks geheims aan!' verdedigde de president der natie zich. 'Niks onderhands, geen stiekeme reden. Ik heb hem naar eer en geweten gekozen. Op mijn woord van eer, ik had er geen misdadige bedoelingen mee.'

'Dat maakt het juist zo beangstigend.'

3

MENEER YOSSARIAN

Halverwege zijn tweede week in het ziekenhuis droomde Yossarian over zijn moeder en wist hij opnieuw dat hij dood zou gaan. De artsen waren van streek toen hij hun het nieuws vertelde.

'We kunnen niets vinden,' zeiden ze.

'Blijven zoeken,' droeg hij hun op.

'U bent kerngezond.'

'Wacht maar af,' ried hij hun aan.

Yossarian was ter observatie opgenomen na voor de zoveelste keer de aftocht te hebben geblazen voor het neurotische spervuur van verwarrende lichamelijke symptomen waarvoor hij steeds vatbaarder werd sinds de tijd dat hij – pas voor de tweede keer in zijn leven – alleen woonde, en die zodra hij ze beschreef of ervoor onderzocht werd, meteen in lucht op leken te gaan. Nog maar een paar maanden geleden had hij zichzelf van een ongeneeslijke ischias genezen door een van zijn artsen te bellen om over zijn ongeneeslijke ischias te klagen. Het alleen wonen wilde niet wennen. Hij kon geen bedden opmaken. Hij verhongerde liever dan dat hij kookte.

Deze keer had hij, bij wijze van spreken, dekking gezocht voor een morbide visioen van een eerder morbide visioen, kort na het nieuws dat de president, die hij niet mocht, ging aftreden en de vice-president, die hij nog minder mocht, zijn zekere opvolger zou zijn, en kort nadat hij bij toeval had ontdekt dat Milo Minderbinder, aan wie hij nu al zo'n vijfentwintig jaar lang onverbrekelijk en onafwendbaar vastzat, zijn werkterrein verlegd had van surplusvoorraden overjarige goederen zoals oude chocolade en antieke Egyptische katoen naar oorlogstuig, en plannen maakte voor een eigen gevechtsvliegtuig dat hij aan de regering wilde slijten: aan elke regering met genoeg geld, natuurlijk.

In Europa waren landen met genoeg geld, en in Azië en het Midden-Oosten eveneens.

Het visioen van het morbide visioen had betrekking op een stuip of beroerte en had hem weer aan het mijmeren gezet over de onverwoestbare oude Gustav Aschenbach, alleen op zijn mythische stukje mediterraan strand, en diens onsterfelijke dood in Venetië, op zijn vijftigste afgeleefd in een stad met een plaag waar niemand over wilde praten. Lang geleden in Napels, toen hij na zeventig bombardementsvluchten ongedeerd in de rij stond om aan boord te gaan van het troepenschip dat hem terug naar Amerika zou brengen, stond hij achter een oudere soldaat met de naam Schweik en een man die als Krautheimer geboren was en zijn naam veranderd had in Josef Kaa om beter in zijn cultuur te passen, allebei namen die hem destijds weinig zeiden.

Als het aan hem lag bleef Yossarian toch nog steeds liever leven. Hij at geen eieren en ook zonder hoofdpijn slikte hij elke dag zijn kinderaspirientje.

Hij wist zeker dat hij allerlei kopzorgen had. Zijn ouders waren dood en al zijn ooms en tantes ook.

Een lul in het Witte Huis? Het zou niet de eerste keer zijn. Er was weer een olietanker doormidden gebroken. Overal was radioactiviteit. Vuilnis. Pesticiden, giftig afval en vrij ondernemerschap. Er waren tegenstanders van abortus die iedereen die niet pro leven was de doodstraf wilden geven. In de regering vierden middelmaat en zelfbelang hoogtij. Er waren problemen in Israël. Dit waren geen waanvoorstellingen, geen loze verzinsels. Binnenkort zouden ze menselijke embryo's gaan klonen voor de verkoop, de lol en de reserveonderdelen. Mensen verdienden miljoenen aan abstracties als eigendomsoverdrachten. De koude oorlog was afgelopen en nog steeds was er geen vrede op aarde. Niets klopte en de rest evenmin. Mensen deden dingen zonder te weten waarom en probeerden daar vervolgens achter te komen.

Als Yossarian zich verveelde in zijn ziekenhuiskamer speelde hij met dit soort verheven gedachten, zoals een dagdromende jongeling met zijn geslachtsdelen.

Minimaal één keer per week stormden ze zijn kamer binnen en omsingelden zijn bed, zijn dokter Leon Shumacher, diens energieke, serieuze gevolg van ontluikende jonge artsen en de levendige, aantrekkelijke afdelingsverpleegster met het knappe gezicht en het lekkere kontje, die zich ondanks zijn leeftijd openlijk tot Yossarian aangetrokken voelde en die hij stiekem zover probeerde te krijgen dat ze, ondanks haar jeugdigheid, een beetje verliefd op hem werd. Het was een lange vrouw met indrukwekkende heupen die zich wel Pearl Bailey maar niet Pearl Harbor herinnerde, wat betekende dat ze tussen de vijfendertig en de zestig was, de allerbeste leeftijd vond Yossarian, vooropgesteld natuurlijk dat ze goed gezond was. Hoewel hij haar als persoon nauwelijks kende, greep hij gedurende de vredige weken die hij van plan was in het ziekenhuis te blijven om tot rust te komen en zijn gedachten te ordenen terwijl de grote naties van de wereld zich andermaal voor altijd en eeuwig in de nieuwste nieuwe wereldorde plooiden, gewetenloos elke gelegenheid tot aangenaam verpozen met haar aan.

Hij had zijn radio meegenomen en vond altijd wel een FM-station met Bach of uitstekende kamer-, piano- of andere koormuziek. Hij werd te vaak gestoord om zich te kunnen overgeven aan opera, vooral Wagner. Hij had een fijne kamer deze keer, bedacht hij verheugd, met onbedenkelijke buren die niet aanstootgevend ziek waren, en de afdelingsverpleegster had zich de uitdagende bewering dat ze zo'n lekker kontje had, in antwoord op zijn provocaties, met een bescheiden lachje en een hooghartige blos, zelf laten ontvallen.

Yossarian zag geen enkele reden om haar tegen te spreken.

Halverwege de eerste week flirtte hij uit alle macht met haar. Dokter Leon Shumacher was niet altijd even ingenomen met deze wellustige frivoliteit.

'Het is al erg genoeg dat ik je heb laten opnemen. We zouden ons allebei moeten schamen, jij op deze kamer terwijl je niet ziek bent...'

'Wie zegt dat?'

'...en buiten zoveel mensen op straat.'

'Laat je er daar dan een van binnen als ik besluit om te vertrekken?'

'Betaal jij de rekening?'

Yossarian dacht van niet.

Een kei in angiogrammen had hem ernstig meegedeeld dat hij er geen nodig had, een neuroloog berichtte al even somber dat er niets mis was met zijn hersenen. Leon Shumacher toonde hem vol trots aan zijn pupillen als een specimen dat ze in hun praktijk niet vaak tegen zouden komen, een man van achtenzestig zonder enige ziektesymptomen, zelfs niet die van hypochondrie.

Laat in de middag of vroeg in de avond kwam Leon vaak even langs om een klaagzang aan te heffen over zijn lange uren, walgelijke werkomstandigheden en onrechtvaardig lage inkomen, wat erg tactloos en egocentrisch was bij een man van wie ze allebei wisten dat hij binnenkort dood zou gaan.

Hij dacht alleen aan zichzelf.

De verpleegster heette Melissa MacIntosh en zoals alle goede vrouwen in de ogen van een man van de wereld met een neiging tot romantiseren, leek ze te mooi om waar te zijn.

Aan het begin van de tweede week stond ze hem toe om als ze naast zijn bed of stoel stond of zat met zijn vingertoppen de kanten zoom van haar onderjurk te strelen, terwijl ze een praatje bleef maken en zijn geflirt beantwoordde door hem toe te staan verder te gaan. Blozend van verwarring en gestimuleerd door zijn stoutheid hield ze zich op de vlakte als hij met de zoom van haar dunne onderrok speelde, maar ze voelde zich niet op haar gemak. Ze was doodsbang dat iemand hen op deze ontoelaatbare intimiteit zou betrappen, iets waar hij vurig op hoopte. Alle subtiele tekenen van zijn ontluikende erecties hield hij voor zuster MacIntosh verborgen. Hij wilde haar niet het idee geven dat hij serieuze bedoelingen had. Ze mocht zich gelukkig prijzen met een patiënt als hij. Dat zei hij tegen haar en zij beaamde het. Hij was minder bewerkelijk dan de andere mannen en vrouwen in de privékamers en kleine zalen op zijn verdieping. En ze vond hem intrigerender, zag hij – en daarom aantrekkelijker, begreep hij, maar misschien zij niet – dan de paar mannen met wie ze buiten het ziekenhuis omging, zelfs de paar met wie ze al enkele jaren exclusief, bijna exclusief, verkering had. Ze was nooit getrouwd geweest, zelfs niet een of twee keer. Yossarian was zo weinig bewerkelijk dat hij helemaal geen werk gaf, en Melissa en de andere verpleegsters hoefden eigenlijk alleen maar bij elke nieuwe dienst even hun hoofd om de deur te steken om te kijken of hij nog niet dood was en niet aan het beademingsapparaat hoefde.

'Alles goed?' vroegen ze altijd.

'Alles behalve mijn gezondheid,' antwoordde hij zuchtend.

'U bent kerngezond.'

Dat was het probleem, legde hij het probleem uit. Dat betekende dat hij alleen maar bergafwaarts kon gaan.

'Serieus,' grapte hij als ze lachten.

Op een dag had ze een zwarte onderjurk aan, want hij had haar gesmeekt, zogenaamd uit esthetische overwegingen, om iets anders aan te trekken. Als hij haar bij zich wilde hebben, voelde hij vaak dringend behoefte om ergens behoefte aan te hebben. Soms kwam er een andere verpleegster als hij belde.

'Stuur mijn Melissa,' beval hij dan.

De anderen waren hem altijd van dienst. Hij had geen tekort aan verpleegsters. Hij mankeerde niets, hielden de artsen hem dagelijks voor, en deze keer, besloot hij chagrijnig en teleurgesteld en met het gevoel dat hij bezwendeld werd, leken ze nog gelijk te hebben ook.

Zijn eetlust en spijsvertering waren prima. Zijn gehoor en ruggewervelapparaat waren aan een CAT-scan onderworpen. Zijn voorhoofdsholtes waren schoon en zijn lichaam vertoonde geen spoor van artritis, bursitis, angina of neuritis. Hij had zelfs geen postnasaal infuus. Zijn bloeddruk wekte de afgunst van elke dokter die hem onderzocht. Hij gaf en zij namen zijn urine. Zijn cholesterolgehalte was laag, zijn hemoglobinegehalte was hoog, zijn sediment was een lust voor het oog en zijn bloedstikstofgehalte ideaal. Ze verklaarden hem tot een volmaakt menselijk specimen. Daar zouden zijn eerste en zijn tweede vrouw, van wie hij inmiddels ook al een jaar gescheiden was, waarschijnlijk het hunne van denken, dacht hij.

Er was een kampioen-cardioloog die niets kon vinden, een patholoog voor zijn pathos, die evenmin iets zorgwekkends ontdekte, een enthousiaste gastro-enteroloog die gretig terugkwam voor een consult over een aantal creatieve beleggingsplannen in onroerend goed in Arizona, en een psycholoog voor zijn psyche, die Yossarian ten einde raad in vertrouwen moest nemen.

'En hoe zit het dan met die periodes van anomie en vermoeidheid en matheid en gedeprimeerdheid?' Yossarian stortte ademloos fluisterend zijn hart uit. 'Ik heb geen greintje belangstelling voor dingen die andere mensen belangrijk vinden. Ik heb mijn buik vol van nutteloze informatie. Ik wou dat de dagbladen kleiner waren en wekelijks uitkwamen. Wat er in de wereld gebeurt laat me koud. Conferenciers kunnen me niet aan het lachen maken en lange verhalen maken me gek. Ligt dat aan mij of aan mijn leeftijd? Of is de planeet werkelijk irrelevant aan het worden? Het televisiejournaal is ontaard. Iedereen kletst maar wat. Mijn geestdrift is definitief bekoeld. Voel ik me echt zo gezond of maak ik mezelf maar iets wijs? Ik heb zelfs een kop vol haar. Ik wil een eerlijk antwoord, Doc. Is mijn depressie psychisch?'

'U bent niet depressief en niet uitgeput.'

Later overlegde de psycholoog met het hoofd van de psychiatrische dienst, die alle andere artsen consulteerde, waarna men het unaniem eens werd dat er niets psychosomatisch was aan de uitstekende gezondheid die hij genoot en dat het haar op zijn hoofd eveneens echt was.

'Alhoewel,' voegde het hoofd van de afdeling psychiatrie er terwijl hij zijn keel schraapte aan toe, 'ik me verplicht voel u aan te merken als een prima kandidaat voor involutiedepressie.'

'Involutiedepressie?' Yossarian proefde het woord. 'Wat is dat?

'Ouderdomsdepressie.'

'En wanneer is daar ongeveer de tijd voor?'

'Ongeveer nu. Is er iets waar u echt van geniet?'

'Ik ben bang van niet. Ik loop achter de vrouwen aan, maar niet al te hard. Ik verdien meer dan ik op kan maken.'

'Geniet u daarvan?'

'Nee. Ik heb geen ambities en heb nergens bijzonder veel behoefte aan.'

'Geen golf, bridge, tennis? Kunstvoorwerpen of antiek verzamelen?'

'Allemaal uitgesloten.'

'De prognose is niet goed.'

'Dat wist ik allang.'

'Zoals het zich op dit moment laat aanzien, meneer Yossarian,' zei de geneesheer-directeur, sprekend voor het hele ziekenhuis, met Leon Shumachers voor driekwart kale hoofd boven zijn schouder, 'zou u eeuwig kunnen leven.'

Het had er dus alles van weg dat hij zich nergens zorgen over hoefde te maken, behalve over inflatie en deflatie, hogere en lagere rentevoeten, het gat in de begroting, de oorlogsdreiging en de gevaren van de vrede, de negatieve handelsbalans en de positieve handelsbalans, de nieuwe president en de oude legerpredikant, een sterke dollar en een zwakke dollar plus wrijving, entropie, radioactiviteit en zwaartekracht.

Maar hij maakte zich ook zorgen over zijn vriendin, zuster Melissa MacIntosh, omdat die geen spaarcentjes had. Haar ouders hadden ook niets en als ze lang genoeg bleef leven, zou ze helemaal afhankelijk zijn van de sociale voorzieningen, plus de grijpstuiver van haar ziekenhuispensioen, als ze daar de eerstkomende twintig of driehonderd jaar bleef werken, wat uitgesloten leek, tenzij ze vóór die tijd een niet onbemiddelde heer van enige stand tegenkwam die ze even aantrekkelijk vond als Yossarian en met hem trouwde, wat hem eveneens volstrekt uitgesloten leek. Maar weinig mannen konden zo innemend geile praat uitslaan. Meer dan eens dacht hij aan haar met pijn in het hart: ze was te onschuldig om aan de harteloze dynamiek van financiële zorgen overgelaten te worden, te lief, naïef en onzelfzuchtig.

'Wat je zonder meer moet doen,' zei hij op een goede dag, toen ze hem smeekte haar te adviseren over de vraag of zij en haar kamergenote individuele pensioenrekeningen moesten openen – waarop Yossarian adviseerde dat het openen van individuele pensioenrekeningen volgens hem op de lange termijn geen sodemieter praktisch nut had, behalve misschien voor de banken die ze je aansmeerden – 'is meteen met iemand zoals ik trouwen, iemand met een spaarcentje, die verstand heeft van verzekeringspolissen en erfenissen en pas één keer eerder getrouwd is geweest.

'Zou jij te oud voor me zijn?' vroeg ze paniekerig.

'Jij zou te jong voor me zijn. Doe het snel, vandaag nog. Zelfs een dokter zou kunnen. Voor je het weet ben je net zo oud als ik en heb je helemaal niks.'

Hij maakte zich ook zorgen over de roekeloze sentimentaliteit waarmee hij zich zorgen maakte over het lot van iemand die dat nodig had.

Zo zat Amerika niet in elkaar.

Het laatste wat hij wilde was nog een blok aan zijn been. Of twee, want ze sprak met trots over een knappe, jolige kamergenote in haar krappe appartementje, ene Angela Piper die langer en toeschietelijker was dan zij, een natuurlijk blondje uit Australië met lichter blond haar en grotere borsten en stilettohakken en witte lipstick en witte oogschaduw, die vertegenwoordigster was voor een fabrikant van nouveautés, die ze dermate gewaagde ideeën voor nieuwe produkten aan de hand deed dat de eigenaars, twee oudere joodse huisvaders, blozend en beduusd hun mond hielden. Ze genoot van de indruk die ze maakte in de dure bars in het centrum waar ze na haar werk vaak rondhing om feestvierende zakenlui te ontmoeten met wie ze ging eten en dansen en die ze aan het eind van haar gezellige avondje meedogenloos bij de voordeur van hun flatgebouw liet staan. Ze leerde zelden iemand kennen die ze aardig genoeg vond om langer mee om te gaan omdat ze vrijwel nooit genoeg dronk om dronken te worden. Als mannen om haar telefoonnummer vroegen, kregen ze het nummer van het gemeentelijk mortuarium, vertelde Melissa MacIntosh, zo vrolijk en onder de indruk van deze zelfbewuste, jolige levenshouding dat Yossarian wist dat hij op het eerste gezicht verliefd op deze vrouw zou worden – vooropgesteld dat hij haar nooit zou zien – en innig verliefd zou blijven totdat hij haar voor de tweede keer zag. Maar de lange blondine van tegen de veertig met de witte make-up en de zwarte kousen met het motiefje van klimmende slangen had evenmin rijke ouders of spaarcentjes en Yossarian vroeg zich af:

Wat is er toch mis met deze waardeloze wereld?

Het leek hem redelijk dat iedereen die hij geen kwaad hart toedroeg genoeg geld had om zonder angst de toekomst tegemoet te zien, en met hangend hoofd verloor hij zich in de edele dagdroom van medegevoel waarin hij deze opmerkelijke, welgevormde zielepoot van een kamergenote in zijn armen nam, haar tranen droogde en al haar zorgen uit haar hoofd praatte terwijl hij strelend over haar achterste haar jurk openritste.

Dat zou de privé-detectives die hem schaduwden nog eens stof tot schrijven opleveren! De eerste stille – althans hij leek vrij stil – was hem helemaal tot in het ziekenhuis gevolgd, waar hij meteen na het bezoekuur plat ging met een ernstige stafylokokken-infectie en samen met drie eerdere bezoekers, geveld door dezelfde infectie en in Yossarians ogen god weet ook privé-detectives, met bloedvergiftiging in een andere vleugel in een ziekenhuisbed belandde. Yossarian had ze alle vier kunnen vertellen dat ziekenhuizen een gevaarlijke omgeving zijn. Er vielen zelfs lijken. Een man uit België werd opgenomen en kreeg een mes door zijn keel. De stille die de eerste detective kwam aflossen ging meteen de volgende dag onderuit aan salmonella-vergiftiging ten gevolge van een boterham met ei uit het ziekenhuiscafetaria en lag nu eveneens langzaam herstellend in bed. Yossarian overwoog hem bloemen te sturen. In plaats daarvan stuurde hij allebei een kaartje met 'van harte beterschap, Albert C. Tappman'. Albert C. Tappman was de naam van de predikant van zijn oude bommenwerpersgroep en hij schreef de titel erbij, zich afvragend wat de ontvangers van deze kaartjes zouden denken en waar de dominee vastgehouden werd en of hij bedreigd, mishandeld, uitgehongerd of gemarteld werd. De volgende dag stuurde hij de twee detectives opnieuw een kaartje onder de naam Washington Irving. De dag daarop stuurde hij nog twee kaartjes, ditmaal ondertekend door Irving Washington.

De tweede privé-detective werd afgelost door twee nieuwe, die elkaar niet schenen te kennen en waarvan nummer één vreemd genoeg even gebrand leek op het navorsen van alle anderen als op het in de gaten houden van Yossarian.

Hij vroeg zich af wat ze over hem hoopten te ontdekken dat hij hun niet met het grootste plezier meteen zou vertellen. Als ze op ontrouw uit waren, konden ze die krijgen, en hij maakte zich zo ongerust over Melissa MacIntosh' goede hart en hachelijke financiële toekomst dat hij zich van de weeromstuit zorgen begon te maken over zijn eigen toekomst, zodat hij besloot de oncoloog terug te laten komen voor een paar waterdichte garanties aangaande een beruchte dodelijke ziekte en voor, indien mogelijk, verdere beschouwingen over de hoofdrol van de biologie in 's mensen handelen en de tirannie van de genen in het reilen en zeilen van samenlevingen en de geschiedenis.

'Je bent gek,' zei Leon.

'Laat dan de psychiater ook maar komen.'
'Je hebt geen kanker. Waarom wil je hem spreken?'
'Bij wijze van goede daad, druiloor. Geloof jij niet in goede daden? Dat arme klerelijertje is het toppunt van zwartgalligheid. Hoeveel keer per week denk je dat hij een patiënt goed nieuws kan geven? De ellende waar die gast in grossiert is een van de weinige soorten die ik misschien kans zie te omzeilen.'
'Het is mijn ellende niet,' zei de vreugdeloze oncoloog, op wiens spichtige gezicht kommer en kwel zich even thuis schenen te voelen als het donker in de nacht en de grijze hemel in de winter. 'Hoewel u zou opkijken als u wist hoeveel mensen mij er toch de schuld van geven. Zelfs mijn collega's mogen me niet. Vrijwel niemand wil met me praten. Misschien ben ik daarom zo stil. Ik oefen niet genoeg.'
'Dat noem ik nog eens karakter,' zei Yossarian, hoewel hij er weinig bewijs van zag. 'Is het geen hoopgevend idee dat u vroeg of laat waarschijnlijk een belangrijke rol in mijn leven zult spelen?'
'Niet erg.' Hij heette Dennis Teemer. 'Waar wilt u dat ik begin?'
'Op elke willekeurige plek zonder pijn of ongemak,' antwoordde Yossarian monter.
'U hebt geen enkel symptoom dat nader onderzoek noodzakelijk maakt.'
'Waarom zouden we wachten op symptomen?' vroeg Yossarian zijn specialist neerbuigend. 'Is het niet mogelijk dat er sinds onze laatste onderzoekingen iets ontstaan is dat op dit moment, terwijl wij hier zelfgenoegzaam zitten te treuzelen, welig verder tiert?'
Dennis Teemer fleurde nauwelijks merkbaar op. 'U bent waarschijnlijk een vermakelijker patiënt dan de meeste andere, is het niet?'
'Dat zei ik al tegen Leon.'
'Maar dat komt misschien doordat u niet echt mijn patiënt bent,' zei dokter Teemer. 'Wat u daar zegt is natuurlijk mogelijk, meneer Yossarian, maar de kans is bij u niet groter dan bij andere mensen.'
'Wat heb ik daaraan?' repliceerde Yossarian. 'De wetenschap dat iedereen het kan krijgen is een schrale troost. Leon denkt dat ik me beter zal voelen als ik weet dat ik er niet slechter voorsta dan hij. Begin maar.'
'We kunnen beginnen met u opnieuw door te lichten.'
'God, nee!' riep Yossarian quasi-geschrokken. 'Daar zou ik het juist van kunnen krijgen! U weet hoe ik over röntgenstralen en asbest denk.'
'En tabak. Ik kan u cijfers geven waar u waarschijnlijk van zult smullen. Wist u dat er jaarlijks meer Amerikanen overlijden aan de

gevolgen van het roken dan er in de hele Tweede Wereldoorlog gesneuveld zijn?'

'Ja.'

'Dan kunnen we geloof ik beter beginnen. Zal ik uw kniepeesreflex testen?'

'Waarvoor?'

'Voor niets.'

'Kunnen we niet op zijn minst een biopsie doen?'

'Waarvan?'

'Van iets makkelijks en simpels.'

'Als u dat geruststelt.'

'Dan kan ik beter slapen.'

'We kunnen een uitstrijkje maken van een andere moedervlek of levervlek. Of zullen we een nieuw prostaatonderzoek doen? De prostaat is geen zeldzaamheid.'

'De mijne is uniek,' sprak Yossarian hem tegen. 'Het is de enige die ik heb. Laten we de moedervlek nemen. Shumacher zijn prostaat is even oud als de mijne. Vertel het me maar als u daar iets aan vindt.'

'Dan kan ik u meteen vertellen,' zei Yossarians lievelingsoncoloog, 'dat ik u met het grootste genoegen kan meedelen dat de uitslag negatief is.'

'Dan kan ik u meteen vertellen,' zei Yossarian, 'dat me dat veel genoegen doet.'

Yossarian zou met deze gedeprimeerde man dolgraag dieper ingaan op het deprimerende karakter van de pathologieën in de deprimerende wereld van zijn werk en het deprimerende karakter van het universum waarin ze zich tot op dat moment allebei met succes staande hadden weten te houden en dat met de dag onbetrouwbaarder werd – er zaten gaten in de ozonlaag, ze konden hun afval bijna nergens meer kwijt, als je alles verbrandde vervuilde je de lucht, de lucht raakte op – maar hij was bang dat de dokter dat gesprek deprimerend zou vinden.

Dit kostte natuurlijk allemaal geld.

'Natuurlijk,' zei Yossarian.

'Waar komt het vandaan?' vroeg Leon Shumacher zich hardop en met hoorbare afgunst af.

'Ik ben oud genoeg voor de Bejaardenzorg.'

'De Bejaardenzorg dekt hier nog geen fractie van.'

'En de rest komt van een fantastisch beleggingsplan.'

'Ik wou dat ik zo'n beleggingsplan had,' pruilde Leon.

Het plan, legde Yossarian uit, was van het bedrijf waar hij werkte en nog steeds op de loonlijst stond op de semi-leidinggevende positie van semi-gepensioneerde semi-consulent, een positie die hij zijn hele verdere leven kon blijven bekleden, op voorwaarde dat hij zich niet te veel uitsloofde.

'Ik wou dat ik zo'n baantje had. Wat houdt het verdomme in?' Leon bouwde hem spottend na: 'Yossarian, John. Beroep: semi-gepensioneerd semi-consulent. Wat moeten onze epidemiologen zich daar in godsnaam bij voorstellen?'

'Dit is een van mijn carrières. Ik werk de halve tijd voor mijn hele honorarium en naar meer dan de helft van wat ik zeg wordt niet geluisterd. Voor mij is dat een semi-gepensioneerde semi-consulent, voor jou niet dan? De zaak betaalt alles. We zijn even groot als Harold Strangelove en Co. en bijna even sympathiek. Wij heten M & M Ondernemingen en Co. Ik ben een van de compagnons. De andere mensen zijn ondernemend. Ik compagneer, zij ondernemen.'

'Wat doen ze precies?'

'Alles waar aan te verdienen valt en wat niet oneerlijk misdadig is, denk ik,' antwoordde Yossarian.

'Is hier één woord van waar?'

'Geen idee. Wie weet liegen ze even hard tegen mij als tegen de rest. We hebben geheimen voor elkaar. Dit is geen verzinsel, controleer maar. Hang me maar aan die hartmachine en zie of het overslaat als ik lieg.'

'Doet het dat dan?' vroeg Leon verbaasd.

'Ik zou niet weten waarom niet.'

'Wat doe je daar dan?'

'Ik protesteer.'

'Doe niet zo lichtgeraakt.'

'Dit is mijn antwoord op je vraag,' zei Yossarian vriendelijk. 'Ik protesteer tegen dingen die tegen mijn ethische normen indruisen. Soms doe ik erg mijn best om te protesteren. Dan doen ze het toch of ze doen het niet. Ik ben het bedrijfsgeweten, hun morele besef, da's een van de dingen die ik daar doe sinds de tijd dat ik twintig jaar geleden bij ze aanklopte voor illegale hulp om mijn kinderen uit Vietnam te houden. Hoe heb je de jouwe voor de dienstplicht behoed?'

'Medicijnenstudie. En natuurlijk schakelden ze, zo gauw het gevaar geweken was, alle twee over op bedrijfskunde. Tussen haakjes, het gerucht gaat dat je nog steeds aardig succes hebt bij een van onze beste verpleegsters.'

'Meer dan bij jou en je compagnons.'

'Melissa is een heel aardige meid en een uitstekende verpleegster.'
'Dat was me geloof ik al opgevallen.'
'En aantrekkelijk ook.'
'Heb ik ook gezien.'
'Een paar eersteklas specialisten hier hebben me eerlijk verteld dat ze best eens bij haar in de broek zouden willen.'
'Da's cru, Leon, echt cru, je moest je schamen,' berispte Yossarian hem vol walging. 'Wat een obscene manier om te zeggen dat jullie haar allemaal graag een veeg zouden geven.'
Leon trok een schaapachtig gezicht en Yossarian maakte gebruik van zijn kortstondige verwarring door bij wijze van gunst om een deurbordje met het opschrift Geen Bezoek te vragen, dat er hing voordat de volgende bezoeker hem kwam storen.
Het was zo'n zacht klopje dat Yossarian een ogenblik lang hoopte dat de legerpredikant als vrij man was teruggekeerd van de plaats waar hij conform de wet wederrechtelijk werd vastgehouden. Al Yossarians ideeën om hem te helpen waren uitgeput en eigenlijk stond hij helemaal machteloos.
Maar het was alleen Michael, zijn jongste zoon, de ambitieloze achterblijver van de vier volwassen kinderen die ooit samen een gezin hadden gevormd. Behalve Michael had hij nog zijn dochter Gillian, rechter in een zeer laag hof, Julian, zijn oudste, eveneens een uitslover, en Adrian, doorsnee en tevreden en genegeerd door de anderen omdat hij alleen maar doorsnee was. Michael, ongetrouwd, ongedurig, ongeschikt voor werk en onaanstootgevend, was langsgekomen om te zien wat hij weer in het ziekenhuis deed en om op te biechten dat hij overwoog om zijn rechtenstudie op te geven, omdat hij die even weinig opwindend vond als medicijnen, bedrijfskunde, de kunstacademie, de technische hogeschool en de diverse andere studierichtingen en instituten waar hij al zolang iemand zich wilde herinneren na even proberen de brui aan had gegeven.
'O, barst,' mopperde Yossarian. 'Ik trek steeds aan allerlei touwtjes om jou ergens onder te brengen en jij gooit er steeds het bijltje bij neer.'
'Ik kan er niks aan doen,' luidde Michaels ontmoedigende antwoord. 'Hoe meer ik te weten kom over de praktijk van de wet, hoe meer ik me verbaas dat het niet tegen de wet is.'
'Da's ook een van de redenen waarom ik er destijds mee opgehouden ben. Hoe oud ben je nu?'
'Bijna veertig.'
'Nog tijd genoeg.'

'Is dat een geintje of niet?'

'Weet ik zelf ook niet,' zei Yossarian. 'Maar als je de beslissing over wat je met je leven wilt gaan doen uit weet te stellen tot je oud genoeg bent om met pensioen te gaan, hoef je hem nooit te nemen.'

'Ik weet nog steeds niet of je serieus bent.'

'Ik ook niet altijd,' antwoordde Yossarian. 'Soms meen ik wat ik zeg en tegelijkertijd meen ik het niet. Vertel eens, mijn oogappel, denk je dat ik ooit in mijn bonte carrière echt plezier heb gehad in het werk waar ik mee opgezadeld werd?'

'De filmscripts ook niet?'

'Niet echt en niet lang. Dat was schone schijn en duurde maar even en van de eindprodukten was ik ook niet kapot. Denk je dat ik er behóefte aan had om in de reclame te gaan of in effecten, of me bezig te houden met zaken als grondontwikkeling of premies en opties? Wie begint zijn leven in godsnaam met de droom een carrière in public relations op te bouwen?'

'Heb je echt ooit voor Macaroni Cook gewerkt?'

'Macaroni Cook werkte voor mij. Meteen na ons afstuderen. Denk je dat we echt politieke toespraken wílden schrijven, Macaroni Cook en ik? We wilden toneelstukken schrijven en publiceren in *The New Yorker*. De meeste mensen hebben niet echt keus. We nemen het beste wat we kunnen krijgen, Michael, niet wat ons in vervoering brengt. Zelfs de prins van Wales.'

'Wel een klotemanier van leven, hè, pap?'

'De manier waarop we móeten leven.'

Michael deed er even het zwijgen toe. 'Ik kreeg het even benauwd toen ik dat bordje op je deur zag,' biechtte hij enigszins gekwetst op. 'Wie heeft dat daar verdomme neergehangen? Ik begon al te denken dat je echt ziek was.'

'Mijn idee van een grapje,' mompelde Yossarian, die met een viltstift de mededeling aan het bordje had toegevoegd dat overtreders doodgeschoten zouden worden. 'Zo hou je de mensen buiten. Anders wippen ze de hele dag binnen, zónder op te bellen. Ze hebben kennelijk niet in de gaten dat de hele dag in een ziekenhuis liggen behoorlijk afmattend kan zijn.'

'Je neemt toch nooit op. Ik wed dat je de enige patiënt bent met een antwoordapparaat. Hoe lang blijf je hier nog?'

'Is de burgemeester nog steeds burgemeester? De kardinaal nog steeds kardinaal? Is die lul nog steeds president?'

'Welke lul?'

'Elke lul die president is. Ik wil dat alle lullen verdwijnen.'

'Zo lang kun je hier niet blijven!' riep Michael. 'Waarom bén je hier trouwens? Je hebt nog maar een paar maanden geleden je jaarlijkse onderzoek gehad. Iedereen verslijt je voor gek.'

'Ik protesteer. Wie dan?'

'Ik.'

'Jij bent gek.'

'Wij allemaal.'

'Ik protesteer opnieuw. Jullie zijn allemáál gek.'

'Julian zegt dat je al jaren geleden de hele M & M over had kunnen nemen als je daar de ambitie en de hersens voor had gehad.'

'Julian is ook gek. Michael, deze keer was ik echt bang. Ik kreeg een visioen.'

'Waarvan?'

'Niet van de overname van M & M. Ik kreeg een aura, althans dat dacht ik, en ik was bang dat ik epilepsie of een tumor had en ik wist niet zeker of het verbeelding was of niet. Als ik me verveel word ik angstig. Dan krijg ik dingen als bindvliesontsteking en schimmeltenen. En ik slaap slecht. Je zult het niet geloven, Michael, maar als ik niet verliefd ben verveel ik me, en ik ben niet verliefd.'

'Dat zie ik,' zei Michael. 'Je bent niet op dieet.'

'Kun je dat daaraan zien?'

'Onder andere.'

'Ik dacht aan epilepsie, weet je, en aan een TIA, een zogenaamde kleine beroerte, weet jij veel. Daarna werd ik bang dat het een echte beroerte was... Iedereen zou altijd bang moeten zijn voor een beroerte. Praat ik te veel? Ik had het gevoel dat ik alles twee keer zag.'

'Dubbel, bedoel je?'

'Nee, dat nog niet. Het idee dat ik alles al eens eerder had meegemaakt. Op het nieuws hoorde ik vrijwel nooit iets nieuws. Elke dag was er wel een of andere politieke campagne aan de gang of aan het beginnen, of verkiezingen, of anders wel het zoveelste tennistoernooi of die godverlaten Olympische Spelen weer. Het leek me een goed idee om me ter observatie te laten opnemen. Maar mijn hersenen mankeren niets en mijn geest is helemaal helder. En ik heb een goed geweten.'

'Heel goed allemaal.'

'Pas maar op. Er zijn grove misdaden gepleegd door mensen met een goed geweten. En vergeet niet dat mijn vader aan een beroerte gestorven is.'

'Op zijn tweeënnegentigste?'

'Dacht je dat hij daar blij mee was? Michael, wat ga je met jezelf doen? Ik weet niet waar je je draai zult vinden en dat is slecht voor mijn gemoedsrust.'

'Nóu praat je te veel.'

'Jij bent de enige in de familie met wie ik echt kan praten, maar je luistert niet. Alle anderen weten dat, zelfs je moeder, die voortdurend meer alimentatie wil. Geld is wel degelijk belangrijk, bijna het allerbelangrijkste. Mag ik je een goeie raad geven? Zie werk te krijgen bij een bedrijf met een goede pensioenregeling en een goede ziekteverzekering, ongeacht welk bedrijf of wat voor werk of hoe erg het je tegenstaat, en blijf daar tot je niet meer kunt. Da's de enige manier om te leven, je voorbereiden op de dood.'

'God nog aan toe, pap, meen je dat serieus?'

'Nee, maar het zou best waar kunnen zijn. Maar van een uitkering kun je niet leven en die krijg je trouwens niet eens. Zelfs die arme Melissa zal meer te makken hebben.'

'Wie is die arme Melissa?'

'Die schat van een verpleegster daar, aantrekkelijk en vrij jong.'

'Ze is niet bijster aantrekkelijk en ouder dan ik.'

'Dacht je?'

'Da's toch duidelijk.'

Aan het eind van Yossarians tweede week in het ziekenhuis werd het komplot gesmeed om hem weg te jagen.

Ze joegen hem weg met de man uit België in de kamer naast hem. De Belg was financieel adviseur bij de Europese Gemeenschap – een doodzieke financieel adviseur uit België die amper Engels sprak, wat weinig verschil maakte, aangezien ze juist een stuk uit zijn keel hadden gesneden en hij toch niets kon zeggen, en ook vrijwel niets verstond, wat een heleboel verschil maakte voor de verpleegsters en diverse artsen, die er niet in slaagden tot hem door te dringen. De hele dag en meer dan de halve nacht zat zijn kleine, wasbleke, in kreukelige modekleding gestoken Belgische vrouwtje bij zijn bed; ze kettingrookte, verstond evenmin Engels, ging onophoudelijk hysterisch tegen de verpleegsters tekeer en sloeg elke keer als hij kreunde of zich verslikte of sliep of wakker werd krijsend alarm. Hij was naar Amerika gekomen om beter gemaakt te worden en de dokters hadden een flinke hap uit zijn strottehoofd genomen, omdat hij anders dood zou zijn gegaan. Nu wisten ze niet zeker of hij het wel zou halen. Jezus, dacht Yossarian, hoe houdt hij dit vol?

Jezus, dacht Yossarian, hoe hou ík dit vol?

De man kon zijn gevoelens alleen kenbaar maken door nee te schudden of ja te knikken op het paniekerige spervuur van vragen dat zijn vrouw op hem afvuurde, maar ze kon zijn reacties niet overbrengen. Hij werd bedreigd door meer gevaren en ongemakken dan Yossarian op de vingers van beide handen kon tellen. De eerste keer dat hij het probeerde kwam hij vingers te kort en een tweede poging deed hij niet. Hij had er geen nieuwe vingers bij gekregen. Meestal heerste er zo'n door merg en been gaande commotie om hem heen dat hij nauwelijks de tijd kreeg om over zichzelf na te denken. Yossarian maakte zich meer zorgen over de Belg dan hem lief was. Hij voelde zijn stress toenemen en hij wist dat stress niet gezond was. Van stress kon je kanker krijgen. Door zich zorgen te maken over zijn stress raakte Yossarian nog gestresster en bovendien begon hij medelijden met zichzelf te krijgen.

De man leed pijn waar Yossarian zich geen voorstelling van kon maken. Yossarian kreeg er geen pijnstillers voor en voelde dat hij er niet lang meer tegen zou kunnen. De Belg kreeg narcotica. Hij kreeg suctie. Hij kreeg medicijnen en werd gesteriliseerd. Hij hield iedereen zo bezig dat zuster MacIntosh nauwelijks tijd over had om hem met de kanten zoom van haar onderjurk te laten spelen. Zaken zijn zaken en de zieke Belg was een ernstige zaak. Melissa was vermoeid en verfomfaaid, verstrooid en ademloos. Hij vond het niet in de haak haar aandacht op te eisen, terwijl zich vlak naast hem zoveel kritieks afspeelde, en na eerst zo verwend te zijn geweest voelde hij zich nu tekortgedaan. Niemand anders was goed genoeg.

De Belg, die zich nauwelijks kon verroeren, hield iedereen aan het rennen. Hij werd parenteraal gevoed door een slang in zijn keel om hem voor verhongering te behoeden. Ze dienden de arme man intraveneus water toe om te voorkomen dat hij uitdroogde, zogen vloeistof uit zijn longen om te voorkomen dat hij verdronk.

Hij was een volledige dagtaak. Hij had een slang in zijn borst en een slang in zijn buik en vereiste zo'n constante verzorging dat Yossarian nauwelijks tijd had om aan dominee Tappman en zijn probleem of aan Milo en Wintergreen en hun squadrons onzichtbare bommenwerpers of aan de lange Australische kamergenote met de witte make-up en de grote borsten en de stilettohakken of aan wie dan ook te denken. Elke dag waagde Yossarian zich een paar keer de gang op om te kijken wat zich in de kamer naast hem afspeelde. Elke keer wankelde hij aangeslagen terug en liet zich met zijn arm over zijn ogen op bed vallen.

Als zijn visioen optrok en hij zijn ogen weer opendeed, stond daar steevast de geheimzinnigste van de privé-detectives naar hem te loeren. Deze geheim agent was een keurig mannetje met goed gesneden kostuums en ingehouden paisley-stropdassen, een buitenlands voorkomen en donkere ogen in een gebeeldhouwd gezicht dat iets oosters had en hem aan een noot deed denken, een gepelde amandel.

'Wie ben jij godverdomme?' had Yossarian hem al diverse keren willen toeschreeuwen.

'Hé, wie bent u?' vroeg hij een keer vriendelijk, met een gedwongen glimlachje.

'Hebt u het tegen mij?' was het hooghartige antwoord in een zachte, volmaakt accentloze stem.

'Kan ik u ergens mee helpen?'

'Nee hoor. Ik dacht alleen: waar is die gezette, kalende man met het gele haar die tot voor enkele dagen zo vaak in deze gang liep.'

'De andere privé-detective?'

'Ik heb geen idee over wie u het heeft!' antwoordde de man, zich schielijk terugtrekkend.

'Wie ben jij godverdomme?' schreeuwde Yossarian hem alsnog na, precies op het moment dat de bekende kreten in de gang weer opgingen en het geroffel van rubberzolen weer begon.

'Wie spreekt er Frans? Wie spreekt er Frans?' Deze gekwelde weeklacht steeg elke dag wel tien keer op uit zuster MacIntosh, zuster Cramer of een van de andere verpleegsters, of anders wel uit een van de ontelbare specialisten, technici of Afro-Amerikaanse, Latijnsamerikaanse of Oosterse assistenten en andersoortige economische vluchtelingen die de Belg tegen betaling verzorgden in die bizarre, onnatuurlijke ziekenhuisbeschaving die volmaakt natuurlijk was. Nu op elke verdieping naast de snoep- en drankautomaten een geldautomaat hing, hoefde een patiënt met een creditcard en een ruime ziekteverzekering nooit meer een voet buiten het ziekenhuis te zetten.

De geheim agent met de perfecte uitspraak en de smetteloze Engelse kostuums kwam niet één keer naar voren, hoewel Yossarian durfde te wedden dat hij niet alleen Frans sprak, maar ook geheimtaal kon ontcijferen.

Yossarian sprak een paar woorden slecht Frans, maar besloot zich nergens mee te bemoeien. De gedachte aan nalatigheid speelde hem parten. Eén foutje in de vertaling en voor je het wist had hij een aanklacht wegens het onbevoegd uitoefenen van de geneeskunde aan zijn broek. Yossarian wist van zichzelf dat als hij dit op zijn leeftijd vier of veertien dagen moest doormaken – zich met of zonder strottehoofd voor God weet hoe kort nog aan het leven proberen vast te klampen – hij waarschijnlijk protest zou aantekenen. Dat liever niet. In de grond kwam het hierop neer: hij kon niet tegen de pijn van de Belg.

Hij zou haar in de steek moeten laten.

Yossarian was gevoelig voor andermans symptomen, dat wist hij. Nog dezelfde dag werd hij hees.

'Wat heb je?' beet zuster MacIntosh hem de volgende ochtend bezorgd toe, toen ze opgemaakt en met de naden van haar naadloze kousen rechtgetrokken piekfijn verzorgd zijn kamer binnenkwam om te kijken of alles goed met hem was. 'Je klinkt anders. Waarom eet je niet?'

'Weet ik niet. Ik ben hees. Ik heb op het moment geen honger. Ik weet niet waarom ik zo hees ben.'

Hij had geen koorts of lichamelijke klachten en volgens de haastig opgetrommelde keel-, neus- en oorspecialist was er nergens in zijn keel, neus of oren een ontsteking te vinden.

De volgende dag had hij keelpijn. Ook voelde hij een soort brok en had hij moeite met slikken, nog steeds zonder tekenen van infectie of obstructie, en hij was er absoluut van overtuigd dat hij, als hij hier nog langer bleef hangen en er niet als de weerlicht vandoor ging, binnenkort ook zijn strottehoofd aan kanker kwijt zou raken.

Zuster Melissa MacIntosh leek overmand door verdriet. Het was niets persoonlijks, verzekerde hij haar. Hij beloofde galant dat hij haar binnenkort mee zou nemen naar een goed restaurant en naar Parijs en Florence en misschien zelfs naar München om samen naar kanten lingerie in de winkels te kijken, als het klikte en ze er geen bezwaar tegen had om overal door privé-detectives gevolgd te worden. Ze dacht dat de privé-detectives een grapje waren en zei dat ze hem zou missen. Zijn volmaakte antwoord luidde dat hij haar daar de kans niet voor zou geven, hoewel hij zich terwijl hij oprecht in haar ernstige blauwe ogen keek en haar warm de hand drukte al afvroeg of hij zich zelfs zou herinneren haar terug te willen zien.

BOEK TWEE

4

LEW

Ik ben sterk en zonder angst geboren. Tot vandaag de dag geloof ik niet dat ik weet wat het betekent om bang te zijn voor een ander. Ik heb mijn spieren en zware botten en diepe borst niet van mijn werk als jongen in de schroothandel van mijn vader, waar ik krantenbalen maakte en met zware dingen sjouwde. Als ik niet sterk genoeg was geweest, had hij het me niet laten doen. Dan had hij me aan de boeken gezet of boodschappen laten doen, net als mijn zusters en mijn broer Ira. Mijn ouders hadden vier jongens en twee meisjes en ik was de op een na jongste zoon. Mijn moeder vertelde altijd dat ik de sterkste baby was die ze ooit had meegemaakt, én de hongerigste. Ze moest me met beide handen van de borst trekken.

'Net als Hercules in zijn wieg,' zei Sammy Singer een keer.

'Wie?'

'Hercules. Toen Hercules een baby was.'

'Wat was er dan?'

'Na zijn geboorte stuurde iemand een paar grote slangen naar hem toe om hem dood te bijten. Hij wurgde er met elke hand een.'

'Dat verzin je, professor weetal.'

De kleine Sammy Singer wist dat soort dingen al toen hij in de derde of vierde klas van de lagere school zat. Of misschien was het de zesde of de zevende. Wij schreven allemaal een opstel over *Tom Sawyer* en *Robinson Crusoe*, maar hij over de *Ilias*. Sammy was een bolleboos, ik was slim. Hij zocht alles op. Ik puzzelde het zelf uit. Hij was goed in schaken, ik was goed in kaarten. Ik hield op met schaken en hij bleef geld verliezen met kaarten. Dus wie was de slimste? Toen we in dienst gingen wilde hij gevechtspiloot worden en koos de luchtmacht. Ik koos voor de landmacht, want ik wilde tegen de Duitsers vechten. Ik hoopte een tank te krijgen om ze met hele troepen tegelijk te verpletteren. Hij werd staartschutter, ik kwam terecht in de infanterie. Hij stortte in zee en kwam thuis met een medaille, ik werd krijgsgevangen gemaakt en zat tot aan het eind in een Duits gevangenenkamp. Misschien was hij toch de slimste. Na de oorlog ging hij op staatskosten studeren. Ik kocht een houthandel buiten de stad. Ik kocht een bouwperceel en bouwde op de gok een huis, samen met een paar klanten die meer van huizenbouw wisten dan ik. Ik had meer verstand van zakendoen. Met de winst van dat huis bouwde ik het volgende alleen. Ik ontdekte krediet. In Coney Island wisten we niet dat banken gráág geld uitleenden. Hij ging naar de opera en ik ging eenden en ganzen jagen met plaatselijke loodgieters en bankiers uit New England. Als krijgsgevangene in Duitsland zat ik elke keer dat we verplaatst werden in de rats over wat er zou gebeuren als de nieuwe bewakers mijn hondepenning lazen en erachter kwamen dat ik joods was. Ik zat in de rats, maar ik herinner me niet dat ik bang was. Bij elke verhuizing, steeds dieper Duitsland in, richting Dresden, zorgde ik ervoor een manier te hebben om ze in te lichten voordat ze het zelf ontdekten. Ik wou niet dat ze dachten dat ze een gevangene hadden die iets voor ze verborgen hield. Totdat Sammy ernaar vroeg had ik niet het idee dat ze me in mijn gezicht zouden spugen of me met een geweerkolf de hersens in zouden slaan of me ergens in de struiken met geweren of bajonetten zouden afmaken. We waren bijna allemaal nog jongens en ik dacht gewoon dat ze me af zouden bekken en uit zouden schelden en dat ik een paar kaakslagen uit zou moeten delen om er een eind aan te maken. Daar twijfelde ik geen seconde aan. Ik was LR, Lewis Rabinowitz, Mermaid Avenue, Coney Island, Brooklyn, New York, en in die tijd wist ik absoluut zeker dat ik op elk gebied onverslaanbaar was en dat alles wat ik ondernam moest lukken.

Als kind heb ik altijd dat gevoel gehad. Ik was van jongs af aan groot, met brede schouders en een harde stem, en ik voelde me groter en breder dan ik was. Op de lagere school zag ik oudere kinderen die groter waren dan ik en misschien ook sterker, maar voor mijn gevoel niet. En ik was nooit bang voor de kinderen van de paar Italiaanse gezinnen in onze buurt, al die Bartolini's en Palumbo's, waar de andere jongens nauwelijks over durfden te praten, behalve binnenshuis. Er werd gefluisterd dat ze messen hadden, die spaghettivreters. Ik heb er nooit een gezien. Ik liet hen met rust en zij mij. En voor zover ik na kon gaan de anderen ook. Behalve die ene keer dat ik na de middagpauze buiten de speelplaats op het trottoir zat te wachten tot de deuren opengingen en de school weer begon en een mager joch uit de hoogste klas voorbij sjokte en expres op mijn voet ging staan. Hij droeg gympies. Dat mocht wel niet als we geen gymnastiek hadden, maar die Bartolini's en Palumbo's deden het toch als ze er zin in hadden. 'Hééé,' zei ik tegen mezelf toen ik het zag gebeuren. Ik had hem aan zien komen en gezien hoe hij zich met een stiekem, onschuldig smoelwerk naar me toe draaide. Wat ik niet zag was mijn arm, die uitschoot en hem bij zijn enkel pakte en die stevig vasthield, terwijl hij van plan was me straal te negeren en door te lopen, alsof hij volledig in zijn recht stond, alsof ik verdomme lucht was. Maar ik liet niet los en daar keek hij van op. Hij trok een stoer gezicht. We waren amper dertien.

'Hé, wat mot dat?' snauwde hij.

Ik keek nog stoerder. 'Je hebt iets laten vallen,' zei ik met een kil glimlachje.

'O ja? Wat dan?'

'Je voetstappen.'

'Heel geestig. Laat m'n been los.'

'En een ervan is op mijn voet gevallen.' Met mijn andere hand tikte ik op de plek waar hij gestaan had.

'O ja?'

'Ja.'

Hij trok harder. Ik kneep harder.

'Dan was het per ongeluk.'

'Volgens mij was het expres,' zei ik tegen hem. 'Als je zweert dat het per ongeluk was, geloof ik je misschien.'

'Wou je soms de stoere bink uithangen?'

'Ja.'

Andere jongens keken toe, meisjes ook. Een lekker gevoel.

'Nou, ik dee 't niet expres,' zei hij, en hield op met trekken.

'Dan denk ik dat ik je geloof.'

Daarna waren we een poosje vrienden.

Op een goeie dag besloot Sammy dat hij me wilde leren boksen om me te laten zien dat hij daar veel beter in was.

'Er komt meer bij kijken dan brute kracht, Lew.'

Hij had een instructieboekje gelezen en twee paar bokshandschoenen geleend. Ik kon mijn lachen niet inhouden toen we elkaars handschoenen vastmaakten. Hij liet me zien hoe je moest staan, hoe je je handen moest houden, hij leerde me de directe, de hoek, 'de uppercut'.

'Oké tijger, ik heb het gezien. Wat nou?'

'We doen drie minuten, dan één minuut rust om je te laten zien wat je verkeerd gedaan hebt en dan weer een ronde. En vergeet niet, blijven bewegen. Niet slaan in de clinch en ook geen worstelen. Da's tegen de regels. Hou je linkerhand omhoog, hoger, zo ja, alleen verder naar voren. Anders sla ik zo door je verdediging heen. Goed zo. Daar gaat-ie dan.'

Hij nam de bokshouding aan en danste heen en weer. Ik liep recht naar hem toe en drukte met mijn linkerhand moeiteloos allebei zijn armen naar beneden. Met mijn rechterhandschoen pakte ik zijn kin en trok die speels heen en weer.

'Da's een clinch,' schreeuwde hij. 'Je mag iemand z'n kin niet vasthouden. Je moet óf stompen óf niks doen. Nou moeten we los en opnieuw beginnen. En vergeet niet, jij moet proberen mij te raken.'

Deze keer danste hij nog sneller, raakte de zijkant van mijn hoofd met een directe en danste meteen weer weg. Ik liep weer naar hem toe, duwde met één hand moeiteloos zijn armen omlaag en gaf hem met mijn andere hand een paar zachte tikjes op zijn wangen. Ik móest gewoon lachen toen ik naar hem keek. Ik grinnikte, hij hijgde.

'We kunnen beter iets anders gaan doen,' zei hij bedrukt. 'Dit wordt volgens mij niks.'

Ik maakte me wel eens zorgen over de kleine Sammy, want het was een slappeling en hij had er een handje van mensen te stangen. Maar hij was slim genoeg om alleen mensen te stangen waarvan hij wist dat ze niet kwaad zouden worden. Mij bijvoorbeeld.

'Hé, Lew, hoe maakt je vriendin met de grote tieten 't?' zei hij bijvoorbeeld altijd in de oorlog, toen ik verkering had met Claire en haar een keer had meegebracht.

'Slimme jongen ben jij,' zei ik dan knarsetandend met een geforceerd glimlachje. Achter mijn kaak, in de zijkant van mijn nek, zit een zenuw die ik altijd voelde trillen als ik begon te zieden. Als ik bij het kaarten te hoog geboden had en alle slagen moest halen, voelde ik hem ook.

'Hé, Lew, doe de groeten aan je vrouw met de grote tieten,' was zijn geintje toen Claire en ik getrouwd waren. Winkler begon me ook zo te stangen en als ik van Sammy geen moes maakte, kon ik van hem ook geen moes maken, en van Sammy kon ik geen moes maken. Ik wou hem als getuige hebben, maar mijn ouders wilden mijn broers als getuigen en bij ons thuis deden we allemaal wat de rest wou.

Ik heette officieel Lewis, maar ze noemden me Louie alsof ik Louis heette, en voordat Sammy me daarop wees, had ik nooit verschil gezien. Nu trouwens nóg niet veel.

Sammy las kranten. Hij had een zwak voor zwarten, die volgens hem stemrecht moesten krijgen in het zuiden en de vrijheid om te wonen waar ze wilden. Mij interesseerde het niet waar ze woonden, zolang het maar niet bij mij in de buurt was. Op mensen die ik niet persoonlijk kende had ik het nooit zo begrepen. Toen Roosevelt president werd vonden we hem in het begin best een toffe kerel, maar eigenlijk vooral omdat hij Herbert Hoover niet was, of zo'n andere Republikein of een van die uit de klei getrokken antisemieten uit het zuiden of het middenwesten, of die pater Coughlan in Detroit. Maar we vertrouwden hem niet en we geloofden hem niet. We vertrouwden de banken niet en we vertrouwden hun boeken niet en we handelden zoveel mogelijk in contanten. En de Duitsers zagen we vóór Adolf Hitler al niet zitten. En waar ze bij ons thuis helemaal geen goed woord voor over hadden waren Duitse joden. Zelfs na Hitler. Mijn hele jeugd lang gingen ze over de tong.

'Ik heb nog nooit iemand iets kwaads toegewenst,' zei mijn moeder altijd. Ik heb het haar honderden keren horen beweren en het was gelogen. Ze deelde links en rechts angstaanjagende vervloekingen uit, ook aan ons. 'Maar als er ooit 'n volk is geweest dat z'n straf verdiende, dan waren zij het wel. We kwamen uit Polen en die Hamburgers vonden ons niet eens goed genoeg om naar te kijken. Vúil waren we in hun ogen. Ze schaamden zich voor onze koffers en onze kleren en reken maar dat ze dat lieten merken! Sommigen bestalen ons waar ze konden. Als er ergens een bank vrij was, of een plaats in de trein, legden ze er een hoed op dat hij zogenaamd bezet was, dan konden wij niet naast ze komen zitten. Uren lieten ze ons staan, kinderen of niet. Dat waren de lui met geld. Ze deden zelfs alsof ze geen van allen Jiddisch spraken.'

Toen Sammy een poosje geleden op bezoek kwam, zei hij dat Duitse joden volgens hem waarschijnlijk geen Jiddisch spraken. Als mijn moeder dat ooit gehoord had zou ze zich Oostindisch doof gehouden hebben.

Toen het in Europa oorlog werd, waren we allemaal nog te jong om opgeroepen te worden. Ik hield op met Spaans op school en schakelde over op Duits – voor alle zekerheid – en begon jongens als Sammy op hun zenuwen te werken met mijn *Achtung, Wie gehts* en *nein* en *jawohl*. Als ze schreeuwden dat ik op moest houden gooide ik er een paar *danke schön*'s tegen aan. Tot in het leger bleef ik Duits leren. Toen ik in dienst ging kende ik genoeg Duits om de krijgsgevangenen in Fort Dix en Fort Sill en Fort Riley en Fort Benning af te bekken. Als krijgsgevangene buiten Dresden kon ik een beetje met de bewakers smoezen en soms voor tolk spelen voor de andere Amerikanen. Vanwege mijn Duits werd ik als leider van een werkploeg naar Dresden gestuurd, hoewel ik als sergeant niet verplicht was om te gaan.

De schroothandel liep geweldig voordat ik in dienst ging. Sammy's moeder bewaarde oude kranten en gaf ons aluminium potten en pannen en mijn vader verkocht ze. Mijn ouwe heer ontdekte dat er goed geld zat in afval, en dat een schroothandelaar met een beetje geluk een fortuin kon verdienen. We zochten als gekken naar gebouwen die op de nominatie stonden om gesloopt te worden. We volgden brandweerwagens. De grote branden in Coney Island waren altijd een goudmijn, dat wil zeggen een koper- en loodmijn vanwege de buizen die we ophaalden. Toen het Lunapark kort na de oorlog afbrandde, kwamen we om in het schroot. We werden betaald om het weg te halen en opnieuw betaald als we het doorverkochten aan de grote schroothandelaren. Om alles wat heet werd zat asbest en dat namen we ook mee en maakten er balen van. Na die brand zaten we er warmpjes bij en kon de ouwe heer me tienduizend dollar lenen voor die houthandel, tegen een fikse rente ook, want zo was-ie nu eenmaal en bovendien vond hij het helemaal geen goed idee. Hij wou niet dat ik de schroothandel uit ging en bijna drie uur van hem vandaan ging wonen. Ouwe scholen en ziekenhuizen waren nog beter. We kochten er een vrachtwagen bij en namen mannetjesputters uit de buurt in dienst om te sjouwen en andere handelaren weg te jagen. We namen zelfs een grote *schwartze* aan, een sterke, stille zwarte die Sonny heette en op een dag aan kwam lopen om werk te vragen. Met onze klauwiers en hamers braken we pleisterwerk en asbestisolatie open om de koperen en loden buizen met onze baalhaken, breekijzers en ijzerzagen te lijf te gaan. Mijn papa stuurde Smokey Rubin de laan uit.

Ik gaf het bericht door. Smokey liet me weten dat hij me zou komen zoeken en me beter niet kon vinden. Die avond ging ik naar Happy's Luncheonette aan Mermaid Avenue om op hem te wachten. Sammy en Winkler keken doodsbenauwd toen ze binnenkwamen en me zagen zitten. Of ze zó van hun stokje zouden gaan.

'Wat doe je hier?' vroeg Winkler. 'Ga weg, ga weg.'

'Weet je niet dat Smokey op jacht naar je is?' vroeg Sammy. 'Hij heeft een paar maten bij zich.'

'Zo kan-ie me makkelijker vinden. Als je hier wilt wachten kun je wat te drinken en te eten van me krijgen. Of je kunt gaan zitten waar je wilt.'

'Ga dan op z'n minst je broers halen als je de gek wilt uithangen,' zei Sammy. 'Zal ik effe gaan?'

'Neem liever iets te drinken.'

Lang hoefden we niet te wachten. Smokey zag me meteen toen hij binnenkwam – ik zat met mijn gezicht naar de deur – en stevende recht op ons af, met een kerel die Rooie Benny heette en een geschifte figuur die bekendstond als Willie de Vrijer in zijn kielzog.

'Ik heb je gezocht. Ik moet je spreken.'

'Ga je gang.' Onze blikken boorden zich in elkaar. 'Daar ben ik voor gekomen.'

'Kom maar naar buiten dan. Onder vier ogen.'

Ik dacht na. Zij waren minstens dertig en wij zeventieneneenhalf. Smokey had gebokst. Hij had in de nor gezeten en was minstens één keer zwaar toegetakeld in een messengevecht.

'Mij goed, Smokey,' besloot ik. 'Maar laat je jongens hier als het onder vier ogen moet zijn.'

'Jij hebt me zwart zitten maken, ja? Geen gelul. En je vader ook.'

'Waarmee?'

'Dat ik de laan uit gestuurd ben en dat ik gejat heb. Jouw vader heeft me niet ontslagen. Laten we dat even rechtzetten. Ik ben opgestapt. Ik voelde er niks meer voor om voor jullie soort te werken.'

'Smokey' – ik begon die zenuw aan de zijkant van mijn wang en nek te voelen – 'mijn ouwe heer zegt dat ik vooral niet moet vergeten om je te vertellen dat als je ooit nog één voet in de winkel zet, dat-ie je dan de rug breekt.'

Daar was Smokey even stil van. Hij kende mijn ouwe heer. Als mijn ouwe heer dat zei, dan meende hij het ook, dat wist Smokey. Mijn vader was klein, maar had de breedste, zwaarste schouders die ik ooit gezien heb, en kleine blauwe ogen in een gezicht dat aan een torpedo of een artilleriegranaat deed denken. Hij was net een blok ijzer met zijn sproeten en harde lijnen en levervlekken, een één meter vijfenzestig hoog aambeeld. Hij was smid geweest. We hebben allemaal grote koppen met een zware vierkante kaak. We zien eruit als Polakken en weten dat we smousen zijn. In Polen had hij een Kozak die mijn moeder afsnauwde met één klap doodgeslagen, en in Hamburg scheelde het weinig of iemand van de immigratiedienst die dezelfde fout maakte was hetzelfde overkomen, alleen krabbelde hij op tijd terug. Onze familie liet zich door niemand ongestraft beledigen, behalve ik dan, door Sammy Singer over mijn vrouw met de grote tieten.

'Hoe maakt je vader het, Marvin?' vroeg Rooie Benny aan Winkler, terwijl iedereen in Happy's Luncheonette toekeek. Nou had Smokey nóg een reden om voorzichtig te zijn.

Winkler trommelde zwijgend met zijn vingers op het tafeltje.

Zijn vader was een bookmaker en zowat de rijkste man in de buurt. Ze hadden zelfs een tijdje een piano in huis gehad. Rooie Benny was een diefjesmaat, een geldophaler, een bloedzuiger, een flessentrekker en een inbreker. Eén zomer had hij met een bende elke kamer in een vakantiehotel leeggehaald, behalve die waar Winklers familie in logeerde, dus je begrijpt dat de mensen daar zich begonnen af te vragen wat Winklers papa precies voor de kost deed dat ze hem ontzagen.

Smokey was intussen enigszins afgekoeld. 'Jij en je vader... jullie strooien rond dat ik een gebouw van jullie gejat heb, ja? Ik heb dat huis niet gejat. Ik kende de huisbewaarder en ik heb voor me eigen iets geregeld.'

'Je vond dat huis tijdens je werkuren,' zei ik. 'Je kan niet voor ons werken en tegelijk voor je eigen beginnen. Da's onmogelijk.'

'En nou wil geen een handelaar van me kopen. Mogen ze niet van je vader.'

'Ze mogen doen wat ze willen. Maar als ze van jou kopen krijgen ze niks van hem. Meer heeft-ie niet gezegd.'

'Da's meer dan genoeg. Ik wil hem spreken. Nou meteen. Hém wil ik ook even rechtzetten.'

'Smokey,' zei ik heel langzaam, plotseling heel erg zeker van mezelf, 'als je ook maar één grote bek tegen mijn vader opentrekt ben je er wat mij betreft geweest. En als je één vinger naar mij uitsteekt ben je er wat hem betreft geweest.'

Dat scheen indruk te maken.

'Oké,' haalde hij zuur bakzeil. 'Dan kom ik weer bij hem werken. Maar zeg maar dat ik voortaan zestig per week wil.'

'Je hebt 't nog steeds niet door. Misschien neemt-ie je niet eens terug voor vijftig. Ik zal moeten proberen een goed woordje voor je te doen.'

'En dat huis wat ik gevonden heb kan ie voor vijfhonderd hebben.'

'Misschien krijg je tweehonderd, zoals altijd.'

'Wanneer kan ik beginnen?'

'Geef me een dag om hem om te praten.' Het viel inderdaad niet mee om mijn ouwe heer eraan te herinneren dat Smokey hard werkte en dat hij en onze zwarte een prima team vormden voor het wegjagen van andere handelaren.

'Kun je me d'r alvast geen vijftig lenen, Louie, alsjeblieft,' smeekte Smokey. 'D'r is goeie rookwaar uit Harlem te krijgen waar ik wat geld in wil steken.'

'Ik heb maar twintig dollar.' Ik had hem meer kunnen lenen.

'Da's raar,' zei ik, toen ze de deur uit waren. Ik bewoog mijn vingers. 'Er is iets mis met mijn hand. Toen ik hem dat geld gaf kon ik amper mijn vingers buigen.'

'Je hield die suikerpot vast,' zei Winkler. Zijn tanden klapperden.

'Welke suikerpot?'

'Wist je dat niet?' snauwde Sammy bijna kwaad. 'Je had die suikerpot vast alsof je hem ermee dood ging slaan. Ik dacht dat je hem aan gruzelementen zou knijpen.'

Ik leunde lachend naar achteren en bestelde gebak en ijs voor ons drieën. Nee, ik wist niet dat ik die dikke ronde suikerstrooier vasthield terwijl we praatten. Mijn hoofd was koel en beheerst terwijl ik hem recht in de ogen keek en mijn arm was klaar voor actie zonder dat ik het in de gaten had. Sammy pufte van opluchting en legde met een wit gezicht het tafelmes terug dat hij op zijn schoot had gehouden.

'Waarom verstopte je dat mes?' vroeg ik lachend. 'Wat had ik daaraan?'

'Ik wilde niet dat ze mijn handen zagen trillen,' fluisterde Sammy.

'Weet je hoe je het moet gebruiken?'

Sammy schudde zijn hoofd. 'En ik wil 't niet leren ook. Ik zal je meteen iets vertellen, Lew. Als je ooit nog zin hebt om ruzie te maken waar ik bij ben, vertel ik je bij deze dat je er absoluut op kunt rekenen dat ik je niet meer help.'

'Ik ook niet,' zei Winkler. 'Rooie Benny zou niks doen met mij erbij, maar van die anderen was ik niet zo zeker.'

'Jongens,' zei ik, 'deze keer had ik ook niet op jullie gerekend.'

'Zou je hem echt met die suikerpot geslagen hebben?'

'Sammy, ik had hem met de hele luncheonette geslagen. Met jóu desnoods.'

Ik was al over de vijfenzestig, op de kop af twee jaar, toen ik die jonge zakkenroller pakte, een lange, snelle figuur van in de twintig. Ik weet het nog goed, want het was mijn verjaardag. Als verjaardags-cadeautje moest ik met Claire naar de stad voor zo'n liedjesshow waar zij heen wou en ik niet. We waren vroeg en stonden met wat andere mensen onder een markies, niet ver van het busstation van de Havendienst. Bij dat busstation moet ik altijd lachen als ik denk aan die keer dat Sammy's zakken gerold werden toen hij bij ons op bezoek was geweest en zo tegen de politie tekeerging dat hij bijna de bak in draaide. Tegen die tijd had ik inmiddels vrede gesloten met de Duitsers en reed een Mercedes. Claire had er ook een, een snelle met open dak. Plotseling hoorde ik een vrouw gillen. Ik zag een paar kerels vlak achter me langs rennen en zonder nadenken pakte ik er een beet. Ik draaide hem om, tilde hem op en drukte hem met zijn borst op de motorkap van een auto. Pas toen zag ik dat hij jong, lang en sterk was. En bruin.

'Als je één vin verroert breek ik je nek,' zei ik in zijn oor. Hij verroerde geen vin.

Toen ik zag hoe voorzichtig de politie hem fouilleerde, dacht ik hoofdschuddend dat ik eigenlijk bang had moeten zijn. Ze zochten in zijn haar naar een mes of een ander steekwapen. Ze voelden aan zijn boord en in zijn zakken en in alle naden van zijn overhemd en broek en fouilleerden hem van top tot teen op een mes of een pistool of iets kleins en scherps. Ik besefte dat ik dood had kunnen zijn. Pas toen ze zijn gymschoenen afgewerkt hadden, ontspanden ze zich.

'U mag van geluk spreken, meneer,' zei de jonge agent die de oudste was en de leiding had.

Iedereen glimlachte tegen me en ik glimlachte terug. Ik voelde me een echte held.

'Oké, Lew, de voorstelling is afgelopen,' zei Claire heel droog tegen me, precies zoals ik had kunnen voorspellen. 'Nou kunnen we naar binnen voor de echte voorstelling.'

'Nog één minuutje, Claire,' zei ik heel hard en heel stoer. 'Ik geloof dat dat knappe blondje daar me best beter zou willen leren kennen.'

'God nog aan toe, Lew, ga je nou mee of niet,' zei ze, 'of moet ik alleen naar binnen?'

We liepen lachend de schouwburg in. Precies twee weken later was het weer zo ver en moest ik terug naar het ziekenhuis voor chemotherapie.

5

JOHN

Buiten het ziekenhuis waren ze nog steeds bezig. Mannen werden gek en kregen als beloning onderscheidingen. Binnenhuisarchitecten waren cultuurhelden en modeontwerpers stonden hoger op de maatschappelijke ladder dan hun cliënten.

'En waarom ook niet?' had Frances Beach al geantwoord op deze opmerking van Yossarian, met een uitspraak die zo tegen het volmaakte aanleunde dat andere mensen zich vaak afvroegen hoe iemand Engels zo perfect kon uitspreken zonder nasaal te klinken. 'Ben je vergeten hoe we er naakt uitzien?'

'Als een man dat zei, John,' zei Patrick Beach, haar man, opnieuw blij met haar, 'zou hij levend gevild worden.'

'Ze zeggen het ook, schat,' zei Frances Beach, 'op hun voorjaars- en najaarscollecties en ze verdienen miljarden met ons aan te kleden.'

Arme mensen waren er nog steeds genoeg.

Op weg naar de enorme limousine met donker glas die hem naar zijn nieuwe luxeflat aan de andere kant van de stad zou brengen, keek Yossarian tersluiks naar een groepje dat voor het ziekenhuis op het trottoir lag. Hij had om een sedan gevraagd, zij hadden de limousine weer gestuurd; zonder extra kosten. Het flatgebouw waar hij woonde werd luxueus genoemd omdat de woonkosten hoog waren. De kamers waren klein. De plafonds waren laag, zijn twee badkamers hadden geen ramen en het keukentje bood geen plaats voor een tafel of een stoel.

Minder dan twee straten van zijn huis lag het busstation van de Newyorkse Havendienst, een bouwwerk met maar liefst zeven trapportalen. Beneden was een politiebureau met drie arrestantenlokalen die voortdurend bezet waren en elke dag uitpuilden van nieuwe klanten en waar ze Michael Yossarian vorig jaar heen hadden gesleept toen hij uit de ondergrondse kwam en weer terug wilde omdat hij zich realiseerde dat hij een station te vroeg was uitgestapt voor het architectenbureau waarvoor hij tekeningen had gemaakt.

'Dat was de dag,' haalde hij het incident op, 'waarop je mijn leven redde en mijn geest brak.'

'Wilde je dan bij al die anderen opgesloten worden?'

'Dat had ik niet overleefd. Maar het was een slopende ervaring, hoe jij ontplofte en die smerissen probeerde te overbluffen en nog succes had ook. Plus de wetenschap dat ik zoiets nooit voor elkaar zou krijgen.'

'We worden kwaad zoals de situatie vereist, Michael. Ik geloof niet dat ik veel keus had.'

'Ik word meteen depressief.'

'Jij had een oudere broer die je koeioneerde. Misschien ligt het daaraan.'

'Waarom hield je hem niet tegen?'

'We wisten niet hoe. We wilden hem niet koeioneren.'

Michaels antwoord was een gedwongen lachje. 'Je was anders wel een bezienswaardigheid,' beschuldigde hij Yossarian afgunstig. 'Je had bewonderaars. Er werd zelfs geklapt.'

Na afloop waren ze alle twee uitgeput.

Tegenwoordig woonden er mensen in het busstation, een vaste bevolking van mannen en vrouwen en moeilijke jongens en meisjes, waarvan de meesten sliepen in de donkere diepten en als pendelaars het grootste gedeelte van de dag boven in de open ruimtes hun dagelijkse bezigheden verrichtten.

Er was koud en warm stromend water in de toiletten op de diverse verdiepingen, plus een keur van hoeren en homo's voor iedere smaak en een heleboel winkels op loopafstand voor fundamentele dagelijkse behoeften als kauwgom, sigaretten, kranten en gevulde doughnuts. Toiletpapier was gratis. Vruchtbare moeders, weggevlucht uit geïdealiseerde geboortesteden, arriveerden geregeld met kleine kinderen op sleeptouw op zoek naar onderdak. Het station was een prima thuisbasis voor tippelaarsters, bedelaars en jonge weglopers. Duizenden forenzen en honderden bezoekers probeerden hen 's morgens op weg naar hun werk en 's avonds op weg naar huis zoveel mogelijk te negeren. Niemand was rijk, want niemand die geld had ging met de bus naar zijn werk.

Vanuit zijn hoogverheven flatraam had Yossarian een onbelemmerd uitzicht op een andere luxeflat die nog hoger was dan de zijne. Tussen deze gebouwen liep de brede straat, meer en meer het monsterachtige domein van groeiende aantallen agressieve en weerzinwekkende schooiers, prostituées, spuiters, dealers, pooiers, rovers, pornografen, smeerlappen en losgeslagen psychopaten, die allemaal hun criminele handwerk verrichtten tussen toenemende drommen verloederde en versjofelde mensen die gewoon buiten woonden. Tussen de daklozen zaten tegenwoordig ook blanken en ook zij pisten tegen de muur en poepten in steegjes waar andere leden van hun kring hun keus op lieten vallen als meest geschikte plek om de nacht door te brengen.

Hij wist dat er zelfs in de betere buurt rondom Park Avenue vrouwen waren die in de verzorgde bloembedden op de eilandjes tussen de twee rijbanen neerhurkten om hun behoefte te doen.

Het was moeilijk om ze niet allemaal te haten.

En dit was New York, de Big Apple, de Keizerstad in de Keizerstaat, het financiële hart, de financiële hersenen en spierbundels van het land, de stad die, misschien op Londen na, de grootste culturele voorloper ter wereld was.

Yossarian bedacht vaak dat hij nog nooit of nergens, niet in de oorlog in Rome of op Pianosa en zelfs niet in het platgebombardeerde Napels of op Sicilië, het soort afzichtelijke ellende had gezien als hij nu rondom zich zag culmineren in dit eersteklas domein van verval. Zelfs niet – zei hij in zijn cynisme meer dan eens tegen Frances Beach, zijn vriendin van lang geleden – op de seksloze liefdadigheidslunches en partijtjes in avondkostuum waar hij vaker dan hem lief was acte de présence moest geven als enige toonbare functionaris van M & M Ondernemingen en Co., een aantrekkelijke vrijgezel die met enige flux de bouche zijn welingelichte gesprekspartners die gebukt gingen onder het egoïstische waandenkbeeld dat ze de gebeurtenissen in de wereld beïnvloedden door erover te praten, kon onderhouden over andere onderwerpen dan zakendoen.

Het was natuurlijk niemands schuld.

'Mijn God, wat is dat?' riep Frances Beach, toen ze in haar gehuurde limousine met gehuurde chauffeur terugkeerden van het zoveelste lauwe thee-en-wijnfeestje voor de regenten en vrienden-van-regenten van de Openbare Bibliotheek van New York die nog in de stad woonden en na een lange worsteling met besluiteloosheid besloten hadden dat ze erheen wilden.

'Het busstation,' zei Yossarian.

'Wat een vreselijk ding, zeg. Waar dient het verdomme voor?'

'Voor bussen. Wat dacht je verdomme dan? Hé, Frances,' plaagde Yossarian haar vriendelijk, 'wat dacht je van het idee om daar je volgende modeshow of een van je supersjieke liefdadigheidsbals te organiseren. Ik ken McBride.'

'Waar heb je het over? Wie is McBride?'

'Een ex-smeris die daar werkt. Waarom geen bruiloft?' ging hij verder, 'een echt deftige bruiloft? Daar zouden de kranten zeker over schrijven. Je hebt ze al vaker gehouden...'

'*Ik* niet.'

'...in het museum en de opera. Het busstation is veel schilderachtiger.'

'Een society-bruiloft in dat busstation?' antwoordde ze met een grijns. 'Je lijkt wel gek. Ik weet dat je een grapje maakt, dus laat me eens denken. Olivia en Christopher Maxon gaan binnenkort misschien op zoek naar iets anders. Moet je die mensen zien!' Ze ging met een ruk overeind zitten. 'Zijn dat mannen of vrouwen? En die anderen... waarom moeten ze dat soort dingen buiten op straat doen? Waarom kunnen ze niet wachten tot ze thuis zijn?'

'Veel van die mensen hebben geen huis, mijn beste Frances,' zei Yossarian, minzaam glimlachend. 'En de rijen voor de toiletten in het busstation zijn lang. Voor de spitsuren moet je reserveren, anders kun je het vergeten. De wc's in de restaurants en hotels hebben bordjes dat ze alleen voor klanten zijn. Is het je ooit opgevallen, Frances, dat mannen die op straat pissen meestal een heel erg lange plas hebben?'

Nee, dat was haar nooit opgevallen, deelde ze hem ijzig mee. 'Je bent tegenwoordig zo bitter. Vroeger was je veel leuker.'

Jaren geleden, in hun beider vrijgezellentijd, waren ze zich te buiten gegaan aan wat tegenwoordig een verhouding zou heten, hoewel geen van beiden op het idee zou zijn gekomen om de dingen die ze zo hartstochtelijk en onophoudelijk en zonder beloftes of serieuze gedachten aan een toekomst met elkaar deden, met zo'n beschaafde titel te vereren. Niet lang daarna had hij zijn veelbelovende carrière als beginnend arbitrageant en beleggingsadviseur opgegeven om opnieuw het onderwijs in te gaan, waarna hij terugkeerde naar het reclamebureau, vervolgens in public relations ging en freelance tekstschrijver werd en ten slotte zijn draai vond als manusje-van-alles behalve waar produkten aan te pas kwamen die gezien, aangeraakt, gebruikt of geconsumeerd konden worden of plaats innamen of waar behoefte aan was. Terwijl zij, nieuwsgierig, ambitieus en met enige aangeboren begaafdheid, merkte dat ze aantrekkelijk was voor theaterproducenten en andere heren die van mogelijk nut konden zijn voor een carrière op het toneel, het witte doek en de televisie.

'En jij,' zei hij nu tegen haar, 'had vroeger veel meer gevoel voor andere mensen. Je bent je verleden vergeten.'

'Jij ook.'

'En je was nog wel zo radicaal.'

'Jij net zo goed. En nu ben je zo negatief,' zei ze zonder veel overtuiging. 'En altijd vol sarcasme. Geen wonder dat mensen zich soms niet bij je op hun gemak voelen. Jij maakt overal een geintje van en ze weten nooit zeker of je het echt met ze eens bent. En je flirt altijd.'

'Nietwaar!'

'Jawel,' hield Frances vol, zonder hem zelfs aan te kijken om haar argument kracht bij te zetten. 'Met vrijwel iedereen behalve mij. Je weet wie er flirt en wie er niet flirt. Patrick en Christopher flirten niet. Jij wel. Vroeger ook al.'

'Dat is gewoon mijn manier van grappen maken.'

'Er zijn vrouwen die denken dat je een maîtresse hebt.'

'Een maîtresse?' Yossarian maakte het woord tot een snuivende schaterlach. 'Zelfs één zou er al een te veel zijn.'

Frances Beach lachte ook en ontspande zich. Ze waren allebei de vijfenzestig gepasseerd. Hij kende haar al toen ze nog Franny heette. Zij herinnerde zich nog dat hij vroeger Yo-Yo werd genoemd. Sinds die tijd hadden ze niets meer met elkaar gehad, zelfs niet als ze alleen waren, aangezien ze er geen van beiden behoefte aan hadden de levenssfeer van de ander te proeven.

'Het lijkt wel of er steeds meer van die mensen komen,' mompelde ze zacht, met een wanhoop waarvan ze wist dat hij makkelijk te beteugelen zou zijn, 'die alles wat je maar kunt bedenken en plein public doen. Patrick is vlak voor ons huis overvallen en bij ons op de hoek staan dag en nacht hoeren, lelijke types in onooglijke kleren, net als daar.'

'Zet me daar maar af,' zei Yossarian. 'Ik woon daar tegenwoordig.'

'Daar?' Toen hij knikte, zei ze: 'Dan moet je verhuizen.'

'Ik bén net verhuisd. Wat mankeert eraan? Boven op mijn toverberg hebben we een paar fitness-clubs, waarvan één een liefdestempel is. Beneden zijn negen bioscopen, twee voor pornofilms en één voor homo's, en daar tussenin hebben we makelaars, advocaten en reclamebureaus. En allerlei soorten dokters. Er is een bank met een geldautomaat en een prima supermarkt. Ik heb een verpleegtehuis voorgesteld. Met een verpleegtehuis kan ik daar mijn hele leven wonen zonder bijna ooit een voet buiten de deur te hoeven zetten.'

'In godsnaam, John, maak toch niet overal een grapje van. Waarom verhuis je niet naar een goede buurt?'

'Waar naartoe bijvoorbeeld? Montana?' Hij lachte opnieuw. 'Frances, dit ís een goede buurt. Dacht je dat ik in een slechte zou gaan wonen?'

Plotseling zag Frances er moe en verslagen uit. 'John, vroeger wist je altijd overal een antwoord op,' zei ze nadenkend, zonder het geaffecteerde society-accent. 'Wat kan hieraan gedaan worden?'

'Niets,' zei hij behulpzaam.

Want het ging goed met het land, hield hij haar voor; volgens de officiële maatstaven gemeten was het zelden beter geweest. Deze keer waren alleen de armen erg arm, en de behoefte aan nieuwe gevangeniscellen was groter dan de behoeften van de daklozen. De problemen waren uitzichtloos: er waren veel te veel mensen die moesten eten en er was veel te veel voedsel om ze te voeden en er iets aan over te houden. Men wilde tekorten, ging hij met een flauw glimlachje verder. Hij zei er niet bij dat hij inmiddels eveneens bij de gezeten burgerij hoorde die er weinig voor voelde om meer belasting te betalen om het lot van mensen die niets bijdroegen te verlichten. Hij zag liever meer gevangenissen.

Yossarian was achtenzestig en ietwat ijdel, want hij zag er jonger uit dan menige man van zevenenzestig en beter dan alle vrouwen van zijn leeftijd. Met zijn tweede vrouw lag hij nog steeds in echtscheiding. Hij dacht niet dat er een derde zou komen.

Al zijn kinderen waren van zijn eerste vrouw.

Zijn dochter Gillian, de rechter, lag in scheiding met een man die veel meer verdiende maar minder bereikte en het waarschijnlijk nooit verder zou schoppen dan betrouwbare echtgenoot, huisvader en kostwinner.

Zijn zoon Julian, de oudste van het stel, was een opschepper en eveneens een doordouwer, een grote kleine naam in de effectenbeurs die nog steeds te weinig verdiende om zich vorstelijk in Manhattan te nestelen. Hij en zijn vrouw woonden inmiddels ieder in een eigen vleugel van het ouderwetse herenhuis buiten het centrum, terwijl hun respectieve advocaten zich opmaakten voor het over en weer sturen van dagvaardingen en zich voor de onmogelijke taak zagen gesteld hun bezit en kinderen zodanig te verdelen dat beide echtelieden tevreden waren. De vrouw was een knap, onaangenaam mens met een dure smaak uit een gezin dat geld over de balk smeet, even schreeuwerig als Julian en even despotisch overtuigd van haar eigen gelijk, en hun zoon en dochter waren eveneens onsympathieke, asociale dwingelanden.

Yossarian voorvoelde moeilijkheden in het huwelijk van zijn andere zoon, Adrian, een niet-afgestudeerde chemicus die werkzaam was in een cosmeticafabriek, waar hij het grootste deel van zijn volwassen leven doorbracht met het zoeken naar een recept om haar grijs te verven; zijn vrouw had zich ingeschreven voor een cursus volwasseneneducatie.

Het meest zat hij in over Michael, die niet bij machte leek zichzelf te dwingen iets bijzonders te willen zijn en blind was voor de gevaren die dat gebrek aan doelgerichtheid met zich meebrengt. Michael had eens bij wijze van grapje tegen Yossarian gezegd dat hij eerst ging sparen voor zijn echtscheiding en dan pas voor zijn trouwen, en Yossarian had zijn gevatte antwoord dat zijn grapje geen grapje was weten in te slikken. Michael had er geen spijt van dat hij zich nooit erg ingespannen had om een geslaagd kunstenaar te worden. Ook die rol trok hem ook niet bijzonder aan.

Vrouwen, vooral vrouwen die al een keer getrouwd waren geweest, voelden zich tot Michael aangetrokken en gingen bij hem wonen omdat hij rustig, begripvol en niet veeleisend was, maar ze kregen er weer snel genoeg van om bij hem te wonen omdat hij rustig, begripvol en niet veeleisend was. Hij weigerde resoluut ruzie te maken en werd stil en verdrietig als het tot conflicten kwam. Yossarian had het respectvolle vermoeden dat Michael op zijn stille manier wist wat hij deed met vrouwen en met werk. Maar niet met geld.

Voor het geld werkte Michael als freelance ontwerper voor reclamebureaus en tijdschriften of voor ateliers met contractwerk en voor de rest accepteerde hij zonder bedenkingen de bijdragen van Yossarian; hij weigerde te geloven dat er een dag zou aanbreken waarop zulke freelance opdrachten niet meer voor het oprapen zouden liggen en dat Yossarian hem niet eeuwig voor financiële rampspoed kon behoeden.

Alles bij elkaar, besloot Yossarian, was het een typisch modern, slecht aangepast, new-age gezin waarin alleen de moeder iedereen echt aardig vond of daar goede redenen voor had, en waarin iedereen, vermoedde hij, net als hij zelf, in elk geval privé, van tijd tot tijd bedroefd en teleurgesteld was.

Zijn familieleven was volmaakt, jammerde hij vaak. Net als Thomas Manns Gustav Aschenbach had hij er geen.

Hij werd nog steeds geschaduwd. Hij wist niet door hoeveel personen. Aan het eind van de week drentelde tegenover zijn flat zelfs een orthodoxe jood heen en weer en vond hij een boodschap op zijn antwoordapparaat van zuster Melissa MacIntosh, die hij alweer bijna vergeten was, dat ze tijdelijk naar de avonddienst was overgeplaatst voor het geval hij van plan was haar mee uit eten te nemen – en mee naar Parijs en Florence voor lingerie, bracht ze hem met een sarcastisch lachje in herinnering – en met het ongelooflijke nieuws dat de Belgische patiënt nog steeds leefde, maar erg veel pijn had en dat zijn temperatuur weer bijna normaal was.

Yossarian had er zijn hoofd onder durven verwedden dat de Belg al dood zou zijn.

Van de mensen die hem volgden kon hij er maar een paar thuisbrengen: de agenten van de advocaat van zijn vervreemde echtgenote en die van de vervreemde, impulsieve echtgenoot van een vrouw met wie hij een poosje geleden halfdronken naar bed was geweest – een moeder van pubers met wie hij mogelijkerwijs nog wel eens naar bed zou willen, als hem nog eens het voorrecht te beurt zou vallen om behoefte te krijgen om met een vrouw naar bed te gaan –, die in zijn maniakale speurtocht naar bewijs van overspel om in te brengen tegen het bewijs van overspel dat zij al tegen hem had ingebracht, detectives had losgelaten op het spoor van iedere man die ze kende.

De gedachte aan de andere liet hem niet los en na een paar vlagen van verontwaardigde verbittering nam Yossarian de koe bij de horens en belde het kantoor.

'Nog nieuws?' begon hij tegen Milo's zoon.

'Voor zover ik weet niet.'

'Is dat de waarheid?'

'Voor zover ik kan nagaan wel.'

'Hou je niks achter?'

'Ik geloof van niet.'

'Zou je me dat anders vertellen?'

'Als ik kon wel.'

'Als je vader vandaag belt, M2,' zei hij tegen Milo Minderbinder II, 'zeg dan tegen hem dat ik de naam van een goeie privé-detective moet hebben. Voor iets persoonlijks.'

'Ik heb hem al gebeld,' zei Milo junior. 'Hij beveelt een zekere Jerry Gaffney van detectivebureau Gaffney aan. Maar je mag hem absoluut niet vertellen dat de suggestie van mijn vader afkomstig is.'

'Zei hij dat?' Yossarian was blij verrast. 'Hoe wist hij dat ik dit ging vragen?'

'Dat kan ik onmogelijk zeggen.'

'Hoe gaat het ermee, M2?'

'Dat is moeilijk te zeggen.'

'Ik bedoel in het algemeen. Ben je nog bij het busstation geweest om naar die tv-monitoren te kijken?'

'Ik moet ze nog een keer timen. Ik wil er opnieuw heen.'
'Dat kan ik wel weer voor je regelen.'
'Komt Michael ook mee?'
'Als je hem betaalt. Verder alles goed?'
'Zou ik u dat dan niet meteen willen vertellen?'
'Dacht je werkelijk?'
'Dat hangt ervan af.'
'Waarvan?'
'Of ik u de waarheid kon vertellen.'
'Zou je me de waarheid vertellen?'
'Weet u wat dat is?'
'Zou je me iets voor kunnen liegen?'
'Alleen maar als ik de waarheid kende.'
'Je bent eerlijk tegen me.'
'Dat wil mijn vader.'

'Meneer Minderbinder zei dat ik een telefoontje van u kon verwachten,' zei de opgewekte, vriendelijke stem van Jerry Gaffney toen Yossarian hem opbelde.

'Da's vreemd,' zei Yossarian. 'Welke?'

'Meneer Minderbinder senior.'

'Da's heel erg vreemd dan,' zei Yossarian iets minder vriendelijk. 'Minderbinder senior stond er namelijk op dat ik zijn naam niet zou noemen.'

'Dat was om u op de proef te stellen of u een geheim kon bewaren.'

'U gaf me geen kans om die proef te doorstaan.'

'Ik vertrouw mijn cliënten en ik wil dat iedereen weet dat ze Jerry Gaffney ook kunnen vertrouwen. Wat is de wereld zonder vertrouwen? Ik speel open kaart. Dat zal ik meteen bewijzen. U moet weten dat deze telefoonlijn afgetapt wordt.'

Yossarians adem stokte. 'Hoe heeft u dat in godsnaam ontdekt?'

'Het is mijn telefoonlijn en ik wil dat hij afgetapt wordt,' legde meneer Gaffney alleszins redelijk uit. 'Ziet u wel? Op Jerry Gaffney kunt u rekenen. De opnames zijn voor mezelf.'

'Wordt *míjn* telefoon afgetapt?' meende Yossarian te moeten vragen. 'Ik voer veel zakelijke gesprekken.'

'Eventjes opzoeken. Jawel, uw bedrijf tapt uw telefoon af. En de kans bestaat dat u afluisterapparatuur in uw appartement hebt.'

'Meneer Gaffney, hoe weet u dit allemaal?'

'Zeg maar Jerry, meneer Yossarian.'

'Hoe weet u dit allemaal, meneer Gaffney?'

'Omdat ik degene ben die hem aftapt en betrokken ben geweest bij het eventueel installeren van afluisterapparatuur, meneer Yossarian. Mag ik u een tip geven? Alle muren hebben oren. Voer vertrouwelijke gesprekken alleen in de nabijheid van stromend water. Doe uitsluitend aan seks in de badkamer of de keuken of onder de airconditioner met de ventilator op... uitstekend!' juichte hij toen Yossarian met zijn draagbare telefoon naar de keuken liep en beide kranen opendraaide voor een vertrouwelijk gesprek. 'We krijgen op het moment niets door. Ik kan u amper horen.'

'Ik zeg ook niks.'

'U kunt beter leren liplezen.'

'Meneer Gaffney...'

'Zeg maar Jerry.'

'Meneer Gaffney, hebt u mijn telefoon afgetapt en afluisterapparatuur in mijn flat aangelegd?'

'Het is mógelijk dat ik dat gedaan heb. Ik zal een van mijn vaste medewerkers vragen het na te kijken. Ik houd niets verborgen. Meneer Yossarian, u heeft een intercomsysteem met de conciërges in de hal. Weet u zeker dat het op dit moment niet aanstaat? Wordt u niet gefilmd door videocamera's?'

'Wie zou dat moeten doen?'

'Ik bijvoorbeeld, als ik ervoor betaald kreeg. Nu u weet dat ik de waarheid spreek begrijpt u wel dat we goede vrienden kunnen worden. Dat is de enige manier van werken. Ik dacht dat u wist dat uw telefoon werd afgetapt en uw appartement mogelijk afgeluisterd wordt en uw post, reizen, creditcards en bankrekeningen in de gaten worden gehouden.'

'Gód nog aan toe, ik weet niet wat ik weet.' Yossarian nam het onaangename nieuws kreunend in ontvangst.

'Bekijk het van de zonnige kant, meneer Yossarian. Dat is altijd goed. Als ik me niet vergis wordt u binnenkort betrokken bij een nieuwe echtscheidingszaak. Daar kunt u in grote lijnen wel op rekenen als de opdrachtgevers genoeg geld hebben om ons te betalen.'

'Doet u dat er ook bij?'

'Ik doe er een heleboel bij. Maar dit is alleen het bedrijf. Wat geeft het wat M & M O & Co hoort als u toch nooit iets zegt wat het bedrijf niet mag horen? Dat is toch zo, nietwaar?'

'Nee.'

'Nee? Vergeet niet, meneer Yossarian, dat ik dit allemaal opneem, hoewel ik met plezier alles uit zal wissen wat u wilt. Hoe kunt u bedenkingen hebben over M & M O & Co als u meedeelt in hun vooruitgang? Krijgt niet iedereen zijn deel?'

'Daar heb ik me nooit officieel over uitgelaten, meneer Gaffney, en dat ben ik nu ook niet van plan. Wanneer kunnen we elkaar persoonlijk spreken om een begin te maken?'

'Het begin is al gemaakt, meneer Yossarian. Señor Gaffney laat nergens gras over groeien. Ik heb onder de wet op de Vrijheid van Informatie uw regeringsdossiers aangevraagd en ik wacht op een rapport van een van de beste bureaus voor kredietwaardigheidsonderzoek. Uw belastingnummer heb ik al. Bent u tevreden?'

'Ik neem u niet in de arm om zelf onderzocht te worden!'

'Ik wil weten wat ze van u weten voordat ik erachter kan komen wie ze zijn. Hoeveel waren het er ook weer?'

'Ik heb er minstens zes geteld, maar misschien werken twee of vier van hen samen. Het is me opgevallen dat ze in goedkope auto's rijden.'

'Middenklassers,' verbeterde Gaffney hem pietluttig, 'om niet op te vallen. Daarom zijn ze u waarschijnlijk opgevallen.' Hij maakte een uiterst exacte indruk op Yossarian. 'Zes zei u? Zes is een goed aantal.'

'Waarvoor?'

'Voor de zaak, natuurlijk. Hoe meer mensen hoe veiliger. Als een of twee van hen u bijvoorbeeld besloten te vermoorden, zouden er meteen getuigen getuigen. Jazeker, zes is een goed aantal,' ging Gaffney opgewekt verder. 'Acht of tien zou nóg beter zijn. Voorlopig is het niet nodig dat u me persoonlijk spreekt. Ik wil niet dat ze erachter komen dat ik voor u werk, tenzij blijkt dat ze voor mij werken. Ik geef er de voorkeur aan oplossingen te hebben voordat de problemen zich aandienen. Draai die kranen alstublieft dicht als u op dit moment niet met seks bezig bent. Ik schreeuw me schor en ik kan u amper verstaan. Het is niet echt nodig als u met mij praat. Uw vrienden noemen u Yo-Yo? Anderen noemen u John?'

'Alleen mijn beste vrienden, meneer Gaffney.'

'Mijn vrienden noemen me Jerry.'

'Het moet me van het hart, meneer Gaffney, dat ik het bijzonder vermoeiend vind om met u te praten.'

'Dat wordt hopelijk anders. Als u me toestaat, dat was een bemoedigend rapport van uw verpleegster.'

'Welke verpleegster?' snauwde Yossarian. 'Ik heb geen verpleegster.'

'Ze heet juffrouw Melissa MacIntosh, meneer,' wees Gaffney hem met een verwijtend kuchje terecht.

'Hebt u mijn antwoordapparaat ook gehoord?'

'Uw bedrijf. Ik ben alleen maar onder contract. Ik zou het niet doen als ik er niet voor betaald kreeg. De patiënt slaat zich erdoorheen. Er zijn geen tekenen van infectie.'

'Ik vind dit fenomenaal.'

'We zijn blij dat u tevreden bent.'

* * *

En de legerpredikant was nog steeds onvindbaar: ergens opgesloten voor onderzoek en ondervraging nadat hij Yossarian met behulp van de wet op de Vrijheid van Informatie had opgespoord in het ziekenhuis en weer opdook in zijn leven met zijn onoverkomelijke probleem.

Yossarian lag op zijn rug in bed toen de legerpredikant hem vond, negeerde het zachte klopje en zag zijn kamerdeur tot zijn verontwaardiging toch voorzichtig opengaan, gevolgd door een vriendelijk, paardachtig gezicht met een knobbelig voorhoofd en dunnende lokken stroblond haar met doffe grijze strepen dat verlegen om de hoek keek. De ogen waren roodomrand en lichtten op toen ze hem zagen.

'Ik wist het!' riep de man achter het gezicht dolblij uit. 'Ik wilde je toch weer eens opzoeken. Ik wist dat ik je zou vinden! Ik wist dat ik je zou herkennen. Wat zie je er goed uit! Wat ben ik blij te zien dat we allebei nog leven! Ik zou wel willen juichen!'

'Wie,' vroeg Yossarian streng, 'ben jij godverdomme?'

Het antwoord kwam meteen. 'Dominee, Tappman, dominee Tappman, Albert Tappman, dominee?' snaterde legerpredikant Albert Tappman omslachtig. 'Pianosa? Luchtmacht? Tweede Wereldoorlog?'

Eindelijk stond Yossarian zichzelf een straaltje van herkenning toe. 'Zo, zo. God nog aan toe!' Hij sprak met enige warmte toen het ten langen leste tot hem doordrong dat dit dominee Albert T. Tappman was, die hij al meer dan vijfenveertig jaar niet gezien had. 'Kom binnen. Jij ziet er ook prima uit,' zei hij edelmoedig tegen de man die er bleekjes, ondervoed, oud en geteisterd uitzag. 'Ga zitten verdorie.'

De legerpredikant ging gedwee zitten. 'Maar, Yossarian, het spijt me dat je in het ziekenhuis ligt. Ben je erg ziek?'

'Ik ben helemaal niet ziek.'

'Dat is mooi dan, niet?'

'Ja, da's mooi. En hoe maak jij het?'

Plotseling stond er op het gezicht van de legerpredikant grote bezorgdheid te lezen. 'Niet goed, begin ik te geloven, nee, misschien niet erg goed.'

'Da's niet zo mooi dan,' zei Yossarian, blij dat het moment om spijkers met koppen te slaan zo snel bereikt was. 'Goed dan, padre, vertel eens, wat brengt jou hier? Als het weer zo'n luchtmachtreünie is ben je aan het verkeerde adres.'

'Het is geen reünie.' De legerpredikant was een en al ellende.

'Wat dan?'

'Narigheid,' zei hij eenvoudig. 'Misschien zelfs ernstige narigheid. Ik begrijp het niet.'

Hij was natuurlijk bij een psychiater geweest, die hem verteld had dat hij een goede kandidaat was voor ouderdomsdepressie en te oud was om een betere soort te verwachten.

'Heb ik ook last van.'

Het was niet uitgesloten, had men laten doorschemeren, dat de legerpredikant het zich allemaal verbeeldde, maar hij verbeeldde zich dat de predikant zich niet verbeeldde dat hij zich er ook maar iets van verbeeldde.

Maar zoveel was zeker.

Toen niemand van de onophoudelijke stroom intimiderende nieuwkomers die in Kenosha opdoken met de officiële opdracht hem over zijn probleem te ondervragen, zelfs maar geneigd bleek om hem te helpen begrijpen wat het probleem was, herinnerde hij zich Yossarian en dacht aan de wet op de Vrijheid van Informatie.

De wet op de Vrijheid van Informatie, legde de legerpredikant uit, was een besluit van de federale overheid dat officiële instanties verplichtte alle gegevens die ze van iemand in hun dossiers hadden op verzoek vrij te geven, met uitzondering van gegevens die ze niet wilden vrijgeven.

En op grond van dit addertje onder het gras van de wet op de Vrijheid van Informatie, had Yossarian vervolgens ontdekt, hoefden ze technisch gesproken helemaal geen gegevens te verstrekken. Elke week ontvingen aanvragers honderdduizenden vellen papier waarop alles zwart gemaakt was behalve leestekens, voorzetsels en voegwoorden. Volgens Yossarians deskundige oordeel was het een prima truc, aangezien de regering niet verplicht was informatie te verstrekken over de informatie die ze niet wilde verstrekken en niemand ooit na zou kunnen gaan of een instantie zich hield aan het versoepelde federale overheidsbesluit met de naam wet op de Vrijheid van Informatie.

De legerpredikant was nauwelijks twee dagen terug in Wisconsin toen het detachement potige geheim agenten hem zonder voorafgaande waarschuwing op het dak viel en hem meenam. Het had te maken, zeiden ze, met een zaak die dermate gevoelig lag en van zo'n enorm nationaal belang was dat ze niet eens konden zeggen wie ze waren zonder de geheime identiteit van de dienst waarvoor ze werkten op de tocht te zetten. Ze hadden geen arrestatiebevel. Dat hoefde niet volgens de wet. Volgens welke wet? De wet die zei dat ze hem de wet niet hoefden voor te lezen.

'Is dat niet vreemd?' zei Yossarian peinzend.

'Vindt u?' vroeg de vrouw van de legerpredikant verrast, toen hij haar aan de telefoon had. 'Waarom?'

'Ga door, alstublieft.'

Ze vertelden hem wat zijn rechten waren en hij bleek er geen te hebben. Wilde hij moeilijkheden maken? Nee, hij wilde geen moeilijkheden maken. Dan kon hij beter zijn mond houden en meegaan. Een huiszoekingsbevel hadden ze evenmin, maar ze doorzochten het huis toch. Dezelfde en soortgelijke mensen waren sinds die tijd diverse keren terug geweest, met ploegjes technici met insignes en laboratoriumjassen, handschoenen, geigertellers en mondmaskers die bekers en reageerbuisjes en andere speciale vaten vulden met grondmonsters, verfmonsters, houtmonsters en zowat alle andere monsters die te bedenken waren. Ze spitten de tuin om. De buurt keek verbaasd toe.

Het probleem van de legerpredikant was zwaar water.

Hij waterde zwaar water.

'Dat is, vrees ik, inderdaad waar,' had Leon Shumacher Yossarian toegefluisterd toen hij het volledige urineonderzoek gelezen had. 'Waar heb je dat monster vandaan?'

'Van die oude vriend die hier vorige week was toen jij langskwam. Mijn oude legerpredikant.'

'Waar had hij het vandaan?'

'Uit zijn blaas, neem ik aan. Hoezo?'

'Weet je het zeker?'

'Hoe kan ik dat nou zeker weten?' vroeg Yossarian. 'Ik was er niet bij. Waar zou het anders vandaan moeten komen?'

'Grenoble in Frankrijk. Georgia, Tennessee of South Carolina, denk ik. Daar komt het meeste vandaan.'

'Het meeste wat?'

'Zwaar water.'

'Wat heeft dit goddomme te betekenen, Leon?' wilde Yossarian weten. 'Zijn ze absoluut zeker van hun zaak? Is er geen vergissing in het spel?'

'Als ik dit hier zo lees niet. Ze voelden meteen dat het zwaar was.

Er kwamen twee mensen aan te pas om de oogdruppelaar op te tillen. Natuurlijk zijn ze zeker van hun zaak. Elk waterstofmolecule in het water heeft een neutron meer. Weet jij hoeveel moleculen er in een paar centiliter zitten? Die vriend van je moet vijfentwintig kilo zwaarder wegen dan hij eruitziet.'

'Luister, Leon,' zei Yossarian op behoedzame fluistertoon. 'Dit hou je toch wel vóór je, hè?'

'Natuurlijk. Dit is een ziekenhuis. De enige die we inlichtingen verschaffen is de federale regering.'

'De regering? Die zit hem juist achter zijn vodden! Daar is hij het meest benauwd voor!'

'Ze hebben geen keus, John,' neuzelde Leon Shumacher op zijn mechanische doktersmanier. 'Het lab heeft het naar radiologie gestuurd om er zeker van te zijn dat het geen kwaad kan en radiologie moest de Atoomcommissie en het ministerie van Energie inlichten. John, er is geen land ter wereld waar je zonder vergunning zwaar water in je bezit mag hebben en deze figuur produceert verscheidene liters per dag. Het is dynamiet, dit deuteriumoxide, John.'

'Is het gevaarlijk?'

'Medisch gezien? Wie weet? Ik kan je wel vertellen dat dit iets volkomen nieuws voor me is. Maar hij kan het beter uit laten zoeken. Wie weet verandert hij in een kernstation of een atoombom. Je moet hem onmiddellijk waarschuwen.'

Tegen de tijd dat Yossarian eraan toekwam dominee Albert T. Tappman, USAF, b.d. op te bellen om hem te waarschuwen, trof hij alleen mevrouw Tappman thuis, hysterisch en in tranen. De legerpredikant was nog maar enkele uren geleden meegenomen. Sinds die tijd had ze niets meer van hem vernomen, hoewel mevrouw Karen Tappman elke week punctueel op tijd bezoekers kreeg die haar verzekerden dat hij goed gezond was en haar een geldbedrag overhandigden dat een genereuze benadering was van wat hij binnengebracht zou hebben als hij op vrije voeten was geweest. Als ze hun huilend vertelde dat ze niets van hem gehoord had, straalden ze van blijdschap. Dit was het bewijs dat ze zochten dat hij met niemand in de buitenwereld contact had.

'Ik zal blijven proberen hem voor u op te sporen, mevrouw Tappman,' beloofde Yossarian haar elke keer dat ze elkaar spraken. 'Hoewel ik niet goed weet hoe het verder moet.'

De advocaten die ze raadpleegde, geloofden haar niet. De politie in Kenosha had ook haar twijfels. Haar kinderen wisten evenmin wat te denken, hoewel ze geen geloof hechtten aan de theorie van de politie dat de legerpredikant, zoals menig vermiste man in hun register van vermiste personen, er met een andere vrouw vandoor was gegaan.

Het enige wat Yossarian sinds die tijd ontdekt had was dat de legerpredikant voor zijn officiële kapers alleen van financieel, militair, wetenschappelijk, industrieel, diplomatiek en internationaal belang was.

Daar kwam hij achter via Milo.

Eerst ging hij naar goede vrienden met invloed in Washington, een advocaat, een geldinzamelaar, een stukjesschrijver in een krant en een imago-vormer, die allemaal zeiden dat ze er niets mee te maken wilden hebben en sindsdien niet meer opbelden en hem als vriend afgeschreven leken te hebben. Een lobbyist en een public-relations-adviseur eisten allebei een hoog honorarium en garandeerden hem dat ze hem niet konden garanderen dat ze iets zouden doen om het te verdienen. Zijn senator was waardeloos, zijn gouverneur hulpeloos. De Amerikaanse Unie voor Burgerrechten wilde haar vingers ook niet vuil maken aan de Zaak van de Verdwenen Legerpredikant: ze dachten net als de politie in Kenosha dat hij er waarschijnlijk met een andere vrouw vandoor was gegaan. Ten slotte en ten einde raad ging hij naar Milo Minderbinder, die eerst op zijn bovenlip, daarna op zijn onderlip kauwde en vroeg:

'Zwaar water? Hoeveel doet dat tegenwoordig?'

'Het wisselt, Milo. Een heleboel. Ik heb het nagekeken. Ze maken er gas van en dat is nog duurder. Op het ogenblik rond de dertigduizend dollar per gram, denk ik. Maar daar gaat het niet om.

'Hoeveel is een gram?'

'Ongeveer eendertigste ounce. Maar daar gaat het niet om.'

'Dertigduizend dollar voor eendertigste ounce? Dat klinkt bijna net zo goed als verdovende middelen.' Terwijl Milo sprak, keken zijn ongecoördineerde ogen speculatief in de verte, elke hazelnootbruine iris in een andere richting, alsof ze samen alles wat het de mens gegeven was te zien in zich opnamen. De twee helften van zijn snor zwaaiden ieder in hun eigen ritme en de individuele roestgrijze haartjes trilden dartel als elektronische voelhoorns. 'Is er veel vraag naar zwaar water?' informeerde hij.

'Elk land wil het hebben. Maar daar gaat het niet om.'

'Waar wordt het voor gebruikt?'

'Hoofdzakelijk voor kernenergie. En voor het maken van atoomkoppen.'

'Dat klinkt beter dan verdovende middelen,' ging Milo gefascineerd verder. 'Denk je dat zwaar water net zo'n goede groei-industrie is als illegale drugs?'

'Ik zou zwaar water geen groei-industrie willen noemen,' antwoordde Yossarian grimmig. 'Maar hier heb ik het allemaal niet over. Milo, ik wil uitvinden waar hij zit.'

'Waar wie zit?'

'Tappman. De man over wie ik het heb. Onze ouwe legerpredikant.'

'Ik ben met een heleboel mensen in dienst geweest.'

'Hij gaf je een referentie toen je bijna problemen kreeg vanwege het bombarderen van je eigen luchtbasis.'

'Ik krijg een heleboel referenties. Zwaar water? Ja? Heet het zo? Wat is zwaar water?'

'Zwaar water.'

'Juist ja. En wat is het gas?'

'Tritium. Maar daar gaat het niet om.'

'Wie maakt zwaar water?'

'Legerpredikant Tappman bijvoorbeeld. Milo, ik wil hem vinden en hem naar huis brengen voor hem iets overkomt.'

'En ik wil helpen,' beloofde Milo, 'voordat Harold Strangelove, General Electrics of een van mijn andere concurrenten het doet. Ik kan je niet genoeg bedanken dat je hiermee bij mij gekomen bent, Yossarian. Je bent je gewicht in goud waard. Vertel eens, wat is meer waard, goud of tritium?'

'Tritium.'

'Dan ben je je gewicht in tritium waard. Vandaag heb ik het druk, maar ik moet die legerpredikant zien te vinden en iemand binnen zien te smokkelen waar hij door de geleerden ondervraagd wordt om hem voor mezelf op te eisen.'

'Hoe denk je dat voor elkaar te krijgen?'

'Door te zeggen dat het in het landsbelang is.'

'Hoe bewijs je dat?'

'Door het nog een keer te zeggen,' antwoordde Milo, en hij vloog naar Washington voor zijn tweede presentatie van de nieuwe geheime bommenwerper die hij in gedachten had en die geen geluid maakte en onzichtbaar was.

6

MILO

'Je kan het niet horen en je kan het niet zien. Het zal sneller gaan dan het geluid en langzamer dan het geluid.'

'Noemt u uw vliegtuig daarom sub-supersonisch?'

'Inderdaad, majoor Bowes.'

'Wanneer zou u willen dat het langzamer vloog dan het geluid?'

'Als het landt en misschien ook als het opstijgt.'

'Werkelijk, meneer Wintergreen?'

'Absoluut, kapitein Hook.'

'Dank u, meneer Minderbinder.

Ze vergaderden één verdieping onder de grond in de kelder van het HSGPMZ, het nieuwe Hoofdkantoor Speciale Geheime Projecten Militaire Zaken, in een rond vertrek met azuurblauwe perspex wanden met lichtende breedtecirkels over verwrongen continenten en felgekleurde halfabstracte reliëfpanelen waarop vechtende vissen het opnamen tegen neerduikende roofvogels. Op de muur achter de kaalgeschoren hoofden van de halve cirkel vragenstellers hing een condor met enorme vleugels en roofzuchtige gouden klauwen. Alle aanwezigen waren mannen. Notulen waren niet toegestaan. Dit waren mannen met een scherp verstand en hun collectieve geheugen gaf voldoende zekerheid. Twee vochten al tegen de slaap. Iedereen ging ervan uit dat het vertrek toch afgeluisterd werd. Dit soort gelegenheden was te geheim om vertrouwelijk te blijven.

'Zal het sneller gaan dan het geluid?' vroeg een kolonel in de halve cirkel deskundigen links en rechts van de voorzitter, die een hogere stoel had dan de rest.

'We kunnen het zo snel maken dat het zelfs sneller gaat dan het licht.'

'Dat zou wel meer brandstof kosten.'

'Ogenblikje, één ogenblikje alstublieft, meneer Minderbinder, mag ik u iets vragen,' kwam een man in burger met het voorkomen van een professor bedachtzaam tussenbeide. 'Waarom zou uw bommenwerper geruisloos zijn? We hebben al supersonische vliegtuigen en die maken wel degelijk geluid met hun supersonische knal, nietwaar?'

'Het zou geruisloos zijn voor de bemanning.'

'Waarom zou dat van belang zijn voor de vijand?'

'Het is van belang voor de bemanning,' zei Milo nadrukkelijk, 'en niemand is meer begaan met die jongens dan wij. Sommigen zitten misschien maanden in de lucht.'

'Misschien zelfs jaren, met de door ons aanbevolen tankvliegtuigen.'

'Worden die ook onzichtbaar?'

'Als u wilt.'

'En geruisloos?'

'De bemanning zal ze niet horen.'

'Tenzij ze snelheid minderen en het geluid ze inhaalt.'

'Juist, meneer Wintergreen. Heel slim allemaal.'

'Dank u, kolonel Pickering.'

'Hoeveel bemanningsleden hebt u?'

'Twee maar. Twee kosten minder aan opleiding dan vier.'

'Werkelijk, meneer Minderbinder?'

'Absoluut, kolonel North.'

De officier in het midden was een generaal, die nu bij wijze van intentieverklaring zijn keel schraapte. Het vertrek werd stil. Hij genoot van de spanning.

'Beweegt licht?' vroeg hij.

Een doodse stilte volgde.

'Licht beweegt, generaal Bingam,' verbrak Milo Minderbinder die ten slotte opgelucht.

'Het snelst van alles,' voegde ex-soldaat eerste klas Wintergreen er behulpzaam aan toe. 'Licht is zowat het snelste wat bestaat.'

'En zowat het helderste ook.'

Bingam wendde zich twijfelend tot de mannen links van hem. Enkelen knikten. Hij fronste zijn wenkbrauwen.

'Weet u het zeker?' vroeg hij, en hij wendde zijn ernstige blik tot de specialisten rechts van hem.

Een paar gaven eveneens een angstig knikje. Enkele keken de andere kant op.

'Da's raar,' zei Bingam langzaam. 'Neem dat licht op dat hoektafeltje nou, volgens mij staat dat doodstil.'

'Dat komt,' verklaarde Milo, 'doordat het zo snel gaat.'
'Sneller dan het licht,' zei Wintergreen.
'Kan licht sneller gaan dan het licht?'
'Jazeker.'
'Bewegend licht is onzichtbaar, generaal.'
'Werkelijk, kolonel Pickering?'
'Absoluut, generaal Bingam.'
'Je kan licht alleen maar zien als het er niet is,' zei Milo.
'Ik zal het u laten zien,' zei Wintergreen, ongeduldig uit zijn stoel springend. Hij knipte de lamp uit. 'Ziet u dat?' Hij knipte de lamp weer aan. 'Ziet u enig verschil?'
'Ik begin hem te voelen, Gene,' zei Bingam. 'Ja, ik begin het licht te zien, wat?' Generaal Bingam glimlachte en leunde op de armleuning van zijn stoel. 'Eenvoudig gezegd, Milo, hoe ziet je vliegtuig eruit?'
'Op radar? Dan is het niet te zien. Zelfs niet uitgerust met al zijn kernwapens.'
'Voor ons. Op foto's en tekeningen.'
'Dat is geheim, generaal, tot u ons subsidie bezorgt.'
'Het is onzichtbaar,' voegde Wintergreen er met een knipoog aan toe.
'Begrijp ik, Eugene. Onzichtbaar. Het begint een beetje op de oude Stealth te lijken.'
'Nou, het líjkt ook wel iets op de oude Stealth.'
'De B-2 Stealth?' riep Bingam geschrokken.
'Een heel klein beetje maar!'
'Maar stukken beter dan de Stealth,' zei Milo haastig.
'En stukken mooier.'
'Nee, het lijkt niet op de oude Stealth.'
'Het lijkt voor geen cent op de oude Stealth.'
'Dat doet me genoegen.' Bingam liet zich weer op zijn armleuning zakken. 'Milo, ik weet zeker dat ik voor iedereen spreek als ik zeg dat wat je hier vandaag te zeggen had ons bevalt. Hoe noem je jullie geweldige nieuwe vliegtuig? Dat zullen we toch moeten weten.'
'We noemen ons geweldige nieuwe vliegtuig de M & M O & Co Sub-supersonische Onzichtbare en Geruisloze Defensieve Offensieve Aanvals- en Retorsie-Bommenwerper.'
'Da's een geschikte naam voor een defensieve offensieve retorsie-bommenwerper.'
'Hij drong zich als het ware op, generaal.'
'Eén ogenblikje, meneer Minderbinder,' wierp een magere man in burger van de Nationale Veiligheidsraad tegen. 'U heeft het over de

vijand alsof we nog vijanden hebben. We hebben geen vijanden meer.'

'We hebben altijd vijanden,' sprak een tegendraadse geopoliticus die eveneens een glasbrilletje droeg en zichzelf voor even intelligent versleet tegen. 'We moeten vijanden hebben. Als we geen vijanden hebben moeten we ze maken.'

'Maar op het moment staat er geen supermacht tegenover ons,' betoogde een dikke man van Buitenlandse Zaken. 'Rusland is ingestort.'

'Dan is het weer tijd voor Duitsland,' zei Wintergreen.

'Ja, Duitsland heb je altijd. Hebben we het geld?'

'Dat lenen we,' zei Milo.

'Van de Duitsers,' zei Wintergreen. 'En van Japan. En zodra we hun geld hebben,' ging hij triomfantelijk verder, 'moeten ze zorgen dat we elke oorlog tegen ze winnen. Da's ook een prima geheim defensief aspect van onze geweldige offensieve defensieve aanvalsbommenwerper.'

'Ik ben blij dat je ons daarop wijst, Gene,' zei generaal Bingam. 'Milo, ik wil hier de finish mee halen en ik zal mijn aanbeveling doen.'

'Bij het Lulletje?' vroeg Milo hoopvol.

'O nee,' antwoordde Bingam toegeeflijk geamuseerd. 'Voor het Lulletje is het nog te vroeg. We moeten op zijn minst nog één keer vergaderen met strategen van de andere diensten. En rondom de president klieken altijd van die vervloekte burgers zoals Macaroni Cook. We zullen een en ander uit moeten laten lekken naar de kranten. Ik wil beginnen een achterban op te bouwen. Er zitten hier namelijk nog meer mensen achteraan.'

'Wie dan?'

'Strangelove bijvoorbeeld.'

'Strangelove?' zei Milo. 'Die is waardeloos.'

'Die rotzooit maar wat aan,' zei Wintergreen beschuldigend.

'Die pousseerde de Stealth.'

'Wat voert hij tegenwoordig in zijn schild?'

'Hij heeft de zogenaamde Strangelove Universeel Inzetbare Doe-Het-Zelf Defensieve Z-M-Op Offensieve Aanvals-, Tegenaanvals- of Tegentegenaanvalsbommenwerper.'

'Dat wordt niks,' zei Wintergreen. 'De onze is beter.'

'Zijn naam is beter.'

'Aan onze naam wordt gewerkt.'

Zijn Strangelove Universeel Inzetbare Doe-Het-Zelf Defensieve Z-M-Op Offensieve Aanvals-, Tegenaanvals- of Tegentegenaanvalsbommenwerper kan niet tippen aan onze M & M O & Co Subsupersonische Onzichtbare en Geruisloze Defensieve Offensieve Aanvals- en Retorsie-Bommenwerper,' zei Milo kortaf.

'Zijn produkten werken immers nooit.'

'Het doet me genoegen dat te horen,' zei generaal Bingam, 'want ik sta helemaal achter jullie. Hier is zijn nieuwe visitekaartje. Gestolen door een van onze veiligheidsagenten van een van de veiligheidsagenten in een andere inkoopafdeling waarmee we op het punt staan openlijk oorlog te gaan voeren. Jullie bommenwerper komt uitstekend van pas.'

Op het visitekaartje dat rondging, schitterde de dubbele adelaar van het Oostenrijks-Hongaarse keizerrijk en de in gepreegde en vergulde letters gestelde mededeling:

Harold Strangelove & Co
Eersteklas Contacten en Advies
In- en Verkoop van Tweedehands Invloed
Bombast Vast in Voorraad
N.B. De informatie op dit visitekaartje is vertrouwelijk

Milo keek bedrukt. Dit kaartje was beter dan het zijne.

'Milo, we doen allemaal mee aan de wedloop van de eeuw om het ultieme wapen te vinden dat de wereld kan verwoesten en de winnaar die het 't eerst gebruikt onsterfelijk beroemd zal maken. Wie daarmee bij de president aankomt kan makkelijk tot de Gezamenlijke Stafchefs benoemd worden en ik, Bernard Bingam, zou die man graag willen zijn.'

'Bravo!' riepen de officieren aan weerszijden van generaal Bingam in koor, zodat de generaal stralend van verlegen verrassing om zich heen keek, terwijl de dikke burger en de dunne burger zwijgend en ongelukkig voor zich uit staarden.

'Dan zou ik maar voortmaken als ik u was, generaal,' dreigde Wintergreen onbeschoft. 'We hebben geen zin om op onze reet te blijven zitten met zo'n superprodukt als dit. En als jullie geen belangstelling hebben...'

'Natuurlijk, Eugene, natuurlijk. Als jij me dan wat goed reclamemateriaal geeft, zodat we weten waar we het over hebben als we het met iemand hebben over waar jullie het vandaag met ons over gehad hebben. Geen bijzonderheden, daar kunnen we alleen maar last mee krijgen. Gewoon een pagina enthousiaste reclame en misschien een paar tekeningen in kleur om ons een idee te geven van hoe het eruit gaat zien. Ze hoeven niet exact te zijn, als ze maar indruk maken. Dan doen wij ons best om zo snel mogelijk resultaten te krijgen. Even snel als het licht, hè? En Milo, ik heb nog één netelige vraag.'

'Ik ook,' zei de dikke man.

'Ik heb er ook een,' zei de dunne.

'Het ligt een beetje gevoelig, dus bij voorbaat mijn excuses. Werken die vliegtuigen van je ook? Doen ze wat jij zegt? Het kan zijn dat de toekomst van de wereld ervan afhangt.'

'Zou ik u iets voorliegen?' vroeg Milo Minderbinder.

'Als de toekomst van de wereld ervan afhangt,' zei ex-soldaat eerste klas Wintergreen, 'zou ik nog eerder mijn ex-vrouw iets voorliegen.'

'Dat is de garantie die ik nodig heb.'

'Generaal Bingam,' zei Wintergreen met de gekwetste waardigheid van iemand die zich beledigd voelt. 'Ik weet wat oorlog is. In de Tweede Wereldoorlog heb ik loopgraven gegraven in Colorado. Ik heb dienst gedaan als soldaat eerste klas in Europa. Op D-Day sorteerde ik post in Italië. Ik was paraat op D-Day, in mijn postkamer dan, en die was niet veel groter dan het vertrek waar we vandaag bijeen zijn. Ik heb mijn reputatie op het spel gezet met gestolen Zippo-aanstekers voor onze jongens in Italië.'

'En ik met eieren,' zei Milo.

'Niemand hoeft ons erop te wijzen wat er op het spel staat. Niemand in dit vertrek is zich meer bewust van mijn verantwoordelijkheden dan ik, of meer vastbesloten om ze te dragen.'

'Neem me niet kwalijk, meneer,' zei generaal Bingam nederig.

'Op u na misschien, generaal, of meneer Minderbinder hier. Of uw collega's die bij u aan tafel zaten, generaal. Jezus Christus, ik wist meteen dat die godverlaten kutvogels iets te zeiken zouden hebben,' klaagde Wintergreen toen het tweetal de conferentiezaal verlaten had.

Samen liepen ze door het doolhofachtige keldercomplex, vol uitbundig ogende mannen en vrouwen in burger en uniform. Het hele klerezootje, merkte Wintergreen zacht grommend in zichzelf op, leek welvarend en schoon en steriel, en straalde veel te veel godverlaten zelfvertrouwen uit. De vrouwen in uniform leken allemaal klein en sierlijk, behalve de officieren, die leken meer dan levensgroot. En stuk voor stuk, mompelde Wintergreen met schuldbewust neergeslagen ogen, zagen ze er verrekte verdacht en onbetrouwbaar uit.

Op hun weg naar de liften zagen ze een pijl die naar het ministerie van Justitie wees. In de volgende gang hing een andere pijl, zwart ditmaal, die een doorsteek naar het nieuwe Nationale Militaire Kerkhof aangaf. Het voor het publiek toegankelijke gedeelte van het nieuwe HSGPMZ-gebouw, met zijn sprankelende winkelcentrum in het huizenhoge atrium, was al de op een na populairste toeristische attractie in de nationale hoofdstad. Na het nieuwste oorlogsmonument. Speciale, uiterst geheime HSGPMZ-papieren waren vereist om af te dalen of op te klimmen naar andere niveaus dan de overvolle promenades en open mezzanino's met hun keur van nouveau art-deco krantenkiosken, eettentjes, souvenirwinkels en hun beroemde voorstellingen, kijkkasten en 'virtual reality'-schiettenten die al geschitterd hadden in internationale architectuurcompetities.

Rechts in de kelder trok een iriserende rode pijl die aan een vlammende raket deed denken, hun blik naar een bord met de mededeling:

Kelderverdiepingen A-Z

De pijl wees abrupt naar beneden, op een gesloten metalen deur met het opschrift:

NOODINGANG
Verboden Toegang
Op Overtreders Wordt Geschoten

De deur werd bewaakt door twee geüniformeerde schildwachten, die de taak schenen te hebben mensen uit de buurt te houden. Een grote gele letter S tegen een blinkend zwarte achtergrond straalde de geruststellende zekerheid uit dat men een nieuwe ouderwetse schuilkelder had geïnstalleerd voor het gemak en ter bescherming van werknemers en bezoekers.

De liften werden bewaakt door schildwachten die zelfs niet met elkaar praatten. De lift bevatte een tv-monitor. Milo en Wintergreen zwegen en hielden hun gezicht in de plooi, zelfs toen ze weer boven in de grote hal van de echte wereld waren, waar toergidsen rondliepen met toergroepen uit toerbussen die buiten de draaideuren op het gereserveerde parkeerterrein bij de hoofdingang geparkeerd stonden. Ze hervatten hun gesprek pas toen ze buiten in het druilerige voorjaarsregentje stonden en het vorstelijke gebouw voor speciale geheime projecten waarin hun ontmoeting had plaatsgevonden, achter zich lieten.

'Wintergreen,' fluisterde Milo ten slotte. 'Denk je dat die vliegtuigen van ons echt zullen werken?'

'Hoe kan ik dat godverdomme weten?'

'Hoe gaan ze eruitzien?'

'Daar moeten we ook nog achter komen.'

'Als de toekomst van de wereld ervan afhangt,' redeneerde Milo, 'kunnen we beter zorgen dat de koop gesloten wordt terwijl de wereld nog bestaat. Anders krijgen we misschien nooit betaald.'

'We moeten tekeningen zien te krijgen. Die godverlaten Strangelove.'

'En tekst voor een folder. Wie hebben we daarvoor?'

'Yossarian?'

'Die maakt misschien bezwaar.'

'Dat-ie doodvalt dan,' zei Wintergreen. 'Laat hem maar bezwaar hebben. Dan negeren we die kutvogel gewoon weer. Ons een klotezorg. Het is ons toch een rotzorg of die kutvogel bezwaar heeft. We kunnen hem toch gewoon weer negeren. Gód nog aan toe.'

'Ik wou,' zei Milo, 'dat je niet zoveel vloekte in onze nationale hoofdstad.'

'Jij bent de enige die me hoort.'

Milo twijfelde zichtbaar. Het zachte voorjaarsbuitje besprenkelde hen met regendruppels door een prismatische nevel die als een lauwerkrans om zijn hoofd hing. 'Yossarian heeft de laatste tijd weer veel te veel bezwaar gemaakt. Ik zou mijn zoon wel kunnen vermoorden dat hij hem verteld heeft dat het een bommenwerper was.'

'Lijkt me geen goed idee.'

'Wat ik zoek is een tweederangs broodschrijver met een goede positie in de regering en niet te veel scrupules als het op geld verdienen aankomt.'

'Macaroni Cook?'

'Macaroni Cook is precies de man die ik op het oog had.'

'Macaroni Cook is hier tegenwoordig veel te belangrijk voor. En we hebben Yossarian nodig om het contact te maken.'

'Ik maak me zorgen over Yossarian.' Milo verzonk in gepeins. 'Ik weet niet zeker of ik hem kan vertrouwen. Ik ben bang dat hij nog steeds eerlijk is.'

BOEK DRIE

7

ACACAMMA

Yossarian liet zich per taxi naar het Metropolitan Museum of Art aan de andere kant van de stad brengen voor zijn maandelijkse ACACAMMA-vergadering, en was precies op tijd om een anoniem voorstel ter tafel te horen brengen voor het creëren van een deconstructiefonds voor het terugbrengen van de absurde en lachwekkende afmetingen die het museum inmiddels had aangenomen. Hij hoorde de motie als niet aan de orde afgewezen worden en zag de fonkelende zwarte ogen van Olivia Maxon dreigend op zich gevestigd, terwijl hij zich met een onderdrukte glimlach naar Frances Beach wendde, die vragend-bewonderend haar wenkbrauwen optrok tegen Patrick Beach, die zijn nagels bestudeerde en geen aandacht besteedde aan Christopher Maxon, die met trillende onderkinnen van plezier een denkbeeldige sigaar tussen zijn vingers liet rollen, de denkbeeldige punt bevochtigde, genietend de denkbeeldige geur opsnoof, de denkbeeldige sigaar in een echte mond stak en zich puffend een lethargisch delirium rookte.

ACACAMMA, de bijzondere Adjunct-Commissie ter Aanmoediging van Culturele Activiteiten in het Metropolitan Museum of Art, was een exclusief clubje en van de zeventig of tachtig leden waren er die dag maar dertig of veertig bijeengekomen om die ene uiterst lastige keuze te maken: de inkomsten van het gebruik van het gebouw voor gelegenheden als bruiloften, geschenkdagen voor aanstaande bruidjes, bridge-cursussen, modeshows en verjaardagspartijtjes verhogen, en zo ja, hoe... of een eind maken aan deze ongepaste feestelijkheden als zijnde vulgair.

Geld was zoals altijd het grootste probleem.

Voor meer diepgaande discussie op toekomstige vergaderingen werden onderwerpen ter tafel gebracht als de kunst van het geld inzamelen, de kunst van de handel, het kunstzinnige van publiciteit, de kunst van het beklimmen der maatschappelijke ladder, de kunst van het modeontwerpen, de kunst van het kostuum, de kunst van het provianderen en de kunst van het zonder onenigheid leiden en op tijd afsluiten van een twee uur durende vergadering die aangenaam, onbewogen, voorspelbaar en onnodig was.

De enkele wanklank werd vakkundig aangepakt.

Een laatste anoniem voorstel om anonieme voorstellen in het vervolg niet meer op de agenda toe te laten werd voor nader beraad doorverwezen naar het dagelijks bestuur.

In de bar van het naburige hotel waar Yossarian na afloop met Patrick en Frances Beach zijn toevlucht zocht, begon Frances aan een gin-en-tonic en keek Patrick Beach verveeld.

'Natuurlijk verveel ik me,' zei hij met ternauwernood onderdrukte trots tegen zijn vrouw. 'Ik heb onderhand een even grote hekel aan de schilderijen zelf als aan al die praat erover. O, Frances...' zijn zucht was de grillige smeekbede van een martelaar '...waarom sleur je ons altijd mee in dit soort situaties?'

'Hebben we soms iets beters te doen?' vroeg Frances haar echtgenoot liefjes. 'Het levert ons uitnodigingen op voor nog ergere gelegenheden, toch? En het maakt het makkelijker onze naam in de kranten te houden zodat iedereen weet wie we zijn.'

'Zodat we zélf weten wie we zijn.'

'Goddelijk vind ik dat.'

'Ik heb beloofd haar te vermoorden als ze dat woord nog een keer gebruikte.'

'Terzake,' zei Frances ernstig.

'Hij kan het onmogelijk gemeend hebben.'

'Jawel. Meende je dat, John, toen je voorstelde dat we een bruiloft in dat busstation moesten houden?'

'Natuurlijk,' loog Yossarian.

'En denk je dat het zou lukken? Een grote bruiloft?'

'Zonder enige twijfel,' loog hij opnieuw.

'Olivia Maxon,' Frances trok een gezicht, 'geeft een bruiloft voor een stiefnicht of zo en zoekt nieuwe ideeën voor een origineel trefpunt. Haar woord. Het museum is niet goed genoeg meer sinds die twee joden er een receptie hadden en nu er twee andere joden in de raad van beheer zitten. Ook haar woorden. De arme Olivia denkt er nooit aan dat ik ook wel eens joods kon zijn.'

'Waarom zeg je dat dan niet?' vroeg Yossarian.

'Omdat ik niet wil dat ze het weet.'

Ze grinnikten alle drie.

'Mij wilde je het anders maar al te graag laten weten,' berispte Patrick haar goedmoedig.

'Toen was ik arm,' zei Frances, 'en een opstandige actrice die leefde van dramatische conflicten. Nu, als echtgenote van een rijk man, ben ik loyaal aan zijn klasse.'

'Met een talent voor bombast,' zei Patrick. 'Frances en ik zijn het gelukkigst samen als ik ga zeilen.'

'Wat ik nooit vertrouwd heb bij psychologische komedies,' zei Yossarian peinzend, 'is dat mensen grappige opmerkingen maken en de andere mensen niet lachen. Ze hebben niet eens in de gaten dat ze in een komedie zitten.'

'Net als wij,' zei Patrick.

'Laten we bij de agenda blijven,' verordende Frances. 'Ik zou die bruiloft graag zien gebeuren in jouw busstation, terwille van Olivia. Wat mij betreft hoop ik dat het de ramp van de eeuw wordt.'

'Ik ben eventueel bereid om te helpen het gebouw te krijgen,' zei Yossarian. 'De ramp kan ik niet garanderen.'

'Olivia doet mee. Ze weet zeker dat ze onze nieuwste president kan krijgen. Christopher geeft een heleboel geld sinds hij een voorwaardelijke straf heeft gekregen en het gemeenschapswerk hem bespaard is gebleven.'

'Da's een goed begin.'

'De burgemeester zou ook komen.'

'Dat zou ook helpen.'

'En de kardinaal zal het niet willen missen.'

'We hebben alle troeven in handen,' zei Yossarian. 'Ik zal het terrein gaan verkennen als je er echt op staat.'

'Wie ken je daar?' vroeg Frances gretig.

'McMahon and McBride, de smeris en een opzichter. McBride was rechercheur in het politiebureau daar...'

'Hebben ze daar een politiebureau?' riep Patrick verbaasd.

'Da's iets nieuws,' zei Frances. 'Bescherming naast de deur.'

'En heel handig ook,' zei Yossarian. 'Ze kunnen van alle gasten die komen vingerafdrukken nemen. McBride weet wel of dat zal lukken. We kunnen aardig met elkaar opschieten sinds de arrestatie van mijn zoon Michael daar.'

'Waarvoor?' wilde Patrick weten.

'Voor uit de ondergrondse komen en teruggaan toen hij in de gaten kreeg dat hij in het verkeerde station was uitgestapt. Hij werd aan de muur geketend.'

'Goeie God!' riep Patrick verstoord. 'Wat afschuwelijk.'

'Het scheelde niet veel of we hadden het geen van beiden overleefd,' zei Yossarian met een nerveus, somber lachje. 'Waarom ga je niet mee, Patrick. Het is weer iets nieuws voor je. En je krijgt er meer idee van hoe het moderne leven in elkaar zit. Het museum is ook niet alles.'

'Ik ga liever zeilen.'

Patrick Beach, vier jaar ouder dan de andere twee, was rijk en intelligent geboren en dank zij het inzicht in zijn eigen intrinsieke nutteloosheid al vroeg lui geworden. In Groot-Brittannië, had hij ooit tegen Yossarian gezegd, of in Italië, of in een van de weinige resterende republikeinse samenlevingen met een waarlijk aristocratische traditie, zou hij misschien geprobeerd hebben academisch te schitteren als geleerde op een of ander gebied. Maar hier, waar intellectuele inspanningen in het algemeen laag aangeschreven stonden, was hij er meteen vanaf zijn geboorte toe veroordeeld vrijetijdskunstenaar of beroepsdiplomaat te worden, wat in zijn ogen vrijwel hetzelfde was. Na drie snelle, oppervlakkige huwelijken met drie oppervlakkige vrouwen had hij zich ten slotte blijvend gevestigd met Frances Rosenbaum, wier toneelnaam Frances Rolphe was en die veel begrip had voor zijn periodieke behoefte aan eenzaamheid en studie. 'Ik heb mijn geld geërfd,' herhaalde hij vaak met overdreven vriendelijkheid tegen nieuwe kennissen bij wie hij zich verplicht voelde beleefd te zijn. 'Ik heb niet hard hoeven werken om in júllie gezelschap te verkeren.'

Dat veel mensen hem niet mochten deerde hem niet, maar zijn patricische gezicht kon verstarren en zijn fijngesneden lippen konden trillen van machteloze frustratie als mensen te bot waren om beledigd te zijn door zijn neerbuigendheid of te brutaal om zich er iets van aan te trekken.

'Als ik Olivia Maxon,' zei Frances samenvattend, 'het idee geef dat het idee van haar afkomstig is, zegt ze overal ja op.'

'En Christopher Maxon is het overal mee eens,' verzekerde Patrick hun, 'zolang je hem maar iets geeft om het mee eens te zijn. Ik lunch vaak met hem als ik zin heb om alleen te eten.'

Als hij zin had om met iemand te eten dacht hij vaak aan Yossarian, die het leuk vond om badinerende gesprekken met hem te voeren over vrijwel alle courante onderwerpen, en herinneringen op te halen aan hun respectieve ervaringen in de Tweede Wereldoorlog, Yossarian als gedecoreerde bommenrichter op een eiland in Italië, Patrick bij de Oorlogsinformatiedienst in Washington. Patrick vond het nog steeds een eer en een genoegen om met een man te praten die hij mocht en die even kritisch de krant kon lezen als hij en een oorlogswond had opgelopen en door een plaatselijke prostituée in de zij was gestoken en die er uiteindelijk in geslaagd was zich tegen de zin van zijn directe meerderen uiteindelijk naar huis te laten sturen.

Frances ging opgewekt verder. 'Olivia zal dolblij zijn als ze hoort dat je meedoet. Ze is nieuwsgierig naar je, John,' zei ze schalks. 'Je bent nu al een jaar van je vrouw af en hebt nog steeds niemand anders. Ik vraag me ook af waarom. Je zegt zelf dat je ertegen opziet om alleen te wonen.'

'Ik zie meer op tegen niet alleen wonen. Ik weet gewoon dat de volgende ook dol zal zijn op films en het journaal! En ik weet niet zeker of ik nog wel ooit verliefd kan worden,' zei hij kwijnend. 'Ik ben bang dat dat soort wonderen tot het verleden behoren.'

'En hoe denk je dat een vrouw van mijn leeftijd zich voelt?'

'Maar wat zou je zeggen,' plaagde Yossarian, 'als ik je vertelde dat ik op het ogenblik verliefd ben op een verpleegster met de naam Melissa MacIntosh?'

Frances speelde het spelletje gretig mee. 'Dan zou ik je eraan herinneren dat de liefde op onze leeftijd zelden het tweede weekend overleeft.'

'Plus: ik voel me aangetrokken tot een welgevormde Australische blondine met wie ze een appartement deelt, een vriendin met de naam Angela Pijper.'

'Daar zou ik zelf verliefd op kunnen worden,' zei Patrick. 'Heet ze echt zo? Pijper?'

'Piper.'

'Volgens mij zei je Pijper.'

'Ik zei Piper, Peter.'

'Hij zei inderdaad Pijper,' zei Frances verwijtend. 'En ik zou je eveneens beschuldigen van het meedogenloos uitbuiten van onschuldige jonge werkende meisjes voor perverse seksuele doeleinden.'

'Ze is niet onschuldig en ze is niet jong.'

'Dan kun je net zo goed een van onze weduwen of gescheiden vrouwen nemen. Die kun je manipuleren maar nooit uitbuiten. Die hebben advocaten en financiële adviseurs die niet toestaan dat ze zich door iemand laten misbruiken behalve door zichzelf.'

Patrick trok een gezicht. 'John, hoe praatte ze voordat ze op de bühne ging werken?'

'Net als ik nu. Sommige mensen zouden zeggen dat je een geluksvogel bent, Patrick, dat je een vrouw getrouwd hebt die altijd in epigrammen spreekt.'

'En die ons leert om ook zo te praten.'

'Goddelijk vind ik dat.'

'O shit, schat,' zei Patrick.

'Dat is het soort obsceniteit, mijn liefste, waar John zich in ons bijzijn nooit aan zou beschuldigen.'

'Hij gebruikt schunnige taal tegen mij.'

'Tegen mij ook. Maar nooit tegen ons allebei.'

Hij keek Yossarian verbaasd aan. 'Is dat waar?'

'Daar kun je donder op zeggen,' zei Yossarian lachend.

'Probeer jij zoveel mogelijk inlichtingen in te winnen? Over onze bruiloft in het busstation?'

'Ik ben al weg.'

Voor het hotel stonden geen taxi's. Verder op in de straat was Frank Campbells Rouwsalon, een geducht mortuarium dat veel omgekomen notabelen van de hoofdstad onder zijn hoede nam. Twee mannen voor de pui, een in de stemmige kleding van een werknemer, de ander met een plebejisch voorkomen en uitgerust met rugzak en wandelstaf, raspten elkaar toe in een gefluisterd twistgesprek, maar geen van beiden keurde hem een blik waardig toen hij een hand opstak en een taxi aanhield.

8

TIME

Het gebouw met de M & M-kantoren waar Yossarian later die dag heen zou gaan, was een bouwwerk van gemiddelde grootte in het Japanse onroerend-goedcomplex dat nu bekend staat als het Rockefeller Center. Dit was het vroegere Time-Life Gebouw, het hoofdkwartier van de uitgeverij Time Inc., waar Sammy Singer lang geleden werk had gevonden als reclametekstschrijver, kort nadat hij zijn onderwijsbaan in Pennsylvania had opgegeven omdat hij weigerde een eed van trouw aan de staat te ondertekenen ter behoud van een betrekking die maar tweeëndertighonderd dollar per jaar betaalde, en waar hij de vrouw leerde kennen die vijf jaar later zijn echtgenote zou worden. Glenda was een jaar ouder dan Sammy, wat haar in de ogen van zijn moeder, als die nog geleefd had, gediskwalificeerd zou hebben, en niet joods, wat de oude dame waarschijnlijk nog meer van streek zou hebben gemaakt.

En ze was gescheiden. Glenda had drie kleine kinderen, waaronder één die helaas was voorbestemd zich te ontwikkelen tot een schizofreen grensgeval met een zwakke wil, een hang naar verdovende middelen en vroege zelfmoordneigingen, terwijl de andere twee het wel haalden maar uiteindelijk een hoge potentiële aanleg voor neoplastische ziektes bleken te hebben. Het enige wat Sammy aan zijn lange huwelijk verdroot was het tragische en onverwachte einde. Sammy had niets tegen eden van trouw als zodanig, maar wel een hartstochtelijke hekel aan mensen die ze voorstonden. Zijn mening over de Koreaanse oorlog en de oorlog in Vietnam was in grote lijnen hetzelfde: hij was er niet bijzonder voor of tegen, maar ontwikkelde een enorme afkeer van demagogen in de twee politieke partijen die hem door dreigementen probeerden te dwingen hun kant te kiezen. Na zijn eerste blijdschap over de overwinning van Harry Truman in

1948 kon hij de man niet meer luchten of zien, en ook voor Eisenhower en Nixon daarna had hij weinig respect. Met Kennedy was hij even weinig ingenomen als met Eisenhower en hij besloot niet meer aan de presidentsverkiezingen mee te doen. Op een gegeven moment stemde hij helemaal niet meer en was trots op zichzelf op verkiezingsdagen. Glenda stemde al niet meer toen hij haar leerde kennen en vond alle kandidaten die een openbaar ambt nastreefden vulgair, vervelend en voos.

Zijn aanvangssalaris bij *Time* magazine was negenduizend dollar per jaar, bijna drie keer zoveel als hij aan de universiteit verdiend zou hebben, en hij had vier weken zomervakantie. Aan het eind van zijn derde jaar daar ontdekte hij tot zijn blijdschap dat hij een belang had in een royaal bedrijfspensioen en winstdelingsplan. Met zijn door de federale regering op grond van de Veteranenwet mogelijk gemaakte en gefinancierde universitaire opleiding en een baan bij een gerenommeerde, landelijk bekendstaande firma werd hij reeds op zijn vijfentwintigste door al zijn jeugdvrienden uit Coney Island als een fabelachtig succes beschouwd. Toen hij een klein appartement in Manhattan kocht, steeg hij op tot de hoogste elitaire regionen en bekeek zelfs Lew Rabinowitz hem met likkebaardende afgunst. Sammy hield van zijn omgeving, hij hield van zijn leven. Na zijn huwelijk hield hij van zijn vrouw en van zijn stiefkinderen en hoewel Lew weigerde dit te geloven was hij gedurende al zijn tijd met Glenda nooit met een andere vrouw naar bed geweest.

Op zijn werk in de stad was Sammy voor het eerst van zijn leven omringd door Republikeinen. Zijn achtergrond en universitaire opleiding hadden hem geconditioneerd tot de opvatting dat alleen bandieten, sociopaten en debielen Republikein wilden zijn. Maar deze collega's waren niet dom en geen bandieten of sociopaten. Hij dronk cocktails tijdens lange lunches met andere mannen en vrouwen in de firma, rookte een paar jaar lang menig avondje marihuana met oude en nieuwe vrienden en betreurde zijn kennissen in Brooklyn die nu aan de heroïne verslaafd waren. De niet-joodse mannen en vrouwen met wie hij whisky dronk en marihuana rookte, vonden het moeilijk te geloven dat joodse jongelui in Brooklyn verslaafd waren. Hij nam vrienden uit Manhattan naar Brooklyn en stelde ze voor, ging samen met hen mosselen eten aan Sheepshead Bay en hot dogs in Coney Island, ritjes maken op de Parachutesprong en het Wonderrad en kijken naar de waaghalzen op de angstaanjagende achtbaan. Hij nam ze mee naar Kermisland van George C. Tilyou. Bij daglicht en maanlicht ging hij naar bed met jonge vrouwen die een pessarium en zaaddodende pasta gebruikten, en daar kon hij nog steeds niet over uit. In tegenstelling tot de vrienden met wie hij was opgegroeid trouwde hij niet meteen na levend uit de oorlog te zijn teruggekeerd, maar wachtte tot hij bijna dertig was. Als vrijgezel was hij dikwijls eenzaam en vrijwel nooit ongelukkig.

Zijn chef was een welbespraakte man met elegante maniertjes en niets dan minachting voor de redacteuren, hoofdzakelijk omdat hij er zelf geen was en omdat hij meer gelezen had dan zij, en tijdens vergaderingen betoogde hij eloquent dat de tekstschrijvers op zijn afdeling beter konden schrijven dan die in de redactie en veel meer in hun mars hadden. In die tijd schreef iedere tekstschrijver, inclusief Sammy, boeken en artikelen en verhalen en draaiboeken – of praatte erover; de mannen en vrouwen op de ontwerpafdelingen schilderden en beeldhouwden in het weekend en droomden van tentoonstellingen. De pesterige chef, waar iedereen trots op was, werd uiteindelijk met vervroegd pensioen het bedrijf uit gewerkt en stierf korte tijd later aan kanker. Vlak na zijn vertrek werd Sammy, een jood uit Coney Island in een protestantse organisatie vol welgestelde voorstedelingen, gebombardeerd tot chef van een kleine afdeling en stiefvader van drie kinderen van een zeer besluitvaardige protestantse vrouw uit het middenwesten die op een morgen naar het ziekenhuis was gegaan om haar eileiders te laten afbinden om te voorkomen dat haar moeizame huwelijk met een trouweloze echtgenoot dat volgens haar zeker geen stand zou houden, nog meer kinderen voort zou brengen. Aan zijn vreemdgaan kon ze nog wennen, zei ze altijd, tot ongeloof van Sammy, maar ze had de pest aan zijn tactloosheid. Kort na de echtscheiding kreeg hij huidkanker. Hij leefde nog toen Sammy bij Glenda introk en maakte nog mee dat ze trouwden.

Sammy voelde zich thuis bij *Time* en bleef teksten schrijven ter verbetering van het advertentie-inkomen van een tijdschrift dat hij waardeerde als een uitstekend gebruiksartikel maar verder niet erg hoog aansloeg. Hij hield van zijn werk, kon het goed vinden met zijn collega's, genoot van zijn steeds grotere salaris en het geruststellende besef dat hij financieel gezien op rozen zat. Zijn betrokkenheid bij de internationale edities van de tijdschriften *Time* en *Life* gaf hem de gelegenheid tot reizen en schonk hem blijvende vriendschappen met mensen in andere landen. Zoals zoveel mensen van zijn generatie was hij opgegroeid met het praktische ideaal dat het beste werk wat je kon vinden het beste werk was wat je kon doen.

Hij bleef werken tot hij op drieënzestigjarige leeftijd eveneens vervroegd met pensioen werd gestuurd door een bloeiend bedrijf dat besloten had nog weliger te bloeien door op personeel te bezuinigen en dood hout zoals hij weg te snoeien, en hij vertrok welgemoed met een levenslang gegarandeerd goed inkomen uit het royale pensioen- en winstdelingsfonds van het bedrijf, drieduizend aandelen met een waarde van ruim honderd dollar per stuk en een ruime medische en ziekenkostenverzekering die voor vrijwel alle kosten van Glenda's laatste ziekte opdraaide en hem tot zijn dood, en zijn twee overgebleven stiefkinderen, als ze jong genoeg waren geweest om in aanmerking te komen, tot hun negentiende of hun afstuderen tegen alle medische onkosten verzekerde.

9

HET BUSSTATION

De sjouwers op het trottoir staarden ijskoud door hem heen toen hij zonder bagage uitstapte. In het station zelf leek alles normaal. Reizigers stroomden naar hun bestemmingen, de vertrekkenden naar bussen beneden die hen naar alle windstreken voerden, of naar de bussen op het tweede, derde en vierde niveau, die naar alle andere windstreken reden.

'Voor 'n nickel help ik u, meneer,' sprak een mager kereltje van een jaar of veertien hem verlegen aan.

Een nickel was vijf dollar en Yossarian was te weekhartig om tegen hem te zeggen dat hij hem dat niet waard vond.

'Voor 'n nickel help ik u, meneer,' zei een borstloos meisje twee stappen verder, een paar jaar ouder maar zonder de zwellende contouren van ontluikende vrouwelijke rijpheid, terwijl een dikke vrouw met geverfde oogleden, rood gemaakte wangen en vetkuiltjes rondom haar mollige knieën onder de strakke rok van een afstandje lachend toekeek.

'Kom, dan lik ik je ballen,' nodigde de vrouw Yossarian uit toen hij voorbijliep, koket met haar ogen rollend. 'Onder de brandtrap is 'n goed plekkie.'

Hij verstijfde van verontwaardiging. Ik ben achtenzestig, zei hij tegen zichzelf. Straalde hij soms iets uit dat deze mensen het idee gaf dat hij naar het busstation gekomen was om geholpen te worden of zijn ballen te laten likken? Waar was die verrekte McMahon?

Hoofdinspecteur Thomas McMahon van de Havendienstpolitie was in het politiebureau en keek samen met onderdirecteur Lawrence McBride toe hoe Michael Yossarian op een groot vel papier een potloodtekening maakte, bevangen door de eerbied die sommige mensen zonder ervaring koesteren voor de alledaagse artistieke vaardigheden die ze zelf ontberen. Yossarian had hun kunnen vertellen dat Michael waarschijnlijk voortijdig op zou houden en zijn schets zou achterlaten. Michael maakte dingen meestal niet af en voorzichtigheidshalve begon hij daarom niet vaak ergens aan.

Hij was bezig met een geschokt portret van zichzelf in de wandboeien waaraan hij nog steeds stond vastgeketend toen Yossarian op de dag van zijn arrestatie woedend het bureau binnenstormde. Met ronde halen van zijn potlood had hij de rechtlijnige vormen van de politiecel veranderd in een diepe modderput waar je schuin van boven inkeek en waarin het harkerige figuurtje van zichzelf dat hij zojuist getekend had troosteloos smachtte.

'Laat hem precies waar hij is!' had Yossarian een half uur eerder door de telefoon gebulderd tegen de agent die hem had opgebeld ter verificatie van Michaels identiteit, omdat de receptioniste van het architectenbureau waarvoor Michael tekeningen maakte, niet wist dat hij een freelance opdracht had gekregen. 'Waag het niet om hem in een cel te stoppen!'

'Ogenblikje, meneer, één ogenblikje!' viel de beledigde agent hem piepend van verontwaardiging in de rede. 'Ik bel ter verificatie van zijn identiteit. We hebben onze procedures.'

'Steek je procedures maar in je reet!' beval Yossarian. 'Hoor je me?' Hij was kwaad genoeg en bang genoeg en voelde zich hulpeloos genoeg om een moord te begaan. 'En doe wat ik zeg of je zult het bezuren!' brulde hij ruw, zelf gelovend dat hij het meende.

'Hé, hé, hé, wacht 's, makker, hé, wacht 's, makker!' De jonge politieman was bijna hysterisch van woede. 'Wie denk je godverdomme wel dat je bent?'

'Ik ben majoor John Yossarian van het M & M Pentagon Luchtmachtproject,' antwoordde Yossarian streng en kortaf. 'Brutale zakkenwasser dat je bent. Waar is je superieur?'

'Hoofdinspecteur McMahon hier,' zei een oudere man met emotieloze verbazing. 'Wat mankeert eraan, meneer?'

'U spreekt met majoor John Yossarian van het M & M Pentagon Luchtmachtproject, hoofdinspecteur. U heeft mijn zoon daar. Ik wil niet dat iemand hem aanraakt, ik wil niet dat hij ergens heengaat, ik wil niet dat hij bij iemand in de buurt komt die hem iets aan zou kunnen doen. En daar bedoel ook ik die smerissen van u mee. Begrijpen we elkaar?'

'Ik begrijp u,' antwoordde McMahon koeltjes, 'maar ik geloof niet dat u mij begrijpt. Wie zei u dat u was?'

'John Yossarian, majoor John Yossarian. En als je me nog langer aan de praat houdt, ga jij er ook aan. Ik ben er over zes minuten.'

Hij gaf de taxichauffeur honderd dollar en zei respectvol, terwijl hij zijn hart hoorde bonken: 'Rij alstublieft door elk stoplicht heen waar u veilig doorheen kunt rijden. Als u aangehouden wordt krijgt u nog eens honderd dollar en doe ik de rest te voet. Een van mijn kinderen is in moeilijkheden.'

Dat het kind de zevenendertig was gepasseerd deed niet ter zake. Dat hij zich niet kon verdedigen wel.

Maar Michael was nog steeds buiten gevaar, met een ketting aan de muur geketend alsof hij zonder die steun tegen de grond zou slaan, en lijkbleek.

Het bureau was één grote chaos. Overal liepen mensen te schreeuwen. De kooien puilden uit van armen en zwetende gezichten en fonkelende ogen en monden, de gang was eveneens vol, de lucht stonk naar van alles en nog wat en de transpirerende politieagenten en cipiers, waar het eveneens van krioelde, waren druk in de weer met het uitzoeken, trekken, duwen en sjouwen van gevangenen die naar buiten werden gedreven, in bestelwagens geladen en naar de stad gereden om in andere handen overgedragen te worden. Michael en Yossarian waren de enigen die de indruk wekten dat hier iets ongewoons aan de gang was. Zelfs de gevangenen leken zich volkomen thuis te voelen in deze woeste omgeving en gewelddadige procedures. De meesten keken verveeld toe, anderen geamuseerd of vol minachting, sommigen gingen als razenden tekeer. Verscheidene jonge vrouwen schreeuwden gierend van het lachen uitdagende schunnigheden en perversiteiten tegen de woedende, tot het uiterste getergde cipiers die zich dit moesten laten aanleunen zonder iets terug te kunnen doen.

McMahon en de brigadier van dienst stonden met onbewogen gezichten op hem te wachten.

'Hoofdinspecteur... bent u dat?' begon Yossarian, McMahons lichtblauwe, staalharde oogopslag met zijn eigen keiharde blik beantwoordend. 'Hou hier rekening mee! U gaat hem niet in een van die cellen stoppen. En ik wil ook niet dat hij samen met de rest in een bestelwagen gestopt wordt. Een politiewagen kan, maar ik wil erbij zijn. Desnoods huren we een privé-auto en kunt u een paar agenten meesturen.'

McMahon stond met zijn armen voor zijn borst. 'Zo, zo, zo,' zei hij zacht. Hij was slank, kaarsrecht, meer dan een meter tachtig lang, en had een mager, fijngesneden gezicht met licht gloeiende roze plekjes op zijn hoge jukbeenderen, alsof hij zich al bij voorbaat verheugde op het komende conflict. 'Wie zei u ook weer dat u was, meneer?'

'Majoor John Yossarian. Ik werk voor het M & M Pentagon Luchtmachtproject.'

'En dacht u dat uw zoon daarom een uitzondering was?'

'Inderdaad.'

'O ja?'

'Bent u soms blind?' ontplofte Yossarian. 'Bekijk hem goddorie eens goed. Hij is de enige hier met een droog kruis en een droge neus. Hij is de enige blanke hier.'

'Nietwaar, hoofdinspecteur,' verbeterde de brigadier van dienst hem bescheiden. 'Achter zitten nog twee blanken die per abuis een politieagent in elkaar geslagen hebben. Ze waren op geld uit.'

Inmiddels stond iedereen naar Yossarian te kijken alsof hij een bezienswaardigheid was. Toen hij eindelijk in de gaten kreeg waarom, dat hij als een stompzinnige bokser met opgeheven vuisten en kennelijk klaar om te vechten tegenover hen stond, kon hij wel janken van ironische ellende. Hij was zijn leeftijd vergeten. Michael stond hem eveneens met open mond aan te kijken.

En precies toen hij die ontmoedigende ontdekking deed, kwam McBride binnenslenteren en vroeg vriendelijk, op besliste maar verzoenende toon: 'Wat is er aan de hand, jongens?'

Yossarian zag een stevig gebouwde man van gemiddelde lengte met een rood gezicht, een smakeloos grijs polyesterpak en een brede borst die naadloos overliep in zijn buik, zodat hij een bolwerk op benen leek.

'En wie bent u godverdomme?' zuchtte Yossarian vertwijfeld.

McBride antwoordde zacht met het onverschrokken zelfvertrouwen van een man die weet dat hij raad weet met rellen: 'Hallo. Ik ben waarnemend directeur van het busstation hier. Ha die Tommy. Iets aan de hand?'

'Hij denkt dat hij belangrijk is,' zei McMahon. 'Hij zegt dat hij majoor is. En hij denkt dat hij ons de wet kan voorschrijven.'

'Majoor Yossarian,' stelde Yossarian zich voor. 'Hij houdt mijn zoon hier vast, meneer McBride, vastgeketend aan die muur.'

'Hij is opgepakt,' zei McBride vriendelijk. 'Wat wilt u anders dat ze met hem doen?'

'Ik wil dat ze hem laten waar hij is tot we besluiten wat we gaan doen. Meer niet. Hij heeft geen strafblad.' Tegen de politieman die het dichtst bij Michael stond blafte hij: 'Maak hem los. Nu meteen, alstublieft.'

McMahon dacht even na en knikte.

Op vriendschappelijke toon ging Yossarian verder: 'Zeg maar waar u hem wilt hebben. We zullen niet weglopen. Ik zoek geen moeilijkheden. Moet ik die auto huren? Praat ik te veel?'

Michael was diep gekwetst. 'Ze hebben niet eens gezegd dat ik niets hoef te zeggen.'

'Waarschijnlijk hebben ze je ook niets gevraagd,' legde McBride uit. 'Of wel?'

'En die handboeien deden hartstikke zeer! Niet die. De echte handboeien, goddomme. Je reinste mishandeling.'

'Tommy, wat is de aanklacht?' vroeg McBride.

McMahon liet zijn hoofd hangen. 'Reizen zonder plaatsbewijs.'

'God nog aan toe, Tommy,' zei McBride dringend.

'Waar is Gonzales?' vroeg McMahon aan de brigadier.

'Da's de kerel die me gepakt heeft,' riep Michael.

De brigadier bloosde. 'Bij de uitgang van de metro, hoofdinspecteur, bezig zijn quota te vullen.'

'Een quota. Als ik het godverdomme niet dacht!' schreeuwde Michael.

'Majoor, kunt u uw zoon niet stilhouden terwijl ze dit uitpraten?' vroeg McMahon bij wijze van gunst.

'Tommy,' zei McBride, 'kun je niet gewoon proces-verbaal opmaken en hem vertellen wanneer hij voor moet komen?'

'Wat dacht je dat we anders van plan waren, Larry?' antwoordde McMahon. Hij deed een beroep op Yossarian alsof ze bondgenoten waren. 'Hoort u dat, majoor? Ik ben hoofdinspecteur, hij was brigadier, en nou probeert hij me voor te schrijven hoe ik mijn werk moet doen. Bent u echt majoor, meneer?'

'Buiten dienst,' gaf Yossarian toe. Hij selecteerde het gewenste visitekaartje uit de diverse die hij bij zich had. 'Mijn kaartje, hoofdinspecteur. En ook een voor u, meneer McBride – McBride was de naam, nietwaar? – voor het geval ik u een tegendienst kan bewijzen. U kwam als geroepen.'

'Dit is mijn kaartje,' zei McBride, en gaf Michael er ook een. 'En een voor u, voor het geval u ooit weer in moeilijkheden komt.'

Michael mokte toen ze samen met McBride het bureau uit liepen. 'Maar goed dat ik jou nog heb om voor me te zorgen,' zei hij op wrokkige, beschuldigende toon. Yossarian schokschouderde. 'Ik voel me echt een godverlaten zwakkeling.'

McBride kwam ertussen. 'Welnee, je deed het precies goed, jong.' Hij grinnikte, lachte voluit. 'Jij met je handboeien aan had ons immers nooit bang kunnen maken dat je ons de rug en de benen zou breken.'

'Zei ik dat dan?' vroeg Yossarian verschrikt.

McBride lachte opnieuw. 'Waar is je geloofwaardigheid. Wat u, majoor Yossarian?'

'Noem me alsjeblieft Yo-Yo,' zei Yossarian joviaal. 'Ik moet mijn leeftijd vergeten zijn.'

'Zeg dat wel,' zei Michael beschuldigend. 'Ik was bang, goddomme. En jullie stonden te lachen. Je was een echte held, pap,' vervolgde hij spottend. 'Ik kan niet eens hard roepen. Toen die agent me oppakte trilden mijn handen zo dat hij bang was dat ik een hartaanval zou krijgen en me bijna liet gaan.'

'Zo zijn we nu eenmaal, Michael, als we kwaad of bang worden. Ik word gek en praat te veel.'

'Ik kon niet eens bewijzen wie ik was op zo'n manier dat ze me zouden geloven. En sinds wanneer ben jij majoor?'

'Wil je een visitekaartje?' grinnikte Yossarian sluw, en wendde zich tot McBride. 'Ik ben ongeveer anderhalve minuut lang majoor geweest,' legde hij uit. 'Tegen het eind gaven ze me een tijdelijke promotie omdat ze niet wisten wat ze anders met me aan moesten. Daarna stuurden ze me naar huis, degradeerden me weer tot mijn permanente rang en gaven me eervol ontslag. Ik had de medailles, ik had de punten, ik had zelfs mijn Purple Heart.'

'Was u gewond geraakt?' riep McBride.

'Jazeker, en gek geworden ook,' antwoordde Michael trots. 'Een andere keer liep hij in zijn blootje.'

'In uw blootje?' riep McBride.

'En hij kreeg een medaille,' pochte Michael, weer helemaal de oude. 'Een medaille voor betoonde moed.'

'Een medaille voor betoonde moed?' riep McBride.

'En hij kon hem niet opspelden.'

'Omdat hij nog steeds in zijn blootje was?'

'Precies.'

'Voelde u zich niet opgelaten? Werd er niets gedaan?'

'Hij was gek.'

'Waar kreeg u die medaille voor, majoor? Hoe kreeg u dat *Purple Heart*? Waarom liep u in uw blootje?'

'Hou alstublieft op met dat gemajoor, meneer McBride,' zei Yossarian, die niets voelde voor een praatje over de rompschutter uit het zuiden die gesneuveld was boven Avignon en de kleine staartschutter Sam Singer uit Coney Island, die telkens wanneer hij bijkwam en de rompschutter dood zag gaan en Yossarian zichzelf onder zag kotsen terwijl hij vergeefs met verband in de weer was om de stervende man te redden, opnieuw flauwviel. Er waren momenten dat juist die gruwelijke anekdotische aspecten van het gebeuren hem komisch voorkwamen. De gewonde rompschutter had het koud en leed pijn en Yossarian kon niets bedenken om hem warm te maken. Elke keer als Singer bijkwam en zijn ogen opende, zag hij Yossarian bezig met weer nieuwe katzwijm veroorzakende bezigheden: kokhalzen, dood vlees verbinden, knippen met een schaar. De stervende schutter vroor dood op de grond in een plekje mediterraan zonlicht, Sam Singer ging voortdurend van zijn stokje en Yossarian had al zijn kleren uitgetrokken omdat het zien van het braaksel en bloed op zijn vliegersuniform nieuwe braakneigingen veroorzaakte en hem de misselijkmakende zekerheid gaf dat hij nooit meer een uniform zou aantrekken, nooit meer, van geen enkele soort, en toen het vliegtuig landde, wisten de hospikken niet wie van de drie ze het eerst de ziekenwagen in moesten dragen. 'Laten we het over u hebben.'

Yossarian wist inmiddels dat McBride door zijn vrouw verlaten was – een innerlijke woede waar hij nooit het flauwste vermoeden van had gehad had haar vrijwel van de ene dag op de andere in een toornige figuur vol pure razernij veranderd – en alleen woonde sinds zijn dochter met haar vriend naar Californië was verhuisd om als fysiotherapeute te werken. McBride ervoer de onverwachte schipbreuk van zijn huwelijk als de zoveelste hartverscheurende en onbegrijpelijke wreedheid in een wereld die in zijn ogen een ziedende heksenketel van ontelbare andere wreedheden was. Gewezen brigadier-rechercheur Larry McBride van de Havendienstpolitie was vijftig en had het mollige, jongensachtige gezicht van een tot introspectie geneigde serafijn in moeilijkheden. Als politieman was hij er nooit in geslaagd zich over zijn medeleven met ieder soort slachtoffer waarmee hij in aanraking kwam heen te zetten – zelfs nu nog kwelde hem de gedachte aan de eenbenige vrouw in het busstation – en na elke met succes afgehandelde zaak kreeg hij tot zijn eigen aanzienlijke emotionele schade ook nog last van medelijden met de misdadigers, ongeacht hoe gehard, beestachtig of stompzinnig ze waren, ongeacht de doortraptheid van hun misdaad. Hij bekeek ze allemaal met ogen vol mededogen, alsof het kinderen waren. Toen hem de kans geboden werd om met behoud van volledig pensioen een goedbetaalde leidende functie in het busstation te krijgen – waar hij inmiddels zijn hele carrière in diverse hoedanigheden als beschermer des volkes had doorgebracht – greep hij die met beide handen aan.

Het einde van een in zijn ogen bevredigend huwelijk was een klap waarvan hij in eerste instantie dacht dat hij die niet te boven zou komen. Nu, terwijl Michael zich voorbereidde op een lange wachttijd, vroeg Yossarian zich af wat voor nieuwigheidje McBride hem wilde laten zien.

'Zeg zelf maar,' antwoordde McBride mysterieus.

Al eerder had hij zijn plannen onthuld voor een kraamcel, voor het verbouwen van een van de twee reservecellen achter in tot een vertrek voor moeders van ongewenste baby's, die zich doorgaans van de borelingen ontdeden in steegjes en gangen of ze in prullenmanden, vuilnisbakken en containers gooiden. Op zijn eigen kosten had hij al wat overtollig meubilair uit zijn eigen appartement over laten brengen. Yossarian luisterde, knikte, zoog op zijn tanden en knikte nog eens. Niemand wilde die baby's, had hij kunnen zeggen, en niemand gaf een reet om de moeders, die de gemeenschap een dienst bewezen door ze weg te gooien.

Voor de andere cel, ging McBride verder, dacht hij aan een soort kinderdagverblijf voor de diverse jonge kinderen in het busstation, om hun moeders een schoon, veilig plekje voor hun kroost te bieden, terwijl zij de buitenwereld in trokken en om drugs en drank en eten schooiden en bedelden, en ook voor de weggelopen kinderen die voortdurend in dit hart van de stad opdoken tot ze de juiste contacten met een bevredigende dealer of pooier hadden gelegd.

Yossarian viel hem spijtig in de rede.

'McBride?'

'Vind je me getikt?' ging McBride haastig in de verdediging. 'Tommy vindt van wel. Maar we zouden mobielen en speelgoedbeesten en kleurboeken voor de kleintjes kunnen hebben. En tv's en videospelletjes voor de groteren of misschien computers of zelfs tekstverwerkers, zouden ze dat niet kunnen leren?'

'McBride?' herhaalde Yossarian.

'Yossarian?' McBride had onbewust een paar maniertjes van Yossarian overgenomen.

'Mobielen en tekstverwerkers voor kinderen die op drugs en seks uit zijn?'

'Alleen maar voor de tijd dat ze hier rondhangen om contacten te leggen. Ze zouden hier minder gevaar lopen dan ergens anders, niet dan? Wat mankeert eraan, Yossarian? Wat mankeert eraan?'

Yossarian voelde zich verslagen en slaakte een vermoeide zucht. 'Bedoel je faciliteiten in een politiebureau voor jeugdprostituées-in-spe? Larry, iedereen zou moord en brand schreeuwen. Ik ook.'

Aangezien McBride het onderwerp van deze humanitaire initiatieven sinds die tijd niet meer had aangeroerd, had Yossarian geconcludeerd dat ze uitgesteld of door een veto getroffen waren.

Vandaag had hij een nieuwe verrassing in petto en Yossarian liep samen met hem naar de ruime hal van het busstation, waar allerhande activiteiten een sterk opgaande trend vertoonden. De mensen liepen sneller en hun aantal was toegenomen; ze bewogen als geesten die als het aan hen had gelegen een andere koers zouden hebben gekozen. Veel van hen aten onder het lopen en strooiden links en rechts met kruimels en papiertjes – chocoladerepen, appels, hot dogs, pizza's, boterhammen, chips. De hoertjes zochten klanten voor hun diverse specialiteiten, de beste levendig en met scherpe blikken speurend naar mogelijke openingen, andere primitief belust op elke kans, terwijl de rest, mannen en vrouwen, blank en zwart, met doffe, smachtende ogen rondwaarde en minder aan roofdieren dan aan hun verlamde prooi deed denken.

'Zakkenrollers,' zei McBride, met zijn kin naar een groepje van drie mannen en twee meisjes wijzend, allemaal met een goed verzorgd Latijnsamerikaans voorkomen. 'Die zijn beter opgeleid dan wij. Ze kennen de wet zelfs beter. Kijk.'

Een vrolijk troepje travestieten ging met de roltrap naar de eerste verdieping, hun gezichten glimmend van de cosmetica, allemaal net zo androgyn en ijdel van gezicht en kleding en uitgelaten en koket als een stel puberale padvindsters vol hormonen.

Met McBride voorop liepen ze door de lege ruimte onder de zuilen waarop de tussenverdieping met de glazen observatieruimte rustte, waar diverse stafleden hasj rokend het zestigtal videomonitoren in het Communicatie- en Controlecentrum van het busstation in de gaten hielden. De honderden stomme blauwogige videocamera's staken hun platte snuit in elk hoekje op elk niveau van het enorme, zeven verdiepingen hoge, twee straten lange complex, zelfs onbeschaamd in de mannentoiletten en de beruchte trappenhuizen, waar het merendeel van de stationbewoners heen kroop voor hun nachtrust, vriendschap en apathische paringen. Milo en Wintergreen zagen het Communicatie- en Controlecentrum al omgebouwd tot een lucratieve onderneming door meer schermen te installeren en die per tijdseenheid te verkopen aan gretige toeschouwers en spelers, die in de plaats zouden komen van de huidige werknemers, hun salarissen en kostbare medische verzekeringen, hun vakantiegeld en pensioenregelingen. Het publiek zou toestromen om politieagentje en gluurdertje te spelen. 'Het Echte Leven' zouden ze het kunnen noemen. Als de misdaad afnam, zouden ze voorstellingen geven die garant stonden voor genoeg seks en geweld om zelfs de bloeddorstigste klanten tevreden te stellen.

Ze konden groepen Japanse toeristen aantrekken. Vroeg of laat zouden ze de hele onderneming kunnen overdoen aan een Japanse filmmaatschappij.

McBride liep voorbij een door Indiërs gedreven krantenkiosk met dagbladen en kleurige tijdschriften zoals *Time, The Weekly Newsmagazine,* dat in schreeuwende koppen de ineenstorting van het Russische socialisme, de grootheid van het Amerikaanse kapitalisme, de laatste bankroeten en werkloosheidscijfers en de verkoop van de zoveelste commerciële steunpilaar aan het buitenland aankondigde, en even later stonden ze voor de ingang van een van de brandtrappen. Yossarian had er geen behoefte aan om dat uitstapje nog een keer te maken.

'Maar één verdieping,' beloofde McBride.

'Iets heel ergs?'

'Dat zou ik je niet aandoen.'

Van boven klonken luie, zoetvloeiende stemmen. De trap was vrijwel verlaten, de grond vrijwel schoon. Maar de luchtjes in deze beschaving waren penetrant, het stonk naar rook en ongewassen lijven en hun afval, een stank van rotting en verwording waarop iedereen behalve de massa die ze dag in, dag uit voortbracht met weerzin en walging reageerde. Rond middernacht was vrijwel geen enkel lijf met zoveel ruimte gezegend dat er geen ander, nog verloederder en ranziger lijf tegen aanviel. Mensen kibbelden. Er werd geschreeuwd, gevochten, gestoken, verbrand, gevoosd, gespoten, gedronken en glas gebroken; tegen de ochtend waren er slachtoffers en een opeenhoping van alle soorten vuil behalve industrieel afval. Er was geen water of wc. Afval werd pas 's morgens opgehaald, als de plaatselijke bewoners wakker werden en ter sanitaire voorbereiding op de nieuwe arbeidsdag naar de wasbakken en wc's in de openbare toiletten trokken, waar ze ondanks de verbodsborden de wasbakken gebruikten om zichzelf en hun kleren te wassen.

Rond die zelfde tijd waren de mannen met de brandslangen langs geweest om het vuilnis en afval van de voorafgaande nacht, de excrementen, gebruikte lucifers en lege ampullen, de limonadeblikjes, naalden, wijnflessen, gebruikte condooms en oude pleisters weg te spuiten. De doordringende geur van bijtende desinfectiemiddelen hing in de lucht als de gecarboliseerde boodschapper van meedogenloos verval.

McBride liep naar beneden langs twee wild ogende mannen die

brutaal en verveeld marihuana rookten en wijn dronken en zwijgend hun goedkeuring gaven na met een soort objectieve aanvaarding kennis te hebben genomen van de latente autoriteit en kracht die hij uitstraalde. Op de onderste treden lag een man met zijn rug naar de leuning te slapen.

Zonder hem wakker te maken namen ze de betonnen overloop en liepen op hun tenen voorbij de eenbenige vrouw die verkracht werd door een man met schrale bleke billen en een blauwgrijs scrotum, niet ver van een grote bruine vrouw die haar rok en directoire had uitgetrokken en bezig was haar oksels en achterste te wassen met een paar vochtige handdoeken die ze samen met enkele droge doeken en twee bruine boodschappentassen op een paar kranten had liggen. Ze had vlekkerige sproeten rondom haar gezwollen ogen en in haar nek zaten teerzwarte, littekenachtige moedervlekken die hem aan melanoom deden denken. Ze keek de mannen aan en gaf elk van hen een vriendschappelijk maar zakelijk knikje. Ze had enorme hangborsten in een mouwloos roze hemdje en haar oksels waren donker en harig. Yossarian weigerde naar haar openlijk tentoongestelde kruis te kijken. Hij wilde niet weten wie ze was, maar wist dat er niet één onderwerp bestond waarover hij met haar van gedachten zou willen wisselen.

Op de laatste trap naar de kelderverdieping buiten zat alleen een magere blonde vrouw met een blauw oog en een gerafeld rood truitje dromerig een scheur in een witte bloes te herstellen. Beneden, waar de trap uitkwam bij een deur die toegang gaf tot de straat, had iemand al in een hoekje zitten schijten. Ze wendden hun blik af en keken naar de grond, alsof ze het vreselijke idee hadden dat ze elk ogenblik in iets zondigs konden trappen. In plaats van naar buiten te gaan liep McBride onder de trap door naar de donkere schaduwen, tot hij voor een kleurloze deur stond die Yossarian niet eens gezien zou hebben.

Hij draaide een knop om en een zwak geel peertje ging aan. Het kleine vertrek dat ze binnengingen bevatte alleen een metalen kast met roestende deuren en kapotte scharnieren tegen de muur. McBride trok de deuren open en liep het kaduke geval in. Het had geen achterkant. Hij vond een knop en duwde een in de muur gebouwde deur open.

'Een spuiter ontdekte dit een keer,' brabbelde hij. 'Ik liet hem in de waan dat het een hersenschim was. Kom op.'

Yossarians adem stokte hij het zien van het enge halletje met de brede deur een kleine meter verderop. Het gladde oppervlak had een militair groen kleurtje en op ooghoogte stond een waarschuwing die niemand die het lezen machtig was zou kunnen ontgaan.

NOODINGANG
Verboden Toegang
Op Overtreders Wordt Geschoten

De stevige deur leek nieuw en de letters op de onbeschadigde verflaag maakten een verse indruk.

'Ga maar naar binnen. Dit wilde ik je laten zien.'

'Ik mag niet naar binnen.'

'Ik ook niet.'

'Waar is de sleutel?'

'Waar is het slot?' grinnikte McBride, triomfantelijk zijn hoofd scheef houdend. 'Kom op.'

De knop draaide en de zware deur ging open alsof hij draaide op contragewichten en geruisloze lagers.

'Ze maken het indringers wel makkelijk, zeg,' zei Yossarian zacht.

McBride bleef staan, Yossarian dwingend als eerste binnen te gaan. Yossarian deinsde terug toen hij zag dat hij op een piepklein gietijzeren platformpje tegen het dak van een tunnel stond, die veel hoger leek dan hij was vanwege de duizelingwekkende steilheid van de trap die naar beneden liep. Instinctief zocht hij steun aan de leuning. De treden waren smal en liepen met een scherpe bocht om een klein, elliptisch stalen rooster, waar de volgende trap opnieuw scherp wegdraaide en zich met die zelfde duizelingwekkende steilheid aan zijn oog onttrok. Hij kon niet zien waar de trap uitkwam in die afgrond van een kelder, waarvan de vloer kennelijk niet lang geleden met een soort rubberverf behandeld was. Naar beneden kijkend door het gietijzeren motief van kronkelende wingerdbladeren dat de spot leek te drijven met zijn eigen zwaarwichtigheid, moest hij plotseling denken aan zo'n steile glijbaan in een ouderwets pretpark waarbij je op je rug en met je armen voor je borst een donkere ronde pilaar in gleed, steeds sneller rondspiralend naar beneden suisde en ten slotte uitkwam in een platte arena van gepolitoerd hout, waar links- en rechtsom draaiende schijven je tot groot vermaak van het toekijkende publiek als een speelbal meesleurden en uiteindelijk op de stilstaande rand om de ronde draaivloer van deze attractie deponeerden. Hij had zijn beste herinneringen aan de Menselijke Biljarttafel in Kermisland van de oude George C. Tilyou in Coney Island. Daar kon de ijzeren leuning rondom het toeschouwersvak onder spanning gezet worden om het zich van niets bewuste publiek een flinke doch onschuldige stroomstoot te geven als een van de in rood uniform en groene jockeycap geklede assistenten het moment rijp achtte. Dat onverwachte gevoel van kleine prikkende naalden in je handen en armen was even onverdraaglijk als onvergetelijk en iedereen die getuige was van die halve seconde van angst, paniek en schaamte bij de slachtoffers, moest lachen, de slachtoffers zelf later ook. Uit de luidsprekers kwam eveneens een luide schaterlach. Iets verderop was een rariteitentent met mensen met een heel klein hoofd.

Yossarian stond onder het dak van een bijna twee verdiepingen hoge kelder, een vreemde onderaardse gang van een indrukwekkende breedte en geen enkel zichtbaar nut, met een gewelfd plafond dat geïsoleerd was met ruwe, perzikkleurige geluiddempende tegels en dat dunne appelgroene randen had. De hoge, gladde stenen muren waren donkerrood van kleur en evenals de stations van de ondergrondse onder afgezet met witte tegels. De vreemde gang was zo breed als een verkeersstraat, zonder trottoirs of voetpaden. Het had ook een station kunnen zijn, alleen zag hij geen rails of perrons. Toen viel zijn oog op een lange rode reflecterende pijl aan de overkant die hem eerst aan een gloeiende penis deed denken en daarna aan een vlammend projectiel dat van links neerdook op een rij zwarte letters die verkondigden:

Kelderverdiepingen A-Z

Een meter of tien verder naar rechts, boven de pijl, waar de witte tegels ophielden, herkende hij een grote gesjabloneerde letter S van fluorescerend oranje op een glanzend zwarte vierkante achtergrond en besefte hij dat dit een oude schuilkelder was – totdat hij beneden een deur zag van dezelfde vuilgroene kleur als die achter hem, waarop in witte letters een mededeling stond die hij niet kon geloven, zelfs niet toen hij zijn trifocale bril had opgezet om beter te kunnen zien.

GEVAAR
GEEN EXPLOSIEVEN

'Dat kan op zijn minst twee verschillende dingen betekenen, dacht je niet?' zei hij.

McBride knikte grimmig. 'Mijn idee.' Plotseling lachte hij, bijna zelfingenomen. 'En kijk nu eens naar dat bord.'

'Welk bord?'

'Met die donkere letters. Naast de deur in de muur gemetseld. Er staat op dat ene Kilroy hier geweest is.'

Yossarian keek McBride scherp aan. 'Kilroy? Staat dat er? Dat Kilroy hier geweest is?'

'Ken je Kilroy?'

'Ik ben met Kilroy in dienst geweest,' zei Yossarian.

'Misschien is het niet dezelfde Kilroy.'

'Reken maar van wel.'

'In Europa?'

'Overal. Verrek, als ik hem nu nog niet kende! Ze konden me nergens heen sturen of hij was er ook. Overal stond zijn naam op de muur. Ik kreeg een week zwaar en hij had in dezelfde cel gezeten. Na de oorlog kwam ik in de universiteitsbibliotheek en daar was hij ook al geweest.'

'Zou je hem voor me kunnen opsporen?'

'Ik ben hem nooit tegengekomen. Ik heb nooit iemand gesproken die hem gezien heeft.'

'Ik zou hem op kunnen sporen,' zei McBride. 'Via de wet op de Vrijheid van Informatie. Als ik zijn belastingnummer heb, heb ik hem zo in zijn kraag. Kom je hem dan samen met mij aan de tand voelen?'

'Leeft hij nog?'

'Waarom zou hij dood zijn?' vroeg McBride, die nog maar vijftig was. 'Ik wil hier het fijne van weten, ik wil weten wat hij hier uitvoerde. Ik wil goddomme weten wat hier aan de hand is.'

'Hoe ver loopt die gang door?'

'Geen idee. Hij staat niet op de tekeningen.'

'Waarom zit het je zo dwars?

'Eens een rechercheur altijd een rechercheur, waarschijnlijk. Ga eens een paar treden naar beneden,' zei McBride vervolgens. 'Probeer de eerste eens.'

Yossarian verstijfde toen hij het geluid hoorde. Het was een dier, de snuivende woede van iets levends, het onheilspellende brommen van een gevaarlijk beest dat in zijn rust verstoord was, een geknor dat smeulend aanzwol tot een langgerekte grauw en overging in een diep en dodelijk gegrom, een rusteloze huivering van ontwaakte kracht. Hij hoorde soepele voetstappen beneden hem, waar hij niet kon zien. Een tweede dier kwam erbij, en misschien nog een.

'Verder,' fluisterde McBride. 'Nog een trede.'

Yossarian schudde zijn hoofd. McBride gaf hem een duwtje. Yossarian zette zijn teen op de volgende trede en hoorde het krassen van ijzer op steen en het kletteren van metaal op metaal, aanzwellend tot een rampzalige, demonische climax, en gevolgd – ondanks het groeiende crescendo van waarschuwingen toch onverwacht – door de uitbarsting, de ontploffing, een woest, bloedstollend pandemonium van oorverdovend geblaf en een wild geroffel van krachtige, vol moordlust toesnellende poten dat – gelukkig – tot staan werd gebracht door kettingen die zich met een knal spanden, zodat hij een luchtsprong maakte van schrik, terwijl het geluid als een enorme explosie nagalmde in de schaduwen van de onderaardse ruimte. De oorverdovende kakofonie beneden hem werd nog erger, want de beesten wierpen zich als uitzinnigen op de onbreekbare ketenen en zetten er uit al hun bovennatuurlijke macht hun tanden in. Ze gromden, brulden, grauwden, jankten. En in het bezeten, irrationele verlangen meer te horen bleef Yossarian ingespannen luisteren. Hij wist dat hij geen stap meer zou kunnen doen. Toen hij zich weer kon bewegen deed hij met ingehouden adem geruisloos enkele stappen terug naar boven, tot hij weer naast McBride op het platform stond en bevend diens arm pakte. Hij was ijskoud en voelde dat hij zweette. Hij had het duizelingwekkende idee dat zijn hart het zou begeven, dat een slagader in zijn hoofd zou barsten. Hij wist dat hij nog acht andere manieren kon bedenken om ter plekke de geest te geven, als hij niet dood was voordat zijn lijstje compleet was. De rauwe agressie beneden scheen geleidelijk aan af te nemen. De ongetemde monsters zagen in dat hij ontkomen was en vol opluchting hoorde hij hoe het onzichtbare gevaar zich terugtrok en de mysterieuze vleeseters die daar huisden met rammelende kettingen afdropen naar de donkere holen waar ze uit gekomen waren. Ten slotte werd het stil en versmolten de laatste rinkelgeluiden tot de subtiele klank van een klokkenspel en stierven weg in een echoënd muziekje dat bizar genoeg deed denken aan het hortende, spookachtige kermisdeuntje van een verre, eenzame carrousel. Uiteindelijk viel dit eveneens stil.

Hij had het gevoel dat hij nu wist hoe het voelde om aan stukken gereten te worden. Hij rilde.

'Wat denk jij?' fluisterde McBride. Zijn lippen waren bleek. 'Ze zijn er altijd, het is elke keer raak als je je voet op die trede zet.'

'Het is een opname,' zei Yossarian.

Heel even was McBride met stomheid geslagen. 'Weet je dat zeker?'

'Nee,' zei Yossarian, die zelf verbaasd stond van het spontane inzicht dat zojuist uit zijn mond was gekomen. 'Maar het is té volmaakt. Vind je ook niet?'

'Hoezo?'

Yossarian voelde zich niet in de stemming om over Dante, Cerberus, Vergilius of Charon, of de Acheron en de Styx te beginnen. 'Misschien willen ze ons alleen maar afschrikken.'

'Da's met die spuiter prima gelukt dan,' zei McBride. 'Hij was ervan overtuigd dat hij hallucineerde. Ik heb iedereen behalve Tommy in die waan gelaten.'

Op dat moment hoorden ze het nieuwe geluid.

'Hoor je dat?' vroeg McBride.

Yossarian hoorde knarsende wielen en keek naar de keldermuur tegenover hen. Het gedempte geluid van rollende wielen op rails kwam daar vandaan, gesmoord door afstand en tussenliggende muren.

'De ondergrondse?'

McBride schudde zijn hoofd. 'Die is te ver weg. Wat dacht je,' probeerde hij, 'van een achtbaan?'

'Ben je helemaal gek geworden?'

'Het zou ook een opname kunnen zijn, toch?' hield McBride vol. 'Wat is daar zo gek aan?'

'Dat het geen achtbaan is.'

'Hoe weet je dat?'

'Dat hoor ik. Hou op met detectiveje spelen.'

'Hoe lang is het geleden dat je in een achtbaan gezeten hebt?'

'Een miljoen jaar. Maar het is te regelmatig. Het versnelt niet. Wat wil je nog meer? Dit begint op mijn lachspieren te werken. We zullen het op een trein houden,' ging Yossarian verder, terwijl het voertuig met grote snelheid van rechts naar links voorbijschoot. Misschien was het de trein van Boston naar Washington, maar dat zou McBride geweten hebben. En toen hij de mogelijkheid van een achtbaan overwoog, schoot hij inderdaad in de lach, want hij herinnerde zich dat hij al veel langer leefde dan hij ooit voor mogelijk had gehouden.

Het lachen verging hem toen zijn oog op de smalle looprichel met leuning langs de muur viel, ongeveer een meter boven de grond en zich uitstrekkend tot in de nevelig witte en goudkleurige schemer aan weerszijden van de kelderruimte.

'Is die er al die tijd geweest?' Hij was verbaasd. 'Ik dacht even dat ik hallucineerde.'

'Jazeker,' zei McBride.

'Dan moet ik gehallucineerd hebben toen ik dacht dat hij er niet was. Laten we hier snel wegwezen.'

'Ik wil naar beneden,' zei McBride.

'Als je maar niet denkt dat ik meega,' zei Yossarian.

Hij had nooit erg van verrassingen gehouden.
'Ben je niet nieuwsgierig?'
'Ik ben bang voor de honden.'
'En je zei zelf,' zei McBride, 'dat het een opname was.'
'Wie weet ben ik daar nog banger voor. Neem Tom maar mee. Dit is zijn werk.'
'Het is buiten Tommy's gebied. Ik mag hier eigenlijk niet eens komen,' biechtte McBride op. 'Ik word betaald om ervoor te zorgen dat iedereen zich aan de regels houdt, niet om ze zelf te overtreden. Wat zie je nog meer?' vroeg hij, toen ze de trap weer opliepen.
Aan de binnenkant van de metalen deur zag Yossarian twee massieve sloten, een met een veer, het andere een gewone grendel. En boven de sloten, onder een vierkant laagje vernis, zag hij witte letters in een dun, zilverkleurig lijstje tegen een vuurrode achtergrond die de mededeling vormden:

NOODUITGANG
Verboden Toegang
Indien in gebruik, deur op slot doen en vergrendelen

Yossarian krabde op zijn hoofd. 'Van deze kant lijkt het erop dat ze de mensen buiten willen houden, niet?'
'Of binnen.'
Toen ze weer naar buiten liepen, dacht hij te denken dat het een oude schuilkelder was die niet op de oude tekeningen stond. Terwijl McBride de branddeur zacht dichtdeed en gewetensvol het licht uitknipte om alles precies zo achter te laten als ze het gevonden hadden, moest Yossarian toegeven dat hij de opschriften niet kon verklaren. De honden, het geluid van de moorddadige waakhonden? 'Om iedereen buiten te houden, neem ik aan, bijvoorbeeld die spuiter en jou en mij. Waarom wilde je me dit laten zien?'
'Om je in te lichten. Jij lijkt alles te weten.'
'Dit was me totaal onbekend.'
'En omdat ik je vertrouw.'
De stemmen boven hen maakten duidelijk dat het trappenhuis inmiddels veel voller was geworden. Ze hoorden duidelijk het geile gelach, de lusteloze groeten en uitroepen van herkenning, de gore taal, ze roken lucifers en hasj en schroeiende kranten, ze hoorden een fles stukslaan, ze hoorden een man of vrouw klaterend op de grond urineren en ook dat was te ruiken. Boven aan de eerste trap zagen ze de eenbenige vrouw, die blank was, wijn drinken in het gezelschap

van een zwarte man en twee zwarte vrouwen. Ze had een wezenloos gezicht en praatte als in een trance, terwijl ze rusteloos in roze ondergoed kneep dat ze op haar schoot had liggen. Haar houten krukken, oud en gehavend en gesplinterd en vuil, lagen naast haar op de trap.

'Ze krijgt een rolstoel,' had McBride al uitgelegd, 'en iemand jat hem. Dan stelen haar vrienden een andere en die wordt dan weer door iemand anders gejat.'

Ditmaal liep McBride wel naar buiten en ze volgden een voetpad langs de bussen op hun ondergrondse opritten, waar de knallende uitlaten en ronkende motoren nog meer lawaai maakten en de lucht stonk naar dieseldamp en heet rubber, voorbij de haltes van de bussen naar El Paso en St. Paul, met verbindingen tot helemaal in Canada in het noorden en, via Mexico, tot helemaal in Midden-Amerika in het zuiden.

McBride bekeek de efficiënte gang van zaken in het busstation met echte ondernemerstrots: getallen als vijfhonderd instapplaatsen, achtenzestighonderd bussen en tweehonderdduizend aankomende en vertrekkende passagiers op elke normale werkdag rolden van zijn tong. Het werk ging door, haastte hij zich te verklaren, het station functioneerde, en daar ging het uiteindelijk toch om, nietwaar?

Daar had Yossarian zo zijn twijfels over.

Nu gingen ze via de roltrap weer terug naar de grote hal. Bij het Communicatie- en Controlecentrum wierpen ze verontruste blikken op de toenemende drommen mannelijke en vrouwelijke hoeren in de centrale prostitutiegebieden, waar ze zich in sluwe, pathetische legioenen verzamelden, als menselijke moleculen die willoos werden aangezogen door een centrale massa waaraan ze niet konden ontsnappen. Ze kwamen voorbij een verschrompelde zwarte vrouw op tennisschoenen zonder veters, die bij een zuil tussen de gelegaliseerde loterij- en lottotentjes stond, voorbijgangers een smerig papieren bekertje onder de neus hield en toonloos herhaalde: 'Vijftien cent? Wie geeft me vijftien cent? Eten? Gebruikt eten?' Een opgeblazen vrouw met grijs haar in een groene trui en rok, met een groene baret op haar hoofd en vlekkerige benen vol zweren, ging helemaal op in het Ierse liedje dat ze vals en met gebarsten stem stond te zingen, naast een smerige puber die op de grond lag te slapen en een lange, slanke, wild-ogende, chocoladebruine man, vel over been maar piekfijn verzorgd, die in een Caribisch accent de christelijke verlossing preekte tegen een instemmend knikkende dikke zwarte vrouw en een magere zuiderling die met dichtgeknepen ogen van tijd tot tijd luidkeels van zijn verrukte instemming getuigde. Toen ze weer in de buurt van het politiebureau waren, besloot Yossarian in een kwaadaardige opwelling zijn deskundige gids iets bijzonders te vragen.

'McBride?'

'Yossarian?'

'Een paar vrienden van me vertelden me dat ze overwegen om hier in het busstation een bruiloft te vieren.'

McBride werd vuurrood. 'Natuurlijk, hé, wat een idee! Jazeker, Yo-Yo. Ik zou een handje kunnen helpen. We zouden een prachtbruiloft kunnen organiseren, zeker weten. Ik heb nog steeds die lege cel voor de kinderen. Die zouden we kunnen inrichten als de kapel. En meteen daarnaast heb ik natuurlijk nog steeds, ehm, dat bed, voor de huwelijksnacht. We zouden ze een grote koffietafel aan kunnen bieden in een van de eettentjes en misschien een paar loten voor het geluk. Wat lach je? Waarom niet?'

Het duurde even voordat Yossarian uitgelachen was. 'Nee, Larry, nee,' legde hij uit. 'Ik bedoel een grote bruiloft, een monstergebeuren, high society, honderden gasten, limousines waar de bussen staan, verslaggevers en camera's, een dansvloer met een groot orkest, of misschien twee dansvloeren en twee orkesten.'

'Ben je helemaal, Yo-Yo?' Nu was McBride degene die moest grinniken. 'Daar zouden de hoofden van dienst nooit toestemming voor geven!'

'Die kennen deze mensen allemaal. Die komen op de gastenlijst. Plus de burgemeester en de kardinaal, misschien zelfs de nieuwe president. Geheime dienst en honderd man politie.'

'Als de president ook komt kunnen we daar beneden een kijkje gaan nemen. Daar zou de geheime dienst zeker op staan.'

'Inderdaad, precies wat je zo graag wilt. Het zou de bruiloft van het jaar zijn. Je busstation zou beroemd worden.'

'Dan zouden we iedereen naar buiten moeten werken! Alle busverkeer stilleggen!'

'Welnee.' Yossarian schudde zijn hoofd. 'De bussen en de mensen kunnen gewoon onderdeel van het gebeuren zijn. Da's spekkie voor de kranten hun bekkie. Misschien een foto van jou en McMahon op de binnenpagina als ik jullie een beetje leuk laat poseren.'

'Honderden gasten?' herhaalde McBride met overslaande stem. 'Een orkest en een dansvloer? En limousines?'

'Misschien wel vijftienhonderd! Ze zouden kunnen staan waar jouw bussen aanleggen en parkeren in jouw garages. En cateringbedrijven en bloemisten en kelners en barkeepers. Die bijvoorbeeld op de maat van de muziek de roltrappen op en af komen. Ik kan wel met de orkesten overleggen.'

'Onmogelijk!' verklaarde McBride. 'Alles zou in het honderd lopen. Het zou een ramp zijn.'

'Prima,' zei Yossarian. 'Dan wil ik dat het doorgaat. Jij zoekt uit of het kan, oké? Donder op!'

Dat laatste was gericht tegen een vettige Latijnsamerikaanse man die verleidelijk een gestolen American Express-creditcard onder zijn neus hield en hem vrolijk en met een insinuerend en beledigend vertrouwelijk glimlachje toezong: 'Net gejat, net gejat. Overal welkom. Bel uw bank, bel uw bank.'

Er was geen aangifte gedaan van nieuwe dode baby's, deelde de brigadier van dienst McBride ongevraagd en komisch-brutaal mee.

'En van levende ook niet.'

'Ik heb de pest aan die vent,' mompelde McBride, met het schaamrood op zijn kaken. 'Hij denkt dat ik ook gek ben.'

McMahon was opgeroepen voor een noodgeval en Michael, die zijn onafgemaakte tekening klaar had, vroeg terloops:

'Waar zijn jullie geweest?'

'Coney Island,' zei Yossarian monter. 'En je gelooft het niet, maar Kilroy was er ook.'

'Kilroy?'

'Nietwaar, Harry?'

'Wie is Kilroy?' vroeg Michael.

'McBride?'

'Yossarian?'

'Ik was een keer in Washington om een naam op het Vietnam Monument te zoeken, waar alle soldaten op staan die daar gesneuveld zijn. Kilroy stond er ook bij, één Kilroy.'

'Dezelfde?'

'Verrek, weet ik veel.'

'Ik trek hem wel na,' beloofde McBride. 'En laten we vooral die bruiloft niet vergeten. Misschien krijgen we het voor elkaar, ik denk van wel. Dat zoek ik ook uit.'

'Wat is daarmee, met die bruiloft?' vroeg Michael wrokkig, toen ze het politiebureau uit waren en naar de uitgang liepen.

'Niet de mijne,' zei Yossarian. 'Ik ben te oud om te trouwen.'

'Jij bent te oud om te hértrouwen.'

'Precies wat ik zeg. En ben jij nog te jong? Het huwelijk is misschien geen pretje, maar het hoeft niet per se een ramp te zijn.'

'Nou praat je te veel.'

Yossarian had zijn eigen manier om zich door de drommen bedelaars heen te werken: wie verlegen was en wie er gevaarlijk uitzag kreeg een dollarbiljet van het opgevouwen stapeltje bankbiljetten voor die dag in zijn zak. Een reus van een man met ontstoken ogen en een lapje stof bood aan om voor een dollar zijn bril schoon te maken of, als hij weigerde, die in stukken te breken. Yossarian gaf hem twee dollar en stak zijn bril in zijn zak. Niets vreemds leek tegenwoordig nog ongewoon in deze gedereguleerde zone van vrij ondernemerschap. Hij wist dat hem de doodstraf boven het hoofd hing, maar probeerde Michael daar zo zachtzinnig mogelijk over in te lichten. 'Michael, ik wil dat je rechten blijft studeren,' besloot hij ernstig.

Michael deed een stapje opzij. 'Jezus, pap, daar voel ik niks voor. En het is duur ook. Uiteindelijk,' ging hij even later verslagen verder, 'zou ik graag iets doen wat de moeite waard is.'

'Heb je al iets bedacht? Ik betaal je studie wel.'

'Je zult het wel niet begrijpen, maar ik wil niet het gevoel hebben dat ik parasiteer.'

'Ik begrijp het best. Om die reden heb ik de goederenhandel, de geldhandel, de effectenhandel, de arbitrage en de beleggingsfondsen eraan gegeven. Michael, ik geef je nog zeven jaar goede gezondheid. Meer kan ik niet beloven.'

'En dan?'

'Vraag Arlene maar.'

'Wie is Arlene?'

'De vrouw met wie je samenwoont. Zo heet ze toch, of niet? Die met de kristallen en de tarotkaarten.'

'Da's Marlene en ze is weg. Wat gebeurt er over zeven jaar met me?'

'Met míj, verdomde idioot. Dan ben ik vijfenzeventig. Michael, ik ben al achtenzestig. Ik garandeer je nog zeven jaar van míjn goede gezondheid, en in die tijd moet je leren om zonder mij te leven. Anders verdrink je. Verder kan ik je niets beloven. Zonder geld kun je niet leven. Geld is verslavend als je het eenmaal hebt geproefd. Mensen stelen ervoor. Met aftrek van alle belasting kan ik je hoogstens een half miljoen nalaten.'

'Dollar?' Michael fleurde meteen op. 'Voor mij is dat een fortuin!'

'Tegen acht procent,' deelde Yossarian hem zakelijk mee, 'zou je dat veertigduizend per jaar opleveren. Minstens dertig procent gaat naar de belasting, dus je houdt er zevenentwintig over.'

'Hé, da's niks! Daar kan ik niet van leven!'

'Dat weet ik. Daarom praat ik te veel tegen je. Waar is je toekomst? Zie je die zelf? Snel, deze kant uit.'

Ze maakten ruimte voor een jongeman op gymschoenen die zich als een haas uit de voeten maakte, op de hielen gezeten door een stuk of zes agenten die even hard konden lopen en hem van alle kanten insloten, omdat hij zojuist ergens in het busstation iemand had doodgestoken. Een van de agenten was Tom McMahon, die op zijn zware zwarte schoenen het tempo nauwelijks kon bijbenen. De jongeman zag zijn vluchtweg versperd en gaf zijn belagers het nakijken door onverwacht de bocht om te gaan en de brandtrap af te rennen die Yossarian en McBride eerder genomen hadden, en waarschijnlijk voorgoed te verdwijnen, fantaseerde Yossarian – het zou nog beter zijn als hij intussen weer terug was op hun niveau en ergens doodonschuldig achter hen liep op zijn sportschoenen. Ze kwamen voorbij een man die in een poel van eigen makelij op de grond zat te slapen, naast een bewusteloze jongen, en toen werd hun de weg versperd door een magere vrouw van rond de veertig met vlassig blond haar en een vuurrode zweer op haar mond.

'Voor 'n nickel help ik u, meneer,' bood ze aan.

'Alstublieft,' zei Yossarian, haar vermijdend.

'Voor 'n nickel per stuk help ik jullie allebei. Allebei tegelijk voor 'n nickel per stuk. Kom op, paps, allebei tegelijk voor dezelfde nickel.'

Michael glimlachte gedwongen en liep haar haastig voorbij. Ze pakte Yossarians mouw en hield vast.'

'Zal ik je ballen likken dan?'

Yossarian rukte zich struikelend los, diep geschokt. Zijn gezicht gloeide en Michael schrok toen hij zag hoe ontdaan zijn vader was.

10

GEORGE C. TILYOU

Gezeten aan een cilinderbureau vele verdiepingen lager, telde meneer George C. Tilyou, de al tachtig jaar dode ondernemer uit Coney Island, zijn geld en voelde zich de koning te rijk. Zijn totale omzet verminderde nooit. Voor hem lagen begin- en eindpunt van de achtbaan die hij uit zijn Kermisland had meegenomen. De rails naar de hoogste afdaling aan het begin van de rit, opstijgend tot ze uit het zicht verdwenen in de enorme kelderruimte, hadden nog nooit zo geblonken. Zwellend van trots keek hij naar zijn geduchte carrousel, zijn El Dorado, gebouwd in Leipzig voor Wilhelm II, de Duitse keizer, en mogelijk nog steeds de meest indrukwekkende mallemolen ter wereld. Drie platforms met paarden, gondels en gebeeldhouwde eenden en varkens draaiden elk in hun eigen tempo rond. Vaak liet hij zijn El Dorado-carrousel leeg draaien, alleen om zich te kunnen verdiepen in de reflecties van de zilveren spiegels op de middenas en te genieten van de volle klanken van het stoomorgel, die hem, grapte hij vaak, als muziek in de oren klonken.
Zijn achtbaan had hij omgedoopt tot het Drakeravijn. Verderop was zijn Grot der Winden en bij de ingang draaide zijn Vat van Plezier, waarin nieuwelingen meteen op de knieën gingen waarna ze door het draaiende vat door elkaar werden gehusseld tot ze aan de andere kant naar buiten kropen en, soms met behulp van assistenten of meer ervaren klanten, overeind krabbelden. Ingewijden wisten dat je er moeiteloos doorheen kon komen als je enigszins diagonaal tegen de draairichting inliep – maar dat was niet zo leuk – of eindeloos tegen de neerdraaiende wand op kon lopen zonder een stap verder te komen, maar dat was ook niet leuk. Waar toeschouwers van beiderlei kunne erg van genoten was het gadeslaan van de evenwichtsproblemen van in paniek verkerende aantrekkelijke dames die probeerden hun rok-

ken omlaag te houden in de tijd dat broeken als vrouwelijk kledingstuk nog niet door de beugel konden.

'Als Parijs Frankrijk is,' herinnerde hij zich als voornaamste zegsman en impresario van het pretpark eens gezegd te hebben, 'dan is Coney Island tussen juni en september de wereld.'

Het geld dat hij elke dag telde, zou nooit verslijten of oud worden. Zijn poen was onverwoestbaar en zou nooit aan inflatie onderhevig zijn. Achter hem verhief zich een meer dan manshoge gietijzeren brandkast. Hij had bewakers en assistenten van toen, gestoken in de rode jasjes en groene jockeycaps van toen. Velen van hen waren al sinds het begin zijn vrienden en werkten al een eeuwigheid voor hem.

Met een griezelige, bijna geniale vasthoudendheid had hij de adviezen van de deskundigen, zijn advocaten en zijn bankiers in de wind geslagen en hun ongelijk bewezen, en mettertijd was het hem gelukt om alles mee te nemen, alles vast te houden waar hij bijzondere waarde aan hechtte en geen afstand van wilde doen. Zijn testament had zijn weduwe en kinderen voldoende voorzieningen gelaten. Eigendomspapieren, cheques en een groot bedrag in contanten werden volgens zijn instructies in een hermetisch afgesloten, vochtvrije kist samen met hem in het Greenwood-kerkhof in Brooklyn bijgezet en zijn grafsteen droeg de inscriptie:

VELER HOOP LIGT HIER BEGRAVEN

Terwijl erfgenamen en executeurs elkaar en de belastingdienst in de haren vlogen, begon Kermisland ('Amusant!') stukje bij beetje van de aarde te verdwijnen, met uitzondering van het fallische, uit stalen balken opgetrokken, bankroete skelet van de Parachutesprong, die lang na zijn tijd was gebouwd en hem als attractie bovendien niet aanstond. De Parachutesprong was tam en ordentelijk, joeg klanten of toeschouwers niet de stuipen op het lijf en maakte ze niet aan het lachen. Meneer Tilyou genoot van dingen die verrasten, die mensen in de war brachten, hun waardigheid aan flarden scheurden, waarbij jongens en meisjes onhandig in elkaars armen tuimelden en waarbij het opgetogen publiek, dat bestond uit hetzelfde soort mensen en zich bescheurde bij deze komedie van lachwekkende hulpeloosheid, met een beetje geluk beloond werd met een glimp van kuit en onderrok of soms zelfs van een vrouwelijke onderbroek.

Als meneer Tilyou aan de inscriptie op zijn graf dacht, kon hij een glimlach niet onderdrukken.

Hij had alles wat zijn hart begeerde. Hij had een andere achtbaan hier, de Tornado. Boven zich hoorde hij voortdurend het stoppen en optrekken van de ondergrondse treinen die op zomerse zondagen honderdduizenden mensen naar het strand vervoerden, en de sputterende uitlaten van rusteloos rijdende auto's en grotere voertuigen. Toen hij op een niveau boven zich het kabbelen en klotsen van water hoorde, had hij zijn platte boten naar beneden gehaald en in het kanaal zijn nieuwe Tunnel der Liefde geïnstalleerd. Hij had de Zweep en de Draaikolk, waarmee hij klanten ervan langs kon geven en door elkaar kon schudden, plus de Menselijke Biljarttafel met zijn ingebouwde verticale glijbaan en de draaiende schijven waarop ze languit op hun rug in de rondte tolden, terwijl ze gilden van paniekerig plezier en stiekem baden dat het snel afgelopen zou zijn. Hij zette de leuningen onder stroom om de toeschouwers te grazen te nemen en had spiegels die normale mensen omtoverden tot schaterende, lachwekkende monsters. En hij had zijn grijnzende handelsmerk met de roze wangen, die demonische platte tronie met het platte hoofd met de scheiding en de brede mond vol vierkante tanden als witte tegels, waar de mensen bij hun eerste kennismaking vol ongeloof voor terugdeinsden, maar die ze de volgende keer goedmoedig als natuurlijk accepteerden. Op een onbekend niveau beneden hem hoorde hij vaak het geluid van soepel draaiende, dag en nacht rijdende treinen, maar hij was er niet nieuwsgierig naar. Hij had alleen belangstelling voor wat hij kon bezitten en wilde alleen bezitten wat hij kon zien en bekijken en met de kleinste beweging van een knop of een hendel kon besturen. Hij was dol op de geur van elektriciteit en het knetteren en knisperen van elektrische vonken.

Hij had meer geld dan hij ooit op kon maken. Vertrouwensmannen vertrouwde hij niet en stichtingen vond hij weinig stichtelijk. John D. Rockefeller kwam tegenwoordig vaak langs om om dubbeltjes en gratis ritjes te schooien, en J. P. Morgan, die in de zekerheid dat hij aanvaard zou worden zijn ziel aan God had aanbevolen, kwam als smekeling. Met zo weinig om van te leven hadden ze niet veel om voor te leven. Hun kinderen stuurden niets. Meneer Tilyou had het kunnen voorspellen, zei hij vaak. Zonder geld kon het leven een hel zijn. Meneer Tilyou had het idee dat het altijd en overal goed zakendoen zou zijn. Dat had hij eveneens kunnen voorspellen, zei hij vaak.

Hij was keurig gekleed, kwiek, bij de tijd en verzorgd. Zijn bolhoed, de Derby waar hij zo trots op was, hing smetteloos aan een haak van zijn kapstok. Hij droeg nu elke dag een wit overhemd met puntboord, met een donker, perfect gevouwen halsdoekje dat zorgvuldig in zijn vestje was gestopt, en de punten van zijn dunne bruine snor waren altijd netjes opgestreken met was.

Zijn eerste grote succes was een reuzenrad van ongeveer half de omvang van het rad waar hij in Chicago verliefd op was geworden en dat hij, nog vóór het afgebouwd was, brutaal uitriep tot het grootste ter wereld. Hij versierde het met schitterende wimpels en honderden van die nieuwe gloeilampen van meneer Edison, en de klanten waren opgetogen, geamuseerd en verrukt.

'Ik heb nooit iemand voor een cent opgelicht,' verklaarde hij vaak, 'en sukkels altijd het vel over de oren gehaald.'

Hij hield van attracties die ronddraaiden en de klanten terugbrachten naar de plaats waar ze begonnen waren. Vrijwel alles in de natuur, meende hij, van het kleinste tot het grootste, draaide rond in cirkels en keerde terug naar zijn uitgangspunt, waarna het hele proces weer opnieuw kon beginnen. Mensen vond hij veel amusanter dan een kooi vol apen en hij vond het leuk ze onder dit mom te manipuleren met trucjes die hen op een onschuldige manier te kijk zetten en waar iedereen om kon lachen en geld voor wilde betalen: de hoed die door een plotselinge luchtstroom werd weggeblazen of de rokken die tot de schouders omhoog fladderden, de bewegende vloeren en instortende trappen, het met lipstick besmeurde paartje dat uit het alles verbergende donker van de Tunnel der Liefde in het daglicht kwam en zich afvroeg waarom iedereen zo'n plezier had, tot gewaagde grappenmakers hen uit de droom hielpen.

En zijn huis was nog steeds van hem. Meneer Tilyou had aan Surf Avenue gewoond, tegenover zijn Kermisland, in een flinke houten woning met een smal toegangspad en een laag gemetseld trapje, die kort na zijn begrafenis allemaal leken te verzakken. Op de opstaande rand van de onderste trede had hij een steenhouwer tegen betaling de familienaam TILYOU laten beitelen. Buurtbewoners die op weg naar bioscoop of metro jaar in, jaar uit langs zijn huis kwamen, waren de eersten die aan de positie van de letters konden zien dat de trede in het trottoir leek te zakken. Tegen de tijd dat het hele huis verdwenen was, schonk niemand veel aandacht meer aan het zoveelste braakliggende perceel in een verkrottende buurt die zijn beste tijd had gehad.

Ten noorden van de smalle landstrook die Coney Island heette en in feite geen eiland was maar een lang, smal schiereiland van acht bij driekwart kilometer, lag een baai die Gravesend Bay heette. Een textielverffabriek gebruikte grote hoeveelheden zwavel. Opgeschoten jongens hielden brandende lucifers bij de gele klonten die ze bij de fabriek op de grond vonden en zagen tot hun verbazing en genoegen dat ze meteen vlam vatten en brandden met een blauwige vlam en een zwavelachtig luchtje. Naast de verffabriek stond een ijsfabriek die op een dag het tafereel was van een spectaculaire gewapende roofoverval door misdadigers die met een speedboot over de wateren van Gravesend Bay wegvluchtten. Dus er was vuur en er was ijs toen er nog geen elektrische koelkasten waren.

Vuur was een constant gevaar en van tijd tot tijd werd Coney Island geteisterd door grote uitslaande branden. Toen meneer Tilyou zijn eerste pretpark door vlammen verwoest zag worden, had hij binnen een paar uur overal borden opgehangen om zijn nieuwste attractie, zijn brand in Coney Island, aan de man te brengen en hij hield zijn kaartjesverkopers druk bezig met het ophalen van de tien cent toegangsprijs die hij mensen liet betalen om het in de as gelegde gebied te betreden en met eigen ogen de rokende puinhopen te aanschouwen. Waarom was hij daar zelf niet op gekomen, dacht de duivel. Zelfs Satan sprak hem aan met meneer.

BOEK VIER

11

LEW

Sammy en ik namen op dezelfde dag dienst. We begonnen met ons vieren. We gingen allemaal naar Europa en kwamen alle vier terug, hoewel ik krijgsgevangen werd gemaakt en Sammy werd neergehaald en in zee terechtkwam en later een noodlanding maakte met een verstrooide vlieger die Hungry Joe heette en die vergat de noodhendel voor het uitklappen van het landingsgestel te proberen. Niemand was gewond, vertelde Sammy, en de vlieger, Hungry Joe, kreeg een medaille. Zo'n naam blijft hangen. Milo Minderbinder was zijn messofficier en niet de grote oorlogsheld waarvoor hij zich tegenwoordig probeert uit te geven. Sammy had een squadroncommandant die majoor Major heette en nooit te vinden was als iemand hem nodig had, en een bommenrichter met wie ik het volgens hem goed zou hebben kunnen vinden, ene Yossarian, die zijn uniform uittrok toen een jongen in hun vliegtuig doodgebloed was en zelfs naakt naar de begrafenis ging, waar hij volgens Sammy in een boom klom.

We gingen met de metro naar de grote kazerne bij het Grand Central Station in Manhattan om ingelijfd te worden, een buurt waar de meesten van ons vrijwel nooit kwamen. We kregen het medisch onderzoek waar de oudere jongens, die al vertrokken waren, over verteld hadden. We draaiden met ons hoofd en hoestten, we knepen in onze pik, we bukten ons en trokken onze billen uit elkaar en vroegen ons voortdurend af wat ze zochten. We hadden tantes en ooms over aambeien horen praten, maar wisten amper wat dat was. Een psychiater ondervroeg me apart en vroeg me of ik meisjes leuk vond. Zo leuk dat ik met ze neukte, antwoordde ik.

Hij keek jaloers.

Sammy vond ze ook leuk, maar hij wist er geen raad mee.

We waren boven de achttien en als we tot ons negentiende gewacht hadden, zouden we opgeroepen zijn, zei FDR, en dat zeiden we tegen onze ouders, die ons helemaal niet graag zagen gaan. We lazen over de oorlog in de kranten, hoorden erover op de radio, zagen er de prachtigste beelden van in de bioscoop, en alles bij elkaar leek het stukken beter dan thuis in het schroot werken, zoals ik, of net als Sammy in het archief van zijn verzekeringsmaatschappij, of zoals Winkler in een sigarenzaak die als dekmantel diende voor het clandestiene gokkerijtje van zijn vader in de achterkamer. En op de lange duur wás het ook beter, zowel voor mij als voor de meeste anderen.

Na onze inlijving gingen we terug naar Coney Island en aten een paar hot dogs om het te vieren en maakten een paar ritjes op de achtbanen, de Tornado, de Cycloon en de Bliksemschicht. We draaiden op het grote Wonderrad en aten gepofte maïs met caramel en konden aan de ene kant over de oceaan uitkijken en aan de andere kant over Gravesend Bay. We brachten onderzeeërs tot zinken en schoten vliegtuigen neer op de automaten in de speelhallen en gingen naar Kermisland en rolden in vaten en tolden rond in de Draaikolk en de Menselijke Biljarttafel en vingen ringen op de grote carrousel, de grootste op het eiland. We voeren in een plat bootje door de Tunnel der Liefde en maakten harde scheetgeluiden om de andere mensen aan het lachen te maken.

We hadden gehoord over antisemitisme in Duitsland, maar wisten niet wat het was. We wisten dat ze de mensen van alles aandeden, maar we wisten niet wat.

Van Manhattan wisten we ook niet veel. De weinige keren dat we in het centrum kwamen, gingen we meestal naar de Paramount of de Roxy voor de big bands en om beroemde nieuwe films te zien voordat ze zes maanden later bij ons kwamen, in Loews Filmtheater of de RKO Tilyou. De grote filmhuizen in Coney Island waren veilig en winstgevend en comfortabel in die tijd. Nu zijn ze bankroet en gesloten. Soms mochten we op zaterdagavond met iemand meerijden naar Manhattan, naar de jazzclubs in Fifty-second Street of naar Harlem voor de muziek in de zwarte danszaal of schouwburg of om marihuana te kopen, goedkope ribbetjes te eten en voor een dollar gepijpt en geneukt te worden als iemand zin had, maar voor dat soort dingen voelde ik nooit veel, en eigenlijk ook niet voor de muziek. In de oorlog begonnen een heleboel mensen geld te verdienen, wij ook. Vlak na de oorlog kon je hier in Coney Island gepijpt worden of de andere behandeling krijgen, van blanke joodse heroïne-hoertjes die getrouwd waren met plaatselijke junkies die evenmin geld hadden, maar nu voor twee dollar, en hun beste klanten waren huisschilders en stukadoors en andere arbeiders van buiten de buurt, die niet met die meisjes op school hadden gezeten en die het niks kon schelen. Een paar van mijn makkers, bijvoorbeeld Sammy en Mooie Marvin Winkler, het zoontje van de bookmaker, rookten al voor de oorlog en als je de lucht eenmaal kende, kon die plattelandsgeur van marihuana in de rookafdelingen van de bioscopen in Coney Island je niet ontgaan. Daar liet ik me evenmin mee in, en mijn vrienden staken hun stickies nooit op als ik erbij was, hoewel ze van mij mochten als ze zin hadden.

'Wat heb ik daaraan?' kreunde Winkler altijd met half dichtgeknepen rode oogjes. 'Jij verpest het toch.'

Een zekere Tilyou, die al best dood kon zijn, werd het soort figuur waar ik tegen opkeek, nadat ik over hem had horen vertellen. Toen iedereen arm was, had hij een filmtheater en een groot pretpark en zijn eigen huis tegenover zijn Kermisland, en pas geleden, nu iedereen dood is, inclusief George C. Tilyou, hoorde ik op een van Sammy's ziekenbezoekjes bij mij thuis dat overal dezelfde naam achter zat. Sammy komt vaak op bezoek sinds zijn vrouw aan eierstokkanker gestorven is en hij in de weekends geen raad met zichzelf weet en vooral sinds ik zelf weer thuis ben uit het ziekenhuis en ook niet veel meer te doen heb dan op krachten proberen te komen na de zoveelste bestraling of chemokuur. Tussen die ziekenhuisbezoekjes voelde ik me honderd procent en zo sterk als een os. Liep het weer fout, dan ging ik terug naar Manhattan voor behandeling door een oncoloog die Dennis Teemer heette. Als ik me goed voelde, ging het geweldig.

Inmiddels is de aap uit de mouw. Iedereen weet dat ik iets gehad heb waar andere mensen dood aan gaan. We geven het nooit een naam, we doen zelfs alsof het niet belangrijk genoeg is om een naam te hebben. Zelfs bij de dokter noemen Claire en ik het niet bij zijn naam. Ik wil Sammy er niet naar vragen, maar ik betwijfel of hij gevallen is voor de leugens die ik hem al die jaren zo dikkels mogelijk verteld heb – dikwíjls, zoals hij me dikwíjls verbeterde, hoewel ik hem niet díkkels de kans gaf. Soms denk ik eraan, maar díkkels zeg ik het expres om hem op de kast te jagen.

'Tijger, dat weet ik,' zeg ik dan lachend. 'Dacht je echt dat ik nog zo'n groentje was? Ik hou je voor de gek, zoals zo díkkels, en ik hóóp dat je dat een keer in de gaten krijgt.'

Sammy is slim en heeft aan kleine dingen genoeg, bijvoorbeeld de naam Tilyou en het litteken boven mijn mond voordat ik een grote borstelsnor liet staan om het te maskeren of toen ik het weinige haar dat ik nog heb liet groeien om de littekens en de blauwe brandvlekken op de klieren in mijn nek te verbergen. Het kan best zijn dat ik een hoop in mijn leven gemist heb door niet naar de universiteit te gaan, maar ik heb er nooit iets voor gevoeld en volgens mij heb ik niks belangrijks gemist. Behalve misschien de studentes. Maar ik heb altijd meisjes gehad. Ik ben nooit bang voor ze geweest en ik wist hoe ik ze moest krijgen en met ze moest praten en van ze moest genieten, ook van oudere. Ik was altijd priapisch, zei Sammy.

'Wat je zegt, Tijger,' antwoordde ik. 'En vertel me nou maar wat het betekent.'

'Dat je altijd een en al pik geweest bent,' zei hij, beledigend zoals zo vaak, 'en nooit conflicten had.'

'Conflicten?'

'Je had nooit problemen.'

'Ik had nooit problemen.'

Ik had nooit twijfels. Mijn eerste was een oudere meid van een straat verderop, Blossom heette ze. Mijn tweede was een oudere meid die we Knijpkat noemden. Later had ik een meisje uit het verzekeringskantoor waar Sammy werkte. Die was ook ouder, en ze wist dat ik jonger was, maar ze wilde toch meer en gaf me twee overhemden met Kerstmis. Volgens mij kon ik in die tijd elke meid krijgen waar ik mijn zinnen op zette. Ik heb geleerd dat als je de mensen laat weten wat je wilt, meisjes en zelfs het leger, en zeker bent van je zaak, dat ze je hoogstwaarschijnlijk je zin geven. In Europa, toen ik nog korporaal was, liet mijn sergeant na een poosje alle beslissingen aan mij over. Maar ik heb nooit een studente gehad, het soort dat je in de films ziet. Voor de oorlog kenden we niemand die studeerde, dat was ongehoord. Na de oorlog ging ineens iedereen. Bij de meisjes van *Time* magazine die ik via Sammy leerde kennen, voor en na zijn trouwen, viel ik soms minder in de smaak dan ik eerlijk gezegd verwacht had – reden waarom ik niet te veel aandrong om hem niet in verlegenheid te brengen – en zelfs zijn vrouw, Glenda, was in het begin minder gek op mij en Claire als onze kennissen in Brooklyn en Orange Valley. Claire had het idee dat Glenda snobistisch aangelegd was omdat ze niet joods was en niet uit Brooklyn kwam, maar dat bleek niet zo te zijn. Toen we ziek werden, eerst ik en toen zij, groeiden we allemaal erg naar elkaar toe – al eerder eigenlijk, toen hun zoon Michael zelfmoord pleegde. Wij waren het echtpaar waar ze het makkelijkst bij terecht konden en Claire de vrouw waar Glenda het best haar geheimpjes kwijt kon.

In Coney Island, Brighton Beach en overal had ik altijd meisjes, zo veel als ik wou; ik kon zelfs meisjes voor anderen versieren, zelfs voor Sammy. Vooral in het leger, in Georgia, Kansas en Oklahoma, getrouwde vrouwen ook, als hun man in dienst was. Daar voelde ik me na afloop altijd een beetje beroerd van, maar dat weerhield me er niet van om mijn plezier te pakken waar ik kon. 'Niet erin,' probeerden ze me soms te laten beloven, voordat ik ons allebei blijer maakte door hem er wel in te steken. In Engeland, voordat we naar het vasteland gingen, had ik er tientallen. Tijdens de oorlog kon iedere Amerikaan in Engeland van bil, zelfs Eisenhower, en soms ook in een dorp of boerderij in Frankrijk, waar we driftig vechtend optrokken tot we teruggeslagen werden en ik samen met een heleboel anderen krijgsgevangen werd gemaakt tijdens het Ardennenoffensief, zoals ik later ontdekte dat het heette. Maar niet in Duitsland, hoewel het in Dresden weinig scheelde, in die fabriek voor vloeibare vitamines waar ik als krijgsgevangene werkte en siroop maakte voor zwangere Duitse vrouwen die niks te eten hadden. Dat was tegen het eind van de oorlog en mijn haat voor de Duitsers was groter dan ooit, maar dat kon ik niet laten merken. Zelfs daar scheelde het weinig of ik kon van bil vanwege mijn geintjes met de bewakers en de Poolse en andere dwangarbeidsters, en wie weet had ik mijn vriendelijkste bewakers – allemaal ouwe mannen of zwaargewonde veteranen van het Russische front – zover kunnen krijgen dat ze een oogje dicht deden terwijl ik met een van hen in een kamer of kast verdween. De vrouwen waren niet geil, maar ze hadden er geen bezwaar tegen – tot de nacht van dat grote brandbombardement, toen alles ineens afgelopen was en alle vrouwen weg waren. De andere jongens vonden me getikt dat ik zo aan rotzooide, maar voor mij was het een manier om de tijd door te komen tot de oorlog afgelopen was en we weer naar huis konden. De Engelsen in mijn gevangenisdetachement wisten totaal niet wat ze aan me hadden. De bewakers waren de situatie even beu als ik en begonnen ook plezier in me te krijgen. Ze wisten dat ik joods was. Daar zorgde ik altijd meteen voor.

'Herr Reichsmarshal,' was mijn vaste geintje als ik een Duitse soldaat moest aanspreken om iets te laten vertalen of te krijgen. 'Kleremof,' noemde ik ze voor mezelf, zonder gein. Of 'gore klotenazi'.

'Herr Rabinowitz,' antwoordden ze met gespeeld respect.

'Mein Name ist Lew,' zei ik dan altijd heel hartelijk. 'Zeg maar Lew.'

'Rabinowitz, je bent gek,' zei mijn assistent Vonnegut uit Indiana. 'Ze nemen je nog een keer te grazen.'

'Waarom trappen jullie nooit een geintje?' probeerde ik voortdurend iedereen op te monteren. 'Dat je het overleeft! Ik wed dat ik een bal georganiseerd krijg als we ze kunnen aanpraten ons een muziekje te geven.'

'Mij niet gezien,' zei een ouwe gozer die Schweik heette. 'Ik ben een goeie soldaat.'

Die twee kenden meer Duits dan ik, maar Vonnegut was te bescheiden en verlegen en Schweik, die aan één stuk door over aambeien en zere voeten klaagde, hield zich overal buiten.

Toen zagen we een keer dat er een circus op komst was. We lazen de aanplakbiljetten toen we van onze onderkomens in de versterkte kelder die toen er nog dieren te slachten waren van een slachthuis was, naar de eetwarenfabriek marcheerden. De bewakers zaten inmiddels meer in de rats dan wij. 's Nachts hoorden we de vliegtuigen uit Engeland overkomen op weg naar militaire doelen in de streek. En soms hoorden we met genoegen honderden bommen in de buurt ontploffen. We wisten dat de Russen optrokken uit het oosten.

Ik kreeg een fantastisch idee bij het zien van die aanplakbiljetten. 'Als we eens naar de baas van het spul gingen en vroegen of we erheen mogen. De vrouwen ook. We zijn hard aan een uitje toe. Ik doe het woord wel.' Ik werd helemaal opgewonden van het idee. 'Waarom proberen we het niet?'

'Mij niet gezien,' zei de goede soldaat Schweik. 'Ik heb al moeite genoeg om geen problemen te krijgen als ik gewoon doe wat me opgedragen wordt.'

De vrouwen die bij ons werkten, waren bleek en sjofel en even vuil als wij en ik geloof niet dat we samen één actieve sekseklier hadden. En ik was te mager en vaak ook nog aan de diarree, maar dat zou nog eens iets geweest zijn om Claire later mee te plagen en over op te scheppen. Ik had kunnen liegen, maar ik lieg niet graag.

Claire en ik trouwden nog vóór ik afzwaaide, meteen na mijn dubbele hernia-operatie in Fort Dix, toen ik terugkwam uit Europa en de Duitse kampen en me in New Jersey bijna vergreep aan twee Duitse krijgsgevangenen die geil naar haar loerden en in het Duits een opmerking maakten toen ze haar zagen wachten. We waren nog verloofd.

Ik zag ze voor het eerst in Oklahoma, die Duitse krijgsgevangenen in Amerika, en ik kon mijn ogen niet geloven. Ze deden graafwerk en zagen er stukken beter uit dan wij en hadden het zo te zien ook beter naar hun zin in dat grote legerkamp. Was dit oorlog? Voor mij niet. Ik vond dat krijgsgevangenen opgesloten hoorden te zijn en zich niet in de openlucht ten koste van ons hoorden te vermaken. Dit ging me verdomme te ver. Ze werden bewaakt door een paar lamlendige dienstplichtigen die er lui en verveeld bij hingen, alsof hun geweren te zwaar waren. De moffen werden geacht te werken, maar veel haast hadden ze niet. Er waren ook een heleboel Amerikanen bij, soldaten die op eigen houtje verlof hadden genomen en voor straf gaten moesten graven en weer dichtgooien, en die jongens werkten altijd harder dan de Duitsers. Hoe langer ik keek, hoe kwader ik werd, en op een goeie dag besloot ik ineens, zomaar in een opwelling, om naar ze toe te gaan en mijn Duits op ze te oefenen.

'Hé, da's niet toegestaan, soldaat,' zei de bewaker die het dichtst bij de twee stond die ik uitgezocht had. Hij kwam nerveus op me af, met dat rare zuidelijke accent waar ik net aan begon te wennen. Zijn geweer kwam zelfs omhoog.

'Luister, makker, ik heb familie in Europa,' zei ik tegen hem, 'maak je niet sappel. Als je luistert, hoor je het vanzelf.' En vóór hij iets terug kon zeggen begon ik met mijn Duits. Ik sloeg er maar een slag naar, maar wist hij veel. '*Bitte. Wie ist Ihr Name? Danke schön. Wie alt sind Sie? Danke vielmals. Wo Du kommst her? Danke.*' Inmiddels waren er meer mensen bij komen staan, zelfs een paar bewakers, en ze lachten allemaal mee alsof ze in een legershow zaten. Dat beviel me evenmin. God nog aan toe, dacht ik, is dit oorlog of is dit vrede? Intussen kletste ik gewoon door. Als ze me niet verstonden probeerde ik het net zolang tot het wel doordrong, en dan knikte en lachte het hele stel en ik deed net alsof ik dolblij was dat ze me goede cijfers gaven. '*Bitte schön, bitte schön,*' zeiden ze toen ik heel overdreven 'danke, danke' zei omdat ze me '*gut, gut*' vonden. Maar vóór het afgelopen was, maakte ik heel duidelijk dat er één persoon was die zich niet zo vermaakte, ík namelijk. 'En, *wie geht jetzt?*' vroeg ik ze, en gebaarde naar het kamp. '*Du, gefällt es hier? Schön? Ja?*' Toen ze zeiden dat het ze hier beviel, alsof we allemaal ons Duits stonden te oefenen, stelde ik ze deze vraag: 'Gefällt hier besser wie zuhause mit Krieg? Ja?' Ik wist wel zeker dat ze liever hier zouden blijven dan teruggaan naar de oorlog in Duitsland. 'Zeker weten,' zei ik in het Engels, en toen raakten ze in de war en het lachen verging ze. Ik keek de eerste die ik aangesproken had strak aan. '*Sprechen Du!*' Ik boorde mijn ogen in de zijne tot hij zwakjes begon te knikken en antwoord gaf. Ik schoot bijna in de lach toen ik hem door de knieën zag gaan, hoewel ik er niks leuks aan vond. '*Deine Name ist Fritz? Dein Name is Hans? Du bist Heinrich?*' En toen vertelde ik ze over mezelf. '*Und mein Name is Rabinowitz.*' Ik sprak het uit op zijn Duits. '*Rabinowitz. Ich bin Lew Rabinowitz,* LR, *von Coney Island in Brooklyn, New York. Du kennst?*' En toen zei ik in het Jiddisch: '*Und ich bin ein Yid. Fersjtest?'* En toen weer normaal: 'Ik ben een jood. Gesnopen?' En vervolgens in mijn gebroken Duits. *'Ich bin Jude. Verstehst?'* Nu wisten ze niet meer waar ze moesten kijken, maar in ieder geval niet naar mij. Ik heb blauwe ogen die volgens Claire nog steeds in streepjes ijs kunnen veranderen, en een bleek, Europees gezicht dat meteen rood aanloopt als ik hard lach of me opwind, en ik wist niet zeker of ze me geloofden. Dus ik knoopte mijn werktenue open en trok mijn hondepenning om ze de letter J te laten zien, onderaan, naast mijn bloedgroep. *'Sehen du? Ich bin Rabinowitz, Lew Rabinowitz, und ich bin Jude.* Gesnopen? Goed. *Danke,'* zei ik sarcastisch, terwijl ik ze een voor een kil aankeek tot ze hun ogen neersloegen. *'Danke schön, danke vielmals, für alles,* en niet te vergeten *bitte* en *bitte schön.* En ik zweer bij mijn moeder dat ik jullie allemaal betaald zal zetten. Bedankt, makker,' zei ik tegen de korporaal toen ik me omdraaide om weg te gaan. 'Leuk dat je je ook een beetje vermaakt hebt.'

'Wat was dat allemaal?'

'Niks, gewoon effe mijn Duits oefenen.'

In Fort Dix, met Claire, was het geen oefening. Ik werd meteen laaiend toen ik ze grinnikend een opmerking over Claire zag maken en stond klaar om klappen uit te delen, kwader als ik ooit aan het front geweest was, en ik stevende recht op ze af. Ik praatte heel kalm en bedaard, maar die ader in mijn hals en kaak klopte al, als een tijdbom die smeekte om af te gaan.

'Achtung,' zei ik heel zacht en langzaam. Ik rekte het zo lang mogelijk, tot ik bij ze was. Ze stonden op het gras en waren bezig een zandpad aan te leggen.

Ze keken elkaar met een stiekem glimlachje aan, kennelijk denkend dat het niet zo'n vaart liep.

'Achtung,' herhaalde ik, met iets meer nadruk op de tweede lettergreep, alsof ik een beleefd gesprek voerde met een hardhorig persoon in de salon van Claires moeder ten noorden van New York. Ik stak mijn gezicht recht in hun ponem, maar een paar centimeter van ze af. Mijn mond was half open, alsof ik op het punt stond om te gaan lachen, maar ik glimlachte niet eens en ik geloof dat ze nog steeds geen nattigheid voelden. *'Achtung, aufpassen,'* zei ik voor alle duidelijkheid.

Het lachen verging ze omdat ik mijn stem niet verhief. Ze kregen door dat ik geen geintje maakte. En ze leunden niet meer lui op hun schop maar gingen enigszins schaapachtig rechtop staan, alsof ze niet wisten wat ze aan me hadden. Ik had niet in de gaten dat ik mijn vuisten gebald had, dat merkte ik pas toen ik het bloed zag waar mijn nagels door de huid van mijn handpalmen heen gegaan waren.

Nu waren ze niet meer zo zeker van hun zaak en ik wel. De oorlog in Europa was voorbij, maar zij zaten nog steeds vast in Amerika, niet thuis. Het was zomer en ze waren gezond en halfnaakt en bruin van de zon, net als ik vroeger op het strand in Coney Island, vóór de oorlog. Ze maakten een sterke, gespierde indruk, heel anders dan de honderden en nog eens honderden krijgsgevangenen die ik in Europa gezien had. Zij waren krijgsgevangenen van het eerste uur en sterk en gezond gevoerd met Amerikaans eten, terwijl ik met schimmeltenen van mijn natte sokken en schoenen in Europa zat, vergeven van ongedierte dat ik nog nooit eerder had gezien: luizen. Zij waren volgens mij de eerste krijgsgevangenen, de stoottroepen, de zware jongens van het begin van de oorlog, die hele generatie die inmiddels gevangen, gesneuveld of gewond was, en naar mijn smaak zagen ze er veel te goed en te welvarend uit, maar we zaten nu eenmaal met de Conventie van Genève en dit was Amerika. De twee mannen waren ouder en groter dan ik, maar ik wist zeker dat ik ze, zwak en mager als ik was van mijn operaties en de oorlog, als puntje bij paaltje kwam in elkaar zou rammen, hoewel ik me best kon vergissen. Ik had het als krijgsgevangene heel wat minder goed gehad.

'*Wie gehts?*' vroeg ik terloops, terwijl ik ze een voor een aankeek op een manier die duidelijk maakte dat ik minder vriendelijk was dan ik klonk. Mijn Duits was inmiddels aardig goed. '*Was ist dein Name?*'

De ene heette Gustav, de andere Otto. Ik weet het nog goed.

'*Wo kommst Du her?*'

De ene kwam uit München. De andere plaats was me volkomen onbekend. Ik praatte met gezag en ze maakten zich duidelijk ongerust. Ze waren niet hoger in rang. Officieren hoeven niet te werken, zelfs onderofficieren niet, tenzij ze, net als ik in mijn laatste gevangenenkamp, gelogen hadden om ergens te kunnen werken. '*Warum lachst Du wenn Du siest Lady hier?* Jij ook.' Ik wees naar de andere. 'Waarom lachte je toen je deze dame hier zag en wat had je te vertellen dat hij nog harder moest lachen?'

Dat laatste vergat ik in het Duits te zeggen. Ze wisten verdomd goed waar ik het over had, ook al verstonden ze het niet helemaal. Mij kon het niet schelen. Het viel niet mee om dit in een vreemde taal te zeggen, maar als ik me concentreerde zou het zeker lukken.

'*Warum has Du gelacht wenn Du siest mein* vriendin hier?'

Nu wisten we allemaal dat ze het verstonden, want ze wilden niet antwoorden. De bewaker met het geweer wist niet wat er aan de hand was of wat hij moest doen. Hij leek banger te zijn voor mij als voor hun. Ik wist dat ik eigenlijk niet eens met ze mocht praten. Claire zou me graag tegengehouden hebben. Weinig kans. Ik was door het dolle heen. Een jonge officier met oorlogslintjes die haastig poolshoogte kwam nemen, bleef schielijk staan toen hij mijn gezicht zag.

'U kunt zich er beter buiten houden,' hoorde ik Claire tegen hem zeggen.

Ik had ook lintjes op, waaronder een Bronzen Ster, gekregen in Frankrijk toen ik samen met ene David Craig een Tiger-tank uitschakelde. Volgens mij las hij mijn gedachten en was slim genoeg om zich erbuiten te houden. Ik maakte een officiële indruk en sprak bikkelharde taal. Mijn Duits zette ze allemaal op het verkeerde been en ik zorgde ervoor goed hard te praten.

'*Antworten!*' zei ik. '*Du verstehst was ik sage?*'

'*Ich verstehe nicht.*'

'*Wir haben nicht gelacht.*'

'*Keiner hat gelacht.*'

'Otto, je bent een leugenaar,' zei ik in het Duits. 'Je verstaat me best en je lachte wel degelijk. *Gustav, sag mir, Gustav. Was Du sagen*' – ik wees op Claire – '*über meine Frau hier? Beide lachen, was ist so komisch?*' We waren nog niet getrouwd, maar ik dacht dat ik de schroeven wat kon aandraaien door te suggereren dat ze mijn vrouw was. 'Dit is mijn vrouw,' herhaalde ik in het Engels voor de officier. 'Wat voor gore opmerking maakte je over haar?'

'*Ich habe nichts gesagt. Keiner hat gelacht.*'

'*Sag mir!*' beval ik.

'*Ich habe 's vergessen. Ich weiss nicht.*'

'*Gustav, Du bist auch ein Lügner, und Du wirst gehen zur Hölle für Dein Lüge.* Jullie zullen allebei branden in de hel voor dat gelieg en voor die smerige opmerking over deze jonge dame, en desnoods stuur ik jullie er zelf naartoe. Goed. *Schaufeln hinlegen!*'

Ik wees. Ze legden gedwee hun schoppen neer en wachtten. Ik wachtte ook.

'*Schaufeln aufheben!*' zei ik, heel serieus.

Ze keken vol ellende om zich heen. Ze raapten de schoppen weer op en hielden ze schaapachtig vast.

'*Dein Name is Gustav?*' vroeg ik na weer een half minuutje stilte. '*Dein Name ist Otto? Jawohl? Du bist von München? Und Du bist von... Ach wo?*' Het interesseerde me geen bal waar hij vandaan kwam. '*Mein Name is Rabinowitz. Lewis Rabinowitz. Ich bin Lewis Rabinowitz,* uit Coney Island, West Twenty-fifth Street, tussen Railroad Avenue en Mermaid Avenue, *bei Karrusel*, de mallemolen aan de boulevard. In mijn duimen voelde ik het bloed ook kloppen toen ik mijn identiteitsplaatje trok om ze die letter J te laten zien om zeker te weten dat ze me begrepen, en ik ging verder in het Jiddisch: *'Und ich bin ein Yid.'* En in het Duits: *'Ich bin ein Jude, jüdisch. Verstehst Du jetzt?'* Ze waren duidelijk minder bruin en hadden veel van hun bravoure verloren. Ik voelde me doodkalm en was nog nooit zo zeker van mezelf geweest als LR, Louie Rabinowitz uit Coney Island. Ik hoefde niet meer met ze te vechten. Met dat hatelijke glimlachje van me, dat volgens Claire erger is dan de grijns van een doodskop, een soort dodelijke grimas, zei ik: *'Und jetzt... noch einmal.'* Op mijn bevel legden ze de schoppen neer en raapten ze weer op alsof ik ze perfect getraind had. Ik wees naar Claire. *'Hast Du schlecht gesagt als er hat gesagt wenn Du gesehen Dame hier?'*

'Nein, mein Herr.'

'Hast Du mit gelacht als er hat gesagt schlecht?'

'Nein, mein Herr.'

'Je liegt weer, alle twee, en je mag van geluk spreken ook, want wie weet had ik jullie alle twee de rug gebroken als je had toegegeven dat je haar uitgelachen had of iets smerigs gezegd had. *Geh zur Arbeit.'* Ik draaide me vol walging van ze af. 'Korporaal, u mag ze weer terughebben. Bedankt.'

'Lew, dat was niet aardig,' zei Claire eerst.

Toen bemoeide de officier zich ermee. 'Sergeant, dit is niet toegestaan. U mag niet op zo'n manier tegen ze praten.'

Ik salueerde beleefd. 'Ik ken de regels van de Conventie van Genève, kapitein. Ik ben daar krijgsgevangen geweest.'

'Wat was er aan de hand?'

'Ze keken naar mijn verloofde, kapitein, en zeiden iets smerigs. Ik ben nog maar net terug. Ik ben nog niet helemaal normaal.'

'Je bent inderdaad niet normaal, Lew,' begon Claire meteen toen we weer alleen waren. 'Stel je voor dat ze geweigerd hadden.'

'Kalm aan, kleine meid. Ze deden wat ik zei. Ze hadden geen keus.'

'O nee? En als de bewaker je tegengehouden had? Of die officier?'

'Dat konden ze niet.'

'Hoe wist jij dat?'

'Neem maar van mij aan.'

'Waarom niet?'

'Oké, maar dan moet je me geloven. Er zijn dingen die gewoon gebeuren zoals ik het wil. Vraag me niet waarom. Voor mij ligt het simpel. Zij beledigden jou en dus beledigden ze mij en ik moest duidelijk maken dat dat niet doorgaat. Dat zoiets niet kan.' We waren al verloofd. 'Jij bent mijn verloofde, *n'est-ce pas*? Mijn *Fräulein*. Ik zou op iedereen razend worden die naar je keek en iets smerigs zei, en mijn vader en mijn broers idem dito als ze een andere vent zo geil naar jou zagen grijnzen, of naar een van mijn zusters. Genoeg gebabbeld, schat. We kunnen beter terug naar het ziekenhuis. Afscheid nemen van Duitse Herman.'

'Lew, van dat gedoe met Herman heb ik ook genoeg. Ik blijf beneden wel iets drinken als je vindt dat dat nodig is. Voor mij is er niets leuks aan.'

'Je wilt het nog steeds niet geloven, schatje, maar ik vind er ook niks leuks aan. Da's niet de reden.'

Het probleem met Claire in die tijd in de ogen van Sammy en Winkler, die daar geen geheim van maakten ook, was dat ze inderdaad grote tieten had. En mijn probleem was dat ik gauw jaloers was en in staat om iedere vent die ernaar keek zowat te vermoorden, Sammy en Winkler incluis.

Dus we gingen die dag met ons vieren in het leger en kwamen alle vier terug. Maar Irving Kaiser uit de flat naast ons werd in Italië door artillerievuur opgeblazen en ik heb hem nooit meer teruggezien, en Sonny Ball overkwam hetzelfde, ook daar. Freddy Rosenbaum raakte een been kwijt en Manny Schwartz loopt nog steeds rond met een kunsthand met haken en ziet er het leuke allang niet meer van in, en Solly Moss kreeg een kogel in zijn hoofd en kan niet goed meer horen of zien, en zoals Sammy een keer zei toen we het over het verleden hadden, da's een hoop slachtoffers voor een paar flats in een vrij klein buurtje in een vrij kleine wijk, dus alles bij elkaar moeten er heel wat doden en gewonden gevallen zijn. Dat vond ik ook. Maar op de dag dat we met ons vieren vertrokken, dachten we geen moment aan gevaar of sneuvelen.

We trokken ten oorlog zonder zelfs maar te weten wat het was.

Bijna allemaal trouwden we jong. En niemand had ervaring met echtscheiding. Dat was voor niet-joden, voor de rijken waar we in de kranten over lazen, die zes weken naar Reno in Nevada gingen, omdat het daar makkelijker leven was. En voor iemand als Sammy's Glenda en haar ontrouwe eerste man, die graag vreemdging en het geen bal interesseerde wie het wist. Nu is zelfs een van mijn dochters gescheiden. Toen ik hoorde dat haar huwelijk op de klippen was, wilde ik meteen achter mijn schoonzoon aan om met mijn blote handen de boedelverdeling te regelen. Claire hield me tegen en nam me mee naar de Caribische Zee om af te koelen. Sammy Singer was de enige die ik kende die wachtte, en daarna trouwde hij met die sjikse met drie kinderen en het lichtbruine haar dat bijna blond was. Maar Sammy Singer was altijd al een tikje anders geweest, klein en anders, stiller, een denker. Een vreemde vogel die ging studeren. Ik had hersens genoeg en het rijk zou mijn studiekosten ook voor zijn rekening genomen hebben, maar ik was al getrouwd en had wel iets beters te doen dan terug naar school te gaan. Ik had meer haast. Dat is nog een reden waarom ik nooit iets van Kennedy en zijn vriendjes moest hebben, toen hij in de schijnwerpers sprong en zich begon te gedragen als een acteur die zich te veel vermaakte. Ik herkende een man die haast had. Toen hij doodgeschoten werd, knipperde ik een keer met mijn ogen, zei da's jammer en ging meteen weer aan het werk, klaar om de pest aan Lyndon Johnson te krijgen zodra ik daar de tijd voor wilde uittrekken. Ik hou niet van verwaande kwasten en kletsmajoors, en presidenten zijn allebei. Ik kijk vrijwel geen krant meer in. Zelfs in die tijd kon ik er met mijn verstand niet bij waarom iemand met een goed verstand zoals Sammy Singer naar de universiteit wou om iets als Engelse literatuur te studeren, die hij voor hetzelfde geld in zijn vrije tijd had kunnen lezen.

Toen ik dertien was, klaar voor de middelbare school, ging ik naar de Ambachtsschool in Brooklyn, wat in die tijd helemaal niet zo'n makkie was, en daar was ik goed in dingen als wiskunde, technisch tekenen en natuur- en scheikunde, wat ik van tevoren wist. En toen ik van school kwam, vergat ik alles behalve rekenen toen ik in de schroothandel van mijn vader ging werken, samen met mijn broer en een zwager die samen met mijn zuster in de kelderverdieping van het grote bakstenen viergezinshuis met veranda woonde, dat al op onze naam stond. Ik had, geloof ik, nog het meest aan mijn rekenvaardigheid bij het kaarten, bij het bieden en spelen, waar ik zo goed in was dat ik het op de boulevard en het strand op kon nemen tegen de beste joodse kaarters uit Rusland en Hongarije en Polen en Roemenië, die kletsten en kletsten en kletsten, zelfs onder het kaarten, over het spel en joodse kranten en Hitler, aan wie ik al vroeg de pest had, net zo vroeg als zij, en over Stalin, Trotski, Mussolini en Franklin Delano Roosevelt, die ze goed vonden, dus ik ook. Ik durf te wedden dat er in heel Coney Island nooit één jood is geweest die Republikeins heeft gestemd, behalve misschien mijn zwager Phil, die altijd overal tegen was waar alle anderen vóór waren, nog steeds trouwens.

Mijn vader zag niet veel in mijn genialiteit op kaartgebied. Toen ik hem vroeg wat ik dan met mijn vrije tijd moest doen, wist hij het ook niet. Als hij iets niet wist, wilde hij er ook niet over praten. In het leger speelden ze anders, dus daar verdiende ik mijn geld met blackjack, poker en dobbelen. Ik won bijna altijd omdat ik dat altijd aan voelde komen. Als ik niks voelde, speelde ik meestal niet en als ik verloor, was het nooit veel. Ik zag altijd meteen of er spelers bij zaten die even goed waren als ik en een goeie avond hadden, en dan was ik zo wijs om te wachten. Nu gebruik ik mijn wiskunde voor het calculeren van kortingen, uitgaven, belastingaftrek en winstmarges, en net als mijn boekhouder of de meisjes op de administratie met hun computers hoef ik er amper bij na te denken, en ik doe het vrijwel even snel. Het klopt niet altijd, maar het gaat zelden mis. Het idee van huisbrandoliemeters voor aannemers en projectontwikkelaars heeft me nooit aangestaan, zelfs niet toen ik een meter vond die ik vertrouwde. Als je een oliemeter installeerde hoefde niet elk huis in een project een aparte olietank te hebben en leverde het bedrijf van wie de meter was de olie. Maar ik had het idee dat het een hele klus zou zijn om de mensen in die grote oliemaatschappijen te leren me serieus te nemen, en dat klopte. Ik was mezelf niet toen we vergaderden. Ik had een kostuum met vest en een andere persoonlijkheid aangetrokken, omdat ik dacht dat de mijne ze niet zou bevallen. In mijn nieuwe zagen ze ook niet veel. Ik zat boven mijn niveau en dat werd me meteen duidelijk toen ik naar het hunne probeerde te klimmen. Er waren nu eenmaal grenzen en ik had altijd al vermoed dat de mijne vrij snel bereikt waren.

De oorlog was een buitenkansje, zelfs voor mij, vanwege de hausse in de bouw en het tekort aan bouwmaterialen. Er zat goed geld in het sloopwerk en in de eerste Lunaparkbrand vlak na de oorlog, toen mijn hernia's gerepareerd waren en ik weer in de schroothandel werkte en weer beresterk was. Ik ontdekte dat ik nog steeds genoot van het harde, zware werk met mijn broers en zwager en mijn ouwe heer. Smoky Rubin en de zwarte waren er niet meer, maar als we hulp nodig hadden, namen we andere mensen aan, en we hadden twee eigen vrachtwagens plus een gehuurde. Maar ik had een hekel aan het vuil, de pest aan het vet en de smerigheid en de rottende oceaanlucht in de kranten die de vuilophalers met hun duw- en trekkarren uit de vuilnisbakken aan het strand haalden en kwamen verkopen. Ik was bang van het vuil en de lucht die we inademden. Ik ben als de dood voor ongedierte. Soms zaten er dode krabben en trossen mosselen met zand en zeewier en sinaasappelschillen en ander afval in de ouwe kranten, en die stopten we in de grote krantenbalen waar we nog steeds met de hand, met tangen, het ijzerdraad omheen draaiden. Daar bestonden inmiddels machines voor, liet Winkler ons weten met een stem alsof hij alles al had meegemaakt, op de dagen dat hij niks beters te doen had dan bij ons rondhangen en op mij wachten terwijl wij ons het leplazarus werkten. Winkler kon overal machines voor vinden, ook tweedehands. Spitstechnologische machines, zei hij graag. Wat dat betekende was me niet helemaal duidelijk.

Winkler had een spitstechnologische machine gevonden om de surplusvoorraad luchtfotografiefilm van het leger op maat te snijden voor gewone fototoestellen en was van plan daarmee zijn eerste miljoen binnen te halen, voordat Eastman Kodak wakker werd en hem in het groot nadeed en de markt weer terugpakte. Mensen trouwden, kregen baby's en wilden babyfoto's.

'Wat machines, ik wil je machines helemaal niet,' gromde de ouwe heer tegen Winkler met zijn klepperende gebit en het zware Pools-joodse accent dat Claire, voordat ze verkering met mij kreeg en op de kamer van mijn zuster sliep, vrijwel nooit had gehoord. We kregen geen enkele kans om onder dat dak bij elkaar te zijn. Zij kwam uit het noorden van New York, waar ze andere mores hadden dan in Coney Island, en haar ouders waren allebei in Amerika geboren, wat ook verschil maakte. We leerden elkaar kennen toen ze op een zomer een huisje in Sea Gate huurden, bij het strand en de oceaan – we hadden een van de fijnste stranden en het fijnste zwemwater, als er tenminste niet te veel condooms en andere wc-produkten uit de stadsriolering en de grote oceaanschepen die bijna dagelijks binnen stoomden, in ronddreven. De condooms noemden we 'Coney Island witvis'. Het vuil en het andere drijvende spul heette 'Kijk-uit!'. We hadden nog een andere naam voor de condooms: kapotjes. Die kunnen die lullen in Washington over hun kop trekken. Bijvoorbeeld Macaroni Cook en misschien die nieuwe gast in het Witte Huis ook.

'Ik heb m'n eigen machines hier, twee stuks,' zei de ouwe heer lachend, terwijl hij zijn spieren spande. Hij bedoelde zijn schouders en armen. 'En naast me staan er nog drie.' Daar bedoelde hij mij, mijn broer en mijn zwager mee. 'En mijn machines zijn levend en kosten veel minder. Trekken, trekken,' riep hij. 'Sta daar niet te niksen, laat 'm maar kletsen. We moeten nog pijpen doorzagen en boilers ophalen.'

En hij en zijn drie machines gingen weer aan het werk met onze baalhaken en lange tangen en dunne stalen baalstaven die we moesten aantrekken en in elkaar vlechten, waarbij we vooral onze ogen en ballen uit de buurt moesten houen voor het geval een van de draden brak. We stapelden de balen op elkaar, waarna ze schudden en trilden op een manier die Claire aan seks deed denken, zei ze tegen me, alsof een grote kerel als ik zich op een meisje zoals zij laat vallen.

De ouwe heer kon het meteen goed vinden met Claire, die als we ergens heen gingen naar de zaak kwam om te kijken en een handje te helpen, zodat ik eerder weg kon, en omdat ze de tijd nam om met mijn moeder te praten, met wie het in die tijd soms moeilijk praten was. En ze pakte de cadeautjes in die ze ons op verjaardagen en feestdagen gaf. Cadeautjes inpakken? Claire was de eerste persoon die we kenden die cadeautjes inpakte. Niemand in onze grote familie, in de hele wereld van Coney Island, had ooit van cadeautjes inpakken gehoord voordat Claire op kwam dagen. Of van 'steelglas'? Niemand in de familie wist precies wat steelglas was, maar ik wist dat ik het wou hebben toen Claire het wel bleek te weten en over ons 'steelglas' praatte met een beter gesitueerde Italiaan met de naam Rocky, bij wie ik wel eens iets kocht. Rocky mocht mij wel en vond het fijn dat Claire zo gewoon met hem praatte, en toen we allebei verhuisden en in de bouw gingen, hielpen we elkaar soms vooruit. Rocky hield van meisjes, zwaar opgemaakte blondines en roodkopjes met hoge hakken en grote borsten, en had enorm veel respect voor echtgenotes, zowel voor Claire als voor de zijne.

Haar vader was dood en mijn vader verbood me meteen ooit in haar huis te slapen, hoewel haar moeder er nog was.

'Nou moet je 's goed naar me luisteren, Louie,' zei mijn vader, Morris. 'Dat meisje is wees. Ze heeft geen vader. Of je trouwt met haar óf je laat haar met rust. Ik méén 't.'

Ik besloot met haar te trouwen en toen ik erover nadacht ontdekte ik dat ik wou dat mijn vrouw maagd was. Ik stond er zelf van te kijken, maar zo'n figuur bleek ik te zijn. Ik moet toegeven dat ik meisjes die ik zover kreeg na afloop iets minder hoog aansloeg, hoewel ik de volgende keer nooit nee zei. En zelfs zes jaar later, toen Sammy met Glenda en haar drie kinderen trouwde, kon ik er met mijn verstand niet bij hoe mensen als hij of ik met een meid konden trouwen die al door iemand anders geneukt was, vooral iemand die nog leefde, en meer dan één keer en door meer dan één vent. Het is gek, ik weet het, maar zo'n figuur bleek ik te zijn.

En nog steeds, want er zijn dingen met mijn twee dochters waar Claire en ik niet eens meer over probéren te praten. Ze wilden me niet geloven toen ik vertelde dat hun moeder maagd was tot we trouwden. En Claire liet me zweren dat ik dat nooit meer tegen iemand zou vertellen.

Als Claire kwaad werd, bond ik meestal in, maar nooit uit angst. Ik was niet bang in het leger of in de kampen, zelfs niet in het artillerievuur en de vuurgevechten die we zo nu en dan over ons heen kregen toen we door Noord-Frankrijk en Luxemburg naar de Duitse grens trokken, zelfs niet toen ik na die grote verrassing in december opkeek van de sneeuw en die Duitse soldaten met hun schone geweren en mooie nieuwe witte uniformen zag en we allemaal gevangen werden genomen.

Maar ik was bang van de ratten in onze ijzerhandel. En ik haatte het vuil, vooral toen ik terugkwam uit de oorlog. Ik hoefde maar een muis langs de muur te zien rennen of ik werd misselijk en kreeg de griebels over mijn rug, net als wanneer ik nu de smaak van mijn moeders groene appels proef of wanneer ik er zelfs maar aan denk. En toen ik eindelijk voor mezelf begon, in een stad op tweeëneenhalf uur rijden van ons huis in Brooklyn, was de beste plek die ik kon vinden een bankroete muizevallenfabriek bij het goederenrangeerspoor van de spoorwegen, waar het inmiddels ook krioelde van de muizen.

Elke dag opnieuw walgde ik van het vuil onder mijn nagels, waar ik me zo voor schaamde. Wij allemaal. Na het werk schrobden we onszelf schoon met koud water uit de slang, want meer hadden we niet. Dat nam ongeveer een uur in beslag. Zelfs 's winters zeepten we ons in en schrobden we onszelf schoon met harde industrieborstels en loogzout. We wilden niet met al die smerigheid over straat lopen en thuiskomen. Ik haatte die zwarte rand onder mijn nagels. In het leger, in Atlanta, ontdekte ik de manicure – samen met de garnalencocktail en de filet mignon – en in Engeland opnieuw, en ook in Frankrijk, waar ik tijdens onze doortocht zo vaak mogelijk mijn manicure probeerde te krijgen. En toen ik terug was in Coney Island wilde ik niet meer zonder doen. En dat is me nooit gebeurd ook. Zelfs in het ziekenhuis, als ik op mijn beroerdst ben, blijf ik persoonlijke hygiëne belangrijk vinden, en een manicure is een van de dingen waar ik op sta. Claire was al op de hoogte van manicures. Na ons trouwen hoorde dat bij ons voorspel. Van pedicures hield ze ook, en van op haar rug gekrabd worden en van voetmassage, en ik vond het fijn om haar tenen vast te houden.

Zodra ik genoeg geld had kocht ik een goeie auto en toen ik meer geld had kocht ik er ook een voor Claire, dus het was afgelopen met uitgaan in de bestelwagen van de zaak, en toen ik handgemaakte maatpakken ontdekte, wilde ik nooit meer iets anders aan. Toen Kennedy president werd, bleken we allebei pakken van dezelfde kleermaker in New York te dragen, hoewel ik toe moet geven dat hij er in het zijne altijd beter uitzag dan ik in het mijne. Sammy zei altijd dat ik me niet kon kleden en Claire vroeger ook, en ze kunnen best gelijk hebben, want ik heb nooit erg gelet op dingen als kleur en snit, daar had ik mijn kleermakers voor. Maar ik wist wel dat ik me altijd een hele piet voelde als ik rondliep in een handgemaakt pak dat inclusief omzetbelasting meer dan driehonderd dollar gekost had en eruitzag als een van vijfhonderd. Tegenwoordig kosten ze tussen de vijftienhonderd en tweeduizend, maar dat interesseert me niet en ik heb er meer dan ik ooit zal verslijten, want mijn gewicht wisselt nogal tussen de remissies en als ik me aankleed om uit te gaan, wil ik er altijd piekfijn en gemanicuurd bijlopen.

Ik droeg katoenen overhemden, uitsluitend katoen. Geen nylon, geen polyester, geen kreukvrij, nooit zelfstrijkend. Maar geen Egyptisch katoen, dat nooit meer na Israël en de oorlog van 1948. Toen Milo Minderbinder en zijn M & M Ondernemingen in het groot in de Egyptische katoen gingen, verkocht ik geen M & M-closetpotten en wastafels meer in mijn loodgietersbedrijf en geen M & M-bouwmaterialen meer in mijn houthandel. Winkler weet dat ik het niet goedkeur, maar hij koopt nog steeds cacaobonen van Minderbinder voor de chocolade paashazen waar hij in doet, maar als hij er ons een stuurt, gooien we hem weg.

Ik ontdekte kaas tegelijk met de Caribische Zee, Franse kaas. Na één keer proeven was ik gek op Franse kaas. En als we op wintervakantie gingen in het Caribisch gebied, zaten we het liefst op Martinique en Guadeloupe en later Saint Barthélémy. Vanwege de kazen. Europa zei me weinig. Ik ben één keer naar Frankrijk geweest en één keer naar Spanje en Italië, maar ik voelde er niks voor om terug te gaan naar landen waar ze mijn taal niet spraken en de mensen er zo weinig idee van hadden met wat voor persoon ze te doen hadden. En op een dag op Saint Barthélémy, toen Claire en ik de aankoop van twee mooie percelen op St. Maarten vierden, voor een prijsje waar geheid toekomst in zat, kreeg ik na het eten een van mijn lievelingskazen op mijn lievelingsbrood, Saint André heette de kaas als ik me goed herinner, en even later kwam die smaak van groene appels in mijn mond, een smaak die in mijn geheugen gegrift stond, een zuur, branderig gevoel dat ik nog kende van heel vroeger, toen ik als kind ziek was, en ik was bang dat er binnen iets fout begon te gaan. En mijn nek werd stijf, net of hij opzwol. Sammy zou zeggen dat hij wel op móest zwellen, omdat afzwellen onmogelijk was. Nu kan ik daarom lachen. Het was meer dan indigestie. Vroeger wist ik amper wat misselijkheid was en ik kan me niet herinneren me als volwassene ooit beroerd te hebben gevoeld. In het leger was het vaak koud en smerig en snakten we naar meer slaap en beter eten, maar ik geloof niet dat ik me ooit onveilig of ongezond heb gevoeld, of ooit het idee had dat me iets ergs of buitengewoons kon overkomen. Zelfs niet toen die sluipschutter korporaal Hammer door zijn kop schoot toen ik bij de patrouillejeep met hem stond te praten, nog geen halve meter van hem vandaan. Geen vijandelijke troepen in de stad, rapporteerde hij, en hij wist zeker dat we naar binnen konden. Het verbaasde me niet dat ze hem raakten en niet mij. Voor mijn gevoel was het meer dan mazzel. Voor mijn gevoel was het zo bedoeld.

'Als we morgen eens teruggingen, schat,' zei ik tegen Claire, toen ik die ouwe, weeë smaak van groene appels voelde opborrelen, en later, toen we op onze kamer nog een keer gevogeld hadden, bedacht ik een smoesje. 'Ik dacht er ineens aan dat ik in Newburgh nog een klusje heb dat ons geen windeieren zou mogen leggen.'

Na ons nummertje voelde ik me prima, en thuis nog steeds, maar voor alle zekerheid ging ik toch naar de dokter. Emil onderzocht me en vond niks. Ik vraag me nog steeds af of hij beter had moeten zoeken en of dat verschil had gemaakt. Emil kan makkelijk denken dat wat ik op het eiland had iets anders was dan wat ik nu heb.

Van mensen ben ik niet bang, maar groene appels maken me steeds benauwder. De eerste keer dat ik me herinner als kind ziek te zijn geweest, zei mijn moeder dat het kwam doordat ik een paar van haar groene appels waar ze mee bakte of kookte uit de schaal had gepakt. Ik weet niet eens meer of ik ze echt opgegeten had. Maar telkens als ik weer ziek werd, en misselijk en kotserig, van de bof, van de waterpokken, en één keer van een keelontsteking, begon ze weer over die zelfde groene appels en na een poosje begon ik haar te geloven, hoewel ik geen groene appels gegeten had, want die smaak van overgeefsel was altijd hetzelfde. En ik geloof het nog steeds, want elke keer als ik misselijk word, vóór de bestraling of de chemotherapie en tijdens de bestraling en de chemotherapie en na de bestraling en de chemotherapie, proef ik groene appels. Ik proefde groene appels toen ze me opereerden voor die dubbele hernia. En die eerste keer dat ik echt ziek werd, toen we terugreden van een weekend bij Sammy op Fire Island met een paar van Sammy's vrolijke vrienden van *Time*, en mijn nek zo opzwol dat ik mijn hoofd niet meer om kon draaien en bijna van mijn stokje ging op het stuurwiel en meteen na het uitstappen begon te braken en in een soort delirium tegen mezelf begon te mummelen, mummelde ik volgens Claire over groene appels. En de kinderen achter in de stationwagon – we hadden er pas drie in die tijd – zeiden hetzelfde. Tegen mensen die vroegen waarom we zo laat waren zeiden we dat mijn maag van streek was geweest. Dat dachten we zelf namelijk ook. Later zeiden we dat het angina was. En mononucleose. En kliertuberculose. Zeven jaar later, toen ik mijn eerste echte instorting kreeg en in een ziekenhuis in de stad lag en Claire tegen Glenda zei wat het echt was, bleek dat zowel zij als Sammy het al wisten of geraden hadden. Glenda had ervaring met een ex-man met een ander soort kanker en Sammy, dat was bekend, wist alles omdat hij elke week *Time* magazine las.

Claire had nog nooit een gezin als het onze ontmoet, met een Brooklyns accent en een joods accent bij mijn vader en moeder, en nog nooit verkering gehad met iemand als ik, die haar tijdens een dubbele blind date van een andere jongen had afgepikt en alles kon doen wat hij wou en zijn toekomst zag in schroot. Dat laatste stond me niet zo aan, maar dat liet ik pas merken toen we getrouwd waren.

'In schroot zit geen toekomst, want daar is veel te veel van,' zei Winkler altijd vóór zijn eerste faillissement. 'Een overschot is altijd slecht. De economie bloeit op tekorten. Daarom zijn monopolies zo goed, die houden het aanbod van wat het publiek wil kopen laag. Ik koop voor een habbekrats overtollige Eastman Kodak-luchtfotofilm van het leger die niemand wil hebben omdat er te veel van is, en maak er gewone kleurenfilmpjes van waar iedereen om zit te springen. Iedereen trouwt en krijgt kinderen, zelfs ik, en iedereen wil kleurenfoto's en niemand kan genoeg film krijgen. Eastman Kodak staat machteloos. Het is hun film, dus ze kunnen hem niet afkraken. Ik gebruik hun naam en qua prijs kunnen ze niet aan me tippen. De eerste bestelling toen ik mijn kaarten gepost had kwam van Eastman Kodak, vier rolletjes om uit te zoeken wat ik aan het doen was.'

Samen met Eastman Kodak ontdekte hij algauw dat luchtfotofilm, die heel goed werkte op drie kilometer hoogte, korrelige vlekken op baby's en bruidjes maakte, waarna hij weer vrachtwagenchauffeur werd als we hem nodig hadden, waarna hij honingglazuur en chocolade-doughnuts ging maken voor de bakkerijen die zijn volgende onderneming waren, waarna hij naar Californië verhuisde en zijn eerste chocoladefabrieken kocht, waar ook niks van terechtkwam. Twintig jaar lang stak ik hem zonder iets tegen Claire te zeggen nu en dan wat geld toe. Twintig jaar lang stuurde Claire ze zonder iets tegen mij te zeggen geld als ze krap zaten.

Vóór mijn afzwaaien probeerde Claire, echt nog een kind, serieus om me over te halen om bij te tekenen, omdat ze zo graag reisde.

'Je maakt zeker een geintje,' zei ik, net terug uit Dresden en plat op mijn rug in het ziekenhuis na mijn operaties. 'Ik ben niet helemaal van god los. Reizen? Waar naartoe? Georgia? Kansas? Fort Sill, Oklahoma? Vergeet het maar.'

Claire hielp in de zaak met de telefoon en de boekhouding toen mijn oudste zus Ida bij mijn moeder moest blijven. En ze hielp mijn moeder als Ida in de winkel was. Voor haar kon er eerder een lachje af als voor ons. De ouwe dame begon steeds raarder te doen, volgens de dokter vanwege aderverkalking in de hersenen, een natuurlijk ouderdomsverschijnsel, zei hij, maar tegenwoordig denken we dat het waarschijnlijk de ziekte van Alzheimer was, die we nu misschien ook als natuurlijk beschouwen, zoals Dennis Teemer doet met kanker.

Claire is nog steeds niet erg goed in rekenen en daar maak ik me wel eens ongerust over. Optellen en aftrekken gaat nog, vooral met een rekenmachientje, en ze kan zelfs een beetje delen en vermenigvuldigen, maar van breuken, decimalen en percentages heeft ze geen flauw benul en met marges, kortingen en rentevoeten is het ook behelpen. Maar in die tijd was ze goed genoeg voor de boekhouding, en meer wilde de ouwe heer haar ook niet laten doen na die keer dat ze stukken messing en koper in de laatste krantenbaal van de dag begon te gooien, zodat we eerder klaar zouden zijn. De ouwe heer kon zijn ogen niet geloven en hij kreunde zo hard dat de muren trilden en al onze ratten en muizen en kakkerlakken zo schrokken dat ze waarschijnlijk in paniek McDonald Avenue op vluchtten.

'Ik probeer alleen te helpen,' excuseerde ze zich. 'Ik dacht dat jullie de balen zwaarder wilden maken.'

Ik schoot in de lach. 'Niet met messing.'

'Met koper?' vroeg mijn broer, die ook moest lachen.

'Waar ben je op school geweest, schnokkeltje?' vroeg de ouwe heer, vrolijk met zijn kunstgebit klepperend. 'Koper en messing gaan voor veertien cent per pond. Kranten gaan voor een zolletje, voor een habbekrats. Wat is meer waard? Daar hoef je niet voor naar de universiteit geweest te zijn. Hier, schnokkeltje, kom hier 's zitten, schatje, en schrijf maar op wie ons nog moet betalen en wie wij moeten betalen. Maak je maar niet ongerust, het dansen komt nog wel. Louie, kom hier. Waar heb je dat speeltje opgedaan?' Hij nam mijn arm in zijn ijzeren greep en trok me mee naar een hoek om onder vier ogen met me te praten, zijn gezicht rood, zijn sproeten groot. 'Luister, Louie. Als jij niet mijn zoon en zij wel mijn dochter was, zou ik haar verbieden om met zo'n totscher als jij uit te gaan. Zorg dat je haar geen pijn doet, ook geen beetje.'

Ze was niet zo onnozel als hij dacht, hoewel ik waarschijnlijk met haar had kunnen doen wat ik wou. Van een neef in onze buurt had ze verhalen gehoord over de jongens van Coney Island en hun clubs, dat ze je al dansend in de achterkamer met de sofa's manoeuvreerden en je zo snel een paar kleren uittrokken dat je niet terug kon zonder voor gek te staan voordat ze op zijn minst half hun zin gekregen hadden. De eerste keer dat ze zei dat ze daar niet heen wou, tilde ik haar van de grond en danste met haar door de gang naar onze achterkamer om te laten zien dat het niet altijd zo was, niet met mij, niet die avond. Wat ik niet zei was dat ik daar een uur eerder al met een ander meisje geweest was.

Ze was inderdaad geen kei in rekenen, maar ik kwam er al gauw achter dat ik mijn zaken beter aan haar over kon laten dan aan mijn broers of partners, terwijl ik mijn broers en mijn partners toch altijd vertrouwd heb. Voor zover ik na kan gaan hebben ze me nooit opgelicht en ik denk ook niet dat ze daar behoefte aan hadden, want ik nam altijd goedgeefse mannen die even graag lachten en dronken als ik.

Claire had mooie benen en die prachtige boezem, en die heeft ze nog steeds. Ze had eerder door dan ik dat de meeste Italiaanse aannemers waar we zaken mee deden vrijwel altijd een sjiek blond of roodharig vriendinnetje meebrachten als ze op de bouw kwamen, en droeg een steentje bij door het hare een tint blonder te verven als ze meeging naar extra belangrijke vergaderingen. Dan hing ze zich vol namaakjuwelen en praatte met iedereen in zijn eigen taal, mannen zowel als vrouwen. 'Ik draag dit altijd als ik met hem meega,' zei ze dan, met een spotlachje naar haar trouwring en de lage v-hals van haar jurk of mantelpakje wijzend, zodat we allemaal in de lach schoten. 'Ik heb de akte niet bij me,' was haar vaste antwoord als iemand vroeg of we echt getrouwd waren. Dat soort dingen liet ik aan haar over en ik genoot van haar antwoorden, en soms, als we goeie zaken hadden gedaan en de lunch uitliep, namen we voor de rest van de middag een kamer in een motel, maar alleen tot 's avonds. 'Hij moet naar huis,' zei ze altijd. 'Hier kan hij ook niet de hele avond rondhangen.' In restaurants, nachtclubs en vakantieoorden had ze altijd binnen de kortste keren gesprekken aangeknoopt in het damestoilet of meiden versierd voor de jongens in ons gezelschap die er geen hadden en iemand zochten. En ze wist nog eerder dan ik wat ik dacht van het lange blonde Australische stuk dat een van de Italiaanse aannemers bij zich had, een lekker, levendig ding met witte make-up en hoge hakken en ook zo'n fantastisch paar tieten, dat zo graag danste dat ze geen seconde stil kon staan, zelfs zonder muziek, en voortdurend gewaagde geintjes maakte over het stoute speelgoed dat ze in gedachten had voor de fabriek waar ze werkte.

'Ze heeft 'n kamergenote,' zei de man zonder zijn lippen te bewegen. 'Een verpleegster, een echte stoot. Allebei zo geil als boter. Misschien kunnen we samen een keer uitgaan.'

'Ik wil dit stuk,' zei ik, expres zo hard dat ze het kon horen.

'Mij ook goed. Dan probeer ik 't wel met de verpleegster,' zei hij, en ik wist meteen dat hij geen vriend van me zou zijn. Hij begreep niet dat ik het juist fijn vond om haar in te palmen, niet om haar in de schoot geworpen te krijgen.

Claire wist meteen hoe laat het was. 'Nee, Lew, dat niet,' liet ze me meteen voor eens en altijd weten toen we weer in de auto zaten. 'Dat nooit, niet als ik erbij sta.'

De boodschap was duidelijk en voor zover ik weet heeft ze er nooit meer bij gestaan.

En in het ziekenhuis in Fort Dix gaf ze me de wind van voren over Duitse Herman. Toen wist ik dat ze de ware voor me was, toen ik afgekoeld was en niet meer nazinderde.

'Wie zorgt hier voor je?' vroeg ze een keer toen ze weer een weekend uit New York was overgekomen. 'Wat doe je als je iets nodig hebt? Wie komt er dan?'

Dat zou ik haar met plezier laten zien, verzekerde ik haar. En toen brulde ik: 'Herman!' Nog vóór ik weer kon brullen, hoorde ik de angstige voetstappen van de zaalhulp al, en even later stond Duitse Herman voor ons, tenger, schuchter, hijgend, nerveus, vijftig-plus, allesbehalve het prototype van de Arische superheld, onze Herman, geen Übermensch, hij niet.

'*Mein Herr Rabinowitz*,' begon hij meteen, zoals ik het hem geleerd had. '*Wie kann ik Ihnen dienen?*'

'*Achtung, Herman*,' beval ik nonchalant. En toen hij in de houding sprong en met zijn hielen geklikt had, gaf ik hem het vaste bevel. 'Anfangen.' Hij begon zijn levensverhaal te vertellen. En ik zei tegen Claire: 'Zo, schatje, beetje goeie reis gehad? En waar logeer je? Zelfde hotel?'

Haar ogen puilden uit toen de man aan zijn litanie begon en ze was met stomheid geslagen toen ze het doorkreeg. En weinig ingenomen ook. Ze trok zo'n komisch gezicht dat ik bijna moest lachen. Herman meldde zijn naam, rang en serienummer, gevolgd door zijn geboortedatum en -plaats, opleiding, werkervaring, familie-achtergrond en -situatie en de hele rest van wat ik wilde horen als hij in de houding stond en ik hem beval me over zichzelf te vertellen. En ik kletste tegen Claire alsof ik hem niet zag staan en hij me niks kon schelen.

'Maar over mijn toekomstplannen dus, ik voel er niks voor om bij te tekenen, dus dat kun je vergeten. Misschien heeft de ouwe heer me een tijdje nodig op de zaak.'

Claire wist niet naar wie van de twee ze moest luisteren. Ik hield mijn gezicht in de plooi. Het werd stil in de kamer. Herman was uitgepraat en knipperde zwetend met zijn ogen.

'O ja,' zei ik zonder me om te draaien, alsof ik nu pas aan hem dacht. '*Noch einmal*.'

En hij begon opnieuw. '*Mein Name ist Herman Vogeler. Ich bin ein Soldat der deutschen Armee. Ik bin Bäcker. Ich wurde am elften September 1892 geboren und ich bin dreiundfünfzig Jahre alt*.'

'Lew, hou op... dit is genoeg,' zei Claire ten slotte, duidelijk kwaad. 'Hou op! Laat hem ophouden!'

Dat ze in het bijzijn van Herman of wie dan ook zo tegen me tekeerging, beviel me helemaal niet. Die ader in mijn nek en kaak begon te kloppen. 'Dus ik geloof dat ik weer bij de ouwe heer begin,' zei ik, straal langs haar heen. 'Om wat geld te hebben terwijl ik probeer te beslissen wat we met onszelf gaan doen.'

'Lew, laat hem gaan,' beval ze. 'Ik meen het!'

'Mijn vader fokte koeien en verkocht melk,' dreunde Herman in het Duits. 'Ik ging naar school. Later schreef ik me in voor de universiteit, maar ze wilden me niet. Ik was niet knap genoeg.'

'Maak je niet druk,' zei ik onnozel, terwijl Herman even gehoorzaam als de eerste keer zijn lesje opzei. 'Hier is-ie op getraind. Zij hebben hem geleerd brood te bakken. Ik heb hem dit geleerd. Als hij klaar is laat ik het hem nog een paar keer doen om er zeker van te zijn dat we het geen van tweeën ooit vergeten. We kunnen een tijdje bij ons thuis intrekken, op de bovenverdieping. Wij zijn de jongsten, dus wij zullen trappen moeten klimmen. In studeren heb ik weinig zin, vooral niet als we getrouwd zijn. Heb je zin om te trouwen?'

'Lew, ik wil dat je hem laat gaan! Meer wil ik niet! Ik waarschuw je.'

'En als ik niet wil?'

'Dan dwing ik je. Pas maar op.'

'Hoe dan?'

'Door me uit te kleden,' besloot ze, en ik zag dat ze het meende. 'Ter plekke. Ik kleed me gewoon uit. Nu is het genoeg! Als je hem niet meteen laat ophouden trek ik alles uit en klim boven op je. Ik ga boven op je zitten en voor mijn part gaan al je hechtingen los. Ik laat hem alles zien wat jij gezien hebt, ik zweer het, serieus. Stuur hem weg.'

Ze wist hoe ik over dat soort dingen dacht, de heks. Toen bikini's in de mode kwamen hoefde ik niet tegen haar te zeggen dat ze eraf moest blijven en tegen mijn dochters heb ik mijn keel hees gepraat en ik verdomde het om naar het strand te gaan als zij er ook waren.

Ze begon haar bloes los te maken. Steeds verder. En toen ik de witte onderjurk met die lage kanten hals zag en het begin van die werkelijk enorme tieten, waar ik geen man ter wereld naar wilde laten kijken, moest ik wel bakzeil halen. Ik zag haar d'r rok al openritsen en eruit stappen met Herman erbij, en dan haar onderjurk omhoog, ik moest er niet aan denken, dus Herman moest ophouden en ik legde het zo aan dat het leek of ik kwaad was op hem in plaats van op haar, alsof het allemaal zijn schuld was en ik hem weg moest sturen.

'Oké, genoeg, kop dicht.' Op haar was ik ook razend. 'Oké, Herman. *Genug. Fertig. Danke schön.* Wegwezen! *Schnell! Mach schnell!* Sodemieter op.'

'*Danke schön, Herr Rabinowitz. Danke vielmals.*' Hij rilde, wat me een opgelaten gevoel gaf, en schuifelde knipmessend achteruit naar buiten.

'Dat was niet leuk, Lew, ik kan zoiets niet waarderen,' liet ze me weten terwijl ze haar bloes weer dichtknoopte.

'Ik deed het niet om leuk te zijn.' Ik was even narrig als zij.

'Waarom dan wel?'

Dat wist ik niet.

Tegen de tijd dat hij vertrok begon ik zowaar een zwak voor hem te krijgen en toen hij op de boot werd gezet, gerepatrieerd, zeiden ze, ging ik hem speciaal gelukwensen.

Ik had inmiddels medelijden met hem. Hij was zwak. Zelfs andere Duitsers zouden hem zwak genoemd hebben en op zijn leeftijd zou hij nooit meer sterk worden. In bepaalde opzichten deed hij me denken aan Sammy's vader, een lieve stille ouwe man met zilvergrijs haar die de hele zomer lang elke dag meteen na zijn werk uren in de oceaan ging zwemmen. Sammy's moeder stuurde Sammy of zijn broer of zus erop uit om een oogje op hem te houden en te zorgen dat hij op tijd was voor het avondeten. Sammy en ik hadden allebei mazzel. We hadden alle twee een oudere zus die tot het eind voor onze ouders zorgde. Sammy's vader las alle joodse kranten en iedereen bij hem thuis luisterde graag naar klassiek op de radio. In de bibliotheek van Coney Island bestelde Sammy in het Jiddisch vertaalde boeken voor hem, hoofdzakelijk romans en hoofdzakelijk van Russische schrijvers. Hij was aardig. Mijn vader niet. Bij mij thuis las vrijwel niemand. Ik had nooit tijd. In het begin, toen Sammy korte verhalen en komische artikelen schreef om aan tijdschriften te slijten, probeerde hij ze uit op mij. Ik wist nooit wat ik moest zeggen en ik ben blij dat ik zijn proefkonijn niet meer ben.

Sammy had die oude foto van zijn vader in uniform uit de Eerste Wereldoorlog. Het was een raar jong kereltje, net als alle soldaten uit die tijd, met een helm die te groot leek voor zijn kleine hoofd en een gasmasker en veldfles aan zijn riem. De ouwe Jacob Singer was naar Amerika gekomen om te ontsnappen aan de oorlogen in Europa en nu zat hij er weer. Zijn ogen waren aardig en sympathiek en keken je aan. Sammy heeft er een handje van om je blik te ontwijken. Toen we jonger waren en op vrijersvoeten gingen, moesten we hem duidelijk maken dat hij het meisje dat hij omarmde en tegen zich aandrukte in de ogen moest kijken, niet over haar schouder. Met zijn achtenzestig is Sammy al ouder dan zijn vader toen die doodging. Ik weet al dat ik minder oud zal worden dan de mijne.

Sammy woonde in een andere straat en onze ouders hebben elkaar nooit ontmoet. Met uitzondering van familieleden die verhuisd waren en 's zomers een dagje naar het strand kwamen, vroegen we in onze kringen nooit mensen te eten.

Mijn ouwe heer deed geen moeite om aardig te zijn tegen niet-familieleden, en vrienden als Sammy en Winkler voelden zich bij ons nooit erg op hun gemak als hij thuis was. Mij had hij uitverkoren als opvolger in de zaak als hij te oud werd, de man die ervoor zou zorgen dat er altijd werk zou zijn voor hem en de broers en zusters en kleinkinderen die werk zochten en niks anders konden krijgen. De familie Rabinowitz hing erg aan elkaar. Ik was ook altijd de beste vertegenwoordiger, de prater, de schmeicheler, de verkoper, de sjmoezer, de zorgeloze figuur die van het ene naar het andere ouwe gebouw ging om stroop te smeren bij een arme donder van een conciërge die steenkool in een kelderfornuis stond te scheppen of vuilnisbakken buiten zette en hem beleefd te vragen of hij de 'huisbewaarder' of de 'beheerder' was. Ik vroeg naar de 'baas' en liet doorschemeren op wat voor manieren we elkaar van dienst konden zijn. Ik gaf hem het visitekaartje dat Winkler goedkoop bij een bevriende drukker had laten drukken en probeerde het soort relatie met hem op te bouwen dat ons de oude buizen en het oude sanitair zoals gootstenen en toiletpotten en badkuipen en kapotte stoom- en heetwaterboilers in het huis zou opleveren, soms al vóór ze kapot waren. We kenden mensen die alles konden oplappen en als het niet opgelapt kon worden, verkochten we het als schroot. Schroot zou er altijd zijn, beweerde mijn vader altijd vol optimisme, terwijl Claire en ik probeerden serieus te blijven, én mensen die je betaalden om eraf te komen en om het te krijgen. Na mijn afzwaaien riep hij ons alle twee bij zich om over geld te praten. Ik was geen kind meer, zei hij, en hij zou me zestig dollar per week betalen, bijna het dubbele van voor de oorlog. En vijfenzestig als we getrouwd waren. En natuurlijk konden we de bovenverdieping krijgen tot we geld hadden om zelf iets te zoeken.

'Nou moet je 's goed luisteren, Morris,' zei ik toen hij uitgesproken was. Ik had bijna vierduizend dollar op de bank van mijn gokken en opgespaarde soldij. 'Ik zal het beter met je maken. Dan kun jij het later beter maken met mij. Ik geef je één jaar cadeau, maar daarna bepaal ik zelf wat ik verdien. En óók waar, wanneer en hoe ik wil werken.'

'Cadeau?'

Dat vond hij prima. Een poosje later kwam de verhuizing naar de oude muizevallenfabriek in Orange Valley, New York, en het idee om tweedehands bouwmateriaal en sanitair en boilers en radiators te verkopen waar ze die te kort kwamen en erom zaten te springen.

Claire kon beter rijden dan wij allemaal – ze kwam uit het noorden van New York en had al op haar zestiende haar rijbewijs – en als ik het druk had, ging zij met de vrachtwagen naar Brooklyn. Ze was sterk en slim en niet op haar mondje gevallen en verstond de kunst om als ze hulp nodig had de politie en de garagehouders om haar vinger te winden zonder iets te beloven of zich moeilijkheden op de hals te halen. Ik herinner me onze eerste advertentie in het buurtkrantje, waar Sammy ons bij hielp en waar we nog steeds om moeten lachen. WIJ ZAGEN PIJPEN NAAR TEKENING.

'Wat betekent dat?' vroeg hij.

'Wat er staat,' zei ik.

Die regel leverde ons meer handel op dan iemand behalve ik verwacht had.

Daarna kwam de houtwerf en vervolgens de sanitairhandel, opgezet met een lening van 10.000 dollar van mijn vader, tegen een fikse rente. Hij maakte zich zorgen om zijn oude dag, zei hij. Hij had al een lichte beroerte gehad, waar niemand ooit over praatte behalve hij, en trok een beetje met zijn hoofd.

'Louie, vertel 's heel eerlijk,' zei hij soms tegen me. 'Lijkt het alsof ik een beetje met mijn hoofd schud, of dat mijn hand trilt?'

'Nee hoor, pap, niks meer dan de mijne.'

Ik weet nog dat mijn moeder, toen ze al zo goed als kinds was, nog steeds eiste dat d'r haar gekamd en gebleekt werd en dat ze haar gezicht onthaarden. Nu ken ik dat gevoel ook, dat je er zo goed mogelijk uit wil zien, en al dertig jaar lang probeer ik uit beeld te blijven tot ik er weer toonbaar en gezond uitzie.

'Je bent 'n goeie jongen, Louie,' zei hij met gespeelde kwaadheid. 'Je liegt dat 't gedrukt staat, zoals altijd, maar toch mag ik je wel.'

We begonnen met een huurhuis in onze nieuwe buurt en kregen twee kinderen, gevolgd door een koophuis en een derde kind. Ik begon huizen te bouwen voor de verkoop, het een na het andere, in het begin met partners, en ze gingen grif en met winst van de hand. Winst, daar draaide het altijd om. Ik at en dronk met mensen die jaagden en vrijwel allemaal Republikeins stemden en op nationale feestdagen de vlag uitstaken met het idee dat ze daarmee het land dienden. Elke keer dat het Witte Huis ten oorlog trok, hingen ze gele linten uit en gedroegen zich als militaire helden aan het front. Waarom geel, stak ik altijd de draak met ze, de nationale kleur voor lafheid? Maar ze hadden een vrijwillig brandweerkorps dat nooit te laat was en een ambulancedienst waar ik gebruik van maakte toen ik voor de tweede keer onwel werd en Claire me in paniek naar het ziekenhuis stuurde. Die keer stuurden ze me terug naar Dennis Teemers ziekenhuis in Manhattan, waar hij me oplapte en toen ik beter was weer naar huis stuurde. Toen we hierheen verhuisden ging ik bij het Amerikaanse Legioen om vrienden te maken en 's avonds uit te kunnen gaan. Ze leerden me jagen, wat me een aardig tijdverdrijf leek en de mensen met wie ik ging jagen waren sympathieke lui en ik was apetrots als ik iets raakte. Ze juichten als ik een gans neerhaalde en die ene keer toen ik een hert schoot. Zij moesten ze schoonmaken. Ik kon er niet eens naar kijken. 'Da's werk voor christenen,' zei ik dan, en dan lachten we allemaal. Toen mijn oudste zoon mee begon te gaan zorgde ik er altijd voor dat er mensen bij waren om dat klusje voor ons op te knappen. Hij zag weinig in jagen en na een poosje hield ik er ook mee op.

Toen kwam de golfclub in een naburige stad. Dat leverde weer nieuwe vrienden op, waaronder een heleboel uit New York die uit het centrum verhuisd waren, zodat we nog meer getrouwde stellen hadden bij wie we konden gaan eten en drinken.

Ik leerde meer over banken en bankiers. In het begin lieten ze duidelijk merken, zelfs de meisjes aan het loket, dat ze niet erg happig waren op klanten die Rabinowitz heetten, maar ik geef toe dat dit later veranderde. Ik veranderde niet. Zij wenden aan mij, en aan een heleboel andere lui ook, want de buurt bleef uitbreiden. Als ik geld leende waren ze vriendelijker dan als ik geld op de bank zette. Als ik geld deponeerde, was ik alleen een hardwerkend mannetje van dertien in een dozijn dat probeerde een klein bedrijfje te runnen. Toen ik groot genoeg was om geld te lenen, werd ik menéér Rabinowitz, en vervolgens Lew voor de hoge pieten, voor meneer Clinton en meneer Hardy – een *cliënt* met geld en middelen – en toen ik lid werd van de golfclub nam ik ze mee als gasten en introduceerde ze als Ed Clinton en Harry Hardy, mijn bankiers, waar ze helemaal van bloosden, zo vereerd waren ze. Ik leerde wat een faillissement was. Ik kon het niet geloven, die wetten, toen ik er de eerste keer een oor door aangenaaid kreeg.

Van paragraaf 11 hoorde ik via een aannemer, ene Hanson, en zijn advocaat, en daarna hoorden zij van mij. Toen ze 's morgens uit zijn huis kwamen, was ik mijn auto al uit vóór ze van de veranda af waren.

'Lew?' Hanson was zo verbluft dat hij zowaar glimlachte – tot hij zag dat ik serieus was. Hij was een lange vent en zijn haar was net zo kort als het verplichte kapsel destijds in het leger, waar ik toen al de pest aan had. De andere man kende ik niet. 'Hoe gaat het?'

'Hanson, je bent me tweeënveertighonderd dollar schuldig,' viel ik meteen met de deur in huis. 'Voor hout en dakspanen en toiletten en keukensanitair en buizen. Ik heb je rekeningen gestuurd en je aan de telefoon gehad en nou zeg ik je recht in je gezicht dat ik dat geld vandaag wil zien, vanochtend nog. Meteen. Ik kom het ophalen.'

'Lew, dit is mijn advocaat. Dit hier is Rabinowitz.'

'Aha,' zei de advocaat met het hypocriete lachje waar je advocaten altijd meteen aan herkent en waarvoor je ze het liefst ter plekke de nek om zou draaien. 'Mijn cliënt valt onder paragraaf 11, meneer Rabinowitz. Dat is u dacht ik bekend.'

'Zeg dan maar tegen uw cliënt... meneer, wat is de naam? Ik geloof niet dat hij u voorgesteld heeft.'

'Brewster. Leonard Brewster.'

'Zeg dan maar tegen uw cliënt, Brewster, dat paragraaf 11 voor hem en zijn advocaten is, en voor de rechtbank en misschien de andere lui die hij geld schuldig is. Maar niet voor mij. Niet voor Rabinowitz. Hanson, wij hebben een koop gesloten. Jij hebt mijn spullen gekregen, je hebt ze gebruikt, je had niks te klagen over levering of kwaliteit, en nou wil ik geld zien. Zo doe ik zaken. Hoor je wel, ik wil mijn geld.'

'Dit is niet de manier om uw geld krijgen, meneer Rabinowitz,' zei Brewster. 'Dat kan alleen via de rechtbank. Ik zal het u uitleggen.'

'Hanson, ik kan het zo wel degelijk krijgen.'

'Lew...' begon Hanson.

'Leg je advocaat maar uit dat het zo wel degelijk kan. Ik heb geen tijd voor rechtbanken. Als het moet haal ik het door de poriën van je huid naar buiten, druppel voor druppel desnoods. Je houdt je huis?

Niet zolang je mij m'n tweenveertighonderd dollar niet betaalt. Ik haal het baksteen voor baksteen onder je kont vandaan. Gesnopen?'

'Kom eens even naar binnen, Lenny. Ik wil met je praten.'

Toen ze weer buiten kwamen, vermeed Brewster mijn blik.

'U zult contant geld moeten aannemen,' fluisterde hij. 'Er mag niets op papier komen.'

'Da's geen probleem.'

Ik had inmiddels iets meer vertrouwen in banken, maar nog steeds niet veel, en ik stopte het geld in een kluis, want op mijn accountant zou ik ook van mijn leven niet vertrouwen. Claire trok wit weg toen ik zei waar ik geweest was.

'Je wist helemaal niet of ze zouden betalen.'

'Als ik het niet zeker wist zou ik niet gegaan zijn. Ik heb een hekel aan tijd verknoeien. Vraag me niet hoe ik dat weet. Mensen luisteren gewoon naar me. Is je dat nog nooit opgevallen? Nee? En als het vandaag toch betaaldag is... hoe zit het met Mehlman, die verdomde gannef?'

'Precies hetzelfde verhaal.'

'Bel maar op dan. Dan praat ik ook met hem.'

'Hoeveel geld moet ik hem vragen?'

'Hoeveel is zes keer zeven?'

'Maak me nou niet in de war. Krijgt hij nog korting?'

'Kun je dat berekenen?'

'Moet-ie rente betalen of niet? Meer hoef ik niet te weten! Hou op met dat geschoolmeester.'

Claire had even weinig op met wanbetalers en flessentrekkers als ik, ongeacht hun geloof, want we werkten ons uit de naad in die tijd, en in het begin, toen de houthandel nog klein was en zij het niet te druk had met de kinderen naar school brengen of ze later thuis opvangen, hielp ze met de telefoon. Later, toen ze meer tijd kreeg en we meer geld hadden, opende ze hier een soort kunstgalerie waar niks aan verdiend hoefde te worden en waar ook niks aan verdiend wérd, en later kocht ik zelfs een half aandeel in een schilderschool in Lucca in Italië voor haar om haar te helpen zich op andere dingen te concentreren als het hier niet zo goed ging. Toen Mehlman terugbelde, griste ik de telefoon uit haar handen. Zij was veel te beleefd, alsof wij degenen waren die excuses moesten maken.

'Mehlman, je liegt,' begon ik meteen, hoewel ik niet eens wist wat hij gezegd had. 'Nou moet je 's goed luisteren. Als je het erop aan laat komen graaf je je eigen graf, want je kunt nergens meer heen en je leugens zijn uitgeput en ik zal je te schande maken. Mehlman, ik weet dat je een erg godsdienstig mens bent, dus ik zal je het in godsdienstige bewoordingen uitleggen. Als ik het geld donderdag om twaalf uur niet in mijn handen heb, zul je komende sjabbes op je knieën naar de sjoel moeten kruipen terwijl iedereen in de tempel weet dat Rabinowitz je de benen gebroken heeft omdat je volgens hem een leugenaar en een oplichter bent.'

Ik wist niet of Mehlman loog of niet, maar het was mijn geld en ik kreeg het.

Later, toen ik uiteindelijk zelf over de kop ging, was ik natuurlijk toleranter gestemd tegenover paragraaf 11, maar ik had geen enkele individuele schuldeiser, alleen grote bedrijven. De mensen waren trots op me en gaven me schouderklopjes.

Toen was ik ook ouder en had ik minder energie vanwege die ziekte. Ik had minder pep en weinig reden meer te concurreren met nieuwkomers die jonger en gretiger waren en bereid om even hard te werken als wij vroeger. Wel zou ik graag de houtwerf en het loodgietersbedrijf gehouden hebben om aan de kinderen door te geven als ze die wilden of anders om te verkopen. Maar we dachten alle twee dat het te veel geld zou kosten en het risico niet waard was.

Inmiddels wist iedereen hoe het zat. Mijn ziekte was een publiek geheim in de familie. De kinderen wisten ervan, maar wisten er niet goed raad mee, terwijl de oudste drie toch niet zo klein meer waren. Een tijd lang moeten ze gedacht hebben dat ik het zelf niet wist. Het duurde een paar dagen voordat Claire me in de ogen kon kijken en vertellen wat ik al wist, dat ik leed aan wat de ziekte van Hodgkin genoemd wordt en dat het een ernstige ziekte was. Ik wist niet hoe zij erop zou reageren. Ik wist niet hoe ik het zou vinden dat ze me ziek en zwak zou zien.

Ik heb het langer volgehouden dan iemand dacht. Ik hou de tijd bij. Sinds ik het weet verdeel ik mijn leven in perioden van zeven jaar.

'Luister,' zei ik tegen haar in die eerste week in het ziekenhuis hier. 'Ik wil niet dat iemand het weet.'

'Dacht je dat ik dat wel wilde?'

'We verzinnen wel iets.'

Rond de tijd dat we de bedrijven afstootten en ons concentreerden op ons land en de bouw, was het algemeen bekend en konden we eindelijk ophouden met het verhaaltje dat ik angina pectoris had, waardoor ik vaak misselijk werd en rust moest houden, of chronische mononucleose, met hetzelfde resultaat, of een rottig ontstekinkje dat ik zelf bedacht had en de naam tuberculose van de kleine klieren gaf, waarvan ik na behandeling die kleine littekens en blauwe brandplekken op mijn nek en lippen en borst overhield. Mijn spieren herstelden zich snel, evenals mijn eetlust. Tussen de aanvallen door zorgde ik voor alle zekerheid dat ik aan de zware kant bleef en ik zag er nog steeds indrukwekkend uit.

'Oké, Emil, geen smoesjes meer,' zei ik na de onderzoeken tegen mijn dokter in het ziekenhuis, toen ik zag hoe geforceerd hij glimlachte. Hij slikte nerveus en schraapte aan één stuk door zijn keel. Ik wist dat ik bij het afscheid een slap handje zou krijgen. 'Luister, Emil. Ik heb gelogen over die groene appels, want ik eet geen groene appels en ik weet niet eens meer hoe ze smaken. Mijn nek is gezwollen en doet pijn. Als het geen allergie is en jij weigert het voedselvergiftiging te noemen, dan moet het iets anders zijn, waar of niet?'

'De ziekte van Hodgkin,' zei Emil, wat meteen de laatste keer in achtentwintig jaar was dat iemand die naam in mijn bijzijn gebruikte. 'Zo heet het,' voegde Emil eraan toe.

'Kanker?' Ik vond het ook een moeilijk woord om uit te spreken. 'Daar zijn we allemaal bang voor.'

'Een vorm ervan.'

'Ik was bang dat het leukemie was.'

'Nee, het is geen leukemie.'

'Ik ken de symptomen niet, maar daar was ik bang voor. Ik wil 't niet horen, Emil, maar ik heb waarschijnlijk geen keus. Hoe lang heb ik nog te leven? Geen leugens, Emil, nog niet.'

Emil keek iets opgeluchter. 'Wie weet nog jaren. Ik wil er geen slag naar slaan. Een heleboel hangt af van de biologie van het individu.'

'Dat snap ik niet,' zei ik tegen hem.

'Het zijn jouw cellen, Lew. We kunnen niet altijd voorspellen hoe die zich gaan gedragen. Er hangt heel veel van jou af. Hoeveel kun je verdragen? Hoe groot is je weerstand?'

Zonder dat ik het wist had ik hem al die tijd bij zijn arm gehad en ik gaf hem een goedaardig kneepje, zodat hij wit wegtrok. Ik moest lachen toen ik hem losliet. Ik was nog steeds beresterk. 'Zo groot alsie maar zijn kan, Emil.'

'Dan kun je nog jaren leven, Lew. En het grootste deel van de tijd goed gezond zijn.'

'Dan denk ik dat ik dat doe,' zei ik tegen hem, alsof ik een zakelijke beslissing nam. 'Maar je mag niks tegen Claire zeggen. Ik wil niet dat zij weet wat het is.'

'Ze weet het al, Lew. Jullie zijn allebei grote mensen. Zij wilde niet dat jij het wist.'

'Zeg dan maar niet dat je het tegen mij gezegd hebt. Ik wil haar horen liegen.'

'Lew, word alsjeblieft eens volwassen. Dit is geen geintje.'

'Vertel mij wat.'

Emil nam zijn bril af. 'Lew, ik wil dat je naar een dokter in New York gaat. Teemer, heet hij, Dennis Teemer. Daar moet je je laten opnemen. Hij weet hier veel meer van dan wij in dit ziekenhuis.'

'Ik wil geen ziekenwagen.'

We gingen per taxi, een enorme, parelgrijze limousine met zwarte raampjes waardoor wij wel naar buiten konden kijken, maar niemand naar binnen, en ik lag languit achterin, in een ruimte die groot genoeg was voor een doodkist, of misschien zelfs twee.

'Soms gebruiken we de wagen daar ook voor,' zei de chauffeur, die vertelde dat hij uit Venetië kwam en daar een broer had die gondelier was. 'De achterbanken gaan neer en de klep gaat open.'

Claire gaf hem een ruime fooi. We gaven altijd grote fooien, maar deze keer moest hij ons geluk brengen.

Teemers spreekkamer lag aan Fifth Avenue, tegenover het Metropolitan Museum, en zijn wachtkamer zat vol stille patiënten. In dezelfde straat, richting ziekenhuis, was Frank Campbells Rouwsalon – 'salon', stel je voor – en ik maakte in mezelf het grapje dat dit handig geregeld was. Als ik nu hoor vertellen over de grote society-feesten in het museum en dat soort gelegenheden, krijg ik het gevoel dat ik ondersteboven in een dolgedraaide wereld sta. Er zijn nieuwe gebouwen in de stad die ik niet eens herken. Er zijn nieuwe multimiljonairs waar vroeger Rockefellers en J.P. Morgans zaten en ik weet niet waar ze vandaan komen of wat ze doen.

Na die eerste keer in dokter Teemers spreekkamer heb ik Claire nooit meer meegenomen. Zij ging naar het museum en als ik klaar was, zocht ik haar daar op en keken we samen naar de schilderijen als ze nog wilde blijven. Daarna gingen we ergens eten en dan naar huis. Er kan geen lachje af in die wachtkamer en zelf ben ik ook nooit zo in de stemming om de zaak op gang te brengen. Teemer zelf is een mager, somber aangelegd kereltje, en als hij probeert om me op te vrolijken gaat dat altijd op zo'n manier dat ik er alleen maar chagrijnig van word.

'U vindt het wellicht interessant om te weten, meneer Rabinowitz,' begon hij toen we elkaar voor de eerste keer spraken, 'dat we de ziekte niet meer als ongeneeslijk beschouwen.'

Ik voelde me meteen stukken beter. 'Die verrekte Emil. Ik draai hem zijn nek om. Daar heeft-ie niks van gezegd.'

'Hij weet ook niet alles.'

'Dus het kan genezen worden? Of niet?'

Teemer schudde zijn hoofd en mijn adem stokte. 'Nee, zo zou ik het niet willen stellen. Genezen is het woord niet.'

Nu zou ik hém het liefst een hengst geven. 'Dus als ik het goed begrijp, dokter Teemer, is de ziekte geneeslijk, maar kunt u me niet genezen.'

'Het is een kwestie van woordkeus,' ging hij verder. 'We kunnen u behandelen.' Hij deed zijn uiterste best, misschien zelfs iets te veel, om aardig te zijn. 'En de behandeling werkt meestal ook. Ook bij u, alleen weten we niet hoe goed. Of hoe lang. Echt genezen kunnen we de ziekte niet. We kunnen haar onderdrukken. Dat is niet hetzelfde als genezen. We weten nooit zeker of we er voorgoed vanaf zijn, omdat de genese van de ziekte, haar oorsprong, altijd in uzelf ligt.'

'Hoe lang kunt u het onderdrukken?'

'Heel lang als de behandeling effect sorteert. Er zijn problemen, maar die kunnen we wel aan. Als de symptomen verdwenen zijn zult u zich vrijwel normaal voelen. Zodra ze terugkomen, nemen we u opnieuw onder behandeling.'

'Weet u zeker dat ze terug zullen komen?'

'Dat schijnt het verwachtingspatroon te zijn.'

Het kwam niet door het asbest waarmee ik gewerkt had. Daar kon hij bijna voor instaan, voor zover je bij iemands genen ergens voor in kon staan. Die waren altijd egoïstisch, zei hij, en hielden nergens rekening mee.

'Bedoelt u dat ze niet doen wat ik wil?' vroeg ik, lacherig van de zenuwen. 'Dat ze van mij zijn en niks om me geven?'

'Ze kennen u niet, meneer Rabinowitz.' Hij glimlachte heel flauwtjes. 'Het kan van een heleboel dingen komen. Tabak, straling.'

'Waarvan?'

'Radium, elektriciteit, uranium, misschien zelf tritium.'

'Wat is tritium?'

'Een radioactief gas dat afgegeven wordt door zwaar water. Misschien hebt u het zelfs op uw polshorloge of wekker.'

'Dus het wordt door straling veroorzaakt en door straling genezen... neem me niet kwalijk, onderdrukt,' zei ik, om ook iets grappigs te zeggen.

'En door chemicaliën,' zei hij. 'Of, en ik zeg het niet graag... sommige mensen willen dit niet horen... misschien is het uw natuurlijke biologische lot, en zit er helemaal niets sinisters aan.'

'Natuurlijk? Noemt u dit natuurlijk?'

'In de wereld der natuur, meneer Rabinowitz, zijn alle ziektes natuurlijk.' De logica daarvan zag ik destijds wel in, maar het stond me niks aan. 'Maar dat is genoeg deprimerend nieuws. Nu wordt het tijd om u te helpen. We zullen u opnemen. Heeft u vervoer? Wil uw vrouw in de stad blijven?'

Die eerste keer zat ze in een hotel, de tweede keer, zeven jaar later, toen we allebei dachten dat ze me kwijt ging raken, sliep ze bij Glenda en Sammy omdat ze iemand wilde hebben om tegen te praten. Deze laatste keer was Glenda er niet meer en dus logeerde ze opnieuw in een hotel met mijn oudste dochter, maar ze aten bij Sammy en hij kwam iedere dag op bezoek. Teemer was ook Glenda's dokter geweest.

Ik was na drie dagen beter en na vijf dagen weer thuis. Maar de dag dat ik wist dat ik het zou halen was toch een beroerde dag, want toen wist ik dat ik dood zou gaan.

Ik heb altijd geweten dat ik dood zou gaan, maar toen wíst ik dat ik dood zou gaan. De avond dat dit tot me doordrong, werd ik 's morgens met vochtige ogen wakker. Een van de nachtzusters zag het maar ze zei niks, en de enige tegen wie ik het vertelde was Claire, op weg naar huis na mijn ontbijt.

'Ik heb gisteravond even gehuild,' biechtte ik op.

'Wat dacht je van mij dan?'

* * *

Dat was iets meer dan achtentwintig jaar geleden en die eerste zeven jaar voelde ik me weer helemaal de oude. Ik voelde me zo ongelooflijk goed dat ik op een gegeven moment begon te denken dat ik helemaal genezen was. Als het even misliep, ging ik één keer per week een halve dag naar Teemer in New York. Als ik me goed voelde, ging ik misschien één keer per week naar Emil om golf te spelen of te kaarten en toch contact te houden. Toen Claires pessarium verschoof en ze weer zwanger werd, sloten we onafhankelijk van elkaar de mogelijkheid van abortus uit en zo werd onze kleine Michael geboren. Ik voelde me zo fantastisch. Dit was onze manier om vertrouwen te tonen. We vernoemden hem naar mijn vader. Mikey, noemden we hem, en nog steeds als we een geintje maken. Ik voelde me zo blakend gezond dat ik er wel honderd meer had kunnen hebben. Zijn joodse naam is Moishe, wat de joodse naam van mijn vader was. Mijn ouwe heer was inmiddels ook dood, dus we konden zijn naam gebruiken zonder dat hij zou denken dat we een vloek over hem afriepen. Joden uit het oosten vernoemen geen kinderen naar nog levende ouders. Maar nou maak ik me zorgen over Michael, de kleine Mikey, want ik weet niet wat ik hem – of de andere kinderen, of wie weet zelfs mijn kleinkinderen –, behalve mijn geld, na zal laten aan genen en aan 'natuurlijk biologisch lot'. Die verdomde genen. Ze zijn van mij en verdommen het om te luisteren. Ik kan het niet geloven.

Teemer ligt me niet echt, maar ik ben niet bang meer van hem of zijn ziektes, en toen Sammy voor Glenda ook zo'n specialist zocht, raadde ik hem aan hun specialist in te ruilen voor Teemer, en de paar jaar die ze nog hadden bleven ze bij hem. Tegenwoordig ben ik banger voor die groene appels, dag in dag uit, die groene appels van mijn moeders getikte theorie dat groene appels de reden waren waarom mensen ziek werden. Want de allergrootste angst heb ik voor die misselijkheid. Ik word er gewoon beroerd van om zo ongepast te zijn.

'Da's een goeie, Lew,' complimenteerde Sammy me tijdens zijn laatste bezoek hier.

Toen snapte ik hem zelf pas.

Sammy kamt zijn haar achterover met een scheiding aan één kant, en het is grijs en wordt steeds dunner, precies zoals ik me dat herinner van zijn vader. Sammy heeft weinig om handen sinds zijn vrouw dood is en later werd hij gedwongen om weg te gaan bij *Time* en nou hij gepensioneerd is komt hij vaak langs. Ik wil hem niet in het ziekenhuis hebben, maar soms komt hij toch, samen met Claire, en dan kletsen we wat tot hij ziet dat het me te veel wordt. We praten over de goeie ouwe tijd in Coney Island, wat nu inderdaad een goeie tijd lijkt, over het Lunapark en Kermisland en dat grote filmtheater van Tilyou en hoe ze allemaal verdwenen zijn, foetsie, 'in d'rerd', zoals mijn vader en moeder altijd zeien, in de aarde, onder de grond. Hij komt met de bus en als hij niet blijft slapen gaat hij 's avonds met de bus naar het busstation, die onwezenlijke stad, zegt hij, en vandaar naar het moderne appartement in de torenflat waar alles te krijgen is, inclusief een paar beeldjes van fotomodellen en callgirls, waar hij heen verhuisde toen hij alleen kwam te zitten in een groot huis dat hij niet meer wilde. Sammy weet nog steeds geen raad met zichzelf en wij weten niet hoe we hem moeten helpen. Hij schijnt er nog niet aan toe te zijn om iemand in huis te nemen, hoewel hij er wel over praat. Mijn oudste dochter en Glenda's oudste dochter hebben hem aan een paar ongetrouwde vriendinnen voorgesteld, maar dat leverde niks op. Ze vinden elkaar altijd 'aardig' en verder niks. Claires ongetrouwde vriendinnen zijn te oud. Daar zijn we het stilzwijgend over eens. Hij gaat op zijn tijd nog steeds graag van bil en dat gebeurt ook nog, laat hij doorschemeren als ik hem plaag. Sammy en ik kunnen er nu over grinniken als hij vertelt hoe vaak hij in zijn onderbroek klaarkwam, ik hoefde dat niet, en de eerste paar keer dat hij eindelijk genoeg lef verzamelde om een meisje te vragen om hem af te trekken – de meisjes vielen voor hem, maar hij wist niet hoe het verder moest – en de avond dat iemand in het busstation zijn zakken rolde en hij alles kwijt was en zelfs geen geld meer had om een taxi te nemen, en dat hij werd opgepakt en in een cel werd gestopt op het politiebureau daar. Hij belde naar mij. Ik stelde me garant voor Sammy, schold de agent de huid vol en vroeg de brigadier te spreken, schold de brigadier de huid vol, vroeg zijn chef te spreken, schold hoofdinspecteur McMahon de huid vol en zei dat ik de toorn van het Amerikaanse Legioen en de Nationale Garde en het Pentagon en van mij persoonlijk, sergeant b.d. Lewis Rabinowitz van de beroemde Eerste Divisie over hem zou afroepen als hij geen eieren voor zijn geld koos en Sammy geld gaf om een taxi naar huis te nemen. Sammy kan er nog steeds niet over uit hoe goed ik ben in dat soort dingen.

'Hij moest gaan liggen, die McMahon,' zwoer Sammy, 'op een bed in een cel achterin, die was ingericht als een slaapkamer, en hij was duidelijk aangeslagen. En de cel ernaast stond vol banken en speelgoed, net een klaslokaaltje, een kleuterlokaal, maar er zaten agenten te roken en te kaarten. Aan het plafond hingen mobielen voor kinderen, waaronder één met een zwartwitte koe die over de maan sprong en ze fluoresceerden, alsof ze licht weerkaatsten en gloeiden in het donker,' legde Sammy uit, 'net als die ouwe radiumhorloges die we allemaal droegen toen we nog niet wisten dat ze gevaarlijk waren. Een andere man, McBride heette hij, was aan het schoonmaken en inrichten en hij leende me het geld om naar huis te gaan. Toen ik hem een cheque stuurde om het geld terug te geven, schreef hij zelfs een bedankbriefje. En nou jij weer.'

Toen hun zoon, Michael, zich ongeveer een jaar voordat hij zich verhing, aan verdovende middelen te buiten ging en naar het noorden verdween, deed ik het weer. Deze keer deed ik het per telefoon, maar ik was desnoods helemaal naar Albany gereden, alleen bleek dat niet nodig. Ik belde de gouverneur, het hoofd van de Nationale Garde en de rijkspolitie. Het was een persoonlijke kwestie, dat wist ik, maar dit was sergeant Rabinowitz, voorheen van de beroemde Eerste Divisie in Europa, de Grote Rode 1, en het was een kwestie van leven of dood. Ze vonden hem in een ziekenhuis in Binghampton en lieten hem in een regeringsauto en op staatskosten overbrengen naar een ziekenhuis in New York. Sammy kon er niet over uit dat ik zoiets ook voor elkaar kreeg.

'Ik heb wel eens leukere geintjes gemaakt,' zei ik tegen hem, toen hij me wees op dat grapje dat ik er beroerd van werd om ongepast te zijn. 'Dat was helemaal niet leuk bedoeld.'

'En het woord is onpasselijk,' zei hij.

'Hè?' Ik had er geen idee van waar hij het over had.

'Het woord is onpásselijk, niet ongepast,' legde hij uit. 'Mensen worden niet ongepast. Ze worden onpasselijk.'

Ik vond mijn woord mooier.

'Sammy, wees nou niet zo'n zak,' zei ik. 'Jij mag van mij onpasselijk worden. Ik word ongepast als ik daar zin in heb. Moet je nagaan, Sammy. Nog niet zo lang geleden pakte ik dat joch met die gejatte portefeuille in de kraag, tilde hem straal van de grond, draaide hem om en smakte hem precies hard genoeg op een motorkap om hem te laten voelen dat ik Lew Rabinowitz was. "Als je één vin verroert breek ik je nek," waarschuwde ik hem, en ik hield hem vast tot de politie kwam. Wie zou dat geloven als-ie me nou zag? Nou heb ik het gevoel dat ik nog geen pond boter op kan tillen.'

Ik kom niet snel genoeg op gewicht en Teemer en Emil overwegen om iets nieuws uit te proberen. Mijn oude eetlust heb ik ook nog niet terug. Ik heb zo vaak nergens zin in dat ik me af begin te vragen of er deze keer niet iets nieuws aan de hand is waar ik niks van weet. Wie weet is Sammy ons allemaal vóór, want hij schijnt zich zorgen over me te maken, hoewel hij niks zegt. Wat hij wel zegt, met dat dunne glimlachje van hem is dit.

'Als je inderdaad zo zwak bent, Lew, dan kunnen we nou misschien vuisten.'

'Jou kan ik nog steeds aan,' schoot ik terug. Ik moest lachen. 'En met boksen zou ik je ook klein krijgen, als je daar nog 's ooit zin in zou krijgen.'

Hij lacht ook en we eten onze boterhammen met tonijn op. Maar ik weet dat ik mager ben. Mijn eetlust is niet met sprongen teruggekomen zoals al die andere keren, en nu is het net alsof het langzaam tot me door begint te dringen – en dat is me nog niet eerder gebeurd – deze keer is het net alsof het langzaam tot me door begint te dringen dat ik me deze keer best eens echt aan het voorbereiden kon zijn om dood te gaan.

Ik hou mijn mond tegen Claire.

Ik zeg niks tegen Sammy.

Ik ben ver over de zestig en we leven in de jaren negentig en deze keer begin ik het gevoel te krijgen, net als mijn vader toen hij oud werd, en zijn broer ook, dat het einde langzaam in zicht begint te komen.

12

MACARONI COOK

De troonsbestijging in het Witte Huis door de man met de codenaam het Lulletje ging gepaard met de nodige ceremoniële klungeligheden en rancuneuze vermakelijkheden, die G. Macaroni Cook tot in details te boek zou kunnen hebben stellen, ware het niet dat hij van nature geneigd was tot omzichtigheid, baatzucht, berekening, leugenachtigheid en inhaligheid – stuk voor stuk eigenschappen die hem uitermate geschikt maakten voor zijn verheven positie als de tiende van de negen voornaamste adviseurs van de man die het uiteindelijk tot de nieuwste president van het land geschopt had. Yossarian had de FBI meegedeeld dat zijn oude vriend en collega-zakenman G. Macaroni Cook een gluiperd en een gladakker was en dat de regering, ongeacht welke positie ze voor hem in gedachten had, waarschijnlijk geen betere persoon zou vinden. Bij Macaroni Cook kon je er staat op maken dat hij loog.

Hij kreeg de baan.

Al tijdens de werkcolleges aan de universiteit, waar ze elkaar leerden kennen, had Macaroni zich ontpopt als iemand met de neiging zijn talenten uitsluitend tentoon te spreiden in het bijzijn van een bevoegde mentor die het niet zou ontgaan dat elke originele, intelligente, vroegwijze gedachte van hem afkomstig was. Macaroni, die met goed gevolg een weinig deftige middelbare school had doorlopen terwijl Yossarian aan het front was, werkte hard om te promoveren, maar ontdekte al gauw dat er met zijn doctorstitel weinig anders op zat dan lesgeven.

Tegen die tijd was Yossarian, die het na zijn doctoraal voor gezien had gehouden, al in een positie om Macaroni een baan aan te bieden binnen zijn groep in het publiciteitsbedrijf waar hij werkte toen Macaroni wijselijk besloot zijn geluk in die bedrijfstak te beproeven.

Hij had goede familieconnecties en het publiciteitsbedrijf leek hem een goede springplank tot iets groters en beters.

Zijn collega's merkten al spoedig dat Macaroni alleen met ideeën op de proppen kwam als Yossarian erbij was en er een handje van had zelfs Yossarian te laten wachten tot er een cliënt of een hogere chef bij kwam. Verdacht vaak kwam Macaroni, als ze samen aan hun draaiboeken en televisiescripts werkten, op zo'n manier met de pregnante regel op de proppen dat iedereen vermoedde dat hij de oplossing al zeker een dag eerder had gevonden. Zeggen dat dit moest veranderen was zinloos, zei Yossarian tegen zichzelf. Je kon net zo goed tegen een bultenaar zeggen dat hij rechtop moest staan. Een macaroni was een macaroni. Hij was op zijn eigen manier loyaal tegenover Yossarian, die hem niet mocht maar geen problemen met hem had, en dus bleven ze vrienden.

Yossarian staakte zijn studie met de nuchtere vaststelling dat zijn hogere opleiding wat hem betreft hoog genoeg was, gaf een poosje les en ging vervolgens in het reclamewezen. Het werk lag hem, hij was blij met zijn jaarlijkse opslag en kleine promoties, vond de mensen er sympathieker dan aan de universiteit, en besloot na zijn derde salarisverhoging op zoek te gaan naar ander en beter betaald werk. Dat was snel gevonden, bij een ander reclamebureau, waar het er op vrijwel dezelfde manier aan toeging als bij het eerste. Hij bleef tot hij zijn jaarlijkse opslag had gekregen en besloot opnieuw ander werk en meer geld te gaan zoeken.

Bij elke verandering van werkkring kwam hij tot de ontmoedigende slotsom dat hij geen zin had om de rest van zijn leven zijn intelligentie, vindingrijkheid en knappe uiterlijk in te zetten voor het aan de man brengen van produkten die hij zelf niet gebruikte en van publikaties die hij normaal gesproken niet las. Aan de andere kant wist hij geen interessante produkten of behartenswaardige zaken te bedenken die genoeg geld opbrachten voor het handhaven van de levensstandaard waaraan hij en zijn vrouw en kinderen gewend waren geraakt. Het dilemma hield hem niet uit zijn slaap.

Rationaliseren was onnodig. Hij werkte omdat hij geen keus had.

Wall Street bood natuurlijk onvoorstelbare hoeveelheden van een exotische attractie – een gedistilleerd, van alle complicerende eigenschappen ontdaan produkt. Dat produkt heette geld en je kon er uit het niets hele bergen van verdienen, bijna even wonderbaarlijk en even natuurlijk als de manier waarop een eenvoudige boom lucht, zonlicht en water om weet te zetten in tonnen hout. Geld mocht dan vuil zijn, zoals iedere student met enige kennis van Freud tegendraads op feestjes en familiebijeenkomsten kon verkondigen, maar het was vuil waar je dingen mee kon kopen: vrienden met invloed en middelen, een mantel van liefde bij de bontwerkers en de juweliers en de modecentra van de wereld, enorme landgoederen in Connecticut, Virginia, Mexico, East Hampton en Colorado en titels van wereldsonderscheid die het mogelijk maakten je voornaam af te kappen tot een simpele letter en de nadruk gracieus naar de tweede naam te verschuiven, zoals in G. Macaroni Cook en C. Porter Lovejoy, die meest grijzende der grijzende eminenties in de cosa loro van Washington.

Macaroni Cook kon met engelengeduld herhalen dat zijn moeder een dochter was van de familie Goodman Macaroni van de beroemde Goodman Macaroni, en zijn vader een tweedegraads afstammeling van de Britse Cooks van Cook's Tours, en dat hij zelf een telg van de Macaroni en Cook-dynastie was die door de gebruikelijke erflatingsprocessen gezegend was met geld en onroerend goed. Als student was Macaroni Cook een kwezel, als zakenman een kwanselaar en in de roddelrubrieken met het gebruikelijke society-nieuws was hij Macaroni. En tegenwoordig was hij G. Macaroni Cook in de *Who's Who* en op het officiële briefpapier van het Witte Huis.

Macaroni, die meteen begonnen was als de tiende van de negen voornaamste adviseurs van de kersverse vice-president, was Yossarian bij de zeldzame gelegenheden dat deze hem nodig had altijd van dienst, en Yossarian ontdekte dat hij hem zelfs na zijn promotie tot een van de intiemste vertrouwelingen van de recentelijk in het Witte Huis geïnstalleerde nieuwe man nog steeds kon bereiken.

'Hoe staat het met de echtscheiding?' was een van hun vaste vragen als ze elkaar spraken.

'Prima. En met de jouwe?'

'Redelijk. Althans, mijn ex laat me schaduwen.'

'De mijne ook.'

'En hoe is de verhouding met die vent voor wie je werkt?' informeerde Yossarian altijd trouw.

'Met de dag beter... dat verbaast je, dat weet ik.'

'Nee hoor, dat verbaast me niks.'

'Hoe bedoel je? Je zou echt naar Washington moeten komen als ik hier een gaatje voor je vind. Hier heb je eindelijk een kans om echt goed te doen.'

'Voor wie?'

Het vaste antwoord op die vraag was een bescheiden glimlachje. Meer woorden hadden ze niet nodig.

Bij het reclamebureau had geen van beiden ooit morele bedenkingen gehad over het werken voor klanten uit het bedrijfsleven die lak hadden aan het openbaar belang, politici op wie ze nooit zouden stemmen en een grote sigarettenfabriek met voornamelijk Newyorkse eigenaars die zich niet krom hoefden te werken om tabak te verbouwen. Ze verdienden goed, ontmoetten vermogende mensen, genoten van hun succes. Toespraken schrijven voor andere mensen, zelfs mensen die ze verfoeiden, was voor hen gewoon een vorm van creativiteit.

Maar de tijd ging voorbij en het werk begon – zoals altijd bij intelligente mensen met een open geest – te vervelen. Toen definitief vaststond dat roken kanker veroorzaakte, kregen ze vernietigende blikken van hun kinderen en leek hun werk een luchtje krijgen. Onafhankelijk van elkaar begonnen ze aan ander werk te denken. Geen van tweeën had ooit gepretendeerd dat hun werk in reclame, publiciteit en politiek niet onbeduidend, irrelevant en onecht was. Macaroni was de eerste die er rond voor uitkwam.

'Als ik toch onbeduidend, irrelevant en oneerlijk moet zijn,' kondigde Macaroni aan, 'kan ik net zo goed in de regering zitten.'

En gewapend met aanbevelingsbrieven, waaronder een van Yossarian, vertrok hij naar Washington D.C. om slinks en ambitieus en door middel van zijn familieconnecties te proberen een plekje in de plaatselijke cosa loro te veroveren.

Yossarian stortte zich opnieuw in de lucratieve haute finance, met een insider in Wall Street die onfeilbare tips gaf in een tijd dat er nog onfeilbare tips te geven waren. Ook bleef hij korte verhalen schrijven, en kleine artikelen met de juiste spitsheid voor publikatie in de toonaangevende *New Yorker*. Bij elke weigering en elke mislukte sollicitatie als redacteur groeide zijn respect voor het tijdschrift. Hij had succes met twee scenario's en een succesje met een derde, en hij had aantekeningen voor een bijtend toneelstuk dat hij nooit afmaakte en een ingewikkelde komische roman waar hij niets eens aan toekwam.

Hij verdiende een extra zakcentje aan de douceurtjes, percentages en commissies in zijn functie als freelance financieel adviseur en door bescheiden te beleggen in diverse lucratieve onroerend-goedsyndicaten waar hij nooit het fijne van begreep. Toen de nationale ontwikkelingen opnieuw een gevaarlijke draai namen, zocht hij als verontruste en bezorgde vader contact met zijn oude oorlogsvriend Milo Minderbinder. Milo was dolblij hem te zien.

'Ik ben er zelfs nooit zeker van geweest dat je me echt aardig vond,' onthulde hij bijna dankbaar.

'We zijn altijd vrienden geweest,' zei Yossarian ontwijkend, 'en waar zijn vrienden anders voor?'

Milo's ingeboren intuïtie, die hem nooit in de steek scheen te laten, maakte hem onmiddellijk achterdochtig. 'Yossarian, als je me komt vragen of ik je kan helpen je zoons uit Vietnam te houden...'

'Da's precies de reden waarom ik gekomen ben.'

'Ik kan niets doen.' Waaruit Yossarian opmaakte dat hij zijn quota illegale ontheffingen al opgebruikt had. 'We moeten allemaal ons deel bijdragen. Ik zag waar mijn plicht lag en ik heb me ervan gekweten.'

'We hebben allemaal een taak,' voegde Wintergreen eraan toe. 'Het is een kwestie van geluk hebben.'

Yossarian herinnerde zich dat Wintergreens taak in de laatste grote oorlog zich voornamelijk beperkt had tot het graven en weer dichtgooien van gaten in het strafkamp, omdat hij er voortdurend vandoor ging om zijn vertrek naar het gevaarlijke front in Europa zo lang mogelijk uit te stellen. Daar aangekomen verhandelde hij gestolen Zippo-aanstekers en maakte als chef van de militaire postkamer bevelen van hogerhand die hem niet zinden ongedaan door ze eenvoudig in de prullenmand te gooien.

'Het gaat goddomme om één jongen,' smeekte Yossarian. 'Ik wil niet dat hij gaat.'

'Ik weet hoe moeilijk het is,' zei Milo. 'Ik heb ook een zoon waar ik me zorgen over maak. Maar we hebben onze contacten opgebruikt.'

Yossarian kwam mismoedig tot de slotsom dat hij niets zou bereiken en dat hij, als Michael pech had in de loting, waarschijnlijk samen met hem naar Zweden zou moeten uitwijken. Hij zuchtte. 'Dus je kunt niets voor me doen. Helemaal niets?'

'Je kunt wel degelijk iets voor me doen,' antwoordde Milo, zodat Yossarian heel even dacht dat Milo hem verkeerd verstaan had. 'Jij kent mensen die wij niet kennen. We willen graag,' ging hij op zachtere, bijna gewijde toon verder, 'een uitstekend advocatenbureau in Washington in de arm nemen.'

'Heb je die hier niet dan?'

'We willen álle goeie advocatenbureaus in de arm nemen, zodat we niemand tegen ons hebben als het ooit tot procederen komt.'

'We willen invloed,' legde Wintergreen uit, 'niet die godverdomde juridische rompslomp. Als we invloed hadden konden we die godverdomde juridische rompslomp en die verrekte advocaten vergeten. Yossarian, waar moeten we beginnen om de beste juridische connecties in Washington aan onze kant te krijgen?'

'Heb je al aan Porter Lovejoy gedacht?'

'C. Porter Lovejoy?' Bij het horen van deze naam viel zelfs Wintergreen even ten prooi aan ontzag.

'Kun jíj C. Porter Lovejoy bereiken?'

'Jazeker,' antwoordde Yossarian nonchalant. Hij had Lovejoy nog nooit ontmoet, maar belde gewoon zijn advocatenbureau op en gaf zich uit als vertegenwoordiger van een bedrijf met beleggingskapitaal dat tegen gepaste betaling de raad van een ervaren advocaat in Washington wilde inwinnen.

Milo noemde hem een genie. Wintergreen vond hem verrekt goed.

'En Eugene en ik zijn het erover eens,' zei Milo, 'dat we jou ook in dienst willen nemen, als adviseur en vertegenwoordiger, vanzelfsprekend op parttime basis. Alleen als we je nodig hebben.'

'Voor speciale gelegenheden.'

'Je krijgt een kantoor en een visitekaartje.'

'En wel meer ook, denk ik,' zei Yossarian op beminnelijke toon. 'Weet je zeker dat je me kunt veroorloven? Dit gaat je hopen geld kosten.'

'We hebben hopen geld. En we zijn bereid om gul te zijn bij zo'n ouwe vriend zoals jij. Hoeveel moet je hebben als we het voor een jaar uitproberen?'

Yossarian deed alsof hij nadacht. Hij wist meteen hoeveel hij zou vragen. 'Vijftienduizend per maand,' zei hij ten slotte, heel duidelijk.'

'Vijftien dollar per maand?' herhaalde Milo nog duidelijker, als om geen enkele onzekerheid te laten bestaan.

'Vijftiendúizend per maand.'

'Ik dacht dat je honderd zei.'

'Eugene, help hem eens.'

'Hij zei duizend, Milo,' was Wintergreen hem treurig van dienst.

'Ik hoor soms moeilijk.' Milo trok hard aan een oorlelletje, alsof hij een stout kind terechtwees. 'Ik vond vijftien dollar al zo weinig.'

'Vijftiendúizend, Milo. En ik wil een vol jaar betaald worden, hoewel ik maar voor tien maanden beschikbaar ben. Ik neem twee maanden zomervakantie.'

Dat was een fantastische inval. Maar het zou fijn zijn om de zomers vrij te hebben. Wie weet kon hij zijn twee literaire projecten weer ter hand nemen, zijn toneelstuk en zijn komische roman.

Zijn idee voor het toneelstuk, geïnspireerd op *A Christmas Carol,* was een portret van Charles Dickens en zijn uitgebreide huishouden aan het kerstdiner in de tijd dat de familieverhoudingen het meest verstoord waren, vlak voordat die humeurige literaire architect van sentimenteel welbehagen de bakstenen binnenmuur optrok tussen zijn vleugel en die van zijn echtgenote. Zijn luchthartige komische roman was gebaseerd op *Dr. Faustus* van Thomas Mann en draaide om een gerechtelijk geschil over de auteursrechten van het fictieve maar schokkende muzikale meesterwerk van Adrian Leverkühn in dat boek, getiteld *Apocalypse*, dat, aldus Mann, maar één keer uitgevoerd was – in 1926 in Duitsland – en misschien nooit meer het licht zou zien. Aan de ene kant stonden de erfgenamen van het muzikale genie Leverkühn, de schepper van deze kolossale compositie, aan de andere kant de vruchtgebruikers van de nalatenschap van Thomas Mann, bedenker en beschrijver van Leverkühn en arrangeur van dat unieke, profetische, ontzagwekkende en onvergetelijke opus van voortgang en vernietiging, waarin nazi-Duitsland zowel symbool als wezen was. Yossarian voelde zich tot deze ideeën aangetrokken omdat ze zo verbijsterend onverenigbaar waren.

'Vijftien per maand,' rekende Milo ten slotte hardop uit, 'gedurende twaalf maanden per jaar is bij elkaar...'

'Honderdtachtig,' deelde Wintergreen hem kort mee.

Milo knikte met een stalen gezicht.

'Dan zijn we het eens. Jij gaat een jaar voor ons werken voor honderdtachtig dollar.'

'Dúizend, Milo. Honderdtachtigdúizend per jaar, plus onkosten. Maak het hem nog maar een keer duidelijk, Eugene. En schrijf meteen een cheque voor een voorschot van drie maanden. Zo laat ik me altijd betalen, per kwartaal. Ik heb je C. Porter Lovejoy al bezorgd.'

Milo's gekwelde uitdrukking was niet meer dan een reflex. En graag of niet, Yossarian moest toegeven dat het hem vanaf die dag nooit meer echt ontbroken had aan contanten, behalve in die ongebruikelijke echtscheidingsperiode en toen de belasting zijn aftrekposten, twaalf jaar nadat ze hem door onfeilbare specialisten waren aangeraden, een voor een afkeurde.

'En tussen haakjes,' deelde Wintergreen hem aan het einde van het onderhoud onder vier ogen mee, 'wat je zoon betreft. Laat hem zich wettelijk inschrijven in een zwarte buurt waar de oproepingsbureaus toch genoeg mensen krijgen. Daarna zouden rugpijn en een doktersbriefje genoeg moeten zijn. Een van mijn zoons woont nu technisch gesproken in Harlem en een paar neven zijn officieel ingezetenen van Newark.'

Yossarian had het gevoel dat Michael en hij zelf liever naar Zweden zouden vluchten.

Vanaf de eerste dag dat Yossarian hen aan elkaar voorstelde, groeide er tussen C. Porter Lovejoy en G. Macaroni Cook een symbiotische band van een wederzijdse warmte die Yossarian nooit gevoeld had voor Macaroni of de hem veel minder bekende Porter Lovejoy.

'Hiervoor sta ik bij je in het krijt,' zei Macaroni na afloop.

'En niet alleen hiervoor,' bracht Yossarian hem voor alle zekerheid in herinnering.

C. Porter Lovejoy, zilvergrijs, onpartijdig en scherpzinnig, zoals de bevriende pers hem steevast omschreef, was een man die het nog steeds prima met het leven kon vinden. Al bijna vijftig jaar lang was hij een insider in Washington en een gevestigd lid van de cosa loro daar, wat hem alle recht gaf, mijmerde hij graag hardop, om het kalmpjes aan te gaan doen.

Voor de buitenwacht diende hij vaak in regeringscommissies ter zuivering van blaam en als mede-ondertekenaar van rehabilitatierapporten.

In zijn privé-leven was hij directeur en algemeen adviseur van het cosa loro-advocatenbureau Atwater, Fitzwater, Spulwater, Brown, Jordan, Quack en Capone. In die hoedanigheid stond het hem, wegens zijn aristocratische prestige en onkreukbare reputatie, vrij alle cliënten te vertegenwoordigen die hij wilde, zelfs die met strijdige belangen. Hij kwam uit een grensstaat, beweerde overal thuis te zijn, sprak noorderlingen toe met de kalmerende tongval van beschaafde zuidelijke hereboeren en zuiderlingen met de gecultiveerde klanken van onvervalste noordelijke academici. Zijn partner Capone had dunnend zwart haar en maakte een praktische en tamelijk agressieve indruk.

'Als u bij me komt voor invloed,' zei Porter Lovejoy nadrukkelijk tegen elke hoopvolle gunsteling die hem aanklampte, 'bent u aan het verkeerde adres. Maar als u een beroep wilt doen op ervaren mensen die blindelings hun weg door de politieke wandelgangen weten te vinden, die op intieme voet staan met de mensen die u nodig hebt, die u kunnen vertellen wie dat zijn en afspraken kunnen regelen, die met u mee kunnen gaan en het woord voor u kunnen doen, die uit kunnen vinden wat op vergaderingen waar u niet bij bent over u gezegd wordt en die hogerop kunnen gaan als de beslissingen u niet bevallen, dan kan ik u misschien van dienst zijn.'

C. Porter Lovejoy was degene die de aspiraties van G. Macaroni Cook het meest aanmoedigde en verruimde. Met de vaardigheid van zijn jaren wist hij de ondernemingszin van de jongere man in te schatten en hem met genereuze haast onder te brengen bij andere beroemdheden in de cosa loro-familie die zijn vernuft in het doorzien van politieke public relations en beeldvorming het best konden gebruiken: zijn handigheid in het vinden van het opruiende motto, de hatelijke insinuatie, de gladde, geraffineerde belediging, de getructe goochelarij met vingervlugge woorden en de arglistige leugen. Nu de kans hem geboden was, had Macaroni de mensen die net als C. Porter Lovejoy het ergste van hem verwachtten, niet één keer teleurgesteld.

Tussen Yossarian en een cosa loro-huurmoordenaar als Macaroni Cook was een vreedzame, op afkeer gebaseerde breuk ontstaan en geen van beiden voelde zich genoopt die te herstellen. Toch aarzelde Yossarian geen moment om hem te polsen over de belachelijke mogelijkheid de nieuwe president te bewegen quasi-serieus in te gaan op een uitnodiging van Christopher Maxon voor de bruiloft van een stiefnicht of iets dergelijks in het busstation van de Havendienst.

'Hij brengt miljoenen binnen voor je partij, Macaroni.'

'Waarom niet?' zei Macaroni monter. 'Het klinkt goed. Zeg maar dat hij serieus overweegt om te komen.'

'Moet je hem dat niet eerst vragen?'

'Welnee.' Macaroni klonk verbaasd. 'John, de hersenen die groot genoeg zijn om zich bezig te houden met alle dingen die een president moet pretenderen te begrijpen zijn nog niet uitgevonden. Ik ben nog steeds niet hersteld van zijn inauguratie.'

Als tiende en nieuwste lid van de denktank van negen voornaamste adviseurs met elf doctorstitels rondom de man die inmiddels president was, was G. Macaroni Cook nog niet het slachtoffer geworden van het spreekwoordelijke allemans vriend is veelmans gek.

G. Macaroni Cook was als tiende lid voorgedragen door C. Porter Lovejoy, die de glans van de oorspronkelijke negen adviseurs zag tanen en hoopte het vuur van illusoire briljantheid in de hoogste regeringskringen hierdoor aan te blazen, een keuze die, beweerde hij met belangeloze kennis van zaken, zeker ten goede zou komen aan de vice-president, het kabinet, de natie, Macaroni Cook zelf en, onuitgesproken maar vanzelfsprekend, aan C. Porter Lovejoy en zijn cosa loro-advocaten-lobbyistenbureau Atwater, Fitzwater, Spulwater, Brown, Jordan, Quack en Capone. Capone, evenals Lovejoy partner van het eerste uur, speelde golf in de beste clubs met belangrijke zakenlui en hoge regeringsambtenaren en hoefde zelden te verliezen.

De hindernissen in de formaliteiten van de inauguratie waren het gevolg van de begrijpelijke voorkeur van de vice-president om in dat hoogste ambt bevestigd te worden met een eed ten overstaan van de opperrechter van het Amerikaanse Hooggerechtshof. De edelachtbare heer in deze positie, een onverzettelijke, tamelijk overheersende persoonlijkheid met een knijpbrilletje en een hoog voorhoofd, had onmiddellijk zijn functie neergelegd, omdat hij weigerde mee te werken aan iets wat voor zijn gevoel indruiste tegen de geest, zo niet de letter, van de wet.

Deze onverwachte ontwikkeling noopte de nieuwe president een beroep te doen op een van de andere beroemdheden in het hof met dezelfde partijbanden als hij.

Veertien minuten nadat de vrouwelijke rechter gepolst was, nam ze vrijwillig ontslag. Haar officiële verklaring maakte gewag van haar overweldigende verlangen terug te keren naar haar eerste grote liefde: het huishouden. Haar hele leven, verklaarde ze, had ze maar één grote ambitie gekoesterd: huisvrouw worden.

En de andere grote ster in die gerespecteerde constellatie waartegen de mensen ooit geneigd waren geweest op te zien, een edelachtbare heer die door gelijkgezinde verslaggevers vaak werd geprezen voor wat ze aanduidden als zijn gevatheid en theatrale, zelfvoldane flair voor partijpolitieke en zelfstrelende muggezifterij, ging vissen.

De Afro-Amerikaan was natuurlijk uitgesloten. Blank Amerika zou geen genoegen nemen met een president wiens ambtelijke legitimiteit was bekrachtigd door een zwarte, vooral een zwarte zoals hij, die noch als advocaat noch als rechter veel in zijn mars had en tijdens de hoorzitingen ter ratificatie van zijn benoeming de indruk wekte gelijkelijk samengesteld te zijn uit lompheid en lulkoek.

De andere orthodoxe partijleden in het hof waren verworpen als niet kleurrijk genoeg en te weinig bekend. Die afwijzing werd nog definitiever toen niet nader genoemde bronnen en anoniem blijvende ambtenaren geruchten doorspeelden over twijfels in het hof over de vraag of er in heel Amerika wel één edelachtbaar lid van één edelachtbaar college was dat werkelijk het recht had om zo'n soort man in het hoogste ambt van het land te bevestigen. In een zeldzaam unanieme uitspraak prezen ze de opperrechter om zijn ontslag, de vrouw om haar huishouden en de olijkerd om zijn visvakantie.

Zo bleef alleen de Democraat over, die jaren geleden door de zogenaamd progressieve John Kennedy benoemd was en sinds die tijd trouw met de conservatieven had meegestemd.

Kon een president zijn ambt aanvaarden zonder de ambsteed afgelegd te hebben? Er was niet genoeg Hooggerechtshof meer om zich hierover uit te spreken. Maar toen kwam Macaroni Cook als enige van de hoge raad van advies met een suggestie die hij al vanaf het begin in zijn hoofd had gehad, maar tot het kritieke moment vóór zich had gehouden, om deze beschamende impasse een bevredigende ontknoping te geven.

'Ik snap het nog steeds niet,' zei de president voor de zoveelste keer, toen het tweetal weer eens onder vier ogen overleg pleegde. De andere negen voornaamste adviseurs met elf doctorstitels waren gaandeweg in zijn achting gedaald. 'Kun je het nog een keer uitleggen?'

'Ik ben bang van niet,' zei Macaroni Cook grimmig. Hij was blij met zijn positie, maar niet meer zo zeker van het werk of zijn werkgever.

'Probeer het toch maar. Wie benoemt de nieuwe opperrechter van het Hooggerechtshof?'

'U,' zei Macaroni mistroostig.

'Goed,' zei de vice-president, die door het aftreden van zijn voorganger technisch gesproken al president was. 'Maar ik kan hem niet benoemen voordat ik beëdigd ben.'

'Inderdaad,' zei Macaroni Cook bekommerd.

'Wie beëdigt mij?'

'Dat bepaalt u zelf.'

'Ik wil de opperrechter.'

'We hebben geen opperrechter,' zei Macaroni gemelijk.

'En we hebben pas een nieuwe opperrechter als ik er een benoem? En ik kan er pas een benoemen als...'

'U begint het, geloof ik, door te krijgen.'

Zwijgend, met een uitdrukking van wrevelige teleurstelling op zijn gezicht, betreurde Macaroni voor de zoveelste keer dat hij en zijn derde echtgenote, Carmen, met wie hij in een bittere echtscheiding lag, niet meer met elkaar praatten. Hij hunkerde naar een vertrouwenspersoon met wie hij dit soort gesprekken veilig in het belachelijke kon trekken. Hij dacht aan Yossarian, die hem, vreesde hij, inmiddels had afgeschreven als een zak. Macaroni was intelligent genoeg om in te zien dat hij, als hij iemand anders was, waarschijnlijk ook geen hoge dunk van zichzelf zou hebben. Macaroni was eerlijk genoeg om te weten dat hij oneerlijk was en nog precies integer genoeg om te weten dat hij geen greintje integriteit bezat.

'Ja, ik geloof dat ik het snap,' zei de vice-president met een vleugje hoop. 'Ik ben er geloof ik weer helemaal bij.'

'Dat zou me niet verbazen.' Macaroni klonk minder overtuigend dan zijn bedoeling was.

'Waarom doen we het dan niet tegelijk? Als ik hem nu eens op hetzelfde moment dat hij me beëdigt als president tot opperrechter benoem?'

'Dat gaat niet,' zei Macaroni.

'Waarom niet?'

'Omdat zijn benoeming eerst door de Senaat bekrachtigd moet worden. En daarvoor moet u hem eerst benoemen.'

'Nou dan,' zei de vice-president, terwijl hij rechtop ging zitten met de brede, voldane glimlach die hij meestal op zijn gezicht had als hij zijn videospelletjes speelde, 'kan de Senaat hem dan niet bekrachtigen op hetzelfde moment dat hij me beëdigt?'

'Nee,' zei Macaroni beslist. 'En vraag me alstublieft niet waarom. Dat kan niet. Neem dat alstublieft van me aan, meneer de vice-president.'

'Dat vind ik dan behoorlijk schandalig! Ik vind dat de president het recht moet hebben om beëdigd te worden door de opperrechter van het Hooggerechtshof.'

'Ik zou niemand kennen die het daar oneens mee is.'

'Maar ik heb het niet. O nee! En waarom niet? Omdat we geen opperrechter hebben! Hoe is het in godsnaam mogelijk?'

'Geen idee, meneer de vice-president.' Macaroni hield zichzelf verwijtend voor dat hij vooral niet sarcastisch mocht klinken. 'Misschien een foutje van onze grondleggers.'

'Wat is dat nu weer?' De vice-president sprong woedend overeind alsof hij een ongelooflijke godslastering had aangehoord. 'Die hebben toch niets fout gedaan, of wel? Onze grondwet is toch altijd volmaakt geweest? Toch?'

'Er zijn tweeëntwintig amendementen op gemaakt, meneer de vice-president.'

'O ja? Daar is me niets van bekend.'

'Het is geen geheim.'

'Alsof ik dat kon weten. Is dat wat amendement betekent? Wijziging?'

'Inderdaad.'

'Nou zeg, alsof ik dat kon weten.' Hij verviel wederom in sombere wanhoop. 'Dus daar wringt hem de schoen, ja? Ik kan geen...'

'Inderdaad.' Het leek Macaroni beter om hem te onderbreken dan elkaar opnieuw aan de hele litanie bloot te stellen.

'Dan is het eigenlijk precies als *catch*-22, nietwaar?' flapte de vice-president er plotseling uit, opmonterend bij dit bewijs van zijn eigen inspiratie. 'Ik kan pas een opperrechter benoemen als ik president ben en hij kan me pas beëdigen als ik hem benoemd heb. Is dat geen *catch*-22?'

Macaroni Cook keek strak naar de muur en besloot dat hij liever afzag van van zijn positie van aanzien in de aanstaande regering dan zich in te laten met een man met zulke invallen.

Nu zag Macaroni dat hij al die tijd naar een grote, gesimplificeerde, als kunstwerk opgehangen kaart van de troepenopstelling bij de slag bij Gettysburg had zitten kijken en hij begon te broeden over het historisch verleden. Misschien, dacht hij, was het altijd zo geweest tussen vorst en raadsman, dat de ondergeschikte superieur was in alles behalve rang. En toen beet Macaroni, aan het eind van zijn Latijn, als een generaal tegen zijn troepen, de vice-president de oplossing toe die de regering uiteindelijk voor een fiasco behoedde.

'Gebruik de Democraat!'

'Wát?'

'Ja, gebruik die godverdomde Democraat.' Bezwaren schoof hij opzij door ze bij voorbaat te weerleggen. 'Het was een Kennedy-Democraat, dus ga maar na. Die vent is even slecht als wij. Iemand van de andere partij benoemen geeft u gegarandeerd een goede pers en als u onpopulair wordt, kunt u altijd hem de schuld geven dat hij u beëdigd heeft.'

De visie van Porter Lovejoy was wederom bevestigd. Toen hij Macaroni instructies gaf, had hij benadrukt hoe goed de vice-president hem zou kunnen gebruiken. Ze hadden hem meteen nodig en niets was onmogelijk. Hij zou een sollicitatiegesprek krijgen. 'Hoeveel moet ik hem vertellen?' had Macaroni geïnformeerd. Porter Lovejoy keek hem sluw aan. 'Zoveel als hij wil horen. De enige reden voor jullie gesprek is om erachter te komen of je de baan überhaupt wilt, maar dat weet hij niet.' En hoe, vroeg Macaroni geamuseerd, moest hij die vork aan de steel steken? Porter Lovejoys enige antwoord was een stralende blik. De codenaam?

'Daar moet je nog niet over beginnen,' zei Porter Lovejoy waarschuwend. 'Die heeft hij zelf gekozen, weet je. Je zult zien dat het van een leien dakje gaat.'

'Kom binnen, kom binnen, kom binnen,' verwelkomde de vice-president hem joviaal, na een hartelijke begroeting in de antichambre die Macaroni verbluffend informeel voorkwam.

Het verbaasde hem dat de jongere man met het verheven ambt zo spontaan zijn kantoor uitkwam om hem te begroeten. Macaroni had amper de tijd om de middelbare-schoolvaantjes en universiteitsvlaggetjes aan de muren van de ontvangkamer te bestuderen. Hij was niet snel genoeg om de vele tv's te tellen, allemaal afgestemd op een andere zender. 'In afwachting van oude filmfragmenten en hapklare uitspraken,' legden de meisjes in het kantoor giechelend uit, en Macaroni wist niet of ze serieus waren of niet.

'Ik heb me echt op deze ontmoeting verheugd,' ging de vice-president overtuigend verder. 'Vroem, vroem, vroem,' zei hij vertrouwelijk toen ze alleen waren en de deur dicht was. 'Da's uit een videospelletje dat ik altijd win, *Indianapolis Speedway* heet het. Kent u het? Dat komt dan wel. Bent u goed in videospelletjes? Ik durf te wedden dat ik van u win. Maar goed, vertel me alstublieft alles over uzelf. Ik snak ernaar om meer over u te weten.'

Voor Macaroni was dit kinderspel. 'Wel, meneer de vice-president, wat wilt u over me weten? Waar moet ik beginnen?'

'Mijn voornaamste eigenschap,' antwoordde de vice-president, 'is dat als ik ergens mijn zinnen op heb gezet, dat ik het dan ook bereik. Gedane zaken nemen geen keer en wat gebeurd is is gebeurd. Als ik mezelf iets voorneem, ga ik er keihard achteraan.'

'Aha,' zei Macaroni toen hij over zijn verbazing heen was en vermoedde dat hem de gelegenheid geboden werd commentaar te bieden. 'Bedoelt u dat u zich voorgenomen had om vice-president te worden?'

'Jazeker, absoluut, absoluut. En ik ben er keihard achteraan gegaan.'

'Hoe dan?'

'Door ja te zeggen toen ze me vroegen. Ziet u, meneer Cook... mag ik Macaroni zeggen? Dank je. Het is een voorrecht... het woord dat het ambt van vice-president voor mij het best beschrijft is wees paraat. Of zijn dat twee woorden?'

'Volgens mij wel, ja.'

'Dank je. Ik kan me niet voorstellen dat ik van mijn andere adviseurs zo'n duidelijk antwoord zou krijgen. En dat doel wil ik keihard blijven nastreven. Paraat zijn. En hoe langer je vice-president bent, hoe parater je bent om president te worden. Dacht u ook niet?'

Macaroni wist die vraag handig te ontwijken. 'En is dat het doel dat u nu keihard wilt nastreven?'

'Dat is het belangrijkste werk van de vice-president, nietwaar? Dat vinden mijn andere adviseurs ook.'

'Weet de president ervan?'

'Ik zou het niet zo keihard nastreven als hij er niet volledig achter stond. Zijn er nog andere dingen die u over me wilt weten om me te helpen vast te stellen of u goed genoeg bent voor de baan? Zegt Porter Lovejoy van wel?'

'Tja, meneer de vice-president,' zei Macaroni Cook, voorzichtig zijn woorden kiezend. 'Is er iets wat u op dit moment op uw schouders neemt met het gevoel dat u niet voor de volle honderd procent in staat bent om het helemaal alleen te doen?'

'Nee. Ik zou niet weten wat.'

'Waarom vindt u dan dat u een nieuwe adviseur nodig hebt?'

'Om me te helpen met dit soort vragen. Ik heb aan de universiteit namelijk de fout gemaakt om niet echt aan mijn studie te werken en daar heb ik spijt van.'

'U hebt toch redelijke cijfers gekregen?'

'Even redelijk als wanneer ik wel werkte. Hebt u gestudeerd, meneer Cook? Hebt u een opleiding genoten?'

'Jawel, meneer de vice-president. Ik heb mijn titel.'

'Goed. Ik heb ook gestudeerd, weet u. We hebben een heleboel gemeen en we zouden goed met elkaar moeten kunnen opschieten, beter, hoop ik...' hier kroop een klagerig toontje in zijn stem '...dan met die anderen. Ik heb het gevoel dat ze me achter mijn rug voor de gek houden. Bij nader inzien had ik aan de universiteit meer aan filosofie en geschiedenis en economie en zo moeten doen. Dat probeer ik nu in te halen.'

'Hoe...' begon Macaroni, maar hij slikte zijn vraag in. 'In mijn ervaring, meneer de vice-president...'

'Gedane zaken nemen geen keer en het is gebeurd.'

'In mijn ervaring,' zocht Macaroni kruiperig zijn weg, 'als student en zelfs toen ik een poosje doceerde, doen mensen gewoon waar ze geïnteresseerd in zijn. Iemand met belangstelling voor atletiek, golf en feestjes is geneigd zijn tijd door te brengen met atletiekwedstrijden, golf en feestjes. Het is heel moeilijk om later belangstelling te krijgen voor onderwerpen als filosofie en geschiedenis en economie als je daar in eerste instantie geen interesse in had.'

'Inderdaad. En je bent ook nooit te oud om te leren,' zei de vice-president, en Macaroni wist niet of ze het met elkaar eens waren of niet. 'Ik heb recentelijk de Napoleontische oorlogen bestudeerd, min of meer ter afronding van mijn studie.'

Macaroni keek hem een paar seconden lang roerloos aan. 'Welke?' was het enige antwoord dat hij kon bedenken.

'Was er dan meer dan één?'

'Het was niet mijn onderwerp,' antwoordde Macaroni Cook, die de hoop begon op te geven.

'En de slag bij Antietem doe ik ook,' hoorde hij de man die de volgende president zou worden verdergaan. 'En daarna begin ik aan Bull Run. Een fantastische oorlog was dat eigenlijk, die Burgeroorlog. Zoiets hebben we sinds die tijd toch niet meer gehad, hè? Het zal u verbazen, maar Bull Run is hier maar eventjes rijden vandaan, met een politie-escorte.'

'Bereidt u zich voor op oorlog?'

'Ik verruim mijn blik. En ik ben graag paraat. Al het andere werk van een president lijkt me behoorlijk zwaar en tamelijk saai. Ik heb opdracht gegeven om al die veldslagen op video te laten zetten en er spelletjes van te maken waarin allebei de kanten kunnen winnen. Vroem, vroem, vroem! Gettysburg ook. Hou je van videospelletjes? Wat speel je het liefst?'

'Ik heb geen voorkeur,' mompelde Macaroni terneergeslagen.

'Dat komt dan wel. Kom hier eens kijken.'

Op een kastje onder een tv-toestel – in diverse alkoven in het kantoor stonden tv's met joysticks – waar de president hem heen leidde, lag het videospel *Indianapolis Speedway*. Macaroni zag er nog twee, *Bommen Los* en *Ontduik de Dienstplicht*.

En een derde met de titel *Lach je Dood*.

Zijn gastheer grinnikte. 'Ik heb negen academici met elf doctorstitels in mijn staf en niet een ervan heeft me ook maar één keer kunnen verslaan. Zegt dat niet een heleboel over het huidige hoger onderwijs in dit land?'

'Inderdaad,' zei Macaroni.

'Wat dan?'

'Een heleboel,' zei Macaroni.

'Precies mijn idee. Binnenkort komt er een nieuw spel uit, speciaal voor mij. *Triage* heet het. Ken je dat?'

'Nee.'

'Triage is een Frans woord en het betekent dat als er een atoomoorlog uitbreekt en we moeten beslissen welke mensen die moeten overleven in onze ondergrondse schuilkelders...'

'Ik weet wat het woord betekent, meneer de vice-president!' viel Macaroni hem scherper dan hij bedoeld had in de rede. 'Ik ken alleen het spelletje niet,' legde hij met een geforceerd glimlachje uit.

'Dat komt dan wel. Ik zal je er eerst over vertellen. Het is heel leuk, een echte uitdaging. Jij zou je favorieten hebben en ik ook, en maar een van ons kan winnen en besluiten wie mag blijven leven en wie dood zal gaan. Dat wordt echt genieten. Ik denk dat ik je zal vragen om je te specialiseren in *Triage*, want je weet maar nooit wanneer het menens wordt en ik geloof niet dat die anderen het in hun mars hebben. Goed?'

'Jawel, meneer de vice-president.'

'En doe niet zo formeel, Macaroni. Zeg maar gewoon Lul.'

Macaroni was diep geschokt. 'Onmogelijk!' weigerde hij nadrukkelijk, in een spontane reflex van verzet.

'Probeer het maar.'

'Nee, uitgesloten.'

'Zelfs niet als het je je baan kost?'

'Nee, zelfs dan niet, meneer Lul... ik bedoel, meneer de vice-president.'

'Zie je? Over een poosje gaat het vanzelf. De anderen doen het ook allemaal. Dan zullen we nu kijken naar de dingen die je volgens Porter Lovejoy kunt doen. Hoeveel weet je van zwaar water?'

'Vrijwel niets,' zei Macaroni, met het gevoel dat hij vastere grond onder zijn voeten kreeg. 'Het heeft iets met kernreacties te maken, niet?'

'Moet je mij niet vragen. Zoiets schrijven ze hier ook. Ik weet er ook weinig van, dus we zijn het al aardig eens.

'Wat is het probleem?'

'Tja, ze houden iemand vast die het maakt zonder vergunning. Een gewezen luchtmachtpredikant, staat hier, ten tijde van de Tweede Wereldoorlog.'

'Waarom zegt u niet dat hij op moet houden?'

'Hij kan niet ophouden. Hij produceert het, laat ik zeggen, biologisch, als je begrijpt wat ik bedoel.'

'Nee. Ik begrijp niet wat u bedoelt.'

'Tja, dat schrijven ze hier in deze samenvatting van het resumé van dit geheime dossier met de codenaam Kraanwater. Hij eet en drinkt hetzelfde als wij, maar wat eruit komt schijnt zwaar water te zijn. Een particulier bedrijf, M & M O & Co, heeft hem onderzocht en ontwikkeld en heeft nu een optie op hem en octrooi aangevraagd.'

'Waar houden ze hem vast?'

'Ergens ondergronds, voor het geval hij besluit om radioactief te worden. Vlak voordat ze hem oppikten had hij contact met een soort medewerker die geregeld gecodeerde telefoongesprekken voert met zijn vrouw, hoewel ze alle twee doen of ze van de prins geen kwaad weten. Van smeerlapperij is het nog niet gekomen. Hij telefoneert ook met een verpleegster en daar schijnt een heleboel smerigheid op komst te zijn. Alsof ze nooit van aids gehoord hebben. En verder bestaat de mogelijkheid van spionage voor de nieuwe Europese Gemeenschap via een Belgische spion. "De Belg slikt weer," meldde zij de laatste keer dat ze elkaar spraken.'

'En wat bent u van plan met hem te doen?'

'O, als het erop aankomt kunnen we hem makkelijk koud laten maken door een van onze antiterroristische eenheden. Maar misschien hebben we hem nodig, want we kampen ook met een tekort aan tritium. Hoeveel weet je van tritium, Macaroni?'

'Tritium? Nooit van gehoord.'

'Goed. Dan kun je objectief zijn. Ik meen dat het een of ander radioactief gas is dat we nodig hebben voor onze waterstofbommen en dat soort dingen. Het wordt gemaakt van zwaar water en die predikant zou heel waardevol voor ons kunnen zijn als hij andere mensen kon leren om ook zwaar te wateren. De president ziet er niks in en wil dat ik me hiermee bezighoud. Ik zie er ook niks in, dus ik geef het weer door aan jou.'

'Aan mij?' riep Macaroni. 'Bedoelt u dat ik aangenomen ben?'

'We hebben toch gepraat, niet? Zeg maar wat ik volgens jou moet adviseren.'

Hij gaf Macaroni een tamelijk lijvig rood dossier, met op de eerste bladzijde een samenvatting van één zin van een uittreksel van een resumé van een synopsis van een kort overzicht van een excerpt van een summier rapport over een gepensioneerde legerpredikant van eenenzeventig die zonder vergunning inwendig zwaar water produceerde en op dit moment op een geheime plek werd vastgehouden voor onderzoek en ondervraging. Macaroni wist weinig van zwaar water en niets van tritium, maar hij wist genoeg om geen spier van zijn gezicht te vertrekken toen hij de namen Yossarian en Milo Minderbinder las, hoewel hij zich somber het hoofd brak over zuster Melissa MacIntosch, van wie hij nog nooit had gehoord, en een kamergenote met de naam Angela Piper of Angela Pijper, en over een mysterieuze Belgische agent die met keelkanker in een Newyorks ziekenhuis lag en over wie ze regelmatig telefonisch codeberichten doorgaf, en een beminnelijke, goed geklede onbekende die de rest in de gaten scheen te houden, hetzij als detective, hetzij als lijfwacht. Als deskundige op het gebied van verklarend commentaar was Macaroni onder de indruk van de genialiteit van de schrijver die zoveel informatie in één zin kon onderbrengen.

'Wilt u dat ik hierover beslis?' mompelde Macaroni ten slotte.

'Waarom niet? En dan is er nog iets over iemand met het volmaakte oorlogsvliegtuig dat hij aan ons wil verkopen en iemand anders met een beter volmaakt oorlogsvliegtuig dat hij aan ons wil verkopen, en we kunnen er maar één betalen.'

'Wat zegt Porter Lovejoy?'

'Die is druk bezig zijn proces voor te bereiden. Ik wil jouw mening horen.'

'Ik geloof niet dat ik daar bevoegd voor ben.'

'Ik geloof in de zondvloed,' antwoordde de vice-president.

'Pardon?'

'Ik geloof in de zondvloed.'

'Welke zondvloed?' Macaroni was de draad weer even kwijt.

'Noachs zondvloed natuurlijk. Die in de bijbel. Mijn vrouw ook. Heb je daar nooit van gehoord?'

Met halfdicht geknepen ogen bestudeerde Macaroni het argeloze gezicht tegenover hem op zoek naar een vleugje schalksheid. 'Ik weet niet zeker of ik u kan volgen. Gelooft u dat die nat was?'

'Ik geloof dat hij waar gebeurd is. Tot in alle bijzonderheden.'

'Dat hij van elke diersoort een mannetje en een vrouwtje aan boord nam?'

'Zo staat het er.'

'Meneer de vice-president,' zei Macaroni beleefd. 'We hebben inmiddels meer soorten dieren en insekten gecatalogiseerd dan iemand ooit in een schip van die omvang zou kunnen krijgen. Waar moet hij ze gevonden hebben en waar moest hij ze onderbrengen, om nog maar te zwijgen over plek voor zichzelf en de gezinnen van zijn kinderen en de vraag waar het eten opgeslagen moest worden en waar ze met het afval moesten blijven tijdens die veertig dagen en nachten dat het regende?'

'Dus je weet er wel van!'

'Ik heb erover gehoord. En die honderdvijftig dagen en nachten daarna, toen het niet meer regende.'

'Dat weet je ook!' De vice-president keek hem goedkeurend aan. 'Dan weet je waarschijnlijk ook dat evolutie kletskoek is. Ik haat evolutie.'

'Waar zijn al die dieren die we kennen dan vandaan gekomen? Bij de kevers alleen al heb je rond de drie- of vierhonderdduizend soorten.'

'O, die zijn waarschijnlijk gewoon geëvolueerd.'

'In maar zevenduizend jaar? Langer is het niet geleden volgens de bijbelse tijdrekening.'

'Je kunt het opzoeken, Macaroni. Alles wat we over de schepping van de wereld hoeven te weten staat in de bijbel, opgeschreven in duidelijk Engels.' De vice-president keek hem kalm aan. 'Ik weet dat er twijfelaars zijn. Stuk voor stuk communisten. En ze hebben het allemaal mis.'

'Neem bijvoorbeeld Mark Twain,' bracht Macaroni tegen beter weten in naar voren.

'O, die naam ken ik!' riep de vice-president met grote ijdelheid en vreugde. 'Mark Twain is die grote Amerikaanse humorist uit mijn buurstaat Missouri, is het niet?'

'Missouri grenst niet aan Indiana, meneer de vice-president. En uw grote Amerikaanse humorist Mark Twain lachte om de bijbel, had de pest aan het christendom, minachtte onze imperialistische buitenlandse politiek en dreef ongenadig de spot met elke bijzonderheid in het verhaal van Noach en zijn ark, vooral de huisvlieg.'

'Het is duidelijk,' antwoordde de vice-president, in het geheel niet uit het veld geslagen, 'dat we het over verschillende Mark Twains hebben.'

Macaroni was razend. 'Er is er maar één geweest, meneer de vice-president,' zei hij zacht en met een glimlach. 'Als u wilt zal ik een samenvatting van zijn uitspraken maken en aan een van uw secretaresses geven.'

'Nee, ik heb een hekel aan geschreven dingen. Zet het maar op een video, wie weet kunnen we er een spelletje van maken. Ik kan er echt niet bij waarom mensen die boeken lezen zo'n moeite hebben met de simpele waarheden die daar zo duidelijk in staan opgetekend. En hou alsjeblieft op met dat gemeneer, Macaroni. Jij bent een stuk ouder dan ik. Waarom zeg je niet gewoon Lul?'

'Nee, meneer de vice-president, ik weiger u met Lul aan te spreken.'

'Iedereen doet het. Je hebt er alle recht op. Ik heb een eed afgelegd dat ik dat grondwettelijk recht hoog zou houden.'

'Luister, lul...' Macaroni was overeind gesprongen en speurde koortsachtig om zich heen op zoek naar een schoolbord, krijt, een aanwijsstok, wat dan ook! 'Water zoekt altijd het laagste niveau.'

'Ja, dat heb ik gehoord.'

'De Mount Everest is meer dan acht kilometer hoog. Voordat de hele aarde overstroomd kon zijn, zou de planeet in zijn geheel onder meer dan acht kilometer water moeten staan.'

Zijn toekomstige werkgever knikte, blij dat hij eindelijk begon door te dringen. 'Dan wás er zoveel water.'

'En daarna trokken de wateren zich terug. Waarheen?'

'Naar de oceanen natuurlijk.'

'Waar waren de oceanen als de hele wereld onder water stond?'

'Onder de zondvloed natuurlijk,' luidde het prompte antwoord, waarna de innemende man opstond. 'Als je naar een landkaart kijkt, Macaroni, zie je vanzelf waar de oceanen zijn. En dan zul je ook zien dat Missouri wel degelijk aan mijn staat Indiana grenst.'

'Hij gelooft in de zondvloed!' meldde Macaroni Cook, nog steeds ziedend en bijna schreeuwend, onmiddellijk aan Porter Lovejoy. Het was de eerste keer in hun verhouding dat hij zich anders aan zijn mentor had voorgedaan dan content en samenzweerderig.

Porter Lovejoy vertrok geen spier. 'Zijn vrouw ook.'
'Dan wil ik meer geld!'
'Daar geeft het werk geen aanleiding toe.'
'Dan geef me maar ander werk!'
'Ik zal het er met Capone over hebben.'
Zijn gezondheid was goed, hij liep niet in de steun en alle betrokkenen hadden inmiddels begrepen dat Macaroni als minister van Volksgezondheid, Onderwijs en Sociale Zaken in het nieuwe kabinet al zijn energie in het opleiden van de president zou steken.

BOEK VIJF

13

TRITIUM

Zwaar water was opnieuw twee punten gestegen, meldde de fax in het kantoor van M & M in het Rockefeller Center in New York, op dezelfde verdieping en vrijwel op dezelfde plek als waar Sammy Singer vrijwel zijn hele volwassen leven voor *Time* Magazine had gewerkt, een kantoor, zoals Michael Yossarian wederom zag, met ramen die uitkeken op de legendarische ijsbaan beneden, het fonkelende, bevroren middelpunt van het eerbiedwaardige Japanse onroerend-goedcomplex dat eerder voor veel geld van de kwijnende financiële dynastie der Rockefellers was overgenomen. De ijsbaan was de plek waar Sammy jaren geleden met Glenda voor het eerst van zijn leven ging schaatsen zonder te vallen, en waar hij, toen ze verkering kregen, menig lang middaguur met haar doorbracht en zij hem bleef aanmoedigen om in haar appartement in West te komen wonen, bij haar drie kinderen en haar opmerkelijke wildwestmoeder uit Wisconsin, die Sammy een goede partij vond en toen hij ja zei met plezier vertrok om weer bij een zuster op het familieboerderijtje in te trekken – geen enkele ouder in New York die hij kende, inclusief zijn eigen ouwelui, zou zich zo onbaatzuchtig gedragen hebben – en tritium, het uit zwaar water afgeleide gas, was maar liefst *tweehonderdzestien* punten gestegen op de internationale radioactieve-goederenbeurzen in Genève, Tokyo, Bonn, Irak, Iran, Nigeria, China, Pakistan, Londen en New York. De stijging van tritium werd geholpen door de natuurlijke eigenschap van die waterstofisotoop om in kernwapens in een voorspelbaar tempo te degenereren, zodat het van tijd tot tijd aangevuld moest worden, en door de aanlokkelijke neiging van het gas om te slinken tussen het moment van verzegeling door de verzender en het uur van aankomst bij de koper, meestal een fabrikant van nouveautés of lichtgevende markeerders of assembleurs en leveranciers van kernkoppen.

Vaak ontvingen de klanten maar liefst veertig procent minder tritium dan waarvoor ze betaald hadden, en veertig procent minder dan wat ingepakt en verscheept was, zonder enige indicatie van diefstal, verduistering of lekkage.

Bij aflevering bleek het tritium gewoon verdwenen.

Een recente proefzending, alleen maar van het ene gebouw naar het andere, had geen nieuwe informatie en de verdwijning van driekwart van het voor de proef ingepakte tritium opgeleverd. Het was niet juist om te zeggen, verklaarde een schaapachtige zegsman, dat het in rook was opgegaan. De lucht werd doorlopend geanalyseerd en er was geen pluimpje rook waargenomen.

Ondanks de straling, die het tot een potentiële verwekker van kanker maakte, was tritium nog steeds het standaardmateriaal voor fluorescerende markeringen en wijzerplaten, voor de korrel van de geweren van nachtschutters, voor symbolen als swastika's, kruisen, davidsterren en aureolen die gloeiden in het donker, en voor het kolossaal opvoeren van het explosieve vermogen van kernwapens.

De verrukkelijke kamergenote van Melissa MacIntosh, Angela Piper, die Yossarian in gedachten alleen nog maar Angela Pijper noemde, had haar beschaafde bejaarde werkgevers inmiddels kond gedaan van haar idee van lichtgevende produkten met fluorescerende copulatieorganen en had de inkopers, zowel mannelijk als vrouwelijk, op de speelgoedbeurs reeds gepolst over haar concept van een slaapkamerklok met een door tritiumverf lichtgevend gemaakte wijzerplaat met een grote en een kleine wijzer in de vorm van besneden mannelijke geslachtsdelen en geen echte cijfers maar een reeks naakte vrouwenfiguren die zich van uur tot uur in systematische stadia van erotische vervoering sensueel ontvouwen tot op slag van twaalf uur de bevrediging is bereikt. Yossarian werd geil toen hij haar in de cocktailbar deze inspiratie voor een consumptieartikel hoorde beschrijven, een dag of twee voordat ze hem voor de eerste keer pijpte en vervolgens naar huis stuurde, omdat hij ouder was dan de mannen waaraan ze gewend was en ze niet zeker wist of ze hem nog intiemer wilde leren kennen, waarna ze, wegens Melissa's groeiende genegenheid voor hem en niet te vergeten een groeiende angst voor aids, weigerde hem opnieuw te pijpen of op soortgelijke wijze te gerieven, en toen hij die eerste keer naast haar op het roodfluwelen muurbankje in de sjieke cocktailbar aandachtig naar haar lyrische beschrijving luisterde, voelde hij een halfslachtige erectie opkomen, en hij nam haar hand en wreef ermee over zijn gulp om het haar zelf te laten voelen.

Vanwege de enorme toename in explosief vermogen door de toepassing van tritium in kernkoppen konden de bommen, projectielen en granaten op esthetisch verantwoorde wijze in omvang en gewicht worden teruggebracht, zodat kleinere bommenwerpers zoals die van Milo, én die van Strangelove, een grotere nuttige last konden vervoeren zonder dat ze iets inboetten aan hun vernietigend nucleair vermogen.

De legerpredikant was in waarde gestegen en verkeerde volstrekt niet in gevaar.

14

MICHAEL YOSSARIAN

'Wanneer kan ik hem spreken?' hoorde Michael Yossarian zijn vader vragen. Zijn vader had meer haar dan hij, een witte kop vol krullen waarvoor zijn broer Adrian naarstig probeerde een chemische spoeling te vinden om het een jeugdig, natuurlijk tintje grijs te geven dat iemand van Yossarians leeftijd niet jeugdig zou maken en totaal niet natuurlijk zou zijn.

'Zodra er geen gevaar meer is,' antwoordde M2, in een schoon wit overhemd dat nog niet verfomfaaid, nat of aan een strijkbeurt toe was.

'Michael, zei hij zojuist niet dat er geen gevaar meer is?'

'Dat meende ik wel te horen.'

Michael glimlachte in zichzelf. Hij drukte zijn voorhoofd tegen de ruit en keek ingespannen naar de ijsbaan beneden hem met zijn kleurrijke kaleidoscoop van trage schaatsers, terwijl hij zich met het mismoedige idee dat hij al veel had gemist afvroeg of het mogelijk was dat dit tijdverdrijf zoveel voldoening kon geven dat het hem, als hij ooit de moeite nam om het uit te proberen, zou amuseren. Het spiegelende ovaal van ijs werd tegenwoordig omringd door doelloos zwalkende schooiers en zwervers, voorbijslenterend kantoorpersoneel tijdens middagpauzes en koffieuurtjes en bereden politie op vervaarlijk uitziende paarden. Michael Yossarian weigerde te dansen; hij kon geen maat houden. Hij wilde niet skiën of tennissen of golf spelen, en hij wist al dat hij nooit zou schaatsen.

'Ik bedoel geen gevaar meer voor ons,' hoorde hij M2 zich op klaaglijke toon verdedigen. Hij draaide zich om. M2 leek triomfantelijk voorbereid op de vraag. 'Er is geen gevaar meer voor M & M Ondernemingen en hij kan ons zelfs niet meer worden afgepikt door Mercedes-Benz of de N & N Divisie van Nippon & Nippon Enterprises. Zelfs Strangelove is afgewerkt. Zodra we ontdekt hebben hoe de dominee werkt vragen we octrooi aan. We zoeken al naar een handelsmerk. Ons eerste idee is een aureool. Omdat hij een dominee is, natuurlijk. Een fluorescerend aureool. Dat 's nachts licht geeft misschien, de hele nacht.'

'Waarom geen tritium?'

'Tritium is duur en radioactief. Michael, kun jij een aureool tekenen?'

'Dat zou niet zo moeilijk moeten zijn.'

'We willen iets opgewekts maar ernstigs.'

'Ik zou proberen,' zei Michael, opnieuw glimlachend, 'om het ernstig te maken, en ik kan me er moeilijk een voorstellen dat niet opgewekt is.'

'Waar houden ze hem vast?' wilde Yossarian weten.

'Op dezelfde plaats, neem ik aan. Geen idee.'

'Weet je vader ervan?'

'Hoe moet ik dat weten?'

'Zou je het zeggen als je het wist?'

'Als hij het goed vond.'

'Als hij het niet goed vond?'

'Dan zou ik zeggen, geen idee.'

'En dat zeg je nu ook. Je bent in ieder geval eerlijk.'

'Dat probeer ik altijd te zijn.'

'Zelfs als je liegt. Dat is een paradox. We praten in kringetjes.'

'Ik heb theologie gestudeerd.'

'En wat,' zei Yossarian, 'moet ik tegen de predikant zijn vrouw zeggen? Daar moet ik binnenkort heen. Als er andere instanties zijn om ons beklag bij te doen zal ik haar dat zeker vertellen.'

'Waar moet ze heen? De politie staat machteloos.'

'Strangelove?'

'O nee,' zei M2, nog bleker wegtrekkend dan normaal. 'Dat moet ik eerst uitzoeken. Wat u op dit moment tegen Karen Tappman kunt zeggen...'

'Karen?'

'Dat staat hier op mijn spiekbriefje. Wat u naar waarheid tegen Karen Tappman kunt zeggen...'

'Ik denk niet dat ik tegen haar wil liegen.'

'Ons beleid is altijd de waarheid te zeggen. Zo staat het in ons handboek, onder Leugens. Wat u tegen Karen Tappman moet zeggen,' las M2 braaf op, 'is dat hij het goed maakt en haar mist. Hij verheugt zich al op het moment waarop hij weer naar huis kan, zodra er geen gevaar meer is voor hemzelf of voor de gemeenschap en zijn aanwezigheid in het familie- en huwelijksbed geen bedreiging meer zou zijn voor haar gezondheid.'

'Da's weer een nieuwe kutsmoes, niet?'

'Alstublieft.' M2 trok een gezicht. 'Dit is toevallig waar.'

'Dat zou je ook zeggen als het niet zo was.'

'Daar hebt u volkomen gelijk in,' gaf M2 toe. 'Maar als hij door al dat zwaar water tritium in zijn lijf begint te krijgen, zou hij radioactief kunnen worden en dan zouden we sowieso uit zijn buurt moeten blijven.'

'M2,' zei Yossarian streng. 'Ik wil de predikant binnenkort spreken. Heeft je vader hem gesproken? Ik weet wat je gaat zeggen. Dat moet je nog uitzoeken.'

'Eerst moet ik uitzoeken of ik het uit kan zoeken.'

'Zoek dan uit of je uit kunt zoeken of hij dat geregeld kan krijgen. Voor Strangelove zou het geen probleem zijn.'

M2 verbleekte opnieuw. 'Zou u Strangelove in de arm nemen?'

'Strangelove zal míj in de arm nemen. En als ik tegen de dominee zeg dat hij niet meer moet produceren, houdt hij op.'

'Dat moet ik tegen mijn vader zeggen.'

'Dat heb ik zelf al gezegd, maar soms is hij Oostindisch doof.'

M2 beefde. 'Ik denk plotseling ergens aan. Kunnen we hier wel over praten met Michael erbij? De dominee is geheim en ik weet niet of ik wel bevoegd ben om hem met andere mensen te bediscussiëren.'

'Wie te bediscussiëren?' vroeg Michael ondeugend.

'De dominee,' antwoordde M2.

'Welke dominee?'

'Dominee Albert T. Tappman,' zei M2. 'Die legervriend van je vader die zonder vergunning zwaar water in zijn binnenste produceert en nu op een geheime plek wordt vastgehouden voor analyse en onderzoek, terwijl wij proberen octrooi op hem aan te vragen en een handelsmerk te laten registreren. Heb je van hem gehoord?'

Michael zei: 'Bedoel je die legervriend van mijn vader die illegaal zwaar water in zijn binnenste begon te produceren en nu...'

'Precies!' riep M2, met de verbluftheid van iemand die een spook heeft gezien. 'Hoe weet je dat allemaal?'

'Ik heb het zojuist van jou vernomen,' zei Michael lachend.

'Nou heb ik het wéér gedaan!' snotterde M2, en hij liet zich overmand door verdriet als een klaaglijk hoopje in zijn stoel vallen. Zijn witte overhemd, gemaakt van een synthetisch stofje, was inmiddels wel verfomfaaid, nat en aan een strijkbeurt toe, en de eerste vochtige tekenen van een nerveuze, broeierige benauwdheid begonnen de stof onder de armsgaten van een mouwloos wit onderhemd dat eveneens tot zijn vaste uitrusting behoorde, al donker te kleuren. 'Ik kan gewoon geen geheim bewaren. Mijn vader is nog steeds woedend dat ik mijn mond voorbij heb gepraat over die bommenwerper. Hij zou me wel dood kunnen slaan, zegt hij. Mijn moeder ook. En mijn zusters. Maar het is ook jullie schuld. Hij wordt betaald om te voorkomen dat ik hem dat soort geheimen verklap.'

'Wat voor soort geheimen?' vroeg Michael.

'Bijvoorbeeld dat van de bommenwerper.'

'Welke bommenwerper?'

'Onze M & M O & Co Sub-supersonische Onzichtbare en Geruisloze Defensieve Offensieve Aanvals- en Retorsie-Bommenwerper. Ik hoop dat je daar niets van weet.'

'Inmiddels wel.'

'Hoe ben je er dan achter gekomen?'

'Daar heb ik mijn manieren voor,' zei Michael, en hij keek zijn vader kwaad aan. 'Zitten we inmiddels ook in de wapenhandel?'

Yossarian antwoordde korzelig: 'Leuk of niet, iemand moet in wapens doen, zeggen ze, dus waarom zij niet, en als ik weiger vinden ze heus wel iemand anders, dus waarom jij en ik niet, en da's de naakte waarheid.'

'Zelfs als het gelogen is?'

'Ze zeiden dat het een kruiser was.'

'Het kruist ook,' legde M2 Michael uit.

'Met twee mensen?' sprak Yossarian hem tegen. 'En ik zal je nog een reden geven om je geweten te sussen,' ging Yossarian verder tegen Michael. 'Het werkt toch niet, hè, M2?'

'Dat garanderen we.'

'Bovendien,' zei Yossarian, driftig wordend, 'hoef jij alleen maar een tekening van het vliegtuig te maken, ze vragen je niet om het kloteding te besturen of een luchtaanval uit te voeren. Dit vliegtuig is voor de volgende eeuw. Dit soort gedoe duurt altijd een eeuwigheid en wie weet zijn we allebei dood voordat het in de lucht is, gesteld dat ze het contract inderdaad krijgen. Het kan ze niet schelen of het werkt of niet. Het enige wat ze willen is het geld, hè, M2?'

'En je krijgt natuurlijk betaald,' zei M2, met nerveuze bewegingen overeind komend. Hij was tenger, mager, met vormeloze schouders en uitstekende sleutelbeenderen.

'Hoeveel?' vroeg Michael onhandig.

'Zoveel als je wil,' antwoordde M2.

'Hij meent het,' zei Yossarian, toen Michael hem een potsierlijke blik toewierp om opheldering.

Michael giechelde. 'Wat dacht je,' waagde hij een extravagant gokje, terwijl hij naar zijn vader keek om diens reactie te peilen, 'van genoeg voor nog 'n jaar rechten studeren?'

'Als je wilt,' stemde M2 onmiddellijk in.

'Inclusief kosten van levensonderhoud?'

'Ja hoor.'

'Dat meent hij ook,' verzekerde Yossarian zijn ongelovige zoon. 'Je zult dit niet geloven, Michael... ik geloof het zelf ook niet... maar soms is er meer geld op deze wereld dan je zou denken dat de planeet kan bevatten zonder onder het gewicht ervan weg te zakken.'

'Waar komt het vandaan?'

'Dat weet niemand,' zei Yossarian.

'Waar gaat het heen als het niet hier is?'

'Da's een van de mysteries der wetenschap. Het verdwijnt gewoon. Net als die tritiumdeeltjes. Op dit moment is er zat.'

'Probeer je me om te kopen?'

'Volgens mij probeer ik je te redden.'

'Oké, ik geloof je. Wat wil je dat ik doe?'

'Een paar losse tekeningen maken,' zei M2. 'Kun je technische blauwdrukken lezen?'

'Ik kan het altijd proberen.'

De vijf benodigde blauwdrukken voor het maken van een artistieke impressie van het vliegtuig lagen al klaar op een conferentietafel in een aangrenzend binnenkantoor voor de buitenwacht, net buiten de achterste valse voorgevel van de tweede staande, brandvaste kluis van massief staal en beton met alarmknoppen en radioactieve meters met tritium.

Het duurde even voordat Michael enige samenhang bespeurde in de witgelijnde technische tekeningen op de koningsblauwe achtergrond die in eerste instantie op een occulte janboel leken, verlucht met cryptische krabbels in onontcijferbare alfabetten.

'Het is een tamelijk lelijk ding, vind ik.' Michael vond het verfrissend om heel ander werk te doen dat toch ruim binnen zijn capaciteiten lag. 'Het begint op een vliegende vleugel te lijken.'

'Zijn er vleugels die niet vliegen?' vroeg Yossarian plagend.

'De vleugels van een vleugelmoer,' antwoordde Michael zonder zijn analytische blik van het papier te nemen. 'Neusvleugels, de vleugels van een politieke partij.'

'Jij leest toch, hè?'

'Soms.'

'Hoe ziet een vliegende vleugel eruit?' M2 was een vochtige man en op zijn voorhoofd en kin parelden glanzende druppeltjes.

'Als een vliegtuig zonder romp, Milo. Ik heb zo'n idee dat ik dit eerder gezien heb.'

'Ik hoop van niet. Ons vliegtuig is nieuw.'

'Wat is dit?' vroeg Yossarian, wijzend op de linkerbenedenhoek. Op alle vijf de papieren waren de gegevens vóór het kopiëren afgeplakt met zwart plakband met een witte letter S zonder rondingen. 'Die letter heb ik eerder gezien.'

'Die heeft iedereen eerder gezien,' zei Michael luchtig. 'Da's het standaardsjabloon. Je hebt het op ouwe schuilkelders gezien. Maar wat zijn déze dingen?'

'Die bedoelde ik ook.'

Rechts van de letter S stond een reeks minuscule tekentjes die eruitzagen als platgedrukte krabbels, en terwijl Yossarian zijn bril opzette, bestudeerde Michael ze met een vergrootglas en zag een rij kleine h-tjes, gevolgd door een uitroepteken.

'Dus dat,' merkte hij nog steeds goedgehumeurd op, 'wordt de naam van jullie vliegtuig? De M & M Shhhhh!'

'Je weet toch hoe het heet.' M2 was beledigd. 'De M & M O & Co Sub-supersonische Onzichtbare en Geruisloze Defensieve Offensieve Aanvals- en Retorsie-Bommenwerper.'

'De naam Shhhhh! zou ons een hoop tijd besparen. Vertel me nog eens wat je wilt.'

M2 gaf beschroomd uitleg. Wat ze wilden waren mooie plaatjes van het vliegtuig in volle vlucht, gezien van boven, beneden en opzij, en minstens één van het vliegtuig op de grond. 'Ze hoeven niet te kloppen, als je ze maar een realistisch tintje geeft, net als de vliegtuigen in een stripverhaal of een wetenschappelijke film. Details kun je weglaten. Die wil mijn vader ze niet laten zien tot het contract getekend is. Hij vertrouwt de regering tegenwoordig niet echt meer. En ze willen een tekening van hoe het vliegtuig er echt uit zal zien voor het geval ze het ooit moeten bouwen.'

'Waarom vraag je jullie technici niet?' vroeg Michael.

'We vertrouwen onze technici niet echt.'

'Toen Iwan de Verschrikkelijke klaar was met het Kremlin,' bespiegelde Yossarian, 'liet hij alle bouwmeesters terechtstellen om er zeker van te zijn dat niemand het ooit na zou kunnen bouwen.'

'Wat was er zo verschrikkelijk aan hem?' vroeg M2 zich af. 'Dat moet ik mijn vader vertellen.'

'Als jullie me nu alleen konden laten,' zei Michael, geconcentreerd over zijn kin wrijvend. Zacht een Mozartdeuntje fluitend trok hij zijn ribfluwelen colbert uit. 'Als je de deur op slot doet, vergeet dan niet dat ik hier zit en dat ik er straks ook weer uit wil.' Tegen zichzelf zei hij hardop: 'Dat ziet er leuk uit.'

De nieuwe eeuw, bedacht hij met cynische zekerheid, zou ongetwijfeld worden ingeluid met maanden van nutteloos ceremonieel en politieke campagnes, en het M & M-gevechtsvliegtuig zou een verheven hoogtepunt kunnen zijn. En de eerste baby van de nieuwe eeuw zou ongetwijfeld in het oosten geboren worden, zij het ditmaal wel een stuk verder oostwaarts dan Eden.

Hij keek opnieuw naar de tekeningen van dit wapen voor het einde van de eeuw en zag een ontwerp dat in zijn ogen esthetisch onvolledig was. Aan de verwachte vorm ontbrak nog een heleboel, er moest nog veel bijkomen. En toen hij, kijkend naar de blauwdrukken, in de toekomst blikte waarin dat vliegtuig zou vliegen, zag hij nergens een plaats afgebakend waarin hij, in de afgezaagde woorden van zijn vader, zou passen, waarin hij zich met meer zekerheid en voldoening dan hij op het ogenblik genoot kon ontplooien. Er was ruimte voor verbetering, maar hij zag weinig kans om er gebruik van te maken. Hij dacht aan Marlene en haar astrologische tabellen en tarotkaarten en voelde opnieuw hoe hij haar miste, hoewel hij niet eens zeker wist of hij ooit meer om haar had gegeven dan om de andere vrouwen in zijn reeks van monogame idylles. Hij begon te vrezen dat hij geen toekomst meer had, dat zijn toekomst al gekomen was; net als zijn vader, over wie hij altijd gemengde gevoelens had gekoesterd, was zijn toekomst al tegenwoordige tijd. Hij moest het risico nemen en Marlene opbellen.

Zelfs zijn broer Julian vond het tegenwoordig moeilijk om het geld te verdienen waartoe hij zich het recht zo brutaal had aangematigd. En zijn zuster zou haar echtscheiding ook moeten uitstellen en discreet naar een baantje moeten vissen in een privé-praktijk in een van de kantoren van de advocaten die ze van tijd tot tijd ontmoette.

Zijn vader zou dood zijn. Papa John had diverse keren duidelijk gemaakt dat hij niet verwachtte diep in die eenentwintigste eeuw door te dringen. Het grootste deel van zijn leven was Michael er voetstoots van uitgegaan dat zijn vader er altijd zou zijn. Dat gevoel had hij nog steeds, hoewel hij wist dat het niet klopte. Echte mensen overkwam zoiets nooit.

En op wie kon hij dan nog terugvallen? Niemand meer om te respecteren, geen figuur om tegen op te zien, wiens integriteit langer dan vijftien minuten intact bleef. Er waren mensen met de macht om andere mensen enorm veel goed te doen, bijvoorbeeld filmregisseurs en de president, maar dat was alles.

De half miljoen dollar die zijn vader hem hoopte na te laten leek hem niet langer een onuitputtelijk fortuin. Hij zou niet van de rente kunnen leven, ook al moest negentig procent van de bevolking het met minder doen. Na verloop van tijd zou het op zijn en had hij niemand meer, níemand, had zijn vader nadrukkelijk gezegd, die hem kon helpen. Hij had zijn vader altijd een merkwaardige man gevonden, rationeel irrationeel en onlogisch logisch, en hij kon hem niet altijd goed volgen.

'Als nihilist kun je makkelijk discussies winnen,' zei hij, 'want er zijn mensen te over die tegen beter weten in gek genoeg zijn om standpunten in te nemen.'

Woorden als Ewing sarcoom, de ziekte van Hodgkin, amnyotropische lateraalsclerose, TIA's en osteosarcoom rolden soepel van zijn tong en hij praatte openlijk over zijn dood, met zo'n nuchtere objectiviteit dat Michael zich af moest vragen of hij zichzelf voor de gek hield of deed alsof. Michael wist niet altijd wanneer hij serieus was en wanneer niet, en wanneer hij gelijk had en wanneer niet en wanneer hij zowel gelijk als ongelijk had. En volgens Yossarian wist hij dat zelf ook niet altijd.

'Een van mijn problemen,' had zijn vader schuldbewust maar met een vleugje trots toegegeven, 'is dat ik bijna altijd in staat ben beide kanten van vrijwel elke kwestie te zien.'

En hij deed bijna altijd veel te veel zijn best om bij vrouwen in de smaak te vallen en was nog steeds geobsedeerd door de droom dat hij werk zou vinden dat hij graag wilde doen en door de behoefte om wat hij noemde 'verliefd' te zijn. Michael had nog nooit werk gehad dat hij graag deed – de advocatuur leek hem niets slechter dan de rest en kunst niets beter. Hij was bezig aan een draaiboek, maar dat mocht zijn vader nog niet weten. Maar op één essentieel gebied leek Yossarian de spijker precies op de kop te slaan.

'Vóór je het weet, verdomde idioot,' had hij tijdens een tedere boze bui gezegd, 'ben je net zo oud als ik nu en heb je helemaal niets.'

Zelfs geen kinderen, kon Michael er meewarig aan toevoegen. Voor zover hij het kon bekijken zat dat er evenmin in voor hem, daar konden zelfs Marlenes tarotkaarten geen verandering in brengen. Michael bestudeerde de blauwdrukken opnieuw, trok zijn tekenblok naar zich toe en pakte een potlood. Hij benijdde mensen die bereid waren veel harder te werken om veel meer te verdienen, maar moest zich opnieuw verwonderd afvragen waarom hij anders was.

15

M2

'Jij mag Michael wel, hè?'

'Ja, ik mag Michael wel,' zei M2.

'Geef hem dan werk als je kunt.'

'Ja hoor. Ik wil meer met hem werken aan die video's in het busstation. Ik zal hem nog een jaar studie betalen.'

'Ik weet niet zeker of hij dat wel wil. Probeer maar.'

Alle ouders met volwassen kinderen die hij kende hadden er op zijn minst één bij over wiens twijfelachtige vooruitzichten ze zich doorlopend zorgen maakten, veel mensen hadden er twee. Milo had M2 en Yossarian had Michael.

Met een mengeling van irritatie en verwondering las Yossarian de nieuwe rapporten van Jerry Gaffney van detectivebureau Gaffney. Volgens het eerste moest hij zijn antwoordapparaat thuis bellen voor goed nieuws van zijn verpleegster en slecht nieuws van zijn zoon over zijn eerste vrouw. Het goede nieuws van zijn verpleegster was dat ze die avond vrij was om naar de bioscoop te gaan en dat de Belg in het ziekenhuis snel herstelde van de zware dysenterie als reactie op de lichte antibiotica tegen de zware longontsteking ten gevolge van het preventief verwijderen van een stemband in de invasieve en tot dusver geslaagde poging om zijn leven te redden. De tweede fax deelde hem mee dat hij in aanmerking kwam voor een hypotheek. Yossarian had niet het flauwste idee wat dat betekende. 'Hoe wist hij überhaupt dat ik hier was?' hoorde hij zichzelf hardop denken.

'Meneer Gaffney weet geloof ik alles,' antwoordde M2 vol vertrouwen. 'Hij tapt onze faxlijnen ook af.'

'Betalen jullie hem daarvoor?'

'Iemand wel, geloof ik.'

'Wie?'

'Geen idee.'
'Wil je dat niet weten?'
'Moet dat dan?'
'Kun je het niet uitzoeken?'
'Eerst moet ik uitzoeken of ik het uit kan zoeken.'
'Het verbaast me dat je het niet wilt weten.'
'Moet ik dat willen dan?'
'M2, Michael noemt je Milo. Welke naam heb je het liefst?
Die vraag bracht Milo's enige zoon enigszins in verwarring. 'Ik zou liever,' zei hij snuivend, 'Milo genoemd worden, hoewel mijn vader zo heet. Het is ook mijn naam, weet u. Hij heeft 'm mij zelf gegeven.'
'Waarom zei je dat dan niet?' vroeg Yossarian, kwaad vanwege de stilzwijgende suggestie dat hij iets fout had gedaan.
'Ik ben verlegen, weet u. Mijn moeder noemt me een angsthaas. Mijn zusters ook. Ze vragen me voortdurend om mijn persoonlijkheid te veranderen om sterk genoeg te zijn om te zijner tijd de zaak over te nemen.'
'Om meer op je vader te lijken?'
'Ze hebben weinig op met mijn vader.'
'Op wie dan? Wintergreen?'
'Ze hebben de pest aan Wintergreen.'
'Op mij dan?'
'U mogen ze ook niet.'
'Op wie dan?'
'Ze kunnen niemand bedenken die goed genoeg is.'
'Als ik vragen mag,' zei Yossarian, 'hebben jullie dat catering-bedrijf nog?'
'Ik geloof van wel. Het is ook uw bedrijf, weet u. Iedereen heeft een aandeel.'
Het M & M Commercieel Catering-bedrijf was de catering-dienst met de langste geschiedenis in de geschiedenis van Amerika, want het had zijn wortels in Milo's arbeid als messofficier voor zijn squadron tijdens de Tweede Wereldoorlog, in welke hoedanigheid hij de lucratieve en abstruse financiële strategieën uitbroedde die vereist waren voor het inkopen in Malta van verse Italiaanse eieren uit Sicilië à zeven cent per stuk en de verkoop ervan à raison van vijf cent aan zijn officiersmess op Pianosa, met een knappe winst ter verbetering van de liquiditeit van het squadron – waar iedereen volgens hem in meedeelde – en van eenieders levensvreugde en levensstandaard, als ook voor het rechtstreeks inslaan van Schotse whisky voor de Malteser markt bij de Siciliaanse producenten om de tussenhandel uit te schakelen.

'M2,' zei Yossarian, zich meteen herinnerend dat hij het vergeten was. Hij wilde hem niet kwetsen. 'Hoe wil je dat ik je aanspreek als je vader erbij is? Twee Milo's konden er wel eens één te veel zijn, misschien zelfs twee.'

'Dat zal ik uit moeten zoeken.'

'Weet je het echt niet, zelfs dit niet?'

'Ik kan niet beslissen.' M2 kronkelde. Zijn handen werden rood van het wringen. Zijn oogleden werden eveneens rood. 'Ik kan nooit beslissen. U weet wat er de laatste keer gebeurde.'

Lang geleden, vlak voordat Yossarian Milo kwam smeken hem te helpen om Michael uit Vietnam te houden, had een veel jeugdiger M2 geprobeerd op eigen kracht een beslissing van transcendent belang te nemen. Hij meende een uitstekend idee te hebben: gehoor geven aan de oproep van wat hem was afgeschilderd als zijn land en dienst nemen om in Azië communisten te gaan doodschieten.

'Daar komt niets van in!' besloot zijn moeder. 'De beste manier om je regering hier te dienen,' reageerde zijn vader doordachter, 'is uitzoeken wie de oproepbureaus níet oproepen. Zo kom je erachter wie er echt nodig is. Dat varkentje wassen we wel voor jou.'

De tweeëneenhalf jaar die M2 aan het seminarie had doorgebracht hadden hem voor het leven getekend en hem een traumatische aversie opgeleverd tegen alles wat naar het spirituele zweemde en hem angstig en wantrouwend gestemd jegens mannen en vrouwen die niet rookten of dronken, niet vloekten, zich niet opmaakten of te pas en te onpas halfnaakt rondliepen, geen gore moppen tapten, voortdurend lachten als er niets te lachen viel, glimlachten als ze alleen waren en een algemeen gelukzalig geloof in hygiënische deugdzaamheid en zelfachting beleden dat ze aanzagen voor hun exclusieve eigendom en dat hij boosaardig en weerzinwekkend vond.

Hij was nooit getrouwd geweest en de vrouwen met wie hij omging waren steevast dames van ongeveer zijn leeftijd die eenvoudige plooirokken en preutse bloezen droegen, smaakvol en zuinig met make-up omsprongen en verlegen, kleurloos en van korte duur waren.

Al deed hij nog zo zijn best, Yossarian kon het laaghartige vermoeden niet van zich afzetten dat M2 een vertegenwoordiger was van de eenzame, rancuneuze mannen van de minst luidruchtige van de twee voornaamste soorten vaste hoerenlopers die hij in zijn flatgebouw in de lift zag stappen op weg naar hun sekskuur in de weelderige liefdestempels boven of naar de drie of vier massagesalons van het tweede garnituur in de ingewanden van het gebouw, in de kelders onder de diverse bioscoopjes in het souterrain.

Michael had al een keer terloops tegen Yossarian opgemerkt dat M2 in zijn ogen alle kenmerkende eigenschappen van de lustmoordenaar vertoonde: hij was blank.

'Toen we naar het busstation gingen,' zei hij vertrouwelijk, 'had hij alleen oog voor de vrouwen. Ik geloof niet dat hij de travestieten herkende. Is zijn vader ook zo?'

'Milo weet wat een prostituée is en had nooit graag dat we naar ze toe gingen. Hij is altijd kuis geweest. Ik betwijfel of hij weet wat een travestiet is of veel verschil zou zien als hij erachter kwam.'

'Waarom vroeg u,' vroeg M2 nu aan Yossarian, 'of we ons cateringbedrijf nog hebben?'

'Misschien kan ik je klandizie bezorgen. Er komt een bruiloft...'

'Ik ben blij dat u het zegt, anders was ik het misschien vergeten. Mijn moeder wil dat ik onze bruiloft met u doorneem.'

'Ik had het niet over jouw bruiloft,' corrigeerde Yossarian hem.

'De bruiloft van mijn zus. Mijn moeder wil dat mijn zus trouwt en dat de bruiloft in het Metropolitan Museum plaatsvindt. Ze verwacht dat u dat regelt. Ze weet dat u in ACACAMMA zit.'

Yossarian keek hem mild verbaasd aan. 'De plechtigheid ook?'

'Is dat nog nooit eerder gebeurd?'

'De plechtigheid zelf? Niet dat ik weet.'

'U kent de commissieleden?'

'Ik zit zelf in ACACAMMA. Maar misschien kan het helemaal niet.'

'Dat accepteert mijn moeder niet. Ze zegt... en nu lees ik haar fax voor... dat als u dat niet geregeld kunt krijgen, dat ze niet weet waar u wél goed voor bent.'

Yossarian schudde welwillend zijn hoofd. Hij was niet in het minst beledigd. 'Er zal veel geld en tijd in gaan zitten. Ik zou zeggen dat je dient te beginnen met het museum een schenking van tien miljoen dollar te geven.'

'Twee dollar?' vroeg M2, alsof hij het bedrag herhaalde.

'Tien miljóen dollar.'

'Ik dacht dat u twee zei.'

'Ik zei tien,' zei Yossarian. 'Voor de bouw van een nieuwe vleugel.'

'Dat zou geen probleem mogen zijn.'

'En zonder voorwaarden.'

'Wat voor voorwaarden?'

'Zónder voorwaarden, zei ik, hoewel er natuurlijk voorwaarden zijn. Jouw vader zou niet zonder kunnen. Jullie wonen bijna buiten New York en ze nemen niet zomaar van elke Jan, Piet of Klaas tien miljoen dollar aan.'

'Kunt u ze niet ompraten?'

'Waarschijnlijk wel. Maar dat is nog geen garantie.'

'Da's een goede garantie?'

'Dat is géén garantie,' corrigeerde Yossarian hem opnieuw. 'Jij en je vader schijnen aan hetzelfde soort selectieve doofheid te leiden.'

'Collectieve doofheid?'

'Inderdaad. En het zal extravagant moeten zijn.'

'Extra charmant?'

'Inderdaad. Extravagant, grof en buitensporig genoeg om de kranten en de dure modebladen te halen.'

'Dat wíllen ze geloof ik ook.'

'Wie weet is er ergens een gaatje dat ze nog niet gezien hebben,' oordeelde Yossarian ten slotte. 'De bruiloft waar ik het over had is gepland voor het busstation.'

M2 maakte een onwillekeurige beweging, precies zoals Yossarian verwacht had. 'Wat is daar zo goed aan?' vroeg hij.

'Vernieuwing, Milo,' antwoordde Yossarian. 'Het museum is tegenwoordig te min voor sommige mensen. Het busstation is geknipt voor de Maxons.'

'De Maxons?'

'Olivia en Christopher.'

'De grootindustrieel?'

'Die nog nooit één voet in een fabriek gezet heeft en nooit één produkt van al zijn bedrijven heeft gezien, behalve misschien zijn Cubaanse sigaren. Ik help Maxon een handje met de organisatie,' ging hij nonchalant verder. 'Vanzelfsprekend wordt het een groot mediagebeuren. Zou je het busstation nemen als we het museum niet kunnen krijgen?'

'Dat zou ik mijn moeder moeten vragen. Maar als ik het zo bekijk...'

'Als het goed genoeg is voor de Maxons,' bracht Yossarian hem in verleiding, 'met de burgemeester, de kardinaal, misschien zelfs het Witte Huis...'

'Dat is misschien wat anders.'

'Alleen kunnen jullie natuurlijk niet eerst gaan.'

'Kunnen wij eerst gaan?'

'Jullie kunnen níet eerst gaan, tenzij je zuster met Maxons dochter trouwt of je er een dubbele bruiloft van wil maken. Als je moeder wil kan ik bij Maxon wel een goed woordje voor je doen.'

'Wat ben je van plan,' vroeg M2 met een iets waakzamere blik, 'met de hoeren in het busstation?'

De witte gloed in M2's grijze ogen bij het uitspreken van het woord *hoeren* gaf hem plotseling het aanzien van een hunkerende man, zinderend van inhalige begeerte.

Yossarian gaf hem het antwoord dat hem het passendst leek.

'Pakken of wegsturen,' antwoordde hij nonchalant. 'Zoveel je wil. De politie knijpt een oogje dicht. De mogelijkheden zijn onbeperkt. En wat betreft het museum ben ik realistisch. Je vader verkóópt dingen, Milo. Da's niet sjiek.'

'Daarom heeft mijn moeder zo'n hekel aan hem.'

'En ze woont in Cleveland. Wanneer trouwt je zuster?'

'Dat mag u zelf bepalen.'

'Dat geeft ruimte om te manoeuvreren. En met wie?'

'Wie u aanwijst.'

'Dat schept mogelijkheden.'

'Mijn moeder wil waarschijnlijk dat u de gastenlijst samenstelt. Wij kennen hier niemand. Onze beste vrienden wonen allemaal in Cleveland en een heleboel kunnen niet komen.'

'Waarom doe je het dan niet in het museum in Cleveland? Dan kunnen jullie beste vrienden er ook bij zijn.'

'We hebben liever uw vreemden.' M2 schoof op zijn computerstoel. 'Ik fax meteen mijn moeder.'

'Kun je haar niet bellen?'

'Ze wil nooit met me praten.'

'Vraag eens,' zei Yossarian, met nieuwe schelmenstreken in gedachten, 'of ze een Maxon zou nemen. Wie weet hebben ze er nog een achter de hand.'

'Zouden die een Minderbinder willen hebben?'

'Zou jij met een Maxon trouwen als ze alleen nog een meisje hadden?'

'Zouden ze mij willen? Heb je mijn adamsappel gezien?'

'Waarschijnlijk wel als je met die tien miljoen voor een nieuwe vleugel over de brug komt, adamsappel of niet.'

'Hoe zouden ze hem noemen?'

'De Milo Minderbinder-vleugel natuurlijk. Of misschien de Tempel van Milo, als je dat liever hebt.'

'Die naam zullen ze waarschijnlijk nemen,' zei M2. 'En die zou heel goed passen ook. Mijn vader is in de oorlog ooit kalief van Bagdad geweest.'

'Dat weet ik,' zei Yossarian. 'En imam van Damascus ook. Ik was er ook bij en overal waar we ons vertoonden werd hij toegejuicht.'

'Wat zouden ze erin zetten, in die nieuwe vleugel?'

'Alles wat jullie ze geven, of anders spullen uit het magazijn. Ze hebben ruimte nodig om de keuken uit te breiden. Ze zouden zeker een paar van die prachtige standbeelden van je vader bij die met mensenbloed bevlekte stenen altaren zetten. Als je me het resultaat binnenkort kunt laten weten...'

En terwijl M2 een beetje sneller op zijn toetsenbord tikte, liep Yossarian naar zijn eigen kantoor om telefonisch een aantal van zijn eigen zaken af te handelen.

16

GAFFNEY

'Ze wil meer geld,' viel Julian op zijn onomwonden manier met de deur in huis.

'Daar kan ze dan naar fluiten.' Yossarian was even bruusk.

'Om hoeveel?' daagde zijn zoon hem uit.

'Julian, ik heb geen zin om te wedden.'

'Ik ga haar adviseren je voor de rechter te slepen,' zei zijn dochter de rechter.

'Dan verliest ze. Als ze die privé-detectives zou ontslaan, had ze geld genoeg.'

'Ze zweert dat ze geen enkele detective in dienst heeft,' zei zijn andere zoon, Adrian, de niet afgestudeerde cosmetica-chemicus wiens vrouw er door een assertiviteitstraining aan de volksuniversiteit achter was gekomen dat ze niet zo gelukkig was als ze al die jaren gedacht had.

'Maar haar advocaat misschien wel, meneer Yossarian,' zei meneer Gaffney, toen Yossarian hem telefonisch op de hoogte bracht.

'Haar advocaat zegt van niet.'

'Advocaten, meneer Yossarian, liegen wel eens. Van de acht mensen die u schaduwen, Yo-Yo...'

'Ik heet Yossarian, menéér Gaffney. Menéér Yossarian.'

'Dat wordt denk ik wel anders, meneer,' zei Gaffney even vriendelijk als daarvoor, 'als we elkaar hebben leren kennen en dikke vrienden geworden zijn. In de tussentijd, meneer Yossarian' – geen insinuerende nadruk – 'heb ik goed nieuws voor u, heel goed nieuws, van allebei de kredietwaardigheidsbureaus. U hebt zich van uw beste kant laten zien, op één late alimentatiecheque voor uw eerste vrouw en een enkele late toelage voor uw tweede vrouw na, alleen staat er een rekening van zevenentachtig dollar negenenzestig uit bij een failliete detailhandel die zaken deed onder de naam Geknipt Voor Dames en onder paragraaf 11 valt of viel.'

'Ben ik een winkel die Geknipt Voor Dames heet zevenentachtig dollar schuldig?'

'En negenenzestig cent,' zei meneer Gaffney met zijn flair voor nauwkeurigheid. 'Als het geschil met uw vrouw Marian uiteindelijk beslecht wordt, kan ze u voor dit bedrag verantwoordelijk stellen.'

'Mijn vrouw heette geen Marian,' deelde Yossarian hem mee, na enkele ogenblikken nadenken om absoluut zeker te zijn. 'Ik heb nooit een vrouw gehad die Marian heette. Geen van beide.'

Meneer Gaffney antwoordde op suikerzoete toon: 'Ik vrees dat u zich vergist, meneer Yossarian. Mensen raken wel vaker in de war bij het ophalen van huwelijksherinneringen.'

'Ik ben niet in de war, meneer Gaffney,' wierp Yossarian gepikeerd tegen. 'Ik heb nooit een vrouw met de naam Marian Yossarian gehad. Als u me niet gelooft kunt het opzoeken. Ik sta in de *Who's Who*.'

'De wet op de Vrijheid van Informatie vind ik een veel betere bron en ik zal het zeker nakijken, al was het alleen maar om de sfeer tussen ons te zuiveren. Maar intussen...' Er volgde een korte stilte. 'Mag ik nu John zeggen?'

'Nee, meneer Gaffney.'

'Alle andere rapporten zien er perfect uit en u kunt de hypotheek krijgen wanneer u wilt.'

'Welke hypotheek? Meneer Gaffney, niet om het een of ander, maar ik heb geen idee waar u met die verdomde hypotheek heen wilt!'

'We leven in moeilijke tijden, meneer Yossarian, en soms overvalt het leven ons.'

'U lijkt wel een begrafenisondernemer.'

'De onroerend-goedhypotheek natuurlijk. Voor een huis buiten de stad of aan zee, of misschien voor een veel beter appartement hier in de stad.'

'Ik wil geen huis kopen, meneer Gaffney,' antwoordde Yossarian. 'Ik heb geen plannen voor een nieuw appartement.'

'Dan zou u dat misschien moeten overwegen, meneer Yossarian. Soms weet señor Gaffney het nu eenmaal beter. De huizenprijzen kunnen alleen maar stijgen. Er is maar zoveel land op de planeet, zei mijn vader altijd, en hij is heel goed terechtgekomen. Het enige wat we nodig hebben voor uw aanvraag is een monster van uw DNA.'

'Mijn DNA?' herhaalde Yossarian totaal verbijsterd. 'Ik geef het op, ik kan het niet meer volgen.'

'Uw desoxyribonucleïnezuur, meneer Yossarian, waar uw hele genetische code in opgeslagen ligt.'

'Ik weet godverdomme heus wel dat DNA mijn desoxyribonucleïnezuur is! En ik weet wat het doet.'

'Het kan door niemand vervalst worden. Het is het zuiverste bewijs dat u u bent.'

'Wie zou ik goddorie anders moeten zijn?'

'Kredietbanken nemen tegenwoordig geen enkel risico.'

'Meneer Gaffney, waar moet ik zo'n DNA-monster vandaan halen dat ik moet overleggen bij mijn hypotheekaanvraag voor een huis waar ik niks van weet en dat ik helemaal niet wil hebben?'

'Zelfs niet in East Hampton?' probeerde Gaffney hem te verleiden.

'Zelfs niet in East Hampton.'

'De prijzen zijn daar op het ogenblik uitstekend. Dat DNA knap ík wel voor u op.'

'Hoe komt u er dan aan?'

'Onder de wet op de Vrijheid van Informatie. Het ligt opgeslagen in uw sperma, samen met uw belastingnummer. Ik kan een gewaarmerkte fotokopie krijgen...'

'Van mijn sperma?'

'Van uw desoxyribonucleïnezuur. De spermacel is alleen maar de drager. Het gaat om de genen. Ik kan u een fotokopie van uw DNA leveren als u klaar bent met uw aanvraag. Laat het rondrijden maar aan mij over. En ik heb nog meer goed nieuws. U hebt zich vergist in een van de heren die u schaduwt.'

'Ik zal het grapje achterwege laten.'

'Ik zie de grap er niet van in.'

'Bedoelt u dat hij geen heer is of dat hij me niet schaduwt?'

'Ik snap het nog steeds niet. Dat hij u niet schaduwt. Hij schaduwt een of meer van de personen die u schaduwen.'

'Waarom?'

'Daar moeten we naar gissen. Dat was onleesbaar gemaakt in het Vrijheid van Informatie-rapport. Misschien om u te beschermen tegen ontvoering, marteling of moord of misschien alleen om te weten te komen wat de anderen over u te weten komen. Er kunnen wel duizend redenen zijn. En de orthodoxe jood... neem me niet kwalijk, bent u joods, meneer Yossarian?'

'Ik ben Assyrisch, meneer Gaffney.'

'Juist ja. En de orthodox-joodse meneer die voor uw flat paradeert is inderdaad een orthodox-joodse meneer en woont in uw buurt. Maar hij werkt ook voor de FBI en is zo scherp als een kopspijker. Dus wees voorzichtig.'

'Wat wil hij van me?'

'Dat kunt u hem vragen als u wilt. Misschien maakt hij alleen maar een wandeling, als hij daar niet voor zijn werk is. U weet hoe die mensen zijn. Misschien bent u het doelwit niet. U hebt een CIA-stroman in uw flat die zich uitgeeft voor een CIA-stroman, plus een kantoor van de Sociale Dienst, om nog maar te zwijgen van al die sekssalons, prostituées en andere bedrijven. Probeer uw belastingnummer geheim te houden. Het is altijd goed om voorzichtig te zijn. Voorzichtigheid is de moeder van de porseleinkast, houdt señor Gaffney zijn vrienden altijd voor. Geen angst. Hij houdt u op de hoogte. Service is zijn tweede naam.'

Yossarian vond het tijd worden om op zijn strepen te staan. 'Meneer Gaffney,' zei hij, 'wanneer kan ik u spreken? Ik vrees dat ik erop sta.'

Hij hoorde een kort gegniffel, een systematisch gepruttel met rijke boventonen van zelfingenomenheid. 'U hebt me al een keer gezien, meneer Yossarian, maar u had het niet in de gaten, hè?'

'Waar dan?'

'In het busstation, toen u samen met meneer McBride naar beneden ging. U keek me recht aan. Ik droeg een geelbruin wollen colbert met één rij knoopjes in een visgraatdessin met een dun paars streepje, een bruine broek, een lichtblauw Zwitsers overhemd van de fijnste Egyptische katoen, gecomplementeerd met een effen roestbruine stropdas en bijpassende sokken. Ik heb een gladde bruine huid, een kale schedel, kort zwart haar en heel donkere wenkbrauwen en ogen. Ik heb nobele slapen en fraaie jukbeenderen. U herkende me niet, hè?'

'Hoe kon ik u herkennen, meneer Gaffney. Ik had u nog nooit gezien.'

Opnieuw dat zachte lachje. 'Jazeker wel, meneer Yossarian, meer dan eens. Buiten het hotelrestaurant, die dag dat u daar na de ACACAMMA-vergadering in het Metropolitan Museum met meneer en mevrouw Beach was geweest. Tegenover de Rouwsalon van Frank Campbell. Herinnert u zich de roodharige man met wandelstok en groene rugzak die met de geüniformeerde bewaker bij de ingang stond te praten?'

'Was u de roodharige man met de rugzak?'

'Ik was de geüniformeerde bewaker.'

'Was u in vermomming?'

'Ik ben op dit moment in vermomming.'

'Ik geloof niet dat ik dat snap, meneer Gaffney.'

'Misschien is het een grapje, meneer Yossarian. Vaak gehoord in mijn branche. Misschien is mijn volgende kwinkslag beter. En ik geloof echt dat u uw verpleegster moet bellen. Ze zit weer in de dagdienst en is vanavond vrij om uit te gaan. Ze kan die vriendin meebrengen.'

'Haar kamergenote?'

'Nee, niet juffrouw Pijper.'

'Ze heet juffrouw Piper,' wees Yossarian hem koeltjes terecht.

'U noemt haar juffrouw Pijper.'

'En u zult haar juffrouw Piper noemen als u voor me wilt blijven werken. Bemoei u niet met mijn privé-leven, meneer Gaffney.'

'Geen enkel leven is tegenwoordig nog privé, helaas.'

'Meneer Gaffney, voor wanneer kunnen we afspreken?' vroeg Yossarian beslist. 'Ik wil u in de ogen kijken en zien met wie ik verdomme te doen heb. Ik voel me niet op mijn gemak bij u, meneer Gaffney.'

'Ik weet zeker dat dat zal veranderen.'

'Ik niet. Ik geloof niet dat ik u mag.'

'Dat verandert ook als we in Chicago gepraat hebben.'

'Chicago?'

'Als we elkaar op het vliegveld ontmoeten en u ziet dat ik betrouwbaar, loyaal, behulpzaam, beleefd en vriendelijk ben. Beter?'

'Nee. Ik ga niet naar Chicago.'

'Ik dacht van wel, meneer Yossarian. U kunt beter vast reserveren.'

'Wat moet ik in Chicago doen?'

'Overstappen.'

'Op welk vliegtuig?'

'Het vliegtuig naar huis, meneer Yossarian. Op de terugweg uit Kenosha, Wisconsin, na uw bezoek aan mevrouw Tappman. Waarschijnlijk wilt u direct doorvliegen naar Washington voor uw vergadering met meneer Minderbinder en meneer Wintergreen en misschien Macaroni Cook ook.'

Yossarian slaakte een zucht. 'Dat weet u inmiddels ook allemaal?'

'Ik vang van alles op in mijn werk, meneer Yossarian.'

'Voor wie werkt u nog meer als u dingen over mij hoort?'

'Voor iedereen die betaalt, meneer Yossarian. Ik discrimineer niet. We hebben tegenwoordig anti-discriminatiewetten. En ik bedrijf geen vriendjespolitiek. Ik ben altijd objectief en maak geen onderscheid. Onderscheid maken is verfoeilijk. En gemeen.'

'Meneer Gaffney, ik heb u nog niet betaald. U hebt me geen rekening gestuurd en het niet over uw honorarium gehad.'

'Uw kredietwaardigheid is goed, meneer Yossarian, als we de betreffende bureaus mogen geloven, en u kunt die hypotheek aanvragen wanneer u wilt. Er zijn op het ogenblik uitstekende panden aan het water te koop, in New York, Connecticut en New Jersey, en ook aan de kust in Santa Barbara, San Diego en Long Island. Als u wilt kan ik u niet alleen helpen met uw DNA maar ook met uw hypotheekformulieren. Dit is een goede tijd voor een hypotheek en een uitstekend moment om te kopen.'

'Ik wil geen hypotheek en ik wil niets kopen. En wie was die vriendin over wie u het zoëven had?'

'Van uw verpleegster?'

'Ik heb goddomme geen verpleegster. Ik ben kerngezond, voor het geval u dat nog steeds controleert, en ze is nu een vriendin, Melissa.'

'Zuster MacIntosh,' corrigeerde meneer Gaffney hem vormelijk. 'Ik citeer uit de dossiers, meneer Yossarian, en de dossiers liegen nooit. Ze kunnen het mis hebben of achterhaald zijn, maar liegen doen ze nooit. Ze zijn levenloos, meneer Y.'

'Waag het niet om me zo aan te spreken!'

'Ze kunnen niet liegen en zijn altijd officieel en gezaghebbend, zelfs als ze foute gegevens bevatten en elkaar tegenspreken. Haar vriendin is de verpleegster in de postoperatieve verkoeverkamer die u wilde ontmoeten. Haar doopnaam is Wilma, maar de mensen noemen haar vaak Engel of Schat, vooral bijkomende patiënten na een operatie, en twee of drie artsen daar die van tijd tot tijd bepaalde ambities koesteren om bij haar, zoals zij het uitdrukken, in de broek te komen. Dat is mogelijk een medische uitdrukking. U zult het gezelschap krijgen van juffrouw Piper.'

'Juffrouw Piper?' Het begon Yossarian te duizelen en hij begon langzaamaan de draad te verliezen. 'Wie is juffrouw Piper nou weer?'

'U noemt haar Pijper,' bracht Gaffney zacht en berispend in herinnering. 'Neem me niet kwalijk dat ik het vraag, meneer Yossarian, maar onze luisteraars hebben al enige tijd geen geluiden in uw appartement opgevangen die op seksuele activiteit duiden. Is alles in orde?'

'Ik doe het tegenwoordig op de grond, meneer Gaffney,' antwoordde Yossarian met vaste stem, 'onder de airconditioning, zoals u adviseerde, en in bad met de kranen open.'

'Da's een hele opluchting. Ik maakte me al zorgen. En nu zou u echt juffrouw MacIntosh moeten bellen. Ze is op dit moment niet in gesprek. Ze heeft verontrustend nieuws over de bloedgasanalyse van de Belg, maar ze schijnt uit te zien naar een ontmoeting. Ik voorspel dat u, ondanks het verschil in leeftijd...'

'Meneer Gaffney?'

'Neem me niet kwalijk. En Michael is juist klaar met zijn werk en maakt zich op om naar huis te gaan. Misschien was u dat vergeten.'

'Ziet u dat ook?'

'Zien doe ik ook van alles, meneer Yossarian. Dat is eveneens van essentieel belang voor mijn werk. Hij trekt zijn colbertje aan en komt straks terug met zijn eerste schetsen van die nieuwe Milo Minderbinder-vleugel, als u señor Gaffney deze kleine kwinkslag vergeeft. Misschien vindt u die geestiger dan mijn eerste.'

'Ik ben je erg dankbaar... Jerry,' zei Yossarian, die nu honderd procent zeker wist dat hij meneer Gaffney een super-onuitstaanbare kwast vond. Hij onderdrukte het vijandig sarcasme dat hij op voelde komen.

'Dank je... John. Ik ben blij dat we eindelijk vrienden zijn. Zul je zuster MacIntosh bellen?'

'Nog geen sjieke lingerie?' vroeg Melissa tergend toen hij dat deed. 'Geen Parijs of Florence?'

'Trek je eigen spullen maar aan vanavond,' kaatste Yossarian terug. 'We moeten blijven testen hoe we elkaar liggen voordat we op reis gaan. En breng je kamergenote maar mee als ze zin heeft.'

'Zeg maar gerust Angela,' zei Melissa vinnig. 'Ik weet precies wat je met haar uitgehaald hebt. Ze heeft me alles over je verteld.'

'Da's dan jammer,' zei Yossarian, ietwat uit het veld geslagen. Hij begon in te zien dat hij bij deze twee op zijn qui-vive moest zijn. 'En trouwens,' vervolgde hij beschuldigend, 'ze heeft me ook alles over jou verteld. Wat een nachtmerrie moet dat zijn. Je zou zo in een klooster kunnen. Die antiseptische paniek van jou grenst aan het ongelooflijke.'

'Interesseert me niets,' zei Melissa met een vleugje hysterische vastbeslotenheid. 'Ik werk in een ziekenhuis en ik zie zieke mensen. Ik ben niet meer van plan risico's te lopen met herpes of aids of zelfs chlamydia of vaginitis of keelontsteking of al die andere dingen die mannen zo graag doorgeven. Ik weet alles van ziektes.'

'Doe maar wat je niet laten kunt, maar breng die andere vriendin van je mee. Die van de chirurgische verkoeverkamer. Ik kan het best meteen beginnen vriendschap met haar te sluiten.'

'Wilma?'

'Ze noemen haar toch Engel, nietwaar? En Schat.'

'Alleen maar als ze bijkomen.'

'Dan zal ik dat ook doen. Ik wil vooruitzien.'

BOEK ZES

17

SAMMY

Kniehefboomveren.

Ik betwijfel of er nog tien mensen bestaan die zich die autoreclames met de kniehefboomveren herinneren, want ik geloof niet dat ik er nog tien zou vinden. Niet in Coney Island, in elk geval, en zelfs niet in Brooklyn. Alles is weg, gesloten, behalve de promenade, het strand en de oceaan. We wonen in hoge flatgebouwen zoals dat van mij, of in buitenwijken op pendelafstand van Manhattan, zoals Lew en Claire, of in koopflats voor gepensioneerden in West Palm Beach in Florida, zoals mijn broer en zuster, of, voor lui met meer geld, in Boca Raton of Scotsdale in Arizona. De meesten van ons hebben beter geboerd dan we ooit verwacht hadden of onze ouders ooit durfden te dromen.

Belboeizeep
Slechte adem
Fleischmans gist, voor uw puistjes
Ipana-tandpasta voor de lach van schoonheid, Sal Hepatica voor de lach van gezondheid.
Ex-Lax... als de natuur het vergeet.

> Pepsi Cola, in de roos
> (O, wat ruft ik vies en voos)
> Een dubbele portie voor je stuiver
> Pepsi Cola, da's pas zuiver.

Ondanks de 'een derde liter, da's niet mis' in de originele muzikale radioreclame geloofde geen van de slimmeriken in Coney Island destijds dat dit nieuwe drankje, Pepsi Cola, ook maar enige kans maakte in de concurrentie met de Coca Cola die we kenden en waarvan we hielden, in het ijskoude, kleinere, beparelde, enigszins groenachtige flesje met de elegante golfjes dat als gegoten in elke hand paste en veruit het populairst was. Tegenwoordig proef ik er geen greintje verschil tussen. Allebei de bedrijven hebben meer macht dan ondernemingen ooit zouden mogen krijgen en dat piepkleine flesje is de zoveelste verdwenen geneugte van het verleden. Niemand wil tegenwoordig nog een populair drankje in flesjes van een zesde liter voor een stuiver aan de man brengen en op mij na is er misschien ook niemand meer die het zou kopen.

Op elk limonadeflesje zat twee cent 'statiegeld' en op de grotere flesjes van tien cent een stuiver, en alle kinderen uit alle gezinnen in West Thirty-First Street in Coney Island waren zich bewust van de waarde van die lege flesjes. In die tijd kon je voor twee cent echt iets moois kopen. Als kinderen wisten we waar je op het strand lege flesjes kon vinden. Die brachten we naar de snoepwinkel van Steinberg op de hoek van mijn straat en Surf Avenue en met het statiegeld gingen we pokeren of eenentwintigen toen we dat geleerd hadden, of we zetten het meteen om in snoep. Voor twee cent kon je een flinke Nestlé- of Hershey-reep krijgen, of een paar krakelingen of waterijsjes of, in de herfst, een groot stuk halva waar we een poosje allemaal dol op waren. Voor een stuiver kon je een Milky Way of een flesje Coca Cola kopen, of een amandelbroodje of Eskimotaartje, of een hot dog in Rosenbergs delicatessenwinkel op Mermaid Avenue of bij Nathan in het lunapark anderhalve kilometer verderop, of een ritje in de carrousel. Een krant kostte ook twee cent. Toen Robby Kleinlines vader in Tilyou's Kermisland werkte kregen we vrijkaartjes en konden we bij het sjoelen met een paar centen meestal wel een kokosnoot winnen. Dat leerden we al gauw. De prijzen waren lager in die tijd, net als de inkomens. Meisjes deden aan touwtjespringen en hinkelen en knikkeren. Wij speelden slagbal, butsbal, honkbal en op mondharmonica's en fluitjes. Na het diner – wat wij avondeten noemden – speelden we onder het toeziend oog van onze ouders blindemannetje op het trottoir, hoewel we allemaal wisten, en onze ouders zagen, dat de niet zo heel blinde jongens het spelletje voornamelijk gebruikten om een paar seconden aan de tietjes van de meisjes te voelen als we er een vingen en net deden alsof we niet zeker waren wie het was. Dat was voordat wij begonnen te masturberen en zij te menstrueren.

Op doordeweekse dagen kwamen alle vaders in de straat en alle broers en zusters die niet meer op school zaten 's morgens vroeg zwijgend naar buiten en liepen naar de tramhalte in Railroad Avenue, vanwaar ze zich naar het bovengrondse metrostation in Stillwell Avenue lieten brengen – waar de vier lijnen naar Coney Island bij elkaar kwamen – om de ondergrondse naar hun werk te nemen of om net als ik toen ik met zeventieneneenhalf van school kwam schuchter alle arbeidsbureaus in Manhattan af te gaan om werk te zoeken. Diverse mensen deden de anderhalve kilometer naar de ondergrondse te voet, hetzij voor de lichaamsbeweging, hetzij om de stuiver uit te sparen. 's Avonds, in het spitsuur, sjokten ze weer naar huis. 's Winters was het dan al donker. En tussen mei en september liep mijn vader vrijwel elke dag in een donzige badjas met een handdoek over zijn schouder en zijn eeuwige glimlach om zijn mond in zijn eentje naar het strand om te pootjebaden of te zwemmen, soms tot het donker werd en wij allemaal aangestoken werden door mijn moeders angst dat hij deze keer echt zou verdrinken als iemand hem niet snel ophaalde.

'Ga hem 's gauw halen,' zei ze dan tegen het dichtstbijzijnde kind. 'Zeg maar dat het eten klaar is.'

Waarschijnlijk was dat het enige moment van de dag waarop hij alleen kon zijn en zich kon concentreren op de hoopvolle gedachten die hem zijn vriendelijke voorkomen gaven en die serene glimlach op zijn gebruinde gezicht brachten. We waren allemaal kerngezond in die tijd en dat heuglijke feit speelde zeker een rol. Hij had zijn werk. Hij had zijn joodse krant en allebei mijn ouders hadden hun lievelingsmuziek op de radio: vooral Puccini, het Bell-Uurtje, de NBC Symphony of the Air, WQXR, het radiostation van *The New York Times*, en WNYC, het radiostation, aldus de omroeper, 'van de stad New York, waar zeven miljoen mensen in vrede en eendracht bij elkaar wonen en van hun democratische privileges genieten'.

Mijn muzikale smaak ging verder, van Count Basie, Duke Ellington en Benny Goodman naar Beethoven en Bach, kamermuziek en pianosonates, en nu weer naar Wagner en Mahler.

En Hitler en zijn dappere legioenen zouden ons allemaal vermoord hebben.

De vierenveertigurige werkweek was een keerpunt in de maatschappelijke verhoudingen dat ik op mijn jonge leeftijd niet echt op zijn waarde kon schatten, en een stap in de richting van een beter leven dat mijn kinderen en kleinkinderen vanzelfsprekend vinden – stiefkinderen eigenlijk, want Glenda had haar eileiders al laten afbinden toen ik haar leerde kennen. Plotseling werkten we allemaal bij bedrijven die 's zaterdags gesloten waren. We konden het op vrijdagavond laat maken. Hele gezinnen konden hele weekeinden vrij nemen. Het minimumloon en de wetten op kinderarbeid waren verdere zegeningen van Roosevelt en zijn New Deal, hoewel ik het fijne daarvan nooit goed begrepen heb. Pas op de universiteit leerde ik dat de geïndustrialiseerde westerse wereld *altijd* en *overal* kinderen van twaalf jaar en jonger twaalf uur en langer in steenkolenmijnen en fabrieken had laten werken, en pas toen ik in het leger kwam en contact maakte met mensen van buiten Coney Island kwam ik erachter dat wat wij een 'ruft' noemden in werkelijkheid een scheet heette.

Het minimumuurloon in die tijd was vijfentwintig cent. Toen Joey Heller van de flat tegenover ons op zijn zestiende oud genoeg was om te werken en elke dag na school vier uur lang telegrammen in de stad ging bezorgen voor Western Union, bracht hij elke vrijdag vijf dollar mee naar huis. Dan kocht hij vrijwel zonder mankeren een nieuwe tweedehandse grammofoonplaat voor de jeugdclub in Surf Avenue waar we de Lindy Hop leerden dansen, sigaretten rookten en meisjes zoenden in de achterkamer, als het ons lukte ze met een smoesje mee te tronen of om te praten. Terwijl mijn vriend Lew Rabinowitz en zijn andere vriend Leo Weiner en een paar andere brutale apen al op de banken en op andere plekken met ze lagen te neuken. Joey Hellers vader was dood en zijn oudere broer en zuster werkten ook waar ze konden, voornamelijk in tijdelijke baantjes bij Woolworth of 's zomers op het strand in de tentjes met ijspudding en hot dogs. Zijn moeder, die voor haar trouwen naaister was geweest, werkte intussen voor mijn moeder als die jurken in moest nemen of uit moest leggen of kleren korter of langer moest maken, en keerde gerafelde overhemdboorden voor de plaatselijke wasserij à raison van twee of drie cent per stuk, als ik me niet vergis, misschien een stuiver.

Ze konden zich redden. Joey wilde ook schrijver worden. Joey was de eerste van wie ik die variatie op de Pepsi Cola-reclame op de radio hoorde. Ik herinner me het eerste couplet van een andere parodie van hem op een populair liedje dat bovenaan de Lucky Strike Hitparade stond en dat je nog steeds wel eens hoort op platen van de betere zangers van die tijd:

> Als ze diepe zuchten slaakt,
> Terwijl ze je gulp openmaakt,
> Dan weet je dat de dame verliefd is.

Ik wou dat ik de rest ook nog kende. Hij wilde komische schetsen schrijven voor radio, film en schouwburg. Ik wilde met hem samenwerken en als ik groot was korte verhalen schrijven die goed genoeg waren om in *The New Yorker* of zo gepubliceerd te worden. Samen schreven we kluchten voor onze padvinderstroep, Troep 148, en later, toen we ouder waren, voor de amusementsavonden in de jeugdclub, waarvoor we tien cent of een kwartje entree vroegen aan de mensen van het dozijn andere jeugdclubs in Coney Island en Brighton Beach, meisjes gratis toegang. Een van onze langere padvinderskluchten, 'De Bezoekingen en Beproevingen van Toby Tenderfoot', was zo komisch, herinner ik me, dat ze ons vroegen hem nog een keer op te voeren tijdens een van de vaste vrijdagbijeenkomsten op onze lagere school, Openbare School 188. Joey ging ook bij de luchtmacht, waar hij officier en bommenrichter werd, en werd ook universiteitsdocent in Pennsylvania. Tegen die tijd was hij geen 'Joey' en ik geen 'Sammy' meer. Hij was Joe en ik was Sam. We waren jonger dan we dachten, maar toch ook geen kinderen meer. Maar Marvin Winkler heeft het nog steeds over Joey als hij terugkijkt en ik ben voor hem nog steeds Sammy.

'Ze lachten toen ik aan de piano ging zitten.'

Die advertentie was, en is misschien nog steeds, de meest geslaagde direct mail-campagne die ooit gelanceerd is, misschien nog steeds. Als je een bon invulde, kreeg je een instructieboekje waarmee je volgens hen na een stuk of tien simpele lessen piano kon spelen. Het hielp natuurlijk als je net als Winkler een piano in huis had, hoewel hij er nooit iets mee gedaan heeft.

Er was een Ford in onze toekomst, hoorden we van de fabrikant, en bij het benzinestation met het vliegende rode paard kon je anti-klopbenzine krijgen voor de auto's met kniehefboomveren die we ons nog niet konden veroorloven. Lucky Strike stond voor eersteklas tabak in die tijd van kniehefboomveren en mensen vroegen om Philip Morris en liepen een kilometer voor een Camel en voor de andere sigaretten en sigaren die mijn vader de longkanker gaven die zich uitzaaide in zijn lever en zijn hersenen en korte metten met hem maakte. Hij was niet jong meer toen hij overleed, maar Glenda was nog geen vijftig toen ze kanker aan haar eileiders kreeg en op de kop af dertig dagen na de diagnose stierf. Ze kreeg allerlei kwalen toen Michael zich van kant had gemaakt en vandaag de dag zouden we waarschijnlijk zeggen dat haar ziekte het gevolg was van stress. Zij vond hem. Op het achterplaatsje van het huis dat we die zomer op Fire Island gehuurd hadden stond één miezerig boompje en daar had hij zich aan weten te verhangen. Hoewel ik wist dat het eigenlijk niet mocht, sneed ik hem liever los dan hem te laten bungelen en er samen met de vrouwen en kinderen in de huizen om ons heen wie weet twee uur naar te moeten zitten kijken voordat de politie en de patholoog in hun strandwagentjes aan kwamen rijden.

> Een dollar per uur... een mijl per minuut... honderd per week...
> *honderd mijl per uur, wauw!*

Het kon allemaal. We wisten dat er zulke snelle auto's bestonden en iedereen in Coney Island had ergens familie met meer geld dan wij en auto's die een mijl per minuut gingen, of nog harder zelfs. Onze familieleden woonden grotendeels in New Jersey, in Paterson en Newark, en als het zomer was kwamen ze 's zondags aanrijden, liepen over de promenade naar de carrousel of zelfs Kermisland of lagen op het strand en zwommen in de oceaan. Ze bleven voor het avondeten, want mijn moeder kookte graag – mijn zuster hielp met het serveren van het gepaneerde kalfsvlees met de overheerlijke geroosterde gebakken aardappelen – 'om ze 'n goeie eet te geven'. Overheidsbaantjes waren zeer in trek, vanwege het salaris, het vaste kantoorwerk, de vakantie, de pensioenregeling en omdat ze ook openstonden voor joden, en tegen de mensen die ze in de wacht sleepten werd opgekeken alsof het academici waren. Je kon beginnen als leerjongen in de staatsdrukkerij, las mijn oudere broer me voor uit een overheidsblad, en na je leertijd drukker worden voor een aanvangssalaris van zestig dollar per week – daar had je die dollar per uur, bijna binnen handbereik, meer zelfs. Maar dan zou ik naar Washington moeten en niemand was ervan overtuigd dat ik voor zoiets huis en haard moest achterlaten. Een kortere periode als smidsjongen in de Norfolk Marinewerf in Portsmouth, Virginia, samen met de andere jongens van Coney Island die daar werkten, leek ons een beter idee, terwijl we afwachtten of de oorlog vóór mijn negentiende voorbij zou zijn en of ik al dan niet zou worden opgeroepen voor de landmacht of voor de marine. Ze hadden ons verteld dat er aan de andere kant van de rivier, als je de pont van Portsmouth naar Norfolk nam, op Bank Street nummer 30 een hoerenkast was, een bordeel, maar ik had nooit het lef om erheen te gaan, en ook geen tijd. Ik hield het zware werk bijna twee maanden vol, zesenvijftig dagen achter elkaar voor de honderdvijftig procent op zaterdagen en zondagen, stortte totaal in, ging terug naar huis en vond uiteindelijk voor veel minder geld een baantje als archiefbediende bij een autoverzekeringsmaatschappij, die toevallig in hetzelfde gebouw in Manhattan zat, het oude gebouw van General Motors op Broadway 1775, als waar Joey Heller in zijn uniform als telegrambesteller voor Western Union had gewerkt.

Waar was je?

Toen je het nieuws over Pearl Harbor hoorde? Toen de atoombom ontplofte? Toen Kennedy doodgeschoten werd?

Ik weet waar ik was toen telegrafist Snowden sneuvelde tijdens onze tweede vlucht naar Avignon, en dat raakte me meer dan de moord op Kennedy later, nu ook nog. Ik lag in katzwijm in de staart van mijn B-25 middelzware bommenwerper na bijgekomen te zijn van de klap tegen mijn hoofd toen de tweede vlieger in paniek raakte en het toestel in een steile duikvlucht wierp en jankend over de intercom riep dat iedereen in het vliegtuig iedereen in het vliegtuig die geen antwoord gaf te hulp moest komen. Elke keer als ik bijkwam en Snowden hoorde kreunen en Yossarian weer iets anders wanhopigs zag uitproberen om hem te helpen, ging ik opnieuw van mijn stokje.

Voor die missie had ik één keer een noodlanding gemaakt met een vlieger die we Hungry Joe noemden en die tijdens zijn verlofdagen gillende nachtmerries had, en ik was een keer in zee gestort met een vlieger die Orr heette en die volgens de geruchten op de een of andere manier heelhuids naar Zweden had weten te komen. Maar ik was in geen van beide gevallen gewond geraakt en ik kon mezelf er nog steeds niet helemaal van overtuigen dat het niet echt was, zoals in de film. Maar toen zag ik Snowdens ingewanden uit zijn lijf hangen en daarna een mager kereltje die aan het strand met een vlot aan het dollen was door een propeller in tweeën gehakt worden, en nu denk ik dat ik nooit gegaan zou zijn als ik vroeger had geweten dat zoiets in mijn bijzijn zou kunnen gebeuren. Mijn vader en moeder wisten allebei dat oorlog iets veel verschrikkelijkers was dan wij en de jongens in de buurt ons konden voorstellen. Ze waren diep geschokt toen ik ze later vertelde dat ik boordschutter bij de luchtmacht zou worden. Ze hadden geen van beiden ooit in een vliegtuig gezeten, evenmin als ik of de mensen die ik kende.

Ze liepen met me mee naar de trolleybushalte aan Railroad Avenue, vlak bij de tweede snoepwinkel in onze straat. Van daar zou ik naar Stillwell Avenue rijden en samen met de drie anderen de Sea Beach-lijn van de metro naar Pennsylvania Station in Manhattan nemen en me melden voor mijn eerste dag als soldaat. Jaren later hoorde ik dat mijn moeder, die me met een lieve glimlach en een beheerst gezicht omarmd had, na het vertrek van de trolleybus in tranen was uitgebarsten en ontroostbaar was geweest en dat het bijna een half uur duurde voordat mijn vader en zuster haar weer terug naar onze flat hadden geloodst.

Toen ik soldaat werd, ging mijn levensstandaard er van de ene dag op de andere met bijna honderd procent op vooruit. Als archiefbediende bij het assurantiekantoor verdiende ik zestig dollar per maand en ik moest mijn eigen vervoer betalen en tussen de middag ergens gaan eten of mijn eigen boterhammen meebrengen. In het leger kreeg ik als gewoon soldaat meteen vijfenzeventig dollar per maand soldij, en alle eten en kleren en huur en dokters en tandartsen waren gratis. En toen ik als sergeant afzwaaide, verdiende ik, inclusief vliegenierstoeslag, buitenlandtoeslag en gevechtstoeslag, meer per maand dan een drukker in de staatsdrukkerij en was ik, jong als ik was, al dichter bij die honderd dollar per week dan ik ooit voor mogelijk had gehouden.

Waar kwam al dat geld vandaan?

Zoals mijn moeder altijd zei, in het Jiddisch: Op maandag had dertig procent van de mensen slechte huizen, slechte kleren en slecht eten. En op donderdag verdienden tien miljoen militairen en twee miljoen burgerpersoneel meer dan ze ooit in hun leven verdiend hadden en rolden de tanks, vliegtuigen, vliegdekschepen en honderdduizenden jeeps en vrachtwagens en andere voertuigen zo snel de fabrieken uit dat het bijna niet bij te houden was. Plotseling was overal genoeg geld voor. Hebben we dat allemaal aan Hitler te danken? Aan het kapitalisme, zou mijn vader waarschijnlijk met een gelaten glimlach antwoorden, alsof voor deze humane socialist alle kwaden van maatschappelijke ongelijkheid uit dat ene zondige woord te verklaren waren. 'Voor oorlog is altijd geld zat. Vrede, da's te duur.'

Na dat eerste treinritje van Pennsylvania Station naar het opvangcentrum in Long Island kwam het leger me op een verlies van persoonlijke belangrijkheid en individuele identiteit te staan waar ik tot mijn verbazing blij mee was. Ik was onderdeel van een gedirigeerde kudde en vond het een opluchting dat alle denkwerk voor me werd gedaan, dat ik alles kreeg voorgeschreven en precies hetzelfde deed als de rest. Het was alsof er een last van mijn schouders genomen werd, ik voelde me vrijer dan als burger. Na de opleiding had ik ook meer vrije tijd en het gevoel dat ik meer ruimte had.

Ons groepje van vier, dat samen in dienst was gegaan, kwam ongedeerd terug, alhoewel ik tijdens onze twee vluchten naar Avignon behoorlijk in de rats gezeten heb en Lew krijgsgevangen werd gemaakt en een half jaar in een Duits gevangenenkamp zat voordat de Russen hem bevrijdden. Hij weet verdomd goed dat hij tijdens het bombardement van Dresden door het oog van de naald is gekropen. Maar Irving Kaiser, die in mijn en Joey Hellers klucht de rol van Toby Tenderfoot speelde, werd in Italië opgeblazen door artillerievuur en ik heb hem nooit meer gezien, en Sonny Ball is daar ook gesneuveld.

Tegen de tijd dat Vietnam begon wist ik wel wat oorlog was en doorzag ik de verdorvenheid van het Witte Huis, en ik zwoer tegen Glenda dat ik al het mogelijke zou doen, wettig zowel als onwettig, om haar zoon Michael thuis te houden als hij tegen alle verwachtingen in de keuring doorstond en opgeroepen werd. Daar had ik mijn twijfels over. Hij gedroeg zich al als een junkie voordat hij oud genoeg was om drugs of medicijnen te gebruiken. Hij was goed in feiten en getallen, maar had geen idee van dingen als kaarten en plattegronden. Hij had een fenomenaal geheugen voor statistische gegevens, maar was slecht in algebra en meetkunde, in alles wat abstract was. Ik liet Glenda in de waan dat het door de echtscheiding kwam. Ik maakte heldhaftige plannen om naar Canada te verhuizen als hij zijn oproepkaart kreeg. Ik zou hem zelfs meenemen naar Zweden als dat veiliger leek. Ik gaf haar mijn woord, maar ik hoefde me er niet aan te houden.

Lew wilde bij de paratroepen of in een tank met een kanon erop om jodenvervolgende Duitsers te verpletteren, maar kwam na een opleiding in de veldartillerie bij de infanterie terecht. In Europa werd hij tot sergeant gepromoveerd toen zijn eigen sergeant sneuvelde. Al eerder, in Nederland, had hij die rol op zich genomen, omdat zijn sergeant aan zichzelf begon te twijfelen en op een gegeven moment het bevel aan Lew overliet. Ik wilde gevechtsvlieger worden en met de P-38 vliegen omdat die er zo snel en indrukwekkend uitzag. Maar ik kon geen diepte zien en dus maakten ze me boordschutter. Ik las de aanplakbiljetten waarop stond hoe belangrijk boordschutters waren en gaf me op als vrijwilliger. Ze zeiden dat dit het gevaarlijkste baantje was en dat het een fluitje van een cent zou zijn. In mijn geval bleek dat vrij aardig te kloppen.

Ik was klein genoeg voor de geschutkoepel van een Vliegend Fort in Engeland, maar dat had gelukkig niemand in de gaten, zodat ik staartschutter werd in een B-25, die veiliger en comfortabeler was, in het Middellandse-Zeegebied waar het veel zonniger was.

Tijdens de opleiding vond ik het altijd heerlijk om het .50-machinegeweer in mijn handen te hebben. Ik vond het een genot om vanuit de lucht met echte kogels op een achter een vliegtuig aangesleept doelwit en op stationaire doelwitten op de grond te vuren en er met de lichtspoorkogels met hun witte staarten heen te wandelen. Ik leerde snel over inertie en relatieve snelheid, en dat een bom of kogel uit een vliegtuig met een snelheid van vijfhonderd kilometer per uur in eerste instantie met dezelfde snelheid in dezelfde richting doorvliegt en vanaf de eerste seconde aan de zwaartekracht onderhevig is, en soms werd ik door onze eerste artillerie-officier aan een schoolbord gezet om dit aan mensen die het niet goed konden volgen duidelijk te maken. Ik leerde machtig interessante dingen over de bewegingswetten van Isaac Newton: als je zelf bewoog of als het doelwit bewoog, kreeg je het nooit geraakt door er direct op te mikken. En iets waar ik zelf nog steeds verbaasd van sta: als op hetzelfde moment dat een kogel uit een horizontale geweerloop wordt afgevuurd een identieke kogel vanaf dezelfde hoogte losgelaten wordt, raken ze op precies hetzelfde moment de grond, hoewel de eerste misschien een kilometer verder landt. De gevechtssimulators bevielen me minder, want daar waren de geweren niet echt, hoewel ze bijna even amusant waren als de schietspelletjes in de speelzalen aan de promenade. Je zat in een hermetisch afgesloten cabine en zag op een beeldscherm uit je ooghoeken van alle kanten allerlei soorten vliegtuigen op je afkomen, zo snel dat het eigenlijk onmogelijk was om vriend van vijand te onderscheiden en op tijd te richten en te vuren. Niemand deed het geweldig in die dingen, maar daar stond tegenover dat ook niemand faliekant mislukte. Twee jongens die ik kende werden overgeplaatst omdat ze bang waren. Na die simulators kreeg ik mijn eerste twijfels: als het er in werkelijkheid inderdaad zo aan toeging, was de beste oplossing om in de paar tellen die je ter beschikking stonden zo snel als je kon op goed geluk zoveel mogelijk kogels af te vuren. En zo bleek het ook vrijwel overal te zijn. De kant die de grootste vuurkracht aan kon slepen won altijd.

Mensen willen niet weten dat de slag van Thermopylae, lang geleden, waar de Spartanen heroïsch tot de laatste man doorvochten, geen Griekse overwinning was, maar een verpletterende nederlaag. Al die heldhaftigheid was verspild. Dit is het soort wetenswaardigheidjes waar ik mensen graag mee verras om ze wakker te schudden en op de kast te jagen.

Ik had vertrouwen in mijn machinegeweer, maar stond er nooit bij stil dat ik het altijd zou gebruiken om op iemand te schieten die aan kwam vliegen om op mij te schieten.

Ik genoot van de gein en vond meer vrienden die me lagen dan ik zelfs in Coney Island gehad had. In dienst had ik persoonlijke voordelen. Ik had meer gelezen en wist meer. Ik kwam tot de conclusie dat het een goed idee was om mensen meteen te laten weten dat ik inderdaad even joods was als ze waarschijnlijk toch al dachten en vond altijd wel een manier om dat duidelijk te maken, plus dat ik uit Coney Island in Brooklyn kwam. Ik had intieme, ongecompliceerde verhoudingen met mensen met namen als Bruce Suggs uit High Point in North Carolina en Hall A. Moody uit Mississippi, met Jay Matthews en Bruce J. Palmer uit verschillende plaatsen in Georgia, die elkaar niet direct zagen zitten, met Art Schroeder en Tom Sloane uit Philadelphia. In een kazerne in Lowry Field in Colorado, waar we geschutkoepeltraining kregen, werd ik geconfronteerd met de vijandigheid en agressie van Bob Bowers, eveneens uit Brooklyn, uit een ruigere buurt van Noren en Ieren die berucht stond om zijn antisemieten, en van John Rupini, ergens uit het noorden van New York, en we liepen met een grote boog om elkaar heen. Ik wist wat ze dachten en zij wisten dat ik het wist en ze behandelden vrijwel iedereen even onvriendelijk. Lew zou het waarschijnlijk meteen met ze opgenomen hebben. Tijdens ons transport van Arizona naar Colorado, de tweede of de derde dag, meende ik onder het pokeren een opmerking over joden te horen, maar ik wist het niet zeker. Toen zei de jongen tegenover me, die al gezegd had dat hij uit een dorp ergens in het zuiden kwam, meesmuilend: 'Wij hebben er ook een paar, met een kledingzaak thuis. Je zou 's moeten zien hoe ze erbij lopen.' Nu wist ik het zeker en ik wist ook dat ik het er niet bij kon laten.

'Eén ogenblikje alsjeblieft,' viel ik hem op nogal pompeuze toon in de rede. Inwendig was ik aardig van slag. Dit was niet mijn stem. 'Maar ik ben toevallig ook joods en jouw manier van praten bevalt me niet erg. Als je wilt hou ik meteen op met spelen, maar als je wilt dat ik doorga moet je ophouden met dingen te zeggen die kwetsend en vernederend voor me zijn. Ik snap trouwens niet waarom je mij zoiets aan wilt doen.'

Daarna was het gedaan met kaarten en luisterden we wiegend naar het geluid van de trein. Als ik wegliep, zou Lesko ook gaan, en ze wisten dat Lesko, als er geweld dreigde, aan mijn kant zou staan. Maar de jongen die ik aangesproken had, Cooper, voelde zich vreselijk betrapt en maakte besmuikt zijn excuses. 'Neem me niet kwalijk, Singer. Dat wist ik niet.'

Lew had waarschijnlijk zijn rug gebroken en was de nor in gedraaid. Ik had een tijdelijke vriend gevonden die voortdurend meende dat hij iets goed te maken had. Lew is Lew en ik ben ik.

Mijn naam is Samuel Singer, zonder middelste initiaal – Sammy ZMI Singer – en ik ben klein geboren en ben nog steeds kleiner dan de meeste andere mensen en zie er allesbehalve indrukwekkend uit. Heel anders dan een andere goede vriend uit mijn buurt, Ike Solomon, die geen centimeter langer was dan ik, maar enorme spierballen en een brede borst had en aan gewichtheffen deed en aan rekstokken hing. Ik ben mijn hele leven als de dood voor vechtpartijen geweest en heb altijd mijn best gedaan om ze te voorkomen. Ik kon warm en gevat zijn en wist altijd en overal vrienden te krijgen. Ik heb altijd de kunst verstaan om mensen met de juiste vragen aan de praat te krijgen en de conversatie smeuïg te houden door op het juiste moment heilige huisjes omver te schoppen.

'Zou het volgens jou beter voor ons land zijn geweest als we de oorlog tegen de Britten verlóren hadden?' vroeg ik bijvoorbeeld heel indringend, alsof die vraag me werkelijk bezig hield, en dan had ik voor ieder mogelijk antwoord mijn kritische vragen al klaar.

'Als Lincoln zo slim was, waarom liet hij het Zuiden zich dan niet gewoon afscheiden? Dat zou veel minder ellende veroorzaakt hebben dan de burgeroorlog.'

'Is de grondwet grondwettelijk?'

'Kan een democratie ooit langs democratische weg tot stand worden gebracht?'

'Was de Maagd Maria niet joods?'

Ik wist dingen die andere mensen niet wisten. Als we in een barak met minstens veertig mensen zaten, wist ik bijvoorbeeld dat er vrijwel zeker twee op dezelfde dag jarig zouden zijn en vaak nog twee anderen ook. Zelfs met mensen uit Nevada en Californië kon ik wedden dat Reno in Nevada verder naar het westen lag dan Los Angeles, en zelfs na het opzoeken zouden ze bijna nóg een keer wedden, zo krampachtig klampten ze zich vast aan hun oude wijsheid. Ik heb er een klaar liggen voor de kardinaal, voor het geval ik ooit naast hem kom te zitten en zin heb om een geintje uit te halen.

'Van wie had Jezus zijn genen?' En bij elk antwoord waar de arme man mee voor de dag zou komen zou ik hem er met een onschuldig gezicht op wijzen dat Jezus als baby geboren was, volwassen was geworden en op zijn achtste levensdag besneden was.

Tijdens de opleiding in de artillerieschool scheelde het weinig of ik kreeg heibel met de gedecoreerde korporaal die ons tijdens een les vertelde dat de gemiddelde levensverwachting van een boordschutter tijdens een luchtgevecht drie minuten was en ons later uitnodigde om vragen te stellen. Hij had zijn diensttijd doorgebracht in een B-17 in het aan flarden geschoten Achtste Luchtkorps in Engeland en ik wilde hem niet stangen – ik was gewoon nieuwsgierig.

'Hoe hebben ze dat berekend, korporaal?' vroeg ik, en sinds die tijd heb ik onderzoeken en schattingen nooit meer vertrouwd.

'Hoe bedoel je?'

'Hoe hebben ze dat gemeten? Zelf moet u zeker een uur luchtgevechten hebben meegemaakt.'

'Veel meer.'

'Dan moeten voor ieder uur dat u niet doodging negentien anderen binnen een seconde gesneuveld zijn om aan dat gemiddelde van drie minuten te komen. En waarom is het gevaarlijker voor boordschutters dan voor vliegers en bommenrichters? Ze schieten toch op het hele vliegtuig, korporaal?'

'Ah, Singer wil eigenwijs wezen. Nog even doormelken als de rest genoeg heeft.'

Hij maakte me duidelijk dat ik hem in de klas nooit meer tegen mocht spreken en gaf me mijn eerste proeve van wat ik later, samen met Yossarian, de Korenwet zou noemen, naar luitenant-kolonel Korn op Pianosa: volgens de Korenwet waren de enige mensen die vragen mochten stellen mensen die nooit vragen stelden. Maar hij zette me aan het werk als hulpleraar voor de anderen, die ik met eenvoudige algebraïsche en meetkundige voorbeelden aan het verstand moest brengen waarom je als een doelwit ten opzichte van jezelf beweegt, altijd ruim vóór dat doelwit moet mikken – en dat je als je vóór een vliegtuig wilt richten, erachter moet mikken. Als een vliegtuig zoveel meter van je vandaan is en een kogel zoveel meter per seconde aflegt, hoeveel seconden duurt het dan voordat de kogel het vliegtuig raakt? Als het vliegtuig een snelheid van zoveel meter per seconde heeft, hoeveel meter heeft het dan afgelegd tegen de tijd dat jouw kogel het raakt? Dit zagen ze toegepast in de praktijk tijdens de uren kleiduiven schieten en vuren vanaf een rijdende vrachtwagen op de schietbaan. Maar hoewel ik het ze leerde en het zelf goed wist, bleef ik moeite hebben met het principe dat je om vóór een aanvallend vliegtuig te schieten, er altijd achter moet mikken, tussen het doelwit en je eigen staart, vanwege de voorwaartse snelheid van de kogels uit je eigen vliegtuig en de bocht die het andere toestel moest maken om vóór het jouwe te kunnen richten.

Mijn vrienden waren altijd van de vrijgevige soort en op de een of andere manier had ik altijd wel een groter, sterker maatje voor het geval er iets misging, bijvoorbeeld Lew Rabinowitz en Sonny Bartolini, een van de driestere Italianen uit Coney Island. En Lesko, de jonge mijnwerker uit Pennsylvania die ik in de artillerieschool leerde kennen. En Yossarian tijdens de gevechtsopleiding in Carolina en later op Pianosa aan het front, toen we met ons vijven, Yossarian, Appleby, Kraft, Schroeder en ik, als team naar Europa waren gevlogen.

De angst om in elkaar geslagen te worden achtervolgde me voortdurend en speelde een veel grotere rol in mijn overpeinzingen dan de angst om doodgeschoten te worden. Op een avond in South Carolina begon het erop te lijken. We hadden weer zo'n nachtelijke proefvlucht achter de rug waarop Yossarian met geen mogelijkheid plaatsen als Athens, Georgia en Raleigh in North Carolina kon vinden en Appleby uit Texas ons opnieuw op zijn radiokompas terug moest loodsen. We waren met ons drieën naar de kantine voor de manschappen gegaan voor een middernachtelijk maal, Schroeder en ik en Yossarian. De officiersmess was gesloten. Yossarian had altijd honger. Hij had zijn insignes afgedaan om voor gewoon soldaat door te kunnen gaan. 's Nachts krioelde het buiten altijd van de mensen. Terwijl we ons een weg baanden door de menigte, kreeg ik plotseling een duw van een grote dronken pummel, een gewoon soldaat, zo hard dat er duidelijk opzet in het spel was. In een verbaasde, instinctieve reactie draaide ik me om. Voordat ik een woord uit kon brengen gaf hij me zo'n oplawaai dat ik ruggelings tegen een groepje andere soldaten viel, die zich al nieuwsgierig hadden omgedraaid. Het ging allemaal zo snel dat ik amper wist wat er gaande was. Terwijl ik half verdwaasd mijn evenwicht probeerde te bewaren rende hij met geheven vuisten op me af. Hij was groter dan ik, een brede, zwaargebouwde kerel tegen wie ik geen schijn van kans maakte. Het was net als toen ik probeerde Lew te leren boksen. Ik kon niet eens wegkomen. Waarom hij het op mij gemunt had zal me altijd een raadsel zijn. Maar voor hij me kon raken kwam Yossarian met opgeheven armen en open handen tussenbeide om te proberen hem tot andere gedachten te brengen en te sussen. Maar hij had zijn eerste zin nog niet af of de man gaf hem een keiharde klap tegen zijn slaap, meteen gevolgd door een linkse. Yossarian struikelde hulpeloos duizelend achteruit en de man bleef op hem inslaan, zodat Yossarian tolde op zijn benen, en zonder erbij na te denken vloog ik op de man af, pakte een van zijn gespierde armen en hield vast. Toen dat niet hielp, pakte ik hem bij zijn middel en zette me uit alle macht af tegen de grond om hem uit zijn evenwicht te brengen. Schroeder had hem inmiddels van de andere kant beet en ik hoorde hem praten. 'Hé, stomme zakkenwasser, dit is 'n officier, stomme zakkenwasser!' hoorde ik hem de man in zijn oor krassen. 'Dit is 'n officier!' Daarop vloog Yossarian, die behoorlijk sterk was, hem van voren aan, wist zijn armen vast te houden en duwde hem naar achteren tot hij uit balans raakte en zich vast moest houden. Ik voelde hoe de vechtlust hem verging toen Schroeders woorden tot hem doordrongen. Toen we hem loslieten was hij lijkbleek.

'Ik zou je strepen maar weer opdoen, luitenant,' fluisterde ik hijgend tegen Yossarian, en toen hij aan zijn gezicht voelde zei ik: 'Er is geen bloed. Maak liever dat je wegkomt en je strepen weer opdoet, voordat er iemand komt. Eten doen we wel een ander keertje.'

Vanaf die tijd stond ik altijd aan Yossarians kant bij zijn aanvaringen met Appleby, zelfs ten tijde van wat we later het Roemrijke Atabrine-Oproer doopten, hoewel ik altijd trouw de malariatabletten slikte als we door de tropen vlogen en hij niet. Voor we in Puerto Rico landden was ons verteld dat Atabrine de symptomen van malaria verlichtte zonder de ziekte zelf te genezen en Yossarian zag er het nut niet van in om symptomen te behandelen voordat hij ze kreeg, voorschrift of niet. Hun meningsverschil mondde uit in een poging om hun gezicht te redden. Kraft, de tweede vlieger, was zoals gewoonlijk neutraal. Kraft zei weinig, glimlachte veel en maakte vaak een enigszins wazige indruk. Toen hij niet lang daarna tijdens een bombardementsvlucht boven Ferrara sneuvelde, was hij in mijn ogen nog steeds neutraal.

'Ik ben de gezagvoerder van dit schip,' vergaloppeerde Appleby zich tegen Yossarian ten overstaan van ons allemaal in Puerto Rico, onze eerste aanlegplaats na ons vertrek uit Florida voor de veertien dagen durende reis naar Europa. 'En ik deel de lakens uit.'

'Gelul,' zei Yossarian. 'Dit is een vliegtuig, Appleby, geen schuit.' Ze waren even lang en hadden dezelfde rang, tweede luitenant in die tijd. 'En we zijn aan land, niet op zee.'

'Toch blijf ik de gezagvoerder.' Appleby, een Texaan, was een trage prater. 'Zodra we weer de lucht ingaan beveel ik je ze in te nemen.'

'Dan weiger ik gewoon.'

'Dan rapporteer ik je,' zei Appleby. 'Niet voor mijn plezier, maar dan rapporteer ik je aan onze bevelvoerend officier zodra we die hebben.'

'Ga je gang,' zei Yossarian koppig. 'Het is mijn lichaam en mijn gezondheid en daar beslis ik zelf over.'

'Niet volgens de krijgswet.'

'Dan is die onconstitutioneel.'

We maakten kennis met de aerosolbom, tegenwoordig spuitbus geheten, de eerste die ik zag, en leerden dat we die elke keer als we het vliegtuig in gingen moesten gebruiken ter bestrijding van de muskieten en de ziektes die ze over konden brengen tijdens onze vlucht van het Caribische-Zeegebied naar Zuid-Amerika. Tijdens elke etappe van onze vlucht naar Natal in Brazilië werd ons verzocht een oogje in het zeil te houden voor de wrakstukken van een paar vliegtuigen die enkele dagen daarvoor in die zee van oerwoud neergestort waren. Dat had meer indruk moeten maken dan het deed. Hetzelfde gold voor de acht uur durende oceaanvlucht van Brazilië naar Ascension in een vliegtuig dat voor maximaal vier uur gebouwd was, en van daar, twee dagen later, naar Liberia in Afrika en vervolgens naar Dakar in Senegal. Als we eraan dachten speurden we tijdens die lange saaie vluchten de zee af naar wrakstukken en gele vlotten. In Florida hadden we tijd en vrije avonden, en in de kroegen en cafés werd gedanst.

Ik voelde behoefte om met een meisje naar bed te gaan. Oudere jongens uit Coney Island zoals Chicky Ehrenman en Mel Mandlebaum, die eerder in dienst waren gegaan, kwamen op verlof uit verre oorden als Kansas en Alabama met soortgelijke verhalen over vrouwen die maar al te graag bereid waren om voor onze militaire helden op hun rug te gaan liggen, en nu ik zelf militair was, wilde ik ook van bil.

Maar ik wist nog steeds niet hoe. Ik was verlegen. Ik kon geintjes maken, maar ik had weinig lef. Ik liet me te snel meeslepen door iets in een gezicht of figuurtje dat ik mooi vond. Ik kreeg te snel een stijve en was bang dat ze die zouden zien. Ik wist dat ik vaak voortijdig klaarkwam, maar voor een heleboel jongens in die tijd was dat beter dan helemaal niets. Als ik dicht tegen een meisje aan danste, ongeacht of ze knap of lelijk was, kreeg ik altijd vrijwel meteen een paal, zodat ik haar vol schaamte losliet. Nu weet ik dat ik me juist dichter tegen haar aan had moeten drukken om hem haar duidelijk te laten voelen en gewaagde grapjes had moeten maken over wat ik wou en zou krijgen. Dat zou me veel meer opgeleverd hebben. Als ik met een meisje naar de achterkamer ging om te vrijen of op bezoek ging als ze aan het babysitten waren, kreeg ik meestal vrij snel mijn zin en voelde ik me een hele piet – maar ik kon er nooit omheen dat er nog veel meer mogelijk was. Ik wist dat ik klein was en dacht altijd dat ik ook een kleine pik had en de meeste anderen behoorlijk grote, tot Lew en ik ons 's zomers een keer in de kleedkamer van het zwembad in Kermisland stonden te wassen en ik brutaal in de spiegel keek en zag dat de mijne even goed was.

Maar hij gebruikte hem. En ik kwam altijd of te snel klaar of helemaal niet. De eerste keer dat Lew en zijn andere vriend Leo Weiner iemand voor me versierden – daar waren ze allebei goed in –, een meisje dat die zomer in een frisdrankzaak op het eiland werkte en niet te beroerd was om op verzoek met iemand plat te gaan, kwam ik klaar in mijn condoom voordat ik hem erin kon steken. De eerste keer dat ik zelf iemand versierde, een meisje in de achterkamer van de jeugdclub dat me, terwijl ik nog steeds met mijn hand bezig was, liet weten dat ze wel zin had, werd hij meteen na het uitkleden slap, hoewel hij voor we onze broek uittrokken hartstikke stijf en klaar was geweest. Glenda genoot van dit soort verhalen.

Ik durf het niet met zekerheid te zeggen, maar ik geloof niet dat ik echt van bil ging vóór ik in Europa was. Daar ging het vanzelf, daar was ik een van de jongens die massaal met hun jeugdige zelfverzekerdheid en onbesuisdheid de bink uithingen bij de plaatselijke meisjes die ons niet verstonden in Bastia, de grootste stad in de buurt, en later vooral in Rome, waar de vrouwen die we op straat tegenkwamen ons door te glimlachen lieten weten wat ze daar deden en verwachtten dat we ze aanklampten met voorstellen en geld en sigaretten en chocola en zorgeloze vrolijkheid en onze gulp al half open. We konden ze niet zien als prostituées of hoeren, alleen als tippelaarsters. De reden dat ik niet met zekerheid kan zeggen of ik het al eerder echt gedaan had is dat incident met dat lieve zuidelijke meisje in de dancing in West Palm Beach in Florida, waar ze ons naartoe gevlogen hadden om het vliegtuig waarmee we naar Europa zouden vliegen te testen en de diverse instrumenten te controleren op fouten en afwijkingen.

Ik weet nog steeds niet of dat telde of niet. Het was een echt brutaaltje, met gitzwart haar en bijna lavendelblauwe ogen, een paar centimeter kleiner dan ik, met kuiltjes in haar wangen en diep onder de indruk van mijn swingende Newyorkse Lindy Hop, die ze nog nooit had gezien en ook wou leren. Schroeder kende die dans ook niet en luitenant Kraft, die de jeep waarin we gekomen waren voor ons uit het wagenpark had gehaald, evenmin. Later gingen we naar buiten om af te koelen. Ik had nog steeds mijn arm om haar middel en zonder iets te zeggen slenterden we naar een van de donkerste plekjes van het parkeerterrein. Op diverse beschutte plekjes waren paartjes in de weer. Ik hielp haar op de bumper van een lage sportwagen.

'O nee, Sammy-boy, dat gebeurt vanavond niet, niet hier en niet nu,' zei ze heel streng, terwijl ze me met haar handen tegen mijn borst wegduwde en snel een lief kusje op mijn neus plantte.

Ik knielde tussen haar benen, zo dicht bij haar dat ik haar kon blijven kussen, stak mijn handen onder haar jurk, liet ze over haar dijen naar haar onderbroek glijden en stak mijn duim onder het elastiek. Ik was allang blij dat ik op een parkeerplaats al zover gekomen was.

Ik keek haar recht in haar ogen en biechtte glimlachend op: 'Ik zou toch niet weten hoe ik het aan moest leggen. Ik heb het nog nooit gedaan.' De dag daarop vlogen we toch naar Puerto Rico, dus ik kon me veroorloven om eerlijk te zijn.

Ze lachte, alsof ik nog steeds geintjes maakte. Ze kon bijna niet geloven dat zo'n doordouwer als ik nog maagd was.

'Och, arme jongen,' zei ze op lieve, medelijdende toon. 'Dan heb je wel ontbering geleden, hè?'

'Ik heb je leren dansen,' zei ik veelbetekenend.

'Dan zal ik je laten zien hoe we het doen,' stemde ze in. 'Maar je mag hem er niet in steken. Dat moet je beloven. Ga 's even weg, dat ik me kan draaien. Da's beter. Zie je wel. O, wat voel ik daar voor lekkers? En helemaal klaar om aan de slag te gaan, hè, de schat.'

'Ik ben besneden door een beeldhouwer.'

'Ho, niet zo snel, Sammy-boy. En niet zo haastig. Daar niet, schatje, daar niet. Da's meer mijn navel. Je moet leren om me de kans te geven om mijn ding omhoog te steken zodat je erbij kan. Daarom noemen we het platgaan, schatje, snap je wel? Maar vanavond doe ik dat niet, oké? Kom eens dichterbij. Goed zo. Maar je mag er niet in! Níet erin! Je duwt hem erín!'

Dat laatste schreeuwde ze hard genoeg om de hele buurt wakker te maken. Een seconde of vijftien lang wipte en kronkelde ze verwoed heen en weer om los te komen, terwijl ik mijn best deed om op te staan, en ineens stond ik rechtop en zag mezelf over de motorkap van de auto zaad schieten. Het spoot meters ver weg. Schieten is precies het juiste woord voor een jongen van negentien of twintig. Een man van boven de achtenzestig komt klaar. Als hij kan. Als hij zin heeft.

Ik had nooit verwacht dat ik ooit zo oud zou zijn, dat ik met stijve knoken wakker zou worden en meestal eigenlijk niets anders om handen zou hebben dan mijn vrijwilligerswerk voor het Kankerfonds. Ik lees tot 's avonds laat, om met de dichter te spreken, en 's morgens dikwijls ook, en 's winters ga ik naar het zuiden met een vriendin met een huis in Naples, Florida, om bij de oceaan te zijn, en soms naar mijn dochter in Atlanta, en soms naar Houston in Texas, naar mijn andere getrouwde dochter. Ik zit in een bridgeclub en op die manier kom ik onder de mensen. Ik heb een zomerhuisje in East Hampton, aan de oceaan, met één logeerkamer met eigen badkamer. Als Lew onder behandeling moet, ga ik zeker eens per week bij hem op bezoek, per bus vanaf het busstation. Daar is een hele dag mee gemoeid. Ik had nooit gedacht dat ik langer zou leven dan hij, en misschien gebeurt dat ook niet, want in de twintig jaar dat ik weet dat hij de ziekte van Hodgkin heeft, is hij in de tijden dat hij er geen last van heeft niet alleen taaier dan ik, maar ook veel actiever. Alleen schijnt het deze keer langer te duren. Hij blijft mager, mismoedig en fatalistisch en Claire, die met Teemer praat, maakt zich meer zorgen over zijn psychische toestand dan over zijn ziekte.

'Ik ben er beroerd van om ongepast te zijn,' zei hij laatst tegen me, alsof hij klaar was om het hoofd in de schoot te leggen, en ik wist niet of hij een geintje maakte of niet.

Dus probeerde ik er zelf maar een. 'Het woord is onpasselijk.'

'Wat?'

'Het juiste woord is onpasselijk, Lew. Niet ongepast.'

'Sloof je niet zo uit, Sammy. Dit is niet het juiste moment.'

Ik voelde me een echte idioot.

Een oude dag bij de kinderen zit er voor mij niet in, dus ik heb geld op de bank staan voor mijn verpleeghuis. Ik wacht op mijn prostaatkanker. Als mijn vriendin de welgestelde weduwe haar financiële kopschuwheid overwint en de knoop doorhakt, ga ik binnenkort misschien opnieuw trouwen. Maar voor hoe lang? Nog zeven jaar? Ik mis het gezinsleven wel.

Glenda besloot dat het meisje buiten de dancing niet meetelde. 'Tsjee!' lachte ze altijd als ik die ervaring ophaalde, ongelovig haar hoofd schuddend. 'Wat was jij een onnozele hals!'

'Zeg dat wel.'

'En bij mij hoef je dat hulpeloze-jongetjestrucje niet te proberen.'

Het was niet altijd een truc. Vrijwel alle vrouwen waar ik ooit iets mee gehad heb schenen meer ervaring te hebben dan ik. Volgens mij zijn er twee soorten mannen en hoor ik bij de tweede soort.

Zij deed het voor het eerst op de universiteit, de eerste keer dat ze van huis was, met de man met wie ze kort na haar afstuderen trouwde en die eerder kanker kreeg dan zij, huidkanker, en later nog twee keer trouwde en zelfs nog een kind verwekte. Ik kreeg pas na de oorlog de kans om te gaan studeren en tegen die tijd was het geen kunst om een meisje te versieren, want ik had meer ervaring en de meeste meisjes deden het net zo graag als ik.

Appleby loodste ons van Natal in Brazilië naar Ascension door alle acht uur lang op zijn radiokompas te vliegen, met een extra brandstoftank in het bommenruim vanwege de dubbele afstand. Hij had totaal geen fiducie meer in Yossarians kompaspeilingen. Yossarian ook niet, dus hem kon het weinig schelen. Appleby was degene die steeds rancuneuzer werd. Het enige risico van alleen op je radiokompas vliegen, vertelde Yossarian, die dat in elk geval wel geleerd had, was dat je dan in een boog naar het eiland toevloog in plaats van in een rechte lijn, en dus meer brandstof verbruikte.

Ik kreeg nieuwe lessen over oorlog en kapitalisme en de westerse samenleving in Marrakesj in Marokko, waar ik rijke Franse mannen in het gezelschap van hun kinderen en fraai uitgedoste echtgenotes aperitifs zag drinken op de terrassen van luxueuze hotels, terwijl ze rustig wachtten tot andere mensen Normandië en later Zuid-Frankrijk binnenvielen om hun land te bevrijden, zodat ze weer terug konden om hun landgoederen op te eisen. In het gigantische Amerikaanse aanvoercentrum in Algerije, waar we twee weken moesten wachten voordat we definitief bij een bommenwerpersgroep werden ingedeeld, deed ik mijn eerste specifieke informatie over Sigmund Freud op. Ik deelde er een tent met een oudere hospik die eveneens wachtte op plaatsing en eveneens korte verhalen à la Saroyan wilde schrijven en eveneens zeker wist dat hij dat kon. We hadden geen van beiden door dat niemand op een tweede Saroyan zat te wachten. Tegenwoordig zouden we, gezien de onbeduidendheid van Saroyan, kunnen concluderen dat er niet eens veel op de eerste hadden zitten wachten. We wisselden onze pennevruchten uit.

'Droom jij ooit dat je tanden uitvallen?' vroeg hij me een keer, zomaar tussen neus en lippen. We hadden niets te doen. We konden softballen of volleyen als we wilden. We waren gewaarschuwd tegen zorgeloze uitstapjes naar Constantine op zoek naar whisky of vrouwen, kopschuw gemaakt door het verhaal van een vermoorde Amerikaanse soldaat die ze gecastreerd hadden en zijn scrotum in zijn mond genaaid, hoewel we betwijfelden of dit echt gebeurd was. We aten uit blikken.

Die vraag kwam aan. Ik schrok ervan, alsof ik ontdekte dat ik iemand bij me had die gedachten kon lezen. 'Inderdaad, dat droom ik vaak!' gaf ik onnozel toe. 'Vannacht nog.'

Hij knikte zelfingenomen. 'Gisteren was je je aan het aftrekken,' beweerde hij heel stellig.

'Je lult uit je nek!' zei ik meteen kwaad, me schuldbewust afvragend hoe hij dat wist.

''t Is geen misdaad,' verdedigde hij zich bemoedigend. 'Het is zelfs geen zonde. Vrouwen doen het ook.'

Daar geloofde ik toen niks van. Dan zou ik nog wel eens verbaasd staan, verzekerde hij me.

Na onze landing op Pianosa keken we vol bewondering naar de bergen en bossen zo dicht bij de zee, terwijl we wachtten tot de vrachtwagens ons en onze plunjezakken naar het administratiekantoor van ons squadron brachten, waar we ons moesten melden en tenten toegewezen zouden krijgen. Het was mei, mooi weer en een in alle opzichten prachtige dag. Alles was rustig. We waren opgelucht dat we veilig aangekomen waren.

'Goed werk, Appleby,' prees Yossarian hem nederig uit naam van ons allemaal. 'Als je het van mij had moeten hebben hadden we 't nooit gehaald.'

'Dat interesseert me niet zoveel,' antwoordde Appleby onverbiddelijk in zijn gematigd Texaanse accent. 'Je hebt de krijgswet overtreden en ik zei dat ik je zou rapporteren.'

In het compagniekantoor, waar we werden verwelkomd door de attente eerste sergeant, sergeant Towser, kon Appleby amper wachten tot alle formaliteiten voorbij waren. Toen vroeg hij, éiste hij, met samengeperste lippen in een gezicht dat zowat trilde van gekwetste woede, de squadroncommandant te spreken aangaande de dagelijkse insubordinatie van een bemanningslid dat geweigerd had zijn atabrinetabletten in te nemen en een direct bevel dienaangaande naast zich had neergelegd. Towser onderdrukte zijn verbazing.

'Is hij hier?'

'Jawel, luitenant. Maar u zult even moeten wachten.'

'En ik zou hem graag spreken terwijl iedereen nog hier is, zodat de rest getuige kan zijn.'

'Dat begrijp ik. Ga maar zitten als jullie willen.'

De squadroncommandant was een majoor die, zag ik, met zijn achternaam Major heette, wat ik een vermakelijk toeval vond.

'Ja, ik denk dat ik ga zitten,' zei Appleby. Wij hielden onze mond. 'Sergeant, hoe lang denk je dat ik zal moeten wachten? Ik wil morgen vroeg klaarstaan om zonodig meteen de lucht in te kunnen gaan en ik heb nog een hoop te doen.'

Ik had de indruk dat sergeant Towser zijn oren niet kon geloven.

'Pardon, luitenant?'

'Ja, sergeant?'

'Wat vroeg u precies?'

'Hoe lang ik ongeveer moet wachten voordat ik de majoor kan spreken.'

'Tot hij gaat lunchen,' antwoordde sergeant Towser. 'Dan kunt u meteen naar binnen.'

'Maar dan is hij toch niet in zijn kantoor, of wel?'

'Nee, luitenant. Majoor Major is pas na de lunch weer in zijn kantoor.'

'Aha,' besloot Appleby onzeker. 'Dan kan ik beter na de lunch terugkomen.'

Schroeder en ik luisterden zwijgend toe, zoals altijd als officieren iets regelden. Yossarian was een en al oor.

Appleby liep als eerste naar buiten. Net toen ik achter hem de deur uit kwam, bleef hij abrupt staan en deed met een uitroep van verbazing een stap terug. Ik volgde zijn blik en wist zeker dat ik een lange, donkere officier met een gouden majoorsinsigne door het raam van het compagniekantoor naar buiten zag springen en schielijk om de hoek verdwijnen. Appleby kneep zijn ogen dicht en schudde zijn hoofd alsof hij bang was dat hij iets mankeerde.

'Heb je...' begon hij, maar op dat moment klopte sergeant Towser hem op zijn schouder met de mededeling dat hij majoor Major nu kon spreken als hij dat nog steeds wilde, aangezien de majoor zojuist was vertrokken. Appleby nam de juiste militaire houding weer aan.

'Dank je, sergeant,' antwoordde hij heel formeel. 'Denk je dat hij snel terugkomt?'

'Na de lunch komt hij terug. Dan moet u meteen weer naar buiten en wachten tot hij gaat dineren. Majoor Major ontvangt nooit mensen in zijn kantoor als hij in zijn kantoor is.'

'Wat zei u daar, sergeant?'

Ik zei dat majoor Major nooit mensen in zijn kantoor ontvangt als hij in zijn kantoor is.'

Appleby keek sergeant Towser een paar seconden sprakeloos aan en begon toen op strenge, formeel verwijtende toon: 'Sergeant...' Hij wachtte even, alsof hij er zeker van wilde zijn dat hij zijn volledige aandacht had. 'Probeer je me voor de gek te houden omdat ik een nieuweling ben en jij al een hele tijd in Europa zit?'

'Helemaal niet, luitenant,' antwoordde Towser. 'Dit zijn mijn bevelen. Vraag majoor Major zelf maar als u hem spreekt.'

'Dat is ook precies mijn bedoeling, sergeant. Wanneer kan ik hem spreken?'

'Nooit.'

Maar Appleby kon schriftelijk rapport uitbrengen als hij wilde. Na een week of twee, drie waren we praktisch veteranen en vond zelfs Appleby de affaire van geen belang meer.

Appleby vloog al snel vooraan in de formatie en kreeg een geroutineerde bommenrichter met de naam Havermeyer toegewezen. Yossarian was in het begin goed genoeg om eerste bommenrichter te worden en kreeg een zachtaardige vlieger met de naam McWatt. Later vloog ik het liefst met Yossarian vanwege zijn snellere duikvluchten.

Voor mijn gevoel ontbrak het ons aan niets. De tenten waren comfortabel en niemand scheen vijandige gevoelens jegens elkaar te koesteren. We konden het met elkaar vinden op een manier die ergens anders onmogelijk geweest zou zijn. Bij Lew in de infanterie in Europa was het dood en verschrikking en onderling gekrakeel. Bij ons hield vrijwel iedereen van een lolletje en zat niemand erg in de put over onze incidentele verliezen. Onze twee kantines stonden onder het toezicht van Milo Minderbinder, tegenwoordig industrieel en im- en exporteur en gros, die het uitstekend deed en bekendstond als de beste messofficier in het hele Middellandse-Zeegebied. We kregen elke morgen verse eieren. De keukenbrigade onder korporaal Snark bestond uit door Milo Minderbinder geronselde Italianen en hij vond plaatselijke huisvrouwen die met plezier voor een grijpstuiver de was voor ons deden. Het enige wat we moesten doen om eten te krijgen was bevelen opvolgen. We kregen elk weekend ijssorbet en de officieren elke dag. Pas toen ik samen met Orr bij de Franse kust in zee stortte, ontdekte ik dat het koolzuur in Milo's ijssorbets afkomstig was uit de koolzuurcilinders voor onze opblaasbare zwemvesten. Toen Snowden sneuvelde, kwamen we er ook achter dat Milo de morfine-ampullen uit onze EHBO-doos gepikt had.

Die eerste dag was ik bezig met mijn tent en hoorde ik het geluid van een heleboel vliegtuigen, en tegen het helderblauw van de windstille hemel zag ik drie escadrilles van zes bommenwerpers in volmaakte formatie van een bombardementsmissie terugkeren. Ze waren die morgen uitgevlogen om een spoorbrug aan de Italiaanse westkust, buiten de stad Pietrosanta, te bombarderen en waren op tijd terug voor het middageten. Er was geen afweergeschut en er waren geen vijandelijke vliegtuigen. Al die tijd dat ik daar heb gezeten waren er nooit vijandelijke vliegtuigen. Deze oorlog was me op het lijf geschreven, gevaarlijk en veilig, precies waar ik op had gehoopt. Ik had werk dat ik graag deed en dat bovendien respectabel was.

Twee dagen later maakte ik mijn eerste vlucht naar een brug bij een plaats die Piambino heette. Ik vond het jammer dat er geen afweergeschut was.

Pas toen ik een jongen van mijn eigen leeftijd, Snowden, op een paar meter afstand van mij achter in een vliegtuig dood zag bloeden, drong het eindelijk tot me door dat ze *míj* ook probeerden dood te schieten, serieus probeerden dood te schieten. Mensen die ik niet kende vuurde kanonnen op me af als ik opgestegen was om bommen op hen te laten vallen en voor mij was de lol eraf. Ik wilde naar huis. Er waren nog meer minder leuke dingen, want het minimale aantal missies werd eerst verhoogd van vijftig tot vijfenvijftig en vervolgens tot vijfenzestig, en wie weet steeg het vóór het zover was nog verder, altijd met de akelige mogelijkheid dat ik voor die tijd sneuvelde. Ik had er inmiddels zevenendertig missies opzitten en had er nog drieëntwintig en vervolgens nog achtentwintig te gaan. Ze werden gevaarlijker ook, en na Snowden kreeg ik de vaste gewoonte om meteen na het opstijgen, als we in formatie boven de zee vlogen en ik achterstevoren op mijn fietszadel in de staart zat, een gebedje te prevelen voordat ik mijn machinegeweer laadde en uitprobeerde. Ik weet nog wat ik bad: 'Lieve God, laat me alstublieft heelhuids thuiskomen, dan zweer ik dat ik nooit meer in een vliegtuig zal stappen.' Later brak ik die belofte voor een verkoopconferentie zonder er ook maar een seconde bij stil te staan. Ik heb niemand ooit verteld dat ik bad, ook Glenda niet.

In mijn tweede week reed ik met ene luitenant Pinkard, met wie ik tijdens een van mijn vluchten al vriendschap gesloten had, naar Bastia om de buurt te verkennen, in een jeep uit het stafwagenpark. Als we niet hoefden te vliegen hadden we de tijd aan onszelf. Niet lang daarna stortte Pinkard samen met Kraft neer boven Ferrara en werd met de hele bemanning als vermist en vermoedelijk gesneuveld opgegeven. Op de vlakke, rechte kustweg naar het noorden stonden twee grinnikende meisjes te liften en Pinkard kwam met gierende banden tot stilstand om ze mee te nemen. Een paar minuten later draaide hij de weg af en reed een egaal stukje terrein met beschermend struikgewas op, waar hij een nieuwe noodstop maakte en met veel koeterwaals naar buiten en naar de grond wees.

'Neuk-neuk?' vroeg de oudste toen ze meende te begrijpen wat hij bedoelde.

'Neuk-neuk,' antwoordde Pinkard.

De meisjes keken elkaar aan en stemden in en dus stapten we uit en gingen ieder met een van hen een kant uit. Ik had de oudste van de twee en we liepen met onze armen om elkaar naar een plekje naast de roestende spoorlijn die daar langs de kust liep maar niet meer in gebruik was. Tussen de rails lag de metalen pijpleiding waardoor we onze kerosine uit de haven in Bastia kregen. Ze wist van wanten. Ze maakte zichzelf snel klaar en hielp me naar binnen. Ik voelde minder dan ik verwacht had, maar nu wist ik in elk geval zeker dat ik het eindelijk deed. Eén keer kwam ik zelfs half overeind en keek vergenoegd naar beneden om het zeker te weten. Ik kwam eerder dan Pinkard, maar was ook eerder klaar voor de tweede ronde. Maar toen zaten we alweer in de jeep en geen van de anderen wilde nog een keer stoppen.

Ongeveer een week later trokken de Duitsers zich terug uit Rome en trok het Amerikaanse leger de stad binnen, toevallig op dezelfde dag als D-Day in Frankrijk. De tweede officier van ons squadron – vraag me niet wat een tweede officier is, maar de onze was ene majoor de Coverley – had in een handomdraai twee appartementen voor kort verlof gehuurd, voor de officieren een deftig huis met voor ieder van de vier een slaapkamer vol marmer, spiegels, gordijnen en fonkelend sanitair aan een brede straat die Via Nomentana heette, vrij ver buiten het centrum en een behoorlijk end lopen. Het onze besloeg twee hele bovenverdiepingen in een gebouw met een vreselijk trage lift in een zijstraat van de Via Veneto in het centrum, zo gunstig gelegen dat de officieren op verlof er ook vaak gebruik van maakten, zelfs om te eten en zo nu en dan om naar bed te gaan met de meisjes die overal te vinden waren. Wij kwamen met meer mensen en brachten ons eigen voedsel mee en dank zij Milo en majoor de Coverley hadden we vrouwen die de hele dag voor ons kookten. We hadden schoonmaaksters die genoten van het werk en ons gezelschap, met vriendinnen die op bezoek kwamen en vaak bleven slapen vanwege het eten en de lol. Als je onverwacht aandrang kreeg, was daar snel iets aan gedaan. Ik liep een keer Snowdens kamer binnen en daar lag Yossarian in bed, boven op een schoonmaakster die haar bezem nog vast had en met haar groene onderbroek naast hen op de matras.

Ik had nog nooit zo'n fijne tijd gehad als in dat huis en ik betwijfel of ik sinds die tijd ooit zo'n plezier heb gehad.

Toen ik na twee dagen verlof terugkwam van een korte wandeling, zag ik de piloot die Hungry Joe werd genoemd met twee vlotte, zorgeloos uitziende meisjes uit een paardetaxi komen. Hij had een fototoestel bij zich.

'Hé, Singer, Singer, kom op,' schreeuwde hij met de hoge, opgewonden stem die zo typisch voor hem was. 'We hebben twee kamers nodig hier. Ik betaal, ik trakteer. Ze zeiden dat ze zouden poseren.'

Hij liet me beginnen met de knapste; zwart haar, mollig, rond gezicht met kuiltjes, flinke borsten, en het was erg lekker, zoals Hemingway zou kunnen zeggen, opwindend, ontspannend, bevredigend. We lagen elkaar. Toen we ruilden en ik de pezige kreeg, was het nog lekkerder. Ik zag dat het waar was dat vrouwen er ook van konden genieten. En daarna is het me altijd redelijk makkelijk afgegaan, vooral toen ik mijn eigen appartementje in New York kreeg en vrolijk op de reclameafdeling van *Time* magazine werkte. Ik kon praten, ik kon flirten, ik kon geld uitgeven, ik kon vrouwen ertoe verleiden mij te verleiden – op die manier wist ik Glenda ertoe over te halen om mij ertoe over te halen om na onze vele weekends samen te gaan wonen en vervolgens te trouwen.

Toen ik na afloop weer op de basis kwam, voelde ik me zelfverzekerd en avontuurlijk, een versierder, bijna een casanova. Ik had een redelijke rol in een aardig goede film. Ik had het gevoel dat alles van een leien dakje ging, zonder de geringste inspanning van mijn kant. Elke morgen stond ons verse eitje klaar, als we bij ons vliegtuig kwamen waren de bommen al geladen. Alles wat gedaan moest worden werd door anderen gedaan en ik hoefde geen vinger uit te steken. Ik was omringd door niet-joden en kon met iedereen opschieten.

Toen ik aankwam, hadden sommige boordschutters en officieren het vereiste aantal bombardementsmissies al gedaan. Ze hadden er vijftig opzitten en zich in veel gevallen over laten halen om er een paar extra te doen op dagen dat er om welke reden dan ook een tekort aan manschappen was, en nu zaten ze te wachten op de orders waarmee ze terug naar huis konden. Voor de overplaatsing van de bommenwerpersgroep van het vasteland naar het eiland hadden ze op Monte Cassino en Anzio gevlogen toen er nog Duitse gevechtsvliegtuigen gestationeerd waren, en daarna moesten ze, net als onze voorgangers, op gevaarlijke doelwitten als Perugia en Arezzo af, waar ik ze vaak over hoorde praten. Ferrara, Bologna en Avignon moesten nog komen, die lagen in de toekomst. Toen het aantal verplichte missies van vijftig op vijfenvijftig werd gebracht, kregen degenen die nog niet naar Napels waren vertrokken om naar Amerika te worden verscheept bevel om zich opnieuw te melden voor actieve dienst en de voorgeschreven extra missies te maken. En ik zag die veteranen van het luchtruim, die zoveel meer wisten dan ik, zonder angst of verontwaardiging, enigszins geïrriteerd vanwege het ongemak maar zonder paniek of protesten, opnieuw de lucht in gaan. Dat vond ik bemoedigend. Ze brachten het er zonder kleerscheuren af en konden uiteindelijk allemaal naar huis. De meesten waren nauwelijks ouder dan ik. Ze hadden het er heelhuids afgebracht. Dat zou ik ook doen. Ik had het gevoel dat mijn leven als volwassene op het punt stond stond om te beginnen. Ik hield op met masturberen.

18

DANTE

'In welke taal?'

'In vertaling, natuurlijk. Ik weet dat je geen Italiaans kent.'

'Drie of vier keer,' herinnerde Yossarian zich van Dantes *Divina Commedia,* terwijl ze nadat Michael zijn tekeningen had afgeleverd, op de lift stonden te wachten. 'Eén keer als kind... ik las vroeger meer dan jij ooit gedaan hebt. Eén keer op de universiteit voor renaissance-literatuur, met Macaroni Cook. En daarna nog een paar keer, alleen het *Inferno.* Ik heb er nooit zo van genoten als eigenlijk de bedoeling was. Waarom?'

'Daar doet het me aan denken,' zei Michael over het busstation, waar ze nu ieder voor hun eigen doeleinden naartoe moesten, Michael met M2 om de videomonitoren te controleren, Yossarian met McBride en, indien nodig, agenten in kogelvrije vesten en gewapend met verdovingsgeweren voor de honden onder aan de eerste trap.

'Zelfs de naam. Haven, dienst, eindstation. Het woord zegt het al. Ik ben er niet eens aan begonnen,' ging hij uitdagend en snoeverig verder, 'maar elke keer als ik aan dat busstation denk, stel ik me voor hoe Dantes Inferno eruit zou kunnen zien.'

'Da's een originele gedachte,' merkte Yossarian droogjes op. Zij waren de enige passagiers.

'Behalve,' verbeterde Michael zichzelf, 'dat het busstation boven de grond is. Alsof het iets normaals is.'

'Dat maakt het erger, niet?' zei Yossarian.

'Dan de hel?' Michael schudde zijn hoofd.

'De hel is andere mensen, beweert Sartre. Die zou je moeten lezen.'

'Geen behoefte aan. Da's kletskoek, als hij dat serieus meende. Waarschijnlijk heeft hij het alleen gezegd om mensen zoals jij de kans te geven om het aan te halen.'

'Heel slim.'

'Aan deze wennen we,' zei Michael.

'Maakt dat het niet erger? Dacht je dat ze er in de hel niet aan wennen?' Lachend ging Yossarian verder: 'In Dante beantwoorden ze vragen en worden hun folteringen onderbroken om ze de kans te geven lange verhalen over zichzelf te vertellen. Niks van wat God gedaan heeft is eigenlijk helemaal gelukt. De hel niet. Zelfs de evolutie niet.'

Michael was een belezen man die geen magie had gevonden in *De Toverberg*. 'Schweik' had hij niet gelezen, hoewel hij hem wel sympathiek vond. Kafka en Josef K. vond hij amusant maar onhandig en onopwindend, Faulkner passé en *Ulysses* een nieuwigheidje dat zijn tijd gehad had, maar Yossarian had besloten om hem toch aardig te vinden.

In het begin van zijn loopbaan als jonge vader, met uiteindelijk vier kinderen, had Yossarian er nooit ook maar een seconde bij stilgestaan dat ze op zijn oude dag nog steeds familie zouden zijn.

'En ik begin hetzelfde gevoel te krijgen over dat kantoor van je,' zei Michael, toen ze uit de lift stapten en door de hal naar buiten liepen.

'Dat kantoor van óns,' corrigeerde Yossarian hem.

Michael liep met veerkrachtige tred en had een cheque van M & M in zijn zak, en zijn geanimeerdheid stond in vreemd contrast met de gemelijke opmerkingen die hij maakte.

'En al die andere gebouwen hier in het Rockefeller Center ook. Die waren vroeger veel groter, echte wolkenkrabbers. Tegenwoordig lijkt het net of ze ook naar de hel gaan, alsof ze wegzakken.'

Dat had Michael nog niet eens zo slecht gezien, dacht Yossarian, toen ze een zonnige straat vol vastzittend verkeer en haastige voetgangers insloegen. De slanke, zilverachtige gebouwen met de simpele rechtlijnigheid van het oorspronkelijke, échte Rockefeller Center werden nu overal overschaduwd door hogere bouwwerken van extravagantere stijl en gewaagder ontwerp. Oude gebouwen hadden plaats gemaakt voor nieuwe. Ze stelden weinig voor. De daken leken inderdaad lager en Yossarian vroeg zich dromerig af of het inderdaad mogelijk was dat alles langzaam wegzonk in de mysterieuze modderdiepten van een onwerkelijke zee van veroudering ergens onder de grond.

Verderop in de richting van Sixth Avenue waren de sollicitatiegesprekken voor managers afgelopen en had de rij goed geklede bedelaars in driedelige kostuums haar positie al ingenomen. Sommigen duwden voorbijgangers papieren McDonald's-bekers onder de neus, anderen, met starende ogen in een gezicht dat tussen hoog opgetrokken schouders was weggezakt, leken bijna te verdwaasd om te bedelen. Aan de overkant lag de ijsbaan met een fantastische helderheid zijn eigen fonkelende aanwezigheid te reflecteren. Eromheen rezen doosachtige kantoorgebouwen omhoog, enorme steenkolossen met ramen, als platte, oninteressante monolieten van de hand van één enkele steenhouwer. Wie bleef staan en luisterde, hoorde duidelijk het daveren van de ondergrondse treinen en voelde de trillingen. Op ooghoogte verkondigden in steen gehouwen letters of mozaïekjes op kleine gouden en blauwe schildjes de naam van de voornaamste huurder van elk gebouw. Binnenkort, zodra het bestaande huurcontract ten einde liep, zou het oude Time-Life-hoofdkwartier worden omgedoopt in het nieuwe M & M Gebouw.

Op het allerhoogste bouwwerk in dat complexe architectonische wapenfeit, op Rockefeller Center nummer 30, had al een diepgaande verandering plaatsgevonden. De institutionele naam van de oorspronkelijke huurders, de Radio Corporation of America, een beroemde pioniersorganisatie op het gebied van radio en tv en de produktie van populair, vulgair vermaak voor dankbare internationale massa's, was weggevaagd en vervangen door de naam van het veel toonaangevender zakenimperium dat het gekocht had, de General Electric Company, een van de grootste producenten van militair materieel, locomotieven, straalmotoren, watervervuilers, en elektrische broodroosters, dekens en gloeilampen voor huiselijk gebruik.

Het voor de letters van de nieuwe naam gebruikte synthetische goud zou langer glanzen dan echt goud en was weliswaar minder kostbaar maar van grotere waarde. Boven de ijsbaan hing een luchtig metalen beeldhouwwerk van een mannelijke figuur in blinkend citroengeel verguldsel die de mythische Prometheus moest voorstellen, een weinig voor de hand liggende keuze, een godheid die de mensheid vuur had gegeven.

'Oversteken,' zei Yossarian om niet het pad te hoeven kruisen van een uitgelaten groepje jongelui op gymschoenen dat tussen de haastig ruim baan makende zwarte en blanke voetgangers door onverschrokken op hen afkwam.

De ijsbaan zelf, het bevroren ovaal onder het niveau van de straat, werd schoongemaakt door grinnikend rondschaatsende Japanse arbeiders met groene jockeycaps en rode jasjes met grote buttons op hun revers met een tekening van een grijnzend roze gezicht met een overdaad aan tanden tegen een blinkend witte achtergrond. Druppels vocht glinsterden als bevroren tranen op de uitstekende jukbeenderen van de Aziatische arbeiders in rood en groen. Kalm en gecoördineerd lieten de geüniformeerde arbeiders met het onderdanige voorkomen, nu uitgerust met het Tilyou Kermisland-insigne op sneeuwwitte buttons, hun machines soepel over de door schaatsen bekraste baan glijden en brachten een nieuw laagje water aan om het ijs hard en glad te maken voor de volgende groep. De eerste schaatsers waren al aangekomen en vrijwel iedereen at, rauwe vis met rijst of zoute broodjes of broodjes rosbief, om de tijd door te komen tot ze naar binnen konden.

Yossarian dacht aan Dante, maar kon geen naam geven aan wat onder dat meer van ijs in de hel huisde, tenzij het domein van de behaarde, afzichtelijke Satan zelf. Hij wist wat onder de ijsbaan en de omringende gebouwen lag: koelbuizen voor het ijs, waterleidingen, elektriciteitskabels, telefoonleidingen, verwarmingsbuizen om de kantoren 's winters te verwarmen. Eveneens onder het niveau van de straat lagen de uitwaaierende voetgangerspassages met winkels op hun retour, plus minstens één ondergrondse lijn uit een andere wijk met wissels naar andere lijnen in andere richtingen. Het zou waarschijnlijk uren duren, maar als je de tijd had kon je met de metro elk plekje in de stad bereiken.

'Oversteken maar weer,' zei Yossarian, liever dan langs de burgerbedelaars te lopen, wier afgestompte gezichten hem altijd van de wijs brachten. Hij had niet gedacht dat het Amerikaanse vrije-marktkapitalisme zoveel van zijn discipelen tot de ondergang had gebracht.

Bij het horen van een koor van kwetterend gelach achter zich draaide hij zich om en keek naar een van de gespikkelde marmeren bloembakken op de promenade. Hij zag een peenharige man met een wandelstok en een slappe groene rugzak die gedienstig foto's maakte van een groepje gereserveerde doch vrolijke donkere oosterse toeristen. Yossarian had het idee dat hij hem eerder gezien had. De man had dunne lippen, oranje wimpers, een rechte, spitse neus en een gezicht met de broze, melkwitte huid die je wel vaker ziet bij mensen met die haarkleur. Toen hij het fototoestel teruggaf, keek hij naar Yossarian met een arrogantie die beduidde dat hij precies wist wie hij was. Hun blikken vingen elkaar en plotseling had Yossarian het idee dat hij hem al een keer ontmoet had in Kerkhof Noord in München, bij de ingang van het lijkhuisje aan het begin van de beroemde novelle van Mann, de mysterieuze roodharige man wiens aanwezigheid en plotseling verdwijnen Gustav Aschenbach zo van streek hadden gemaakt – één glimp en hij was vertrokken, weg uit het verhaal. Deze man zwaaide roekeloos met een rokende sigaret, alsof hij evenveel minachting had voor kanker als voor Yossarian. En terwijl Yossarian hem uitdagend en verontwaardigd bleef aankijken, gaf de man hem een brutale grijns, en Yossarian voelde een huivering in zijn binnenste, precies op het moment dat een lange, parelwitte limousine met donkere ramen tussen hen in tot stilstand kwam, hoewel het verkeer daar geen aanleiding toe gaf. De auto was langer dan een lijkwagen en bijna twee keer zo breed, en de chauffeur was een donker type. Toen de limousine weer optrok, lagen er brede rode, met bandensporen doorsneden vlekken op straat, alsof de wielen bloed hadden gelekt, en de man met het peenhaar en de groene rugzak was verdwenen. De Aziaten keken ingespannen naar boven, alsof ze hun best deden een raadselachtige boodschap op de lege muren en glanzende spiegelramen van het gebouw te ontcijferen.

Als hij verder richting Eighth Avenue liep, wist hij, kwam hij bij de massagesalons en benauwde sekstheaters in de geasfalteerde straat tussen het busstation links en zijn luxeflat rechts, die al bankroet was maar daardoor niet minder soepel functioneerde.

De dagen werden alweer korter en hij wilde niet dat Michael wist dat hij vanavond voor de derde keer een afspraak met Melissa MacIntosh had en dat ze ergens zouden gaan eten en naar de bioscoop zouden gaan, waar hij opnieuw met zijn vingertoppen over haar oor en hals zou strijken – de eerste keer dat hij dat deed verstijfde ze, glimlachte grimmig voor zich uit en kreeg een blos tot aan haar ogen, die klein en blauw waren – en haar knieën zou strelen, die ze de hele film lang stevig tegen elkaar gedrukt hield, net als in de taxi naar haar flat, waar ze hem, zoals ze van tevoren al duidelijk had gemaakt, die avond niet binnen wilde laten, wat voor hem eerlijk gezegd ook niet hoefde, zodat hij niet eens op deze mogelijkheid gezinspeeld had. Ze hield meer van films dan hij. Twee van de mannen die hem volgden schenen er helemaal niets aan te vinden, maar waren hem toch gevolgd, terwijl een vrouw in een rode Toyota in stijgende paniek een plekje zocht om op hen te kunnen wachten en merkbaar aankwam van de zakken snoep en gebakjes die ze naar binnen werkte. Op zijn tweede avond met Melissa waren haar benen ontspannen, alsof ze gewend was aan zijn aanraking, en genoot ze met volle teugen van de film, maar ze bleef stijf rechtop zitten en hield haar handen stevig en onvermurwbaar op haar dijen. Hij waardeerde haar verzet. Hij had genoeg van haar gehoord, en nog meer van Angela, om te weten dat Melissa in haar jongere, slankere, lichtere, kwiekere en leniger jaren veelvuldig en gevarieerd haar wulpse pleziertjes had gesmaakt.

'Ik moest haar het klappen van de zweep leren,' lachte Angela. 'De meeste mannen zijn zo stom. Ze hebben geen idee. Jij wel?'

'Ik krijg klachten,' antwoordde hij.

'Jou hoeft niemand iets bij te brengen.' Angela keek hem twijfelend aan. 'Of wel soms?' zei ze grijnzend.

Yossarian schokschouderde. Melissa zelf weigerde op de bijzonderheden in te gaan en straalde onwrikbare betamelijkheid uit als hij zinspeelde op losbandige escapades in verleden en hopelijk toekomst.

Als Yossarian zich verloor in aangename fantasieën moest hij eveneens ernstig rekening houden met de handicaps van zijn eigen gewicht, jaren, gewrichten, soepelheid en potentie. Hij twijfelde er evenwel geen moment aan dat hij er uiteindelijk in zou slagen haar opnieuw te verleiden tot die speelse staat van wulpse geestdrift en snelle bereidheid waar ze vroeger om bekendstond. Ze was niet weelderig bedeeld boven de gordel en dat hielp hem zijn vuur te temperen. Hij berekende risico's en kosten: misschien zou hij zelfs een paar keer met haar moeten gaan dansen of naar popconcerten en musicals gaan, of misschien zelfs naar het televisiejournaal kijken. Hij wist zeker dat hij haar angst voor ziektekiemen zou kunnen onderdrukken met behulp van grote bossen rode rozen en suggestieve beloftes van lingerie in Parijs, Florence en München, en dat hij haar hart zou kunnen winnen met de magisch-romantische eed in zijn repertoire van snedigheden, die hij op precies het juiste moment op tedere toon zou uitspreken: 'Als je mijn meisje was, Melissa, weet ik zeker dat ik elke dag met je zou willen neuken.'

Hij wist ook dat het gelogen zou zijn.

Maar hij kon weinig pleziertjes bedenken die hem meer voldoening gaven dan de dwaze verrukking van een nieuwe seksuele overwinning tussen mensen die elkaar kenden en aardig vonden en samen konden lachen. En het gaf hem in ieder geval een aanlokkelijker doel dan normaal.

Hij loog nog wat meer en zwoer dat zijn echtscheiding in kannen en kruiken was.

Op de volgende straathoek haalde een groep mensen onder het toeziend oog van een bereden agent geld op. Yossarian gaf een zwarte man met een gebarsten handpalm een dollar en een blanke met een hand als van een skelet eveneens. Hij was stomverbaasd dat het een levende hand was.

'Dit moet,' zei Michael vertwijfeld, 'de ergste klerestad ter wereld zijn.'

Yossarian hield zich twijfelend op de vlakte. 'Het is de énige stad die we hebben,' zei hij ten slotte, 'en een van de weinige echte steden die de wereld telt. Hij is even slecht als de ergste en beter dan de rest.'

Michael maakte een lusteloze indruk toen ze zich samen met andere fatsoenlijke mensen een weg zochten tussen nog meer klaplopers, bedelaars en prostituées die sloom op een mazzeltje stonden te wachten. Veel van de vrouwen en meisjes droegen geen kleren onder hun zwarte, roze en witte plastic regenjassen, en diverse aanlokkelijke harpijen vergunden de voorbijgangers, als de politie even niet oplette, een snelle blik op hun naaktheid en schaamhaar en het scheer-eczeem in hun liezen.

'Ik zou het vreselijk vinden om arm te zijn,' mompelde Michael. 'Ik zou het niet kunnen.'

'En we zouden ook niet slim genoeg zijn om het te leren,' zei Yossarian. Met cynische vreugde bedacht hij dat hij binnenkort van dit alles verlost zou zijn. Dat was ook een troost van de ouderdom. 'Hierheen, oversteken maar weer... die vent daar ziet er gek genoeg uit om je dood te steken. Laat hem maar iemand anders nemen. Wat is dát daar nu weer op de hoek? Hebben we dat eerder gezien?'

Ze hadden het inderdaad eerder gezien. Geharde omstanders keken glimlachend naar een spichtige, sjofel geklede man die met een scheermes de achterzak van een dronkaard op het trottoir verwijderde om zich op niet-gewelddadige wijze toegang tot zijn portefeuille te verschaffen, terwijl twee in net uniform gestoken politieagenten geduldig stonden te wachten tot hij klaar was om hem, zodra hij de onrechtmatige vruchten van zijn arbeid in zijn zak had gestopt, in te rekenen. Dit alles speelde zich af onder het oog van nog een derde politieman, de bereden agent op een groot vospaard, die als een doge of halfgod op het tafereel neerkeek. Hij droeg een revolver in een leren holster en zijn patronengordel blonk zo dat het leek alsof hij ook pijlen bij zich had. De man met het scheermes keek om de paar seconden naar hem op en stak zijn tong uit. Alles was zoals het hoorde, de orde werd niet verstoord. Iedereen speelde zijn rol in het geheel, als samenzweerders in een rijk geschakeerd, pregnant symbolisch samenspel dat alle begrip te boven ging. Het was even vreedzaam als de hemel en even gedisciplineerd als de hel.

Yossarian en Michael zetten koers naar de betere buurten en liepen met een boogje om een oud dametje heen dat vredig op het trottoir tegen een muur lag te snurken, vrediger dan Yossarian gewend was te slapen sinds het einde – en het begin en het midden – van zijn tweede huwelijk. Ze snurkte tevreden en Yossarian zag nog net dat ze geen handtas bij zich had, toen hij werd beetgepakt door een bruine man in een grijs militair wambuis met zwart stiksel en een kastanjebruine tulband op zijn hoofd, die iets onverstaanbaars uitkraamde terwijl hij hen één voor één door een draaideur het vrijwel lege Indiase restaurant binnen loodste waar Yossarian, zoals nu bleek nodeloos, een tafel had gereserveerd voor hun lunch. Ze namen plaats in een van de ruime hokjes en Yossarian bestelde twee Indiaas bier, wetend dat hij dat van Michael ook op zou drinken.

'Hoe krijg je dit allemaal weg?' vroeg Michael.

'Met smaak,' zei Yossarian, nog meer pikante specerijen opscheppend. Voor Michael bestelde hij een salade en kip tandoori, voor zichzelf een kruidig soepje vooraf en lam vindaloo. Michael deed alsof hij walgde.

'Als ik dat zou opeten, werd ik ongepast.'

'Onpasselijk.'

'Sloof je niet zo uit.'

'Dat zei ik ook, de eerste keer dat ze mij verbeterden.'

'Op school?'

'In Columbia, South Carolina,' zei Yossarian. 'Die eigenwijze kleine betweter van een staartschutter waar ik je over verteld heb, Sam Singer uit Coney Island. Hij was joods.'

Michael glimlachte neerbuigend. 'Waarom zeg je dat?'

'In die tijd was het belangrijk. En ik ga terug naar die tijd. Wat denk je van mij, met die naam Yossarian? Dat viel vaak ook niet mee met die uit de klei getrokken zuiderlingen en fanaten uit Chicago die de pest hadden aan Roosevelt, joden, zwarten en aan iedereen behalve fanaten uit Chicago. Je zou denken dat alles wat lelijk was na de oorlog beter geworden zou zijn. Niet dus. Vroeg of laat vroegen ze allemaal wel een keer waar de naam Yossarian vandaan kwam en iedereen was tevreden als ik zei dat het Assyrisch was. Sam Singer wist dat ik uitgestorven was. Hij had een kort verhaal van ene Saroyan gelezen, dat waarschijnlijk nergens meer te krijgen is. Ook uitgestorven dus, net als Saroyan. En ik.'

'Wij zijn geen Assyriërs,' zei Michael, 'we zijn Armeniërs. Ik ben maar een halve Armeniër.'

'Ik zei Assyrisch bij wijze van geintje, zak. Ze slikten het als zoete koek.' Yossarian gaf hem een liefhebbende blik. 'Sam Singer was de enige die het door had. "Ik wed dat ik ook Assyrisch zou kunnen zijn," zei hij een keer tegen me, en ik wist precies wat hij bedoelde. Ik had geloof ik een bezielende uitwerking op hem. Toen puntje bij paaltje kwam, waren hij en ik de enigen die het verdomden om nog meer bombardementsvluchten te doen dan de zeventig die we al gedaan hadden. God nog aan toe, de oorlog zat er praktisch op. Mijn superieuren konden doodvallen, besloot ik, toen ik zag dat het grootste deel van mijn superieuren niet superieur was. Jaren later las ik wat Camus geschreven had, dat de enige vrijheid die we hebben de vrijheid is om nee te zeggen. Heb je ooit iets van Camus gelezen?'

'Ik wil Camus niet lezen.'

'Wil je überhaupt niets lezen?'

'Alleen als ik me straal verveel. Het kost tijd. Of als ik me helemaal alleen voel.'

'Da's een goed moment. In het leger voelde ik me nooit helemaal alleen. Singer was een lullig klein boekenvretertje en toen hij in de gaten kreeg dat ik het niet erg vond, begon hij de komische wijsneus te spelen. "Zou het niet beter zijn geweest als ons land de oorlog tegen de Britten verloren had?" vroeg hij me een keer. Dat was vóór ik ontdekte dat mensen de nor in gingen voor kritiek op de nieuwe politieke partij. Michael, wat ligt het verst naar het westen, Reno in Nevada of Los Angeles?'

'Los Angeles natuurlijk. Waarom?'

'Fout. Da's ook iets wat ik van hem heb geleerd. In South Carolina begon een grote dronken dommekracht van God weet waar vandaan een keer zonder enige reden op hem in te rammen. Hij had geen schijn van kans. Ik was de officier, hoewel ik mijn strepen had afgedaan om 's nachts om twaalf uur in de mess van de manschappen te kunnen eten. Ik had het gevoel dat ik hem moest beschermen, maar toen ik tussenbeide kwam, begon die vent mij in de poeier te slaan.' Yossarian barstte in hartelijk lachen uit.

'O, God,' kreunde Michael.

Yossarian lachte opnieuw, maar zachter, toen hij zag hoe ontzet Michael was. 'Het komische is... en het was echt komisch, ik moest bijna lachen terwijl hij me ervan langs gaf, zo verbaasd was ik... dat het helemaal geen pijn deed. Hij stompte me tegen mijn hoofd en mijn gezicht en ik voelde niks. Na een tijdje kon ik zijn armen pakken en toen trokken ze ons uit elkaar. Sam Singer was hem van de zijkant te lijf gegaan en onze andere boordschutter, Art Schroeder, was op zijn rug gesprongen. Toen ze hem gekalmeerd hadden en zeiden dat ik een officier was, was hij meteen broodnuchter en wist hij niet waar hij het zoeken moest. De volgende morgen stond hij al voor het ontbijt voor mijn deur in de officierenbarak om vergiffenis te vragen, op zijn knieën. Letterlijk. Ik heb nog nooit iemand zo zien kruipen. Het scheelde weinig of hij zou me nog aanbeden hebben ook. Ook letterlijk. En hij wist van geen ophouden, ook niet toen ik zei dat het oké was en dat hij weg moest wezen. Mij hadden ze denk ik ook een douw kunnen geven voor het afdoen van mijn luitenantsstrepen om in de mess voor de manschappen te eten, maar daar dacht hij niet aan. Ik zei niet hoe walgelijk ik het vond om hem zo te zien kruipen. Tóen begon ik hem pas te haten, toen werd ik echt kwaad en zei dat-ie op moest donderen. Ik wil nooit iemand meer zo onderdanig zien doen, hou ik mezelf graag voor.' Na dit verhaal was Michael de eetlust helemaal vergaan. Yossarian ruilde van bord en maakte zijn kip en de rest van zijn rijst en brood soldaat. 'Mijn spijsvertering is godzijdank nog prima.'

'Wat niet dan?' vroeg Michael.

'Mijn libido.'

'O, dat dondert niet. Wat nog meer?'

'Mijn geheugen voor namen en telefoonnummers, ik kan niet altijd de woorden vinden waarvan ik weet dat ik ze ken, ik vergeet dingen die ik niet wil vergeten. Ik praat veel en zeg dingen twee keer. Ik praat veel en zeg dingen twee keer. Mijn blaas lekt een beetje en mijn haar,' ging Yossarian verder, 'is wit en volgens Adrian hoef ik dat niet te pikken. Hij is nog steeds op zoek naar iets om het grijs te verven. Als hij het vindt gebruik ik het toch niet. Probeer het maar met genen, zeg ik gewoon tegen hem.'

'Wat is er zo belangrijk aan genen? Je hebt het er zo vaak over.'

'Waarschijnlijk vanwege mijn genen. Schuif maar op Teemer. God nog aan toe, die vechtpartij is veertig jaar geleden en het lijkt wel gisteren. Iedereen die ik uit die tijd ken heeft rugklachten of prostaatkanker. De kleine Sammy Singer, noemden ze hem. Ik vraag me af wat er van hem geworden is.'

'Na veertig jaar?'

'Bijna vijftig, Michael.'

'Veertig, zei je zojuist.'

'Zie je wel hoe snel tien jaar voorbijgaan? Da's waar, Michael. Jij bent vorige week geboren... ik weet het nog alsof het gisteren was... en ik een week daarvoor. Je hebt er geen idee van, Michael, je kunt je niet voorstellen... nóg niet... hoe belachelijk, hoe verwarrend het is om een kamer binnen te gaan en te vergeten wat je kwam doen, de koelkast open te trekken en niet meer weten wat je wilde pakken en om zo vaak met mensen als jij te praten die niet eens van Kilroy gehoord hebben.'

'Inmiddels wel,' wierp Michael tegen. 'Maar verder weet ik helemaal niets van hem.'

'Behalve dat hij waarschijnlijk ook in dit restaurant geweest is,' zei Yossarian. 'In de Tweede Wereldoorlog was Kilroy overal geweest waar je kwam... het stond op de muren. Verder weten wij ook niks. Da's de enige reden dat we hem nog steeds aardig vinden. Hoe meer je over iemand te weten komt, hoe moeilijker het wordt om respect voor hem te hebben. Na die matpartij dacht Sam Singer dat ik de beste vent ter wereld was. En ik was nooit meer bang om echt met iemand op de vuist te gaan. Nu weer wel.'

'Is het vaker voorgekomen?'

'Nee, alleen één keer bijna, met ene Appleby, de vlieger met wie ik overzee ging. We lagen elkaar gewoon niet. Ik kon niet navigeren en ik snap niet waarom ze dat van me verwachtten. Tijdens een trainingsvlucht raakte ik een keer verdwaald en gaf hem een kompasrichting waardoor we de hele Atlantische Oceaan overgevlogen zouden zijn, tot in Afrika. Als hij zijn werk niet beter gedaan had dan ik het mijne, zouden we er allemaal geweest zijn. Wat een afgang was ik als navigator. Geen wonder dat hij de pest aan me had. Praat ik te veel? Ik praat geloof ik erg veel, hè?'

'Niet té veel.'

'Soms praat ik wel te veel, omdat ik mezelf interessanter vind dan de mensen tegen wie ik praat. Zelfs zíj weten dat. Jij mag ook wel praten. Nee, ik heb nooit meer echt met iemand op de vuist gemoeten. Ik zag er vroeger vrij sterk uit.'

'Ik zou het niet doen,' zei Michael, bijna trots.

'Ik tegenwoordig ook niet meer. Vandaag de dag vallen er meteen doden. Maar volgens mij zou je het toch doen als je iemand mishandeld zag worden en je volgens je instinct zou reageren. Zoals die kleine Sammy Singer die grote kerel te lijf ging toen hij zag hoe die me in elkaar ramde. Als we de tijd namen om erover na te denken zouden we meteen de politie bellen of de andere kant op kijken. Je grote broer Julian lacht me uit omdat ik nooit ruzie wil maken over een parkeerplaatsje en altijd voorrang geef aan automobilisten die het opeisen.'

'Dat zou ik ook niet doen.'

'Jij wilt niet eens leren rijden.'

'Dat durf ik niet.'

'Neem het risico toch. Waar ben je nog meer bang voor?'

'Dat interesseert je toch niet.'

'Eén ding kan ik wel raden,' zei Yossarian meedogenloos. 'Je bent bang voor mij. Je bent bang dat ik doodga. Je bent bang dat ik ziek word. En da's godverdomme maar goed ook, Michael, want dat staat allemaal te gebeuren, al probeer ik nóg zo om net te doen alsof het niet zo is. Ik heb je nog zeven jaar goede gezondheid in het vooruitzicht gesteld en dat begint al meer op zes jaar te lijken. Zo gauw ik vijfenzeventig ben, sta je er alleen voor, jong. Ik blijf niet eeuwig leven, begrijp je, hoewel ik daar tot mijn dood toe voor zal vechten.'

'Zou je dat graag willen dan?'

'Waarom niet? Zelfs als ik verdrietig ben. Wat heeft een mens anders?'

'Wanneer ben je verdrietig?'

'Als ik eraan denk dat ik niet eeuwig blijf leven,' grapte Yossarian. 'En 's morgens, als ik alleen wakker word. Daar hebben mensen vaker last van, vooral mensen zoals ik, die extra vatbaar zijn voor ouderdomsdepressie.'

'Ouderdomsdepressie?'

'Dat zul jij ook nog wel meemaken als je het geluk hebt om het zo lang vol te houden. Het staat in de bijbel. Het staat in Freud. Ik heb eigenlijk nergens belangstelling meer voor. Ik wou dat ik wist wat ik wou. Ik probeer een meisje te versieren.'

'Bespaar me de details.'

'Maar ik weet niet zeker of ik nog echt verliefd kan worden,' ging Yossarian ondanks Michaels bezwaren verder, wetend dat hij te veel praatte. 'Ik ben bang dat ik dat ook kwijt ben. Ik heb de laatste tijd echt een walgelijke gewoonte. Nee, ik zeg het toch. Ik denk aan vrouwen die ik lang geleden gekend heb en probeer ze me voor te stellen hoe ze er nu uitzien. En dan vraag ik me af waarom ik zo gek op ze was. En ik heb er nóg een waar ik niets tegen kan doen en die nog erger is. Als een vrouw zich omdraait moet ik altijd, maar dan ook altijd, naar haar achterste kijken voordat ik kan beslissen of ik haar aantrekkelijk vind. Dat deed ik vroeger nooit. Ik weet niet waarom ik nu die behoefte heb. En daar worden ze vrijwel allemaal te breed. Ik geloof niet dat ik ooit zou willen dat mijn vriendin Frances Beach daarachter zou komen. De begeerte begint me te ontglippen en de vreugd die in den morgen komt, zoals je in de bijbel kunt lezen...'

'Ik hou niet van de bijbel,' viel Michael hem in de rede.

'Niemand houdt van de bijbel. Probeer liever *Koning Lear*. Maar je leest niets graag.'

'Daarom heb ik ook besloten om kunstenaar te worden.'

'Je hebt nooit echt moeite gedaan, is het wel?'

'Daar heb ik nooit behoefte aan gehad. Het is veel makkelijker om nergens in te willen slagen, toch?'

'Nee. Iets willen is goed. Dat heb ik recentelijk geleerd. Vroeger werd ik elke dag wakker met mijn hoofd vol plannen waar ik meteen aan wilde beginnen. Als ik tegenwoordig wakker word ben ik lusteloos en vraag me af wat ik kan bedenken om de tijd door te komen. Het is van de ene dag op de andere veranderd. Op een dag was ik oud, zomaar ineens. Ik ben mijn jeugd kwijt en ik ben pas negenenzestig.'

Michael keek hem vol liefde aan. 'Verf je haar. Desnoods zwart als je het niet grijs kunt krijgen. Waarom zou je op Adrian wachten?'

'Zoals Aschenbach?'

'Aschenbach?'

'Gustav Aschenbach.'

'Uit *De dood in Venetië* weer? Daar heb ik nooit iets aan gevonden en ik snap niet wat jij erin ziet. Ik wed dat ik er de nodige mankementen in aan kan wijzen.'

'Ik ook. Maar het blijft onvergetelijk.'

'Voor jou.'

'Voor jou misschien op een dag ook.'

Aschenbach had ook nergens meer belangstelling voor, hoewel hij dat voor zichzelf ontkende door zich over te geven aan zijn belachelijke obsessie en zich wijs te maken dat hij nog een heleboel te doen had. Hij was een kunstenaar van het intellect die er zijn buik vol van had te werken aan projecten die zelfs met de geduldigste toewijding van zijn kant niet van de grond zouden komen, en hij wist dat hij tegenwoordig alleen deed alsof. Maar hij wist niet dat zijn ware creatieve leven voorbij was en dat hij en zijn tijdperk ten einde liepen, of hij het leuk vond of niet. En hij was nog maar net over de vijftig. Wat dat betreft stond Yossarian er beter voor. Hij had zichzelf nooit toegestaan om van te veel dingen te genieten. Een vreemde natuur, waarin Yossarian zich tegenwoordig moeilijk kon verplaatsen, deze man die leefde als een gebalde vuist en elke dag met dezelfde koude douche begon, die 's morgens werkte en geen grotere wens had dan in staat te zijn 's avonds verder te werken.

'Hij verfde zijn haar zwart,' vertelde Yossarian alsof hij voor een klas stond, 'daar liet hij zich zonder slag of stoot door een kapper toe ompraten, en ook om oogmake-up te gebruiken om zijn ogen te laten glanzen, en rouge op zijn wangen te doen en zijn wenkbrauwen voller te maken en gezichtscrème te gebruiken om zijn huid jonger te maken en zijn lippen uit te vullen met verfjes en schaduwen... en toch gaf hij de geest, precies toen het moest. En kreeg niks terug voor al zijn moeite behalve het martelende waanidee dat hij verliefd geworden was op een jongen met scheve tanden en een zanderige neus. Onze Aschenbach kon zich er zelfs niet toe brengen om dramatisch dood te gaan, niet eens aan de pest. Hij legde gewoon het hoofd in de schoot en gaf de geest.'

'Ik geloof,' zei Michael, 'dat je het interessanter probeert te maken dan het is.'

'Misschien,' zei Yossarian schuldbewust omdat Michael wel eens gelijk kon hebben, 'maar zo sta ik ervoor. En weet je wat Mann schreef: dat Europa al maanden een dreiging boven het hoofd hing.'

'De Tweede Wereldoorlog?' raadde Michael om hem een plezier te doen.

'De Eerste Wereldoorlog!' verbeterde Yossarian hem nadrukkelijk. 'Thomas Mann zag toen al waarheen die onregeerbare machine die we onze beschaving noemen op weg was. En dit is in de tweede helft van mijn leven mijn lot geweest. Ik verdien geld aan Milo, om wie ik niks geef en die ik veroordeel. En ik betrap mezelf erop dat ik me in mijn zelfbeklag vereenzelvig met een fictieve Duitser zonder humor of andere sympathieke eigenschappen. Binnenkort duik ik samen met McBride dieper het busstation in om te weten te komen wat daar gebeurt. Is dat mijn Venetië? In Parijs kwam ik een keer een man tegen, een zeer belezen uitgever, die zich er niet toe kon brengen om naar Venetië te gaan, vanwege dat verhaal. En een andere man die ik kende hield het in geen enkel vakantieoord in de bergen langer dan een paar dagen uit vanwege *De Toverberg*. Hij kreeg altijd een afschuwelijke droom dat hij aan het doodgaan was en er nooit meer levend vandaan zou komen als hij bleef, en dan pakte hij altijd meteen de volgende dag zijn biezen.'

'Gaat een Minderbinder met een Maxon trouwen?'

'Ze hebben allebei een bruid te vergeven. Ik heb M2 voorgesteld.'

'Wanneer gaan jij en McBride daar weer heen?'

'Zo gauw de president zegt dat hij misschien ook van de partij zal zijn en we toestemming krijgen om die kelder te onderzoeken. Wanneer ga jij met M2?'

'Zo gauw hij weer zin heeft om naar vieze plaatjes te kijken. Ik krijg mijn geld ook van M & M.'

'Als je onder water wilt leven, Michael, moet je net zo leren ademen als de vissen.'

'Wat vind jij daarvan?'

'Dat we nooit keus gehad hebben. Ik ben er niet kapot van, maar ik laat er mijn humeur ook niet door verpesten. Het is onze natuurlijke bestemming, zoals Teemer zou zeggen. Biologisch gezien zijn we een nieuwe soort die nog niet geleerd heeft om zijn plaats in de natuur te vinden. Hij vindt dat we kankers zijn.'

'Kankers?'

'Maar toch vindt hij ons sympathiek en kankers niet.'

'Volgens mij is hij geschift,' protesteerde Michael.

'Dat denkt hij zelf ook,' antwoordde Yossarian, 'daarom heeft hij zich in laten schrijven voor behandeling op de psychiatrische afdeling van het ziekenhuis terwijl hij gewoon zijn werk als oncoloog blijft doen. Klinkt dat geschift?'

'Normaal lijkt me anders.'

'Dat betekent niet dat hij het mis heeft. We kunnen met onze eigen ogen zien dat de samenleving ziek is. Waar maak je je nog meer zorgen over, Michael?'

'Ik voel me nogal alleen, zoals ik al zei,' zei Michael. 'En ik begin bang te worden. Over geld ook. Het is je gelukt om me daar ongerust over te maken.'

'Het doet me genoegen je zo van nut te zijn geweest.'

'Als ik geen geld had zou ik niet weten waar ik het vandaan moest halen. Ik zou niet eens iemand kunnen beroven. Ik zou niet weten hoe.'

'En waarschijnlijk zou je beroofd worden terwijl je het probeerde te leren.'

'Ik kan niet eens leren rijden.'

'Je zou hetzelfde doen als ik als ik geen geld had.'

'Wat dan, pap?'

'Mezelf van kant maken, jongen.'

'Wat ben je toch lollig, pap.'

'Serieus. Het is niks erger dan doodgaan. Ik zou ook niet kunnen leren om arm te zijn en zou er veel liever de brui aan geven.'

'Wat gaat er met mijn tekeningen gebeuren?'

'Daar worden brochures van gemaakt voor de eerstvolgende vergadering over het vliegtuig in Washington. Misschien moet ik er ook heen. Je hebt er goed aan verdiend, aan die deltavleugel.'

'Om iets af te maken waar ik niet eens aan had willen beginnen.'

'Als je als een vis wilt leven... Michael, er zijn dingen die jij en ik niet voor geld willen doen, maar er zijn ook dingen die we moeten doen, omdat we anders geen geld hebben. Je hebt die paar extra jaar om te leren om voor jezelf te zorgen. God nog aan toe, haal je rijbewijs! Zonder rijbewijs kun je nergens heen.'

'Waar zou ik naartoe moeten?'

'Mensen bezoeken.'

'Ik wil nergens op bezoek.'

'Om weg te rijden als je ergens niet wilt zijn.'

'Ik vóel gewoon dat ik iemand dood zal rijden.'

'Dat risico moeten we nemen.'

'Dat heb je al een keer gezegd. Komt er echt een bruiloft in het busstation? Ik zou er best heen willen.'

'Ik regel wel een uitnodiging.'

'Kun je er twee van maken?' Michael wendde schaapachtig zijn blik af. 'Marlene is weer in de stad en zocht een poosje onderdak. Ik denk dat ze het leuk zou vinden.'

'Arlene?'

'Marlene, die pas vertrokken is. Misschien blijft ze deze keer. Ze zegt dat ze er waarschijnlijk geen bezwaar tegen zal hebben als ik als advocaat moet gaan werken. God zeg, een bruiloft in dat busstation. Wat voor soort mensen organiseert een bruiloft in zo'n gelegenheid, alleen maar om in de krant te komen?'

'Hun soort.'

'En wat voor soort idioot is op dat maffe idee gekomen?'

'Mijn soort,' schaterde Yossarian. 'Het was je vaders idee.'

19

HSGPMZ

'En hoe ziet een vliegende vleugel eruit?'

'Net als andere vliegende vleugels,' sprong Wintergreen handig in het gat, want Milo had deze vraag niet verwacht en stond even met de mond vol tanden.

'En hoe zien andere vliegende vleugels eruit?'

'Net als de onze,' antwoordde Milo, van de schok hersteld.

'Gaat hij,' vroeg een majoor, 'er net zo uitzien als de oude Stealth?'

'Nee. Alleen voor het oog.'

'Echt, kolonel Pickering?'

'Absoluut, majoor Bowes.'

Sinds de eerste vergadering over de M & M defensieve offensieve aanvals- en retorsie-bommenwerper was kolonel Pickering vervroegd uit het leger gestapt (met behoud van volledig pensioen) om te profiteren van de kans op een weliswaar minder publieke maar veel beter betalende baan in de Luchtmachtsectie van M & M Ondernemingen & Co., waar zijn aanvangssalaris precies vijftig keer zo hoog was als wat hij bij de overheid verdiende. Generaal Bernard Bingam had op Milo's verzoek een soortgelijke stap uitgesteld in de hoop op promotie en uiteindelijk verheffing tot de Gezamenlijke Stafchefs en, met een beetje geluk en een goede oorlog, wie weet tot het Witte Huis zelf.

Het was goed dat ze Pickering aan hun kant hadden, want deze laatste vergadering over de Minderbinder-bommenwerper bleek lastiger dan de vorige. Het eerste teken dat er moeilijkheden in de lucht hingen was de onverwachte aanwezigheid van de dikke van Buitenlandse Zaken en de dunne van de Nationale Veiligheidsraad. Het was inmiddels bekend dat zij voorstanders waren van de concurrerende Strangelove-offerte, maar ze waren ieder aan één kant van de gebogen tafel gaan zitten om de indruk te wekken dat ze onafhankelijk van elkaar en voor eigen rekening zouden spreken.

Het waren allebei beroepsdiplomaten die de wereld afreisden als Strangelove-vennoten op zoek naar nieuwe voorraden tweedehands invloed en goede contacten, samen met bombast de ruggegraat van het Strangelove-imperium. Nog een andere reden voor consternatie voor Milo was de afwezigheid van een bondgenoot op wie hij vast gerekend had, C. Porter Lovejoy, die elders was, wie weet, vreesde Milo, in een soortgelijke vergadering in HSGPMZ over de Z-M-Op van Strangelove, waar hij diens offerte steunde.

Generaal Bingam was er zichtbaar mee ingenomen dat hij zijn talenten tentoon kon spreiden ten overstaan van hogere officieren van andere legerafdelingen en meesters in atoomzaken en aanverwante duistere wetenschappelijke terreinen. Bingam wist wanneer hij een pluim op zijn hoed had. Er waren tweeëndertig andere mensen in deze elite-bijeenkomst, allemaal even gretig om het woord te voeren, zelfs zonder televisiecamera's.

'Leg ze de technologie eens uit, Milo,' stelde generaal Bingam voor om meteen goed voor de dag te komen.

'Laat me eerst deze tekeningen uitdelen,' antwoordde Milo volgens het draaiboek, 'zodat we kunnen zien hoe onze vliegtuigen eruitzien.'

'Prachtig,' zei een bebrilde luitenant-kolonel met ontwerpervaring. 'Van wie zijn ze?'

'Van een kunstenaar met de naam Yossarian.'

'Yossarian?'

'Michael Yossarian. Een specialist in militaire kunst die uitsluitend voor ons werkt.'

Toen Milo en Wintergreen volgens instructies van de HSGPMZ-kelder naar Kelderverdieping A liepen, waren ze aangehouden door drie gewapende HSGPMZ-bewakers in uniformen die ze nog nooit hadden gezien: rood gevechtstuniek, groene broek en zwarte leren kistjes, met naamplaatjes in cerise letters op een flonkerend zijden paarlemoerstofje. Hun namen werden afgetikt op een lijst en ze gaven het juiste wachtwoord: Bingams Baby. Ze kregen een rond kartonnen pasje met een blauw omcirkeld nummer dat ze aan een dun wit touwtje om hun nek moesten hangen, en kregen opdracht zich direct naar de Bingams Baby conferentiezaal op Kelderverdieping A te begeven, naar de ronde kamer waar Michaels tekeningen zo'n gunstige indruk maakten.

De aanwezigen kregen nogmaals te horen dat het vliegtuig een retorsiewapen was, bedoeld om door de resterende verdedigingen te glippen en wapens en commandoposten die de eerste aanval overleefd hadden uit te schakelen.

'Alles wat u op deze tekeningen ziet klopt volkomen,' vervolgde Milo, 'behalve wat niet klopt. We willen geen dingen laten zien die andere mensen zouden kunnen helpen onze technologie te bestrijden of na te maken. Logisch toch, nietwaar, generaal Bingam?'

'Absoluut, Milo.'

'Maar hoe kunnen we dan ooit weten,' wierp de dikke van Buitenlandse Zaken tegen, 'hoe het er echt uit zal zien?'

'Waar is dat godverdomme voor nodig?' repliceerde Wintergreen.

'Het is onzichtbaar,' voegde Milo eraan toe. 'Waarom wilt u het zien?'

'Strikt genomen hoeven we het inderdaad niet te zien, toch?' gaf een luitenant-generaal toe, terwijl hij naar een admiraal keek.

'Waarom zouden we het willen zien?' vroeg de ander zich af.

'Vroeg of laat,' zei de dunne Strangelove-vriend, 'zal de pers het fijne ervan willen weten.'

'De pers kan doodvallen,' zei Wintergreen. 'Laat ze dit maar zien.'

'Kloppen ze met de werkelijkheid?'

'Wat maakt het godverdomme uit of ze godverdomme kloppen of niet?' vroeg Wintergreen. 'Hebben ze godverdomme weer iets te schrijven als ze erachter komen dat we gelogen hebben.'

'Dat noem ik godverdomme nog eens klare taal, meneer,' zei de adjudant van de commandant mariniers.

'En ik ben onder de indruk van uw godverdomde eerlijkheid,' gaf een kolonel toe. 'Admiraal?'

'Daar valt mee te leven. Waar is de godverlaten cockpit?'

'In de godverlaten vleugel, admiraal, net als de rest.'

'Is een tweekoppige bemanning,' vroeg iemand, 'godverdomme even effectief als een bemanning van vier?'

'Effectiever,' zei Milo.

'En wat maakt het godverdomme voor godverdommes verschil of ze godverdomme effectief zijn of niet?' vroeg Wintergreen.

'Ik voel godverdomme waar u heen wil, meneer,' zei majoor Bowes.

'Ik niet.'

'Daar valt godverdomme mee te leven.'

'Wáármee, godverdomme?'

'Milo, uit welke hoek kom jij?'

Er waren helemaal geen hoeken. Door het vliegende-vleugelconcept kon het vliegtuig vervaardigd worden van radardeflecterend materiaal met afgeronde hoeken. Wat ze godverdomme te bieden hadden, legde Wintergreen uit, was een godverdommes lange-afstandsvliegtuig dat met maar twee godverdomde bemanningsleden over het godverdomde gebied van de godverdomde vijand kon vliegen en zonder tussentijds bijtanken met een volle lading bommen van New York naar San Francisco kon vliegen.

'Houdt dat in dat we van hieruit San Francisco zouden kunnen bombarderen en zonder bij te tanken terugvliegen?'

'Op de terugweg zouden we New York ook plat kunnen gooien.'

'Kom jongens, even serieus,' kwam de generaal-majoor tussenbeide. 'Dit is oorlog, geen stadsplanning. Hoe vaak bijtanken naar China of de Sovjetunie?'

'Twee of drie keer op de heenweg, misschien niet één keer op de terugweg, als je niet sentimenteel wil zijn.'

En één M & M-bommenwerper kon evenveel bommen vervoeren als *alle dertien* gevechtsbommenwerpers die Ronald Reagan in... in... april 1986 naar Libië stuurde.

'Alsof het gisteren was...' mijmerde een luchtmachtman op leeftijd.

'Wij kunnen u een vliegtuig bezorgen,' beloofde Wintergreen, 'dat het gisteren dóet.'

'Shhhhh!' zei Milo.

'De Shhhhh!?' vroeg de militaire-nomenclatuurexpert. 'Dat is een perfecte naam voor een geruisloze bommenwerper.'

'Dan is Shhhhh! de naam van ons vliegtuig. Het vliegt sneller dan het geluid.'

'Het vliegt sneller dan het licht.'

'Je kunt iemand al bombarderen voordat de beslissing genomen is. Beslis vandaag en het gebeurde... gisteren!'

'Ik geloof eigenlijk niet,' zei iemand, 'dat we een vliegtuig nodig hebben dat iemand gisteren kan bombarderen.'

'Maar denk eens aan de mogelijkheden,' redeneerde Wintergreen. 'Zij vallen Pearl Harbor aan. U haalt ze de dag tevoren neer.'

'Daar valt mee te leven. Hoeveel meer...'

'Wacht even, wacht even,' smeekte een van de steeds opstandiger wordende toehoorders. 'Hoe kan dat, Artie, is er iets dat sneller kan gaan dan het licht?'

'Tuurlijk, Marty. Licht kan sneller gaan dan het licht.'

'Sla Einstein d'r godverdomme maar op na,' schreeuwde Wintergreen.

'En ons eerste toestel is operationeel in het jaar 2000, dus dan heb je echt iets om te vieren.'

'En als we vóór die tijd in een kernoorlog verzeild raken?'

'Dan zult u het zonder ons produkt moesten stellen. U moet geduld hebben.'

'Dus uw bommenwerper is eigenlijk een instrument voor de vrede?'

'Inderdaad. En we kunnen er gratis iemand bijleveren,' vertrouwde Milo het gezelschap toe, 'die in zijn binnenste zwaar water voor u kan produceren.'

'Die wil ik hebben! Tegen elke prijs!'

'Echt, dr. Teller?'

'Absoluut, admiraal Rickover.'

'En ons vredesinstrument kan ook gebruikt worden voor het afwerpen van zware ladingen bommen op steden.'

'We houden niet van het bombarderen van burgers.'

'Jazeker wel. Dat is zeer rendabel. U kunt onze Shhhhh! ook vullen met conventionele bommen voor verrassingsaanvallen. De grote verrassing is dat er geen kernexplosie volgt. Deze tactiek kunt u gebruiken tegen bevriende naties, zonder dat er sprake is van blijvende straling. Biedt Strangelove deze mogelijkheid ook?'

'Wat zegt Porter Lovejoy?'

'Niet schuldig.'

'Ik bedoel vóór zijn dagvaarding.'

'Koop ze allebei.'

'Is er geld voor allebei?'

'Dondert niet.'

'Dat zeg ik liever niet tegen de president.'

'We hebben iemand die met de president zal praten,' droeg Milo bij. 'Yossarian heet hij.'

'Yossarian? Die naam ken ik.'

'Da's een beroemde schilder, Bernie.'

'Jazeker, ik ken zijn werk,' zei generaal Bingam.

'Dit is een andere Yossarian.'

'Wordt het niet weer eens tijd voor een korte pauze?'

'Ik heb Yossarian misschien nodig,' mompelde Milo achter zijn hand, 'om met Macaroni Cook te praten. En waar hangt die godverdomde legerpredikant uit?'

'Ze rijden hem voortdurend heen en weer, meneer,' fluisterde kolonel Pickering. 'We hebben godverdomme geen idee waar hij uithangt.'

De pauze van tien minuten bleek er een van vijf minuten te zijn, waarin zes HSGPMZ-bewakers naar binnen marcheerden met een moerbeitaart voor de jarige generaal Bernard Bingam en de documenten waarin hij van brigadier-generaal tot generaal-majoor werd bevorderd. Bingam blies in één keer alle kaarsjes uit en vroeg opgewekt:

'Verder nog iets?'

'Jazeker! Absoluut!' riep de dikke van Buitenlandse Zaken.

'Reken maar!' riep de dunne van Nationale Veiligheid even hard.

De Dikke en de Dunne probeerden om het hardst aan te tonen dat een aantal kenmerken van de Shhhhh! van M & M identiek was aan die van de oude Stealth bommenwerper.

'Meneer, die verrekte schietstoelen van u stonden oorspronkelijk in het ontwerp van die verrekte ouwe Stealth. Volgens onze rapporten scheurden die verrekte stoelen tijdens de proeven de dummy's aan flarden.'

'Wij kunnen u,' zei Milo, 'zoveel nieuwe dummy's leveren als u wilt.'

De Dikke viel op zijn gezicht en kreeg een bloedneus.

'Volgens mij maakt hij zich zorgen,' bemoeide de voorzitter van de faculteit voor Menswetenschappen en Maatschappelijk Werk van de Militaire Academie zich ermee, 'over de mensen, niet de godverlaten dummy's.'

'Mensen kunnen we ook zoveel leveren als u wilt.'

De Dunne was in de war, de Dikke met stomheid geslagen.

'We informeren alleen naar hun veiligheid, meneer. Uw machines kunnen heel lang in de lucht blijven, jaren zelfs, zegt u. Onze bemande toestellen moeten terug kunnen keren.'

'Waarom?'

'Waaróm?'

'Ja, waarvoor?'

'Waar moeten ze godverdomme voor terugkomen?'

'Wat mankeert jullie eigenlijk, stelletje godverdomde idioten?' vroeg Wintergreen, ongelovig zijn hoofd schuddend. 'Ons vliegtuig is een retorsiewapen. Kolonel Pickering, kunt u die verrekte etterbakken niet even toespreken en ze een en ander uitleggen?'

'Natuurlijk, meneer Wintergreen. Heren, wat maakt het godverdomme uit of die verrekte toestellen terugkomen of niet?'

'Geen donder, kolonel Pickering.'

'Dank je, majoor Bowes... kutvogel.'

'Graag gedaan, klootzak.'

'Heren,' zei de Dunne, 'ik wil in de notulen laten vastleggen dat ik nog nooit in mijn leven voor etterbak ben uitgemaakt, niet sinds ik een kind was.'

'Er zijn geen notulen.'

'Etterbak.'

'Zak.'

'Waar zouen ze heen moeten, lul?' vroeg Wintergreen. 'Tegen die tijd is vrijwel de hele wereld er immers geweest.'

'Sta me toe,' grauwde de Dunne, die zijn verbittering niet onder stoelen of banken stak. 'Die verrekte bommenwerpers van u hebben volgens u atoombommen aan boord die zich godverdomme voordat ze ontploffen de grond in boren?'

'Wat die verrekte projectielen van u niet kunnen.'

'Alsof we dat godverdomme zouden willen.'

'Nou, in de godverdomde ramingen drammen klerelijers als jullie anders altijd door over ondergrondse bunkers voor de godverdomde politieke en militaire leiders van de vijand.'

'Drammen wij daar godverdomme over door?'

'Speelt de president *Triage*?'

'Jullie zouden je eigen rapporten 's moeten lezen.'

'We houden niet van lezen.'

'We hebben de pest aan lezen.'

'We kunnen onze eigen rapporten niet lezen.'

'We hebben bommen die zich honderdvijftig kilometer de grond in boren vóór ze ontploffen. Jullie laatste plannen voorzien in zestig kilometer diepe bunkers. We kunnen onze bommen zo afstellen dat ze zo ver beneden de zestig kilometer ontploffen dat ze niemand schade doen, niet aan onze kant en niet aan hun kant. Je kunt een atoomoorlog voeren zonder schade toe te brengen aan leven of onroerend goed op de planeet. Als dat niet humaan is... Ik noem dat godverdómmes humaan.'

'Godverdómmes humaan noem ik dat.'

'Laat me godverdomme even iets goed begrijpen. Alsjeblieft, Dunne, laat mij ook eens. Deze godverdomde eenheden zijn voor een tegenaanval van onze kant?'

'Ze zijn gericht tegen de resterende vijandelijke eenheden die niet in hun eerste aanval gebruikt werden.'

'Waarom zouden ze ze niet in hun eerste aanval gebruiken?'

'Dat moet je mij godverdomme niet vragen.'

'Garandeert u dat uw vliegtuigen werken?'

'Ze werken al twee jaar. Zolang hebben we al modellen in de lucht. Dit is het moment om te zeggen of u ze wilt of niet, anders zoeken we andere klanten voor onze godverdomde Shhhh!.'

'Dat kunt u niet doen,' zei de Dikke. 'Sorry, Dunne, laat me even uitpraten.'

'Ik ben aan de beurt, Dikke. Dat zou tegen de wet zijn.'

Milo lachte welwillend. 'Hoe dacht je erachter te komen? De vliegtuigen zijn onzichtbaar en maken geen geluid.'

'God, Jezus, niet te geloven, al die vragen,' zei Wintergreen. 'Wat maakt het godverdomme uit of het werkt of niet? Hun voornaamste functie is afschrikken. Op het moment dat het in actie moet komen is het al mislukt.'

'Ik heb nog een vraag. Laat me uitpraten, Dikke.'

'Ik ben aan de beurt, dunne klootzak.'

'Helemaal niet, dikke lul.'

'Laat die etterbak maar kletsen,' drukte de Dikke door. 'Wat weerhoudt jullie ervan, als het onzichtbaar en geruisloos is, om het toch aan de vijand te verkopen?'

'Onze vaderlandsliefde.'

Waarop Bingam een laatste pauze aankondigde.

'Wintergreen,' fluisterde Milo voordat de vergadering hervat werd, 'hebben we echt een bom die zich honderdvijftig kilometer de grond in graaft vóór hij ontploft?'

'Die zoeken we gewoon. Wat dacht je van de ouwe Stealth? Denk je dat ze dat in de gaten zouen hebben?'

'Ze zijn niet echt hetzelfde. De Stealth is nooit gebouwd, dus onze Shhhhh! is nieuwer.'

'Lijkt mij ook.'

Een aantal leden van het panel wilde meer tijd, terwijl andere, bijvoorbeeld de Dikke en de Dunne, een vergelijkend onderzoek met de Z-M-Op van Strangelove eisten. Ze zouden een beroep op Yossarian moeten doen, gromde Milo ontmoedigd, terwijl de drie hoogste militaire officieren fluisterend overleg pleegden. Bingam wachtte gespannen af. Wintergreen zat zich zichtbaar te verbijten. Milo adviseerde hem daarmee op te houden, aangezien toch niemand naar hem keek. Ten slotte keek de schout-bij-nacht op.

'Heren.' Hij sprak zonder enige haast. 'Wij zijn op zoek naar een wapen voor de nieuwe eeuw dat alle andere irrelevant en bijkomstig maakt.'

'Dan hoeft u niet verder te zoeken,' zei Milo hoopvol.

'Persoonlijk,' vervolgde de schout-bij-nacht, alsof hij niets gehoord had, 'ben ik geneigd de kant van generaal Bingam te kiezen. Bernie, weer een pluim op je hoed. Ik ben bereid jullie Shhhhh! aan te bevelen, maar voordat ik dat zwart op wit wil laten vastleggen heb ik nog een belangrijke vraag.' Hij boog zich dichter naar hen toe met zijn ellebogen op tafel en legde zijn kin op zijn handen. 'Uw vliegtuig, meneer Minderbinder. Ik wil een eerlijk antwoord. Kan dat, mits in voldoende aantallen ingezet, de wereld vernietigen?'

Milo wisselde een paniekerige blik met Wintergreen. Ze besloten open kaart te spelen. Wintergreen sloeg zijn ogen neer terwijl Milo antwoord gaf.

'Ik ben bang van niet, admiraal,' bekende Milo blozend. 'We kunnen hem onbewoonbaar maken, maar niet vernietigen.'

'Daar valt mee te leven!'

'Werkolúút, admiraal Dewey?'

'Abselíjk, generaal Grant.'

'Het spijt me dat ik je een dunne klootzak heb genoemd,' verontschuldigde de diplomaat van Buitenlandse Zaken zich nederig.

'Even goeie vrienden, dikke lul.'

BOEK ZEVEN

20

LEGERPREDIKANT

Na elke verandering van locatie had legerpredikant Albert Taylor Tappman het gevoel dat hij op dezelfde plek was gebleven. Terecht. De met lood beslagen ruimte waarin hij werd vastgehouden was een treinrijtuig waar hij noch vóór zo'n rit, noch erna zonder toestemming uit mocht. Aan zijn directe omgeving veranderde niets.

De diverse laboratoria, voorraadwagens en researchvertrekken stonden eveneens op wielen, even voorbij zijn keuken, achter de kantoren en woonruimtes van de tweede officieren van wat inmiddels officieel het Wisconsin Project heette. Zijn deuren waren op slot en werden bewaakt door geüniformeerde militairen met automatische geweren met een korte loop en een gigantisch magazijn. Eén ding had hij inmiddels geleerd: dat hij eigenlijk alleen maar in de trein zelf kon gaan en staan waar hij wilde.

Hij mocht zijn rijtuig alleen maar uit als ze hem uitnodigden om zich te vertreden, iets wat hij intussen altijd weigerde. Dat was toegestaan. Hij had nooit veel in lichaamsbeweging gezien en ook nu konden ze hem niet in de verleiding brengen. Als hij in zijn leren leunstoel zat, werden zijn spieren soepel gehouden door pijnloze elektrische massage. Hij plukte de vruchten van zware gymnastische inspanning veel liever zonder zijn toevlucht te nemen tot toestellen voor het opjagen van zijn hartslag en ademhaling en het verbeteren van zijn bloedsomloop. Hij was in betere lichamelijke conditie dan voorheen en elke morgen bij het scheren zag hij in de spiegel dat hij er ook beter uitzag.

Soms duurde het dagen voordat ze hun bestemming bereikten, en hij besefte al spoedig dat deze trein, met zijn soepele, rustige, ontspannende wielen, geruisloze motor en tot in de puntjes ontworpen en uitgevoerde spoor en ballastbed, een wonder van techniek was. Hij was van alle gemakken voorzien. Zijn rijtuig was een salonwagen met een in grijze vloerbedekking uitgevoerde zitslaapkamer. Zijn studeer-annex-vrijetijdsvertrek had een grenehouten vloer vol kwasten, behandeld met melkwitte blanke vloerlak en bedekt met een donker Mexicaans vloerkleed met een motief van roze rozen en witte en gele weidebloemen. Aan het andere eind van het rijtuig lag een luxekeuken met een tafel en twee stoelen, waar hij at en zijn vitaminen slikte en waar elk hapje en slokje door minstens één norse, in een witte laboratoriumjas gestoken waarnemer werd bestudeerd en opgetekend. Voor zover hij kon nagaan hielden ze niets voor hem geheim. Alles wat hij at of dronk werd gemeten en gewogen, gekeurd, geanalyseerd en vooraf onderzocht op mineralen en radioactiviteit. Ze hadden hem verteld dat niet ver van hem vandaan, misschien handig dichtbij in een ander rijtuig, minimaal één controlegroep zat waarvan de leden op precies hetzelfde tijdstip als hij precies hetzelfde voedsel aten en exact dezelfde dagindeling hadden. Tot dusver vertoonde niemand zijn abnormale symptomen. Al zijn vertrekken bevatten, ook voor zijn eigen bescherming, ingebouwde geigertellers die twee keer per dag gecontroleerd werden. Iedereen die met hem in aanraking kwam – chemici, natuurkundigen, artsen, technisch en militair personeel, de mensen die zijn eten opdienden en zijn tafel afruimden, de vrouwen die kookten en schoonmaakten, zélfs de gewapende bewakers – droeg een paarlemoeren naambordje en een plaatje dat onmiddellijk op radioactiviteit reageerde. Hij was nog steeds ongevaarlijk. Ze gaven hem alles wat zijn hart begeerde, behalve de vrijheid om naar huis te gaan.

'Hoewel?'

Hoewel hij moest toegeven dat zijn huiselijk leven er in de loop der jaren niet vrolijker op was geworden en dat hij en zijn vrouw, overvoerd met toneelstukken, actualiteitenrubrieken en series op de buis, vaak naar activiteiten en leuke verrassingen hadden gezocht om hun lange, gezapige huwelijksleven nieuw leven in te blazen. Georganiseerde reisjes naar het buitenland vonden ze niet meer interessant. Ze hadden niet veel vrienden meer en zo weinig energie en motivatie dat ze voor hun opwinding en vermaak vrijwel geheel waren aangewezen op de tv en hun kinderen en kleinkinderen, die gelukkig – daar waren ze God elke dag dankbaar voor – allemaal binnen redelijke afstand van Kenosha woonden.

De geestelijke malaise die hij beschreef was een tamelijk frequent verschijnsel onder Amerikanen van zijn generatie, zei de begripvolle psychiater in militair uniform die om de dag op bezoek kwam en de opdracht had de gevangenschap van de legerpredikant zo draaglijk mogelijk te maken en hem, zoals hij eerlijk toegaf, elk stukje informatie over zijn opmerkelijke aandoening dat hij nog niet had prijsgegeven, te ontfutselen.

'En met uw tweeënzeventig jaar, dominee, bent u waarschijnlijk een zeer geschikte kandidaat voor wat wij involutiedepressie noemen,' zei de afgestudeerde medicus. 'Wilt u dat ik uitleg wat dat is?'

'Ik heb ervan gehoord,' zei de legerpredikant.

'Ik ben de helft jonger maar toch een even geschikte kandidaat als u. Misschien helpt dat.'

Hij miste zijn vrouw, vertrouwde hij de psychiater toe, en wist dat zij hém miste. Ze maakt het goed, werd hem minstens drie keer per week geruststellend medegedeeld. Direct contact was verboden, zelfs per brief. De jongste van zijn drie kinderen, nog maar een peuter toen hij in Europa was, liep inmiddels tegen de vijftig. Zijn kinderen maakten het prima, de kleinkinderen eveneens.

Toch maakte de legerpredikant zich buitensporig ('Pathologisch?' probeerde de psychiater discreet. 'Maar dat was natuurlijk óók normaal.') veel zorgen over zijn familie en martelde zichzelf door zich allerlei verschrikkingen in het hoofd te halen die hij voelde aankomen maar niet kon benoemen.

Ook dat was normaal.

Tegen wil en dank verviel hij keer op keer weer in de hardnekkige fantasieën waarmee hij zichzelf in de troosteloze eenzaamheid en afzondering van zijn eerste scheiding van vrouw en kinderen, tijdens zijn militaire dienst overzee, het leven zuur had gemaakt.

Opnieuw maakte hij zich ongerust over ongelukken, over ziektes als Ewing sarcoom, leukemie, de ziekte van Hodgkin en andere kankers. Hij was weer jong zat weer in het legerkamp op Pianosa en zag zijn jongste zoontje, twee of drie keer per week doodgaan omdat zijn vrouw nog steeds niet geleerd had een slagaderlijke bloeding te stelpen; was er opnieuw huilend en verlamd van schrik getuige van hoe zijn hele gezin successievelijk door een stopcontact op een plint geëlektrokuteerd werd, omdat hij haar nooit had verteld dat het menselijk lichaam stroom geleidt; vrijwel elke avond gingen ze alle vier in vlammen op doordat de boiler ontplofte en het twee verdiepingen hoge houten huis in vuur en vlam zette. In afschuwelijke, stuitende bijzonderheden zag hij hoe het slanke, broze jonge lichaam van zijn arme vrouw door een dronken debiel van een automobilist tegen de bakstenen muur van een markthal tot moes gereden werd en hij was er getuige van hoe zijn vijfjarige dochtertje gillend van het afgrijselijke tafereel werd weggevoerd door een vriendelijke heer op leeftijd met sneeuwwit haar, die haar meenam naar een verlaten zandbak, haar herhaaldelijk verkrachtte en ten slotte vermoordde, terwijl zijn twee jongsten thuis langzaam verhongerden, omdat zijn schoonmoeder, die op de kinderen paste en in werkelijkheid al jaren geleden een vreedzame en natuurlijke dood was gestorven, na telefonisch van het ongeluk van zijn dierbare echtgenote te zijn gebracht, een hartverlamming had gekregen.

Het waren genadeloze herinneringen. Vol heimwee en verdriet keerde hij, hulpeloos, teleurgesteld en toch verlangend, telkens terug naar bijna vijftig jaar geleden, toen hij een jonge vader was, altijd ellendig en altijd hoopvol.

'Ook dat is een veel voorkomend verschijnsel bij involutiedepressie,' deelde de psychiater hem liefdevol mee. 'Als u ouder wordt merkt u misschien dat u nog verder teruggaat, naar de tijd dat u nóg jonger was. Ik heb dat al.'

Hij vroeg zich af waar zijn herinnering zou ophouden. Hij wilde niet praten over het buitengewone visioen of wie weet zelfs wonder van die naakte man in een boom buiten de militaire begraafplaats op Pianosa tijdens de trieste teraardebestelling van een jonge vent met de naam Snowden, die gesneuveld was tijdens het bombardement op bruggen bij Avignon in Zuid-Frankrijk. De herinnering was van een folterende helderheid: hij stond met majoor Danby aan zijn linkerhand en majoor Major aan zijn rechterhand aan het open graf, met tegenover hem, aan de andere kant van het gapende gat in de rode aarde, de kleine dienstplichtige Samuel Singer die in hetzelfde vliegtuig had gezeten, en met een rilling onderbrak hij zijn grafrede toen hij zijn ogen ten hemel hief en ze in plaats daarvan op de figuur in de boom vielen – halverwege zijn zin bleef hij steken alsof alle lucht uit zijn longen gezogen was. De mogelijkheid dat er inderdaad een naakte man in die boom zat was nog niet bij hem opgekomen. Over deze herinnering praatte hij niet. Hij wilde niet dat de gevoelige psychiater met wie hij op zulke goede voet stond hem voor gek versleet.

Sinds die tijd was hem nooit meer zo'n duidelijk teken van goddelijke nabijheid vergund, hoewel hij er nu om smeekte. Hij bad in het geheim – vol schaamte. Hij schaamde zich niet voor zijn gebeden, alleen maar uit angst dat iemand hem zou betrappen en een opmerking zou maken. Ook bad hij om een nieuw wonder: dat Yossarian hem als Superman te hulp vloog – een andere redder kon hij niet bedenken – en hem bevrijdde van de bodemloze crisis waarin hij zo hulpeloos verstrikt was geraakt, opdat hij weer naar huis kon. Zijn hele leven lang had hij alleen maar thuis willen zijn.

Hij kon er niets aan doen dat hij zwaar waterde.

Als ze niet op weg waren naar een andere bestemming, werd hij van tijd tot tijd de treeplank van zijn rijtuig afgeholpen om er onder het toeziend oog van een aantal gewapende bewakers twintig, dertig of veertig minuten lang in hoog tempo rondjes omheen te lopen. Tijdens deze wandelingen had hij steeds gezelschap, een medisch specialist, een wetenschapper, een geheim agent, een officier of de generaal zelf. Soms kreeg hij een manchet om voor het meten van zijn hartslag en bloeddruk, of een filter op om zijn adem te analyseren. Wat hij tijdens deze perioden van inspannende lichaamsbeweging van zijn omgeving zag, leidde hem tot de conclusie dat hij zo niet altijd dan toch meestal onder de grond zat.

In zijn salonwagen kon hij in elk vertrek naar een van de zijramen gaan en bijvoorbeeld naar Parijs kijken, naar Montmartre vanaf de hoge boog van de Arc de Triomphe, of naar een vergezicht vanaf Montmartre op het Louvre, voornoemde triomfboog, de Eiffeltoren en de kronkelende Seine. De eindeloze zee van steeds kleiner worden daken was eveneens indrukwekkend. Als hij wilde kon hij ook van een keur van gezichten op de Spaanse stad Toledo genieten, of van de universiteitsstad Salamanca of het Alhambra of – na overgeschakeld te hebben – van de Big Ben en de Britse Parlementsgebouwen of St. Catherine's College in Oxford. Het controlepaneel onder de ramen was eenvoudig te bedienen. Elk raam was een videoscherm met beelden van vrijwel alle plaatsen ter wereld.

Als hij naar New York schakelde kon hij over de stad uitkijken door een groot raam op de bovenverdieping van een torenflat. Door de stad kon hij zich even snel verplaatsen als door de wereld. Eén keer, kort na zijn arrestatie, was hij er zo van overtuigd dat hij Yossarian tegenover het busstation van de Havendienst uit een taxi zag stappen, dat hij bijna zijn naam riep. In Washington kon hij naar binnen bij het HSGPMZ en op zijn gemak de hal of de rijkelijk voorziene winkels op de tussenverdiepingen verkennen. Overal klopten het licht en de kleuren met de tijd van de dag waarop hij ernaar keek. Als het donker was, keek hij het liefst naar de casino's in Las Vegas en naar Los Angeles bij nacht, gezien vanaf de Sunset Strip. Zijn ramen gaven hem uitzicht op vrijwel elke plek die hij wilde zien, behalve zijn ware omgeving. In Kenosha kon hij vanaf de overdekte veranda voor zijn huis de hele stad overzien, en een soortgelijk geruststellend panorama vanaf de kleine patio naast zijn achtertuintje, waar hij bij zacht weer vroeg in de avond vaak samen met zijn vrouw op de schommelbank zat en naar de maan en de vuurvliegjes keek en somber herinneringen ophaalde en zich afvroeg waar de tijd gebleven was, hoe de eeuw zo snel voorbijgevlogen kon zijn. Tuinieren lukte niet erg meer. Wieden vond hij nog steeds heerlijk, maar hij werd gauw moe en moest meestal snel ophouden vanwege de scheuten in zijn benen en onder in zijn rug, volgens de dokter tekenen van spit. Toen hij een keer via zijn treinraam vanaf zijn eigen veranda naar de straat keek, zag hij aan de overkant een buurman die – hij wist het zeker – al enkele jaren dood was, waardoor hij even in de war raakte. Hij stond er versteld van dat onder zijn vertrouwde stad, waarin hij vrijwel zijn hele leven had doorgebracht, een geheime ondergrondse spoorweg lag met hem als onwillige passagier.

Inmiddels was alles en – hoewel de meeste mensen het niet gemerkt hadden – iedereen in een brede straal rondom het huis van de legerpredikant in Kenosha met behulp van de fijnste en gevoeligste moderne instrumenten en technieken bekeken, onderzocht, bestudeerd en nagevorst: het eten, het drinkwater uit de bronnen en het reservoir, de lucht die ze inademden, het afvalwater, het vuil. Elke kleine en grote boodschap en elke stukje afval dat in de vuilnisbak verdween, werd geanalyseerd. Tot nog toe had men niets gevonden dat wees op het bestaan van enige besmetting waaraan zijn unieke aandoening geweten kon worden. Nergens in Kenosha was ook maar één molecule van deuteriumoxyde of, in lekentaal, zwaar water te vinden.

'Het begon als een plasprobleem,' herhaalde legerpredikant Albert Taylor Tappman voor de zoveelste keer.

'Dat heb ik ook gehad,' vertrouwde de psychiater hem zuchtend toe. 'Maar anders dan dat van u, natuurlijk. Anders hadden we hier waarschijnlijk met ons tweeën in quarantaine gezeten. En u hebt er echt geen idee van hoe u het doet of hoe u het proces op gang gebracht hebt?'

De legerpredikant deed opnieuw zijn verhaal, hortend en verontschuldigend. Hij had zijn zachte vuisten op zijn dijen gelegd en zag dat deze dokter hem scheen te geloven. Zijn eigen huisarts had indertijd meteen het gevoel dat er iets niet in orde was en nam een tweede monster.

'Ik weet niet, Albert. Het voelt nog steeds raar aan. Zwáár, lijkt het wel.'

'Wat houdt dat in, Hector?'

'Dat weet ik niet precies, maar volgens mij moet je hier een vergunning voor hebben. We zullen wachten op de uitspraak van het laboratorium. Dat moet misschien aangifte doen.'

Binnen de kortste keren vielen de overheidsdienaren als een zwerm sprinkhanen zijn huis binnen, gevolgd door de chemici, de natuurkundigen, de radiologen en urologen, de endocrinologen en gastroenterologen. Kort daarna werd hij onder handen genomen door alle mogelijke soorten specialisten en milieudeskundigen die vastberaden en nietsontziende pogingen in het werk stelden om te ontdekken waar dat extra waterstofneutron in elke watermolecule die hij uitplaste vandaan kwam. In zijn zweet zat het niet. Dat was onaangetast, evenals al zijn andere lichaamssappen.

Daarna kwamen de verhoren, eerst heel beleefd, daarna steeds grover en vol stilzwijgende dreigementen. Had hij vloeibare waterstof gedronken? Bij zijn weten niet. O, dat zou hij heus wel geweten hebben. Dan zou hij nu dood zijn.

'Waarom vraagt u dat dan?'

Het was een strikvraag, kraaiden ze. Ze rookten allemaal en hun vingers waren bruin. Vloeibare zuurstof? Hij zou niet eens weten hoe hij eraan moest komen.

Als hij het wilde drinken diende hij dat toch te weten.

Hij wist niet eens wat het was.

Hoe kon hij er dan zo zeker van zijn dat hij het niet gedronken had?

Dit werd eveneens opgetekend. Het was wederom een strikvraag.

'En u trapte erin, padre. Goed hè, Tof? Wat jij, Bul?'

'Wat je zegt, Rambo.'

Ze waren met z'n drieën en wilden per se weten of hij vrienden, vriendinnen, echtgenotes of kinderen in een van de voormalige ijzeren-gordijnlanden of in de huidige CIA had.

'Ik heb ook niemand in de CIA,' zei de psychiater. 'Anders zou ik weinig kans maken hier.'

Het eerste wat ze deden was zijn paspoort in beslag nemen en zijn telefoon aftappen. Zijn post werd onderschept, zijn bankrekeningen werden geblokkeerd. Aan zijn bankkluis kwam een slot te hangen. En het ergste was dat ze hem zijn belastingnummer hadden afgenomen.

'Geen cheques?' riep de psychiater vol afschuw uit.

De cheques bleven komen, maar het nummer was hij kwijt. Zonder belastingnummer was hij niemand.

De psychiater werd asgrauw en beefde. 'Ik kan me voorstellen hoe je je voelt,' leefde hij mee. 'Ik zou niet zonder kunnen. En kun je echt niet uitleggen hoe je het doet?'

De chemische fysici en fysische chemici sloten de mogelijkheid van een insektenbeet uit. De entomologen waren het met hen eens.

In het begin waren de meeste mensen aardig en minzaam en voorkomend. De dokters benaderden hem vriendelijk, als een curiosum en een buitenkansje. De sfeer werd evenwel al spoedig minder gemoedelijk en veel gedwongener, behalve bij de psychiater en de generaal. De toenemende frustratie maakte een eind aan de de verdraagzaamheid. Het geduld raakte op en de verhoren werden onaangenaam, vooral die van het veiligheidspersoneel. Het waren geen FBI- of CIA-agenten; ze werkten voor een nog geheimere organisatie. Ze waren beledigd door zijn onvermogen licht op de situatie te werpen en namen hem zijn obstinate weigering uitleg te verschaffen over iets dat hij zelf niet begreep uiterst kwalijk.

'Je bent koppig,' zei de grootste van de agressieve ondervragers.

'Daar zijn alle rapporten het over eens,' zei de magere, een donkere, vals ogende figuur met een haakneus, manische ogen die leken te fonkelen van pret, kleine onregelmatige tanden met nicotinevlekken en vrijwel geen lippen.

'Padre,' zei de mollige, die vaak zonder een greintje vermaak glimlachte en knipoogde en altijd naar verschaald bier rook, 'neem nou straling. Heb u ooit... voordat u hier kwam, en we willen de waarheid horen, makker, we hebben liever niks dan leugens... had u ooit illegaal straling geabsorbeerd?'

'Hoe kan ik dat weten, meneer? Wat is illegale straling?'

'Straling waar u niks van weet en wij wel.'

'Wat is dan legale straling?'

'Straling waar u niks van weet en wij wel.'

'U maakt me in de war. Ik hoor geen enkel verschil.'

''t Verschil is duidelijk te horen aan de manier waarop 't gezegd wordt.'

'En u heb 't niet gehoord. Schrijf maar op!'

'Dat noem ik nog 's klem lullen. Je had 'm vierkant bij z'n ballen!'

'Zo kan-ie wel weer, Tof. Morgen gaan we verder.'

'In orde, generaal.'

Er klonk onmiskenbare brutaliteit in het toontje dat Tof tegen de generaal aansloeg, en de legerpredikant voelde zich opgelaten.

De bevelvoerend officier van het Wisconsin Project was generaal Leslie R. Groves van het voormalige Manhattan Project dat in 1945 de eerste atoombommen had ontwikkeld, een man die oprechte bezorgdheid, warmte en bescherming uitstraalde. De legerpredikant voelde zich veilig bij hem. Generaal Groves had hem uitgelegd waarom hij zonder vorm van proces was opgesloten en voortdurend onder toezicht stond en wat de verschillen waren tussen kernsplitsing en kernfusie en de drie toestanden van waterstof waarmee de dominee aan het knoeien leek te zijn of die met hem aan het knoeien waren. Eerst had je waterstof 1, dan deuterium met een extra neutron in elk atoom, dat samen met zuurstof zwaar water vormde, en vervolgens tritium, een radioactief gas met twee extra neutronen dat gebruikt werd voor het lichtgevend maken van meters en uurwerken, waaronder de nieuwe, zo tot de wellustige verbeelding van de natie sprekende serie pornografische slaapkamerklokken, en voor het versnellen van het ontstekingsproces in thermonucleaire bommen met lithiumdeuteride, bijvoorbeeld de waterstofbom. De eerste bom van deze soort, die in 1952 tot ontploffing was gebracht, had een duizend keer grotere vernietigingskracht – dúizend keer, herhaalde generaal Groves met klem – dan de bommen die boven Japan waren afgeworpen. En waar kwam dat deuterium vandaan? Van zwaar water.

En hij had het zijne steeds doorgetrokken.

'Wat doen jullie er dan mee?'

'Wegsturen om tritium van te laten maken,' antwoordde generaal Groves.

'Ziet u wel wat u weg heb staan pissen, padre?'

'Zo kan-ie wel weer, Tof.'

Samen met generaal Grove was de legerpredikant uit zijn salonwagen gestapt op weg naar een kleine speelplaats met witte betontegels achter een raamloos gebouw dat met zijn grintpleister en kruis op het dak aan een oude Italiaanse kerk deed denken. Aan een houten, vers gevernist uitziende paal hing een basketbalnet, en op de grond stond in fletsgroene lijnen een soort gigantisch sjoelbakspel uitgezet. Een zwartwitte leren voetbal die eruitzag als een reuzenmodel van een molecule die elk moment uit elkaar kon spatten, lag midden op het beton, kennelijk in afwachting van iemand die ertegen aan zou schoppen. Op de hoek stond een gebruinde koopman met een kraampje vol prentbriefkaarten, kranten en witgebiesde azuurblauwe matrozenpetten met in witte letters het woord 'Venezia' erop, en de legerpredikant vroeg zich hardop af of ze werkelijk in Venetië waren. Nee, zei de generaal, maar het was leuk om voor de verandering eens net te doen alsof. Ondanks de illusie van hemel en frisse lucht waren ze nog steeds binnen, onder de grond. De legerpredikant had geen zin om basketbal of reuzensjoelbak te spelen of tegen de voetbal te schoppen, en hij wilde geen souvenirs. Het tweetal wandelde veertig minuten lang in een stevig, door generaal Groves aangegeven tempo om de wagon.

Tijdens een andere wandeling in de buurt van een smalle, loodrecht op hun spoor staande tunnel hoorde hij vaag het geluid van kleine explosies, alsof in de verte een hele reeks voetzoekers werd afgestoken. Het was een schiettent. De legerpredikant had er geen behoefte om voor een teddybeer zijn geluk te beproeven. Ook voelde hij weinig voor het werpen van muntjes in de hoop een kokosnoot te winnen. Hij hoorde carrouselmuziek uit die zelfde tunnel komen, gevolgd door het gierend klimmen en dalen van stalen wielen op rails en het knarsen van koppelingen van achtbaanwagentjes. Nee, de legerpredikant was nooit in Coney Island geweest en George C. Tilyou's pretpark Kermisland was hem onbekend en kon hem ook nu niet bekoren. Kennismaken met meneer Tilyou zelf of een bezoekje aan zijn schitterende carrousel brengen hoefde evenmin voor hem.

Generaal Grove haalde zijn schouders op. 'Het lijkt wel of u de moed totaal hebt opgegeven,' zei hij enigszins medelijdend. 'Het lijkt wel of u nergens meer iets om geeft, niet om televisiekomedies, niet om nieuws, niet om sport.'

'Dat weet ik.'

'Ik ook niet,' zei de psychiater.

Tijdens zijn derde uitstapje terug naar zijn huis in Kenosha werd het eerste voedselpakket van Milo Minderbinder bezorgd. Daarna kwamen de pakketten elke week, altijd op dezelfde dag. Het ingesloten kaartje was altijd hetzelfde:

WAT GOED IS VOOR MILO MINDERBINDER
IS GOED VOOR HET LAND

De inhoud veranderde evenmin. Ze bevatten, netjes in een bed van houtwol gevlijd, een nieuwe Zippo-aansteker, een pakje steriele wattenstokjes van zuiver Egyptische katoen, een dure bonbondoos met een pond M & M extra fijne Egyptische katoen in chocolade, een dozijn eieren uit Malta, een fles Schotse whisky uit een Siciliaanse distilleerderij, allemaal gemaakt in Japan, en souvenirblikjes spek uit Quebec, ham uit Siam en soep uit Guadeloupe, eveneens afkomstig uit het Verre Oosten. De legerpredikant stemde in met het voorstel van generaal Groves om het pakket te schenken aan de mensen bovengronds die nog steeds geen dak boven hun hoofd hadden. De eerste keer dat de legerpredikant dit hoorde was hij verbaasd.

'Heeft Kenosha tegenwoordig daklozen dan?'

'We zijn niet in Kenosha,' antwoordde generaal Groves, waarop hij naar het raam liep en op de locatieknop drukte.

Ze waren opnieuw in New York, op een plek achter de schoenpoetsers en eetkraampjes met de rokende houtskoolvuurtjes op het trottoir bij de hoofdingang van het busstation, met uitzicht op de twee steriele torens van het Wereldhandelscentrum, die misschien nog steeds de hoogste commerciële bouwwerken ter wereld waren.

Een andere keer, toen hij er zeker van was dat hij in het HSGPMZ was, zag hij op de monitor dat ze onder het busstation zaten en bezig waren een nieuwe locomotief en andere laboratoriumwagens aan te koppelen. Door zijn raam kon hij zelfs in het Communicatie- en Controlecentrum van het busstation kijken en alle videoschermen zien: de af- en aanrijdende bussen, de dagelijkse mensenstroom, de stille smerissen die zich uitgaven voor drugshandelaren en de drugshandelaren die zich uitgaven voor stille smerissen, de prostituées, spuiters en weglopers, de liefdeloze, apathische paringen en andere schunnige activiteiten in het gemeenschapsleven onder de brandtrappen. Hij kon zelfs in de diverse wasvertrekken kijken en mensen zien plassen of wassen, of in de toilethokjes loeren als hij wilde, om het spuiten, de orale seks en het poepen te begluren. Daar paste hij voor. Hij had tv's waarop hij haarscherp driehonderdtweeëntwintig kanalen kon ontvangen, maar ontdekte dat hij niets leuk vond als zijn vrouw niet mee keek. Niet dat de tv zo fantastisch was als ze samen waren, maar dan konden ze in elk geval naar dezelfde buis kijken en samen naar een nieuw gespreksonderwerp zoeken om hun lethargie te verlichten. Dit was ouderdom. Ze waren allebei nog maar net tweeënzeventig.

Een andere keer in New York keek hij door zijn raam naar het Metropolitan Museum op het moment dat een ACACAMMA-vergadering beëindigd werd en was er opnieuw van overtuigd dat hij Yossarian zag vertrekken in het gezelschap van een modieus geklede oude dame en een lange man. En weer moest hij een kreet onderdrukken, want ditmaal zag hij een peenharige man met een groene rugzak die het drietal sluw begluurde en schaduwde, met achter hem twee andere mannen met nog feller peenhaar, en daar weer achter nóg een man, die duidelijk het hele gezelschap in het oog hield. Hij wantrouwde zijn ogen. Hij had het gevoel dat hij hallucineerde, net als destijds met de man in de boom.

'En wat is dat andere geluid dat steeds maar doorgaat?' vroeg de legerpredikant ten slotte aan generaal Groves toen ze weer onderweg waren en de stad achter zich lieten.

'Water, bedoel je? Dat stroompje of die rivier?'

'Ik hoor het heel vaak. Misschien zelfs altijd.'

'Dat kan ik niet zeggen.'

'Weet u het niet?'

'Ik heb opdracht u alles te vertellen wat ik weet. Dit ligt buiten mijn jurisdictie. Het is meer geheim en ligt dieper. Onze sonarpeilingen hebben aan het licht gebracht dat het een vrij smalle en langzaam stromende waterweg is die geregeld bevaren wordt door niet-gemotoriseerde bootjes, roeiboten misschien, altijd in dezelfde richting. Er is ook muziek, die geïdentificeerd is als de ouverture en de bruidsmars uit het derde bedrijf van de opera *Lohengrin*.' En nauwelijks hoorbaar onder die muziek, los ervan en van nóg grotere diepte, klonk een koor van gekwelde kinderstemmen dat de rijksmusicologen nog niet thuis hadden kunnen brengen. Duitsland werd geraadpleegd en bleek vertwijfeld over het bestaan van een koorstuk van een dermate muzikale complexiteit, zo niet genialiteit, waar zij niets van afwisten. 'Het water staat op mijn papieren aangegeven als de Rijnrivier. Meer weet ik ook niet.'

'De Rijn?' vroeg de legerpredikant vol ontzag.

'Nee. De Rijnrivier. We zijn niet in Duitsland.'

Ze waren weer terug in de hoofdstad des lands.

Hij had geen enkele reden om aan generaal Groves, die er duidelijk op stond alle sessies van Tof, Bul en Rambo bij te wonen, te twijfelen. De legerpredikant begreep dat zelfs de vriendschap van de generaal misschien niet meer was dan een sluwe tactische zet in het groter strategisch geheel van een clandestien komplot met de drie veiligheidsagenten die hem het meest angst inboezemden. Hij wist dat hij geen enkele zekerheid had, zelfs niet de zekerheid dat hij geen zekerheid had.

'Dat gevoel heb ik ook vaak,' gaf de generaal hem haastig gelijk toen hij zijn bange vermoedens uitsprak.

'Ik ook,' gaf de psychiater toe.

Was de medelevende psychiater ook een truc?

'Jullie hebben niet het recht om mij dit aan te doen,' protesteerde de legerpredikant tegen generaal Groves toen ze weer alleen waren. 'Zoveel zekerheid heb ik geloof ik wel.'

'Ik vrees dat u het mis heeft,' antwoordde de generaal. 'U zou waarschijnlijk snel ontdekken dat we alles met u kunnen doen wat u niet kunt voorkomen. In dit geval handelen we zowel binnen de wet als volgens precedent. U bent reserve-officier geweest. Ze hebben u gewoon opnieuw opgeroepen.'

'Maar ik heb officieel ontslag gekregen,' antwoordde de legerpredikant triomfantelijk. 'Ik heb de brief nog.'

'Ik denk het niet, dominee. En in onze archieven wordt er ook met geen woord over gerept.'

'Jazeker wel,' zei de legerpredikant vol leedvermaak. 'Kijk maar in mijn Vrijheid van Informatie-dossier. Daar heb ik het met mijn eigen ogen zien staan.'

'Dominee, als u nog eens gaat kijken zult u zien dat het verwijderd is. U bent niet helemaal onschuldig, weet u.'

'Wat heb ik dan gedaan?'

'Dat hebben de mensen van inlichtingen nog niet uitgezocht. Waarom bekent u geen schuld?'

'Hoe kan ik schuld bekennen als ze niet willen zeggen wat ik gedaan heb?'

'Hoe kunnen ze dat zeggen als ze het niet weten? Om te beginnen,' vervolgde generaal Groves op formelere toon, 'hebben we dat zwaar water dat u langs natuurlijke weg produceert en waarvan u ons het fijne niet wilt vertellen.'

'Omdat ik dat zelf niet weet,' wierp de legerpredikant tegen.

'Mij hoeft u niet te overtuigen. Ten tweede is er een connectie met die Yossarian, John Yossarian. Meteen toen we die ontdekten bracht u een mysterieus bezoekje aan hem in New York. Da's een van de redenen waarom ze u opgepakt hebben.'

'Daar was niets mysterieus aan. Ik ging hem opzoeken toen dit allemaal begon. Hij lag in het ziekenhuis.'

'Wat mankeerde hij?'

'Niets. Hij was niet ziek.'

'En toch in het ziekenhuis? Albert, probeer je eens in te denken hoe dit verhaal overkomt. Hij lag samen met die Belgische agent met keelkanker in het ziekenhuis. Die man kwam uit Brussel, en Brussel is de spil van de EU. Is dat ook toeval? Hij heeft keelkanker, maar hij wordt niet beter en hij gaat niet dood. Hoe kan dat? Dan hebben we elke dag vier of vijf geheime boodschappen over hem aan je vriend Yossarian van die vrouw die zogenaamd alleen maar graag een praatje met hem maakt. Zo'n vrouw ben ik nog nooit tegengekomen. U wel? Nu begeeft zijn nier het weer, zei ze gisteren nog. Waarom zou zíjn nier het begeven en de uwe niet? U bent degene met zwaar water. Ik ben neutraal. Ik weet hier even weinig van als van de ouverture van het derde bedrijf van *Lohengrin* of een wanhopig kinderkoor. Het enige wat ik doe is de vragen herhalen die door andere mensen opgeworpen zijn. Er is zelfs een sterke verdenking dat de Belg voor de CIA werkt. Sommigen denken zelfs dat ú CIA bent.'

'Welnee! Ik zweer dat ik nooit voor de CIA heb gewerkt!'

'Mij hoeft u niet te overtuigen. Die berichten komen via Yossarians verpleegster uit het ziekenhuis.'

'Verpleegster?' riep de legerpredikant. 'Is Yossarian ziek?'

'Hij is zo gezond als een vis, en in een betere conditie dan jij of ik.'

'Waar heeft hij dan een verpleegster voor nodig?'

'Om zijn lusten te bevredigen. Vier of vijf keer per week komen ze bij elkaar om zich te buiten te gaan aan seks' – de generaal raadpleegde een papier met een lijngrafiek dat hij op zijn schoot had liggen om absoluut zeker van zijn zaak te zijn – 'op zijn kantoor, bij haar thuis, bij hem thuis, vaak op de keukenvloer met de kraan open of in een ander vertrek op de grond onder de airconditioning. Hoewel deze grafiek suggereert dat de frequentie van hun wellustige bezigheden sterk aan het afnemen is. De wittebroodsweken schijnen voorbij te zijn. Volgens Gaffney's laatste rapport stuurt hij haar geen lange rode rozen meer en praat hij ook minder over ondergoed.'

De legerpredikant voelde zich duidelijk niet op zijn gemak bij al deze persoonlijke details. 'Alstublieft.'

'Ik probeer u alleen de achtergrond te schilderen.' De generaal sloeg een bladzijde om. 'Vervolgens hebben we die geheime afspraak met de heer Milo Minderbinder die u niet de moeite van het vermelden waard vond.'

'Milo Minderbinder?' De legerpredikant was stomverbaasd. 'Ik ken hem wel, natuurlijk. Hij stuurt me die pakketten. Waarom weet ik ook niet. In de oorlog zaten we in hetzelfde onderdeel, maar ik heb hem al bijna vijftig jaar niet gezien of gesproken.'

'Kom, dominee, kom.' De generaal trok een overdreven teleurgesteld gezicht. 'Albert, volgens Milo Minderbinder ben jij zijn eigendom, hij heeft octrooi op je aangevraagd, hij heeft een handelsmerk voor jouw soort zwaar water laten registreren, met een aureool maar liefst. Hij heeft je aan de regering aangeboden als onderdeel van een contract voor een gevechtsvliegtuig waarvoor hij een offerte heeft gemaakt en hij ontvangt elke week een zeer, zeer fors bedrag voor elke liter zwaar water die we van jou krijgen. Kijk je daarvan op?'

'Dit is volkomen nieuw voor me!'

'Albert, op eigen houtje zou hij daar het recht niet toe hebben.'

'Nu weet ik zeker dat ik je te pakken heb, Leslie.' De legerpredikant kon er bijna om lachen. 'Net zei je nog dat mensen het recht hebben om alles te doen wat we niet kunnen voorkomen.'

'Klopt, Albert, maar in de praktijk is dat een argument wat wij wél en jij níet kunt gebruiken. Morgenmiddag, tijdens de wekelijkse revisie, nemen we dit nog wel een keer door.'

Op de vaste wekelijkse bijeenkomst die vrijdag was de generaal de eerste die lucht kreeg van de nieuwste ontwikkeling.

'Wie heeft er een scheet gelaten?' vroeg hij.

'Inderdaad, wat voor een luchtje is dat?'

'Ik weet het,' zei de chemisch natuurkundige die deze week dienst had. 'Het is tritium.'

'Tritium?'

De geigertellers in het vertrek ratelden. De legerpredikant sloeg zijn ogen neer. Een afschuwelijke verandering had zich zojuist voltrokken. Zijn wind bevatte tritium.

'Dit maakt alles anders, dominee,' berispte de generaal hem ernstig. Elke proef en procedure zou herhaald moeten worden en een aantal nieuwe geïntroduceerd. 'En onderzoek onmiddellijk alle personen in de andere groepen.'

In de controlegroepen windde niemand iets anders dan het gebruikelijke methaan en zwavelwaterstof.

'Ik zie er behoorlijk tegen op om dit door te geven,' zei de generaal somber. 'En graag wat minder winden laten waaien, dominee.'

'En niet meer tegen de muur pissen.'

'Zo kan-ie wel weer, Tof.'

'Vinden jullie het ook niet vreemd,' vroeg generaal Groves in een wijsgerig moment tijdens de vrije groepsdiscussie de week daarop, 'dat zich uitgerekend in het lichaam van een man Gods misschien de thermonucleaire capaciteit voor de vernietiging van alle leven op deze planeet ontwikkelt?'

'Helemaal niet.'

'Waarom eigenlijk?'

'Je bent niet goed wijs!'

'Hoe kom je dáárbij?'

'Bij wie dacht je anders?'

'Ze molesteren toch ook misdienaars?'

'Zou de macht die de wereld geschapen heeft er ook geen eind aan moeten maken?'

'Het zou inderdaad nog gekker zijn geweest,' moest de generaal, na het afwegen van al deze overpeinzingen, toegeven, 'als het iemand anders was geweest.'

21

LEW

Ik heb vooral genoeg van die misselijkheid. Ik heb het intussen vaak genoeg meegemaakt om het verschil te voelen. Als ik denk dat het niks is, gaat het over. Als ik denk dat het wel iets is, is de remissie voorbij en begint het weer. Dan krijg ik binnen de kortste keren overal jeuk en last van nachtzweten en koorts. Ik ben de eerste die merkt dat ik afval. Mijn trouwring gaat losser zitten. Ik drink graag een aperitiefje voor het eten, die ouderwetse jongensborrel waar de mensen nu om moeten lachen: Carstairs-whisky met Cola, een C & C. Als ik na het drinken van alcohol pijn in mijn nek of schouders of buik krijg, weet ik dat het tijd is om de dokter te bellen en te hopen dat ik niet weer naar de stad hoef voor een rondje Teemer of naar het ziekenhuis voor een sessie met een van zijn scherpschutters op radiologie. Ik zeg het altijd meteen tegen Claire. Ik wil haar niet nodeloos ongerust maken. Maagzuur is makkelijk. Dat komt door te veel eten. Die verdomde misselijkheid krijg ik zowel van de ziekte als van de medicijnen. Vergissing is uitgesloten. Als ik aan misselijkheid denk, denk ik aan mijn moeder en haar groene appels. Die hadden geloof ik dezelfde smaak als wat ik proef bij die misselijkheid. Als kind had ik een keer een abces in mijn oor en dokter Abe Levine bracht een specialist mee om het door te laten prikken, en toen zei ze ten overstaan van iedereen, van mij en de dokters en de hele familie, dat ik waarschijnlijk weer aan haar groene appels had gezeten. Dat kreeg je namelijk als je groene appels at. Ik moet altijd lachen als ik aan de ouwe dame denk. Ze was niet dom, ook niet tegen het eind, toen ze wel eens maalde. Mijn naam vergat ze nooit. De anderen herkende ze soms niet, zelfs mijn ouwe heer met zijn waterogen niet, maar mij altijd. 'Louie,' riep ze dan zachtjes, '*Junge. Loualeh. Kim aher zu der mamma.*'

Ik ben er onderhand beroerd van om misselijk te zijn.

Sammy bescheurt zich als ik het zo uitdruk, dus elke keer dat hij op bezoek komt of me ophaalt om naar de stad te gaan, herhaal ik het om hem aan het lachen te maken. Soms gaan we een avondje uit, alleen maar om te bewijzen dat we dat nog kunnen. We kennen er niemand meer, alleen hem en een van mijn dochters. Als ik met Claire naar de schouwburg ga moet ik mijn best doen om niet in slaap te vallen en net te doen of dat toneelgedoe me interesseert. Of ik ga met Sammy ergens iets eten of drinken terwijl zij, alleen of met mijn dochter, de musea of kunstgalerieën afloopt. Soms brengt Sammy een aardige vrouw met een leuk karakter mee, maar je ziet meteen dat er niks aan de hand is tussen die twee. Winkler belt om de paar weken uit Californië om naar onze gezondheid te informeren, de nieuwste overlijdensgevallen te melden en de laatste berichten over de weinige kennissen die we nog gemeen hebben te vernemen. Hij verkoopt tegenwoordig schoenen, echt leer, zegt-ie. Hij levert aan grote warenhuizen en de winst helpt hem de magere seizoenen voor zijn chocolade-eieren en -paashazen te overleven. En hij doet iets met surplusvoorraden diepvriesvoedsel, voornamelijk vlees, maar daar wil ik het fijne niet van weten. Sammy vindt Mooie Marvie's uitstapjes op zakengebied ook nog steeds vermakelijk. Sammy schijnt weinig lol meer in het leven te hebben sinds hij alleen in die nieuwe torenflat van hem zit. Hij weet nog steeds niet wat hij met zijn tijd moet doen, behalve geld inzamelen voor het kankerfonds. Hij heeft een goed pensioen van *Time* magazine, zegt hij, en geld op de bank, dus financieel komt hij niets te kort. Ik doe hem ideeën aan de hand. Hij doet er niks mee.

'Ga toch naar Las Vegas, met de hoertjes spelen.'

Zelfs Claire vindt dat een goed idee. Ik ben nog steeds gek op haar. Ze heeft nog steeds grote borsten, weer zo goed als nieuw sinds ze ze heeft laten bijwerken. Of hij kon naar Bermuda of het Caribische-Zeegebied gaan en een leuke secretaresse de vakantie van haar leven geven. Of naar Boca Raton voor een snelle, niet al te jonge weduwe of een gescheiden vrouw van boven de vijftig die graag wil hertrouwen.

'Sammy, je kunt echt veel beter hertrouwen. Jij bent niet het soort man dat alleen kan wonen.'

'Vroeger wel.'

'Nu ben je daar te oud voor,' zegt Claire. 'Je kunt toch nog steeds niet koken?'

We vergeten dat Sammy nog altijd verlegen is bij vrouwen zolang het ijs niet gebroken is, en dat hij nooit geleerd heeft hoe je een vrouw versiert. Zodra ik beter ben, zei ik tegen hem, ga ik met je mee en dan help ik je iemand te vinden die ons aanstaat.

'Dan ga ik ook mee,' zegt Claire, die niets liever doet dan reizen, 'om aan te pappen en de sukkels eruit te halen.'

'Sammy,' dring ik aan, 'kom toch 's van je reet en ga op wereldreis. We zijn geen kuikens meer, jij en ik, en wie weet hoe weinig tijd we nog hebben om de dingen te doen waar we vroeger altijd over praatten. Voel je er niks voor om weer naar Australië te gaan, naar die vriend van je?'

Toen Sammy op de internationale afdeling van Time Incorporated ging werken, reisde hij de hele wereld af en hij heeft nog steeds overal kennissen.

Zelf denk ik ook aan een wereldreis als ik weer op gewicht ben, want dat zou Claire fijn vinden. Ik begin het steeds leuker te vinden om mensen te geven wat ze willen.

Misschien is het de leeftijd, niet alleen die ziekte van Hodgkin, maar ik voel me beter als ik weet dat ze goed verzorgd achter zullen blijven. In het begin althans. Michael heeft het naar zijn zin als accountant, dus nu hebben ze allemaal vastigheid. Claire is nog steeds knap en heeft een goed figuur, dank zij haar uitstapjes naar de gezondheidsboerderijen en het knip- en plakwerk dat ze soms stiekem laat verrichten. Naast mijn andere investeringen heb ik ook een mooi bouwrijp strandperceel op Sint Maarten op haar naam laten zetten, plus een stuk land in Californië waar ze niks van weet, hoewel dat ook op haar naam staat. Ik heb diverse bankkluizen met dingen waar ze nog niet geleerd heeft om mee om te gaan. Ik wou dat ze beter kon rekenen, maar nu kan Michael haar daarmee helpen, en Andy in Arizona is ook geen slechte zakenman. Michael schijnt erg goed te zijn en ik heb hem een paar kneepjes bijgebracht die hij tijdens zijn studie niet heeft geleerd. Ik vertrouw mijn advocaat en mijn andere mensen als ik er zelf bij ben om duidelijk te maken wat ik wil en te zorgen dat ze er geen gras over laten groeien, maar verder zou ik niet graag voor ze instaan. Ze worden lui. Emil Adler is ook lui geworden met het klimmen der jaren en schuift je meteen door naar een specialist. De kinderen hebben allemaal hun eigen huisarts. Ik leer Claire om advocaten nog harder aan te pakken dan ik, om onafhankelijk te zijn.

'Neem gerust iemand anders in de arm als je denkt dat het nodig is. Je mag voortaan al mijn zaken behartigen. Als je je maar nooit in een hoek laat drukken. Ze hebben niks van ons te goed en als ze ooit iets moeten krijgen, komen ze er wel om.'

Niemand van ons gokt, zelfs niet met aandelen. En Andy is de enige met een extravagante smaak, maar die is getrouwd met een knappe meid met centen en een aardig karakter en schijnt het prima te doen als compagnon van zijn schoonvader, die een paar goed lopende autohandels heeft in Tempe en Scottsdale in Arizona. Maar hij zal zich nooit een echtscheiding kunnen veroorloven – wat misschien maar goed is ook – en zij wel. In die autohandel zat ook geld van mij, maar dat heb ik al op zijn naam laten schrijven. Susans kinderen wonen bij haar in de buurt en haar man is een wel opgevoede timmerman die ik aan een baan in de bouw heb geholpen, waar hij kennelijk ook goed bevalt. Linda heeft een vaste baan in het onderwijs, met lange vakanties en een ruim pensioen. Ze weet hoe ze mannen moet krijgen en wie weet hertrouwt ze ooit nog. Soms wou ik dat Michael meer op mij leek, dat hij brutaler was, sterker van karakter, meer voor zichzelf opkwam. Maar dat hij dat niet doet kan best door mij komen. Dat zegt Claire ook.

'Dat kan toch nauwelijks anders, Lew,' zegt ze als ik het vraag. 'Jij bent niet bepaald een makkelijk voorbeeld.'

'Dat zou ik ook helemaal niet leuk vinden.'

Claire weigert mee te werken als ik over mijn testament begin en wil nooit lang luisteren.

'Vroeg of laat...' begin ik dan.

'Zorg dan maar dat het laat is. Ander onderwerp graag.'

'Ik doe dit ook niet voor mijn lol. Goed, ander onderwerp dan. Acht procent op een investering van honderdduizend dollar is hoeveel inkomen per jaar?'

'Niet genoeg voor dat nieuwe huis dat ik wil kopen! Hou alsjeblieft op, Lew. Neem liever een borrel. Ik red me wel.'

Ze heeft tegenwoordig meer fiducie in Teemer dan ik en als je het mij vraagt ook meer dan hij in zichzelf. Dennis Teemer heeft zich op laten nemen in de gekkenafdeling van zijn ziekenhuis, vertelde hij, maar hij blijft wel zijn spreekuur en zijn praktijk doen. Getikt noem ik zoiets. Dus misschien weet hij inderdaad wat hij doet, om een grapje van Sammy te gebruiken. Als Emil me in het ziekenhuis hier niet kan helpen, moet ik naar Teemer in de stad om te MOPPeren op zijn injecties waar ik altijd zo beroerd van word; als ik geluk heb één per week. MOPP heet het spul voor mijn chemokuur en Teemer laat me in de waan dat dat moppergeintje van me zo origineel is dat hij het nog nooit gehoord heeft.

Ik heb er intussen echt een hekel aan om naar hem toe te gaan. Ik ben bang en ik ben moe. Ik heb geen keus, zegt Emil, en dat weet ik ook wel. Ik geloof dat ik intussen een even grote hekel heb aan Teemer. Maar niet genoeg om zijn rug te breken. Hij is zelf de ziekte geworden. Zijn wachtkamer is altijd even somber. Als Claire niet rijdt, laat ik me halen en brengen in de zwarte of parelgrijze limousine van het taxibedrijf, altijd met dezelfde chauffeur, Frank heet-ie, uit Venice, en de rit zelf is ook al geen pretje. Als je op weg naar huis of naar het ziekenhuis van Teemers praktijk richting stad rijdt, kom je altijd langs die begrafenisondernemer bij de hoek, daar hou ik ook niet van. Voor de zaak staat steevast minstens één assistent, abnormaal sjiek gekleed, meestal in het gezelschap van een figuur met een rugzak en een wandelstaf die daar ook moet werken, hoewel hij meer weg heeft van een bergwandelaar, en samen loeren ze naar iedere auto die voor het kruispunt moet afremmen. Naar mij loeren ze ook.

Ik ben tegenwoordig echt bang als ik naar Teemers ziekenhuis moet, maar ik laat nooit iets merken. Omdat Sammy's Glenda dood is en Winkler en zijn vrouw in Californië wonen, moet Claire, alleen of met een van de meisjes, in een hotel logeren, wat niet erg leuk voor haar is. Die misselijkheid wordt nog een keer mijn dood. De herinnering alleen al maakt me onwel. Ik ben vaak moe, moe van ouderdom waarschijnlijk, en moe van het ziek zijn, en ik ben echt beroerd van... *alles*! Ik maak me zorgen over de dag dat ik het ziekenhuis in ga en er niet meer op eigen kracht uit kan komen.

Niemand hoeft me te vertellen dat ik al langer leef dan we ooit hadden kunnen denken. Dat doen ze ook niet. Als ze het probeerden, zou ik waarschijnlijk net als de ouwe Lew Rabinowitz uit Coney Island zo uit mijn vel springen dat ik echt iemand de rug brak. Teemer gelooft dat ik een soort record aan het vestigen ben. Je zult je eigen bedoelen, zeg ik dan. De laatste keer dat ik bij hem was liet hij een bottendokter een CAT-scan van mijn been zien, en daar mankeerde niets aan. Nu denken ze weer dat het misschien door een virus veroorzaakt wordt. Mijn zegen hebben ze. Voor Teemer maakt het geen verschil, zijn behandeling wordt er niet anders door, maar voor mij is het een pak van mijn hart dat ik mijn kinderen misschien niet met iets erfelijks heb opgescheept. Als ik mijn symptomen krijg, krijgen de kinderen ze ook. Dat zie ik aan hun gezicht. Misselijk. Als ze zich een keer beroerd voelen of met een stijve nek wakker worden, zouden ze het liefst meteen naar de dokter lopen. Ik mag niet klagen over mijn geluk in het leven, maar ik geloof niet dat dat nog zal helpen.

Ik ben niet jong meer. Dat mag ik niet vergeten. Toch denk ik daar vaak niet aan omdat ik me tussen de bedrijven door even sterk voel als vroeger en veel meer plezier in mijn leven heb als de meeste andere mensen. Maar toen Marty Kapp doodbleef op een golfbaan in New Jersey en Stanley Levy later aan een hartaanval bezweek, en David Goodman op zijn achtendertigste bijna het loodje legde, en Betty Abrams in Los Angeles aan kanker overleed en Lila Gross hier, en Mario Puzo en Casey Lee een driedubbele bypass moesten hebben en Joey Heller verlamd raakte door dat maffe syndroom van Guillain-Barré waar niemand ooit van gehoord had en zich nu afvraagt hoe zwak zijn verzwakte spieren zullen zijn als hij ouder wordt, moest ik leren wennen aan het idee dat het eind van Lew Rabinowitz ook in zicht begon te komen, dat ik de leeftijd bereikt had waarop zelfs gezonde mensen ziek worden en doodgaan en dat ik ook niet het eeuwige leven had. Op onze Caribische vakanties op Martinique en Guadeloupe heb ik behalve kaas leren eten ook Franse wijn leren waarderen, en Claire heeft nog niet in de gaten dat ik onze beste flessen aan het aanbreken ben. Ik ben mijn wijnkelder aan het leegdrinken. Het geld komt tegenwoordig minder snel binnen als vroeger en misschien is dat ook een teken van ouderdom. Iedere keer als we ergens heen gaan hebben we allebei meer flesjes en pillen om mee te nemen. Het was duidelijk dat dingen als mijn persoonlijk afvoersysteem mankementen zouden gaan vertonen en dat ik vroeg of laat serieuze aandoeningen zou krijgen. Eén had ik er al.

Vroeger had ik dat nooit, het gevoel dat er ooit een eind aan mijn leven zou komen, zelfs niet in mijn infanteristentijd in Europa. Ik wist dat het gevaarlijk was, dat had ik snel gezien, maar ik had nooit het idee dat mij iets kon gebeuren. In augustus, toen we de troepen bij Falaise in Frankrijk moesten gaan versterken, na de grote veldslag daar, zag ik zoveel rottende dooie Duitsers dat ik voor mijn hele leven mijn bekomst had, en voordat de oorlog afgelopen was zag ik er nog veel meer. Ik zag dooie Amerikanen. Ik zag Eisenhower, die het toneel van de overwinning kwam bekijken, en volgens mij voelde hij zich ook beroerd. In het stadje Grosshau aan de andere kant van België, tegen de Duitse grens, vlak bij Hürtgen, stond Hammer nog geen meter van me vandaan te rapporteren dat de Duitsers zich teruggetrokken hadden en dat de stad vrij was, en op hetzelfde moment kreeg hij een scherpschutterskogel in zijn achterhoofd. Zijn woorden waren nog niet koud of hij viel voorover in mijn armen en zonk neer in de sneeuw. Ik vond het heel gewoon dat hij het was en niet ik. Ik ging er gewoon van uit dat ik altijd geluk zou hebben. En dat was ook zo. Zelfs in het gevangenenkamp had ik geluk en was ik niet echt bang. Toen we aankwamen, na die ellendige treinreis waar geen eind aan leek te komen, en in de rij moesten staan om geregistreerd te worden, zag ik zo'n magere isegrim van een officier in een kraakhelder uniform naar een andere joodse krijgsgevangene, ene Siegel, kijken op een manier die me niet beviel, en zonder één seconde na te denken besloot ik in te grijpen. Ik was even smerig als de rest, vergeven van ongedierte, hondsmoe en stinkend naar de diarree, maar ik liep naar hem toe, maakte mezelf klein en vroeg met een heel beleefd glimlachje:

'Bist du auch ein Jude?'

Zijn mond viel open en hij gaapte me aan alsof ik gek was. Ik heb nog nooit iemand zo verbouwereerd zien kijken. Ik moet nóg lachen als ik eraan denk. Ik denk niet dat hem in zijn Duitse leger vaak gevraagd was of hij ook joods was.

'Sag das noch einmal,' snauwde hij. Hij kon het niet geloven.

Gehoorzaam herhaalde ik mijn woorden. Hij schudde zijn hoofd, haalde grinnikend een hard biskwietje uit een pakje en gooide dat naar me toe.

'Nee, ik ben bang van niet,' antwoordde hij lachend. 'Waarom wil je weten of ik joods ben?'

Omdat ik dat ook was, antwoordde ik in het Duits, en ik liet hem die letter 'J' op mijn identiteitsplaatje zien. Mijn naam was Rabinowitz, Lewis Rabinowitz, ging ik verder, en om hem stof tot nadenken te geven zei ik erbij: 'En ik spreek een beetje Duits.'

Hij gniffelde weer wat, alsof hij me niet geloofde, kuierde verder en liet ons met rust.

'Hé, maatje, ben je wel goed wijs?' vroeg een lange gozer met rossig krulhaar achter me, ene Vonnegut, die later boeken ging schrijven. Hij kon het ook niet geloven.

Ik ging ervan uit dat ze er anders toch achter gekomen zouden zijn, zo vooraan in de rij.

Ik was nog steeds niet bang.

De eerste dag dat ik een geweer kreeg werd ik er meteen verliefd op en niemand hoefde me ooit te vertellen dat ik het schoon moest maken. Na al dat schroot in de oudijzerhandel van mijn ouwe heer was ik de koning te rijk met zo'n nieuw uitziend apparaat dat werkte en voor nuttige doeleinden gebruikt kon worden. Ik had het grootste vertrouwen in mijn geweren. Toen we als nieuwe, vervangende troepen bij onze overzeese sectie kwamen, was ik blij met de BAR, dat automatische Browning-geweer, zelfs toen ik merkte dat de ouwe hap, die beter wist, er niks van moest hebben – waarom niet ontdekte ik al gauw. De man met de meeste vuurkracht trok al het vuur naar zich toe. Het allerbeste was om nooit te schieten, tenzij je er echt niet onderuit kon. Dat leerde ik ook snel. Iemand die onze positie verried door op zoiets onbelangrijks als de zoveelste Duitse soldaat te schieten, liep het risico om door de rest in elkaar geslagen te worden. Ik had vertrouwen in mijn geweren maar herinner me niet dat ik vaak heb moeten schieten. In het begin als korporaal en later als sectiecommandant was het meestal mijn taak om de andere elf te vertellen waar ze zich moesten opstellen en waar ze op moesten schieten. We rukten door Frankrijk op naar Duitsland, en het is een feit dat we vaak pas wisten op wie we geschoten hadden als we verder trokken en de gesneuvelde soldaten stijf op de grond zagen liggen. Dat was best griezelig. We zagen open terrein, keken uit welke hoek ze schoten en richtten daar ons vuur op. We vermeden tanks en pantserwagens en gingen plat als er granaten overkwamen. Maar in ons eigen peloton kregen we de mensen tegen wie we vochten vrijwel nooit te zien en afgezien van de stormlopen en bombardementen was het bijna alsof we weer in een schiettent of speelhal in Coney Island waren.

Behalve dat het vaak geen pretje was. We waren nat, we hadden het koud, we waren smerig. Tijdens beschietingen kropen de anderen altijd het liefst op een kluitje, en dan moest ik brullen dat ze zich moesten verspreiden zoals ze geleerd hadden en niet bij mij of elkaar komen klitten. Ik had geen zin om mijn gelukkig gesternte door iemand anders te laten versjteren.

Ik was nieuwe aanvoer in een peloton dat al helemaal uit nieuwe aanvoer bestond, en ik had snel in de gaten wat dat inhield: dat niemand lang meeging. De enige die al sinds D-Day meedraaide was Buchanan, mijn sergeant, maar net in de tijd dat ik erbij kwam begon die ook de kluts kwijt te raken, en later, toen hij in dat stadje Grosshau in het Hürtgenwoud, waar zogenaamd geen Duitsers meer zaten, een weg over sprintte om dekking te zoeken in een heg, liep hij tegen een salvo machinegeweerkogels aan. En dan had je David Craig, die negen dagen na D-Day in Normandië geland was en de Tigertank uitschakelde en kort daarna tijdens een artilleriebeschieting buiten een stadje dat Luneville heette in zijn been werd geraakt en in het hospitaal terechtkwam.

Destijds met die tank wist Buchanan niet wat hij moest doen toen het bevel afkwam, en hij keek naar mij. Ik zag hem beven, de arme kerel. We hadden geen pantsergranaten. De Tiger hield de rest van ons peloton onder schot.

Ik nam het initiatief.

'Wie heeft de bazooka?' vroeg ik, om me heen kijkend. 'David?

Craig? Jouw beurt. Sluip door de huizen heen de straat uit, zodat je achter of naast hem uitkomt.'

'Godgloeiend, Lew!' Hij was het intussen ook zat.

Godgloeiend, dacht ik bij mezelf, en ik zei: 'Ik ga met je mee. Ik draag de raketten als jij kijkt waar je hem moet raken.' Een bazookaraket kon het pantser van een Tiger ook niet doorboren.

De instructies waren goed. Richt vanaf hoogstens dertig meter afstand een raket op de naad van de geschutstoren en indien mogelijk ook een op het loopwerk. Ik sjouwde vier raketten mee. Toen we de huizen voorbij en het dorp uit waren, slopen we verder door een geul met een dun laagje groen water tot we hem zagen staan, om de bocht, op nog geen dertig meter van ons vandaan en dwars over de sloot – een gigantisch zestigtonsmonster met in de open geschutskoepel een soldaat met een verrekijker en een irritant glimlachje op zijn gezicht. Ik voelde hoe die zenuw in de zijkant van mijn kaak verstrakte en begon te trillen. We waren muisstil. Voor alle zekerheid legde ik toch een vinger op mijn mond, schoof een raket in de bazooka en maakte hem schietklaar. Craig had gejaagd in Indiana en scoorde een voltreffer. Toen de raket explodeerde, vloog de verrekijker de lucht in en de Duitser zakte als een ledenpop door het luik. De tank begon achteruit te rijden. De tweede raket raakte de rupsband en legde hem lam. We bleven kijken tot de andere jongens van het peloton kwamen aanrennen en handgranaten door het luik gooiden. Even later stond het hele ding in de fik.

Craig en ik werden voorgedragen voor een Bronzen Ster. Voor die afkwam kreeg hij een granaatscherf in zijn dij bij die beschieting buiten Luneville. De mijne kreeg ik ook niet te zien omdat ik gevangen werd genomen. Tijdens de beschieting waarbij Craig geraakt werd, lag op een meter of vijf naast me een dooie jongen die van dezelfde granaat een scherf in zijn kop had gekregen. Ik had niks. Die ene clusterbom schakelde acht van de twaalf jongens in onze sectie uit.

De soldaat in de tank was de enige levende, niet krijgsgevangen Duitse militair die ik ooit gezien had, behalve dan de soldaten die me gevangen namen, en die zagen er zo goed als nieuw uit.

In december begon het te sneeuwen in het Hürtgenwoud en we wisten dat we die Kerst niet thuis zouden zijn – David Craig misschien wel, maar wij niet.

Halverwege december werden we haastje-repje in legertrucks geladen en in konvooi naar het zuiden gebracht ter versterking van een regiment buiten een ander woud in de buurt van een stad die Ardennes heette. In een open plek stond een kapitein ons op te wachten en toen we op de grond gesprongen waren en in de houding stonden, zei hij: 'Mannen, we zijn omsingeld.'

In die tijd hadden we een grappenmaker in ons peloton, ene Brooks, en die schreeuwde meteen: 'Omsingeld? Hoe kunnen we nou omsingeld zijn? We zijn net aangekomen. Hoe hadden we hier moeten komen als we totaal omsingeld zijn?'

Toch klopte het wat de kapitein zei. De Duitsers waren door dat bos gebroken en daar was weinig grappigs aan.

En de volgende dag kregen we te horen dat we ons overgegeven hadden, allemaal, het hele regiment.

Hoe kon dat nou? We waren gewapend, we waren paraat, we waren goed uitgerust. Maar iemand achter het front had ons allemaal overgegeven. We moesten onze wapens op een hoop gooien en wachten tot ze ons gevangen kwamen nemen. Het sloeg nergens op.

'Kapitein, kunnen we niet proberen terug te gaan?' riep iemand zenuwachtig.

'Zo gauw ik me omdraai ben ik commandant-af.'

'Waar moeten we heen?'

Dat wist niemand.

Samen met negen anderen en de twee chauffeurs die ons gebracht hadden, klauterden we in een lichte vrachtwagen en gingen ervandoor. We tankten bij het stafdepot, zo kalm ging het eraan toe. We namen extra wollen dassen mee voor ons gezicht en onze nek, droge sokken. We hadden geweren, karabijnen en handgranaten. Ik had van alles onder mijn overhemd gestopt, op het dikke legerondergoed: rantsoenblikken, sloffen sigaretten, pakjes Nescafé, suiker, lucifers, mijn ouwe trouwe Zippo-aansteker om vuur te maken, een paar kaarsen.

Erg ver kwamen we niet.

We wisten niet eens welke kant we uit moesten. We namen dezelfde weg als we gekomen waren en sloegen linksaf toen we een grotere weg kruisten, in de hoop dat die ons weer naar ons eigen westelijke front zou brengen. Maar de weg maakte een bocht en we merkten dat we opnieuw naar het noorden reden. We volgden andere auto's. Het sneeuwde steeds harder. We zagen jeeps, stafwagens en trucks die van de weg geraakt waren en in de diepe sneeuwbanken achtergelaten. Later zagen we kapotte en in brand geschoten wagens, waarvan sommige nog nasmeulden. Ze hadden kapotte raampjes en soms lagen er lijken in. We hoorden geweervuur, mortieren, machinegeweren, hoorns, rare fluitjes. Toen onze eigen truck de berm in slipte, stapten we uit en splitsten ons op in kleinere groepjes om ons geluk te voet te beproeven.

Ik liep door de sneeuw, klauterde over de berm, dook het struikgewas in en ging er glijdend en glibberend zo snel mogelijk vandoor. Twee jongens gingen met me mee. Even later hoorden we auto's, honden en schreeuwende Duitse stemmen. We verspreidden ons en doken languit op de grond. Ze vonden ons meteen. Ze doken ineens op uit de warrelende sneeuw en hadden ons al onder schot voordat we ze zelfs gezien hadden. Ze droegen witte uniformen, waardoor ze bijna onzichtbaar waren, en alles wat ze bij zich hadden leek splinternieuw. Terwijl wij strontsmerig waren, zoals die Vonnegut zei toen ik hem op het station tegenkwam, en later ook in een van zijn boeken, althans dat zeggen Claire en de kinderen.

Ze kregen ons allemaal te pakken, alle twaalf, en onderweg kwamen er nog een paar honderd anderen bij. Ze dreven ons in vrachtwagens die een rivier overstaken waarvan ik later hoorde dat het de Rijn was en ons afzetten bij een groot station waar we uren zaten te kniesoren tot er een lange goederentrein op het rangeerspoor stopte. Een hele stoot Duitse militairen sprong eruit en rende naar de klaarstaande trucks en stafwagens. We zagen hele detachementen in Amerikaanse uniformen met MP-banden en witte helmen en vroegen ons af wat er in godsnaam gebeurde. Dit was het Ardennenoffensief en de Duitsers veegden de vloer met ons aan, maar dat hoorden we pas zes maanden later.

Drie nachten en drie hele dagen zaten we in die goederenwagons. We sliepen staand, zittend, hurkend en, als we een plekje vonden, liggend. We hadden geen toiletpapier. Het interesseerde ze niks hoe we het deden. We deden het in helmen. Toen onze zakdoeken op waren, was het ook gedaan met de gêne. Zo lang duurde het voordat ze ons afgeleverd hadden in dat grote krijgsgevangenenkamp in het binnenland, bijna aan de andere kant van Duitsland. Ze hadden een apart kamp voor Engelsen. We herkenden het embleem op de hekken in het prikkeldraad. De Russen hadden ook hun eigen kamp, en voor andere Europeanen was er ook een. Daar kwam die Schweik die ik later leerde kennen vandaan. En nu kwam er dus ook een voor Amerikanen. Een paar van de Engelsen met wie ik sprak zaten al vier jaar vast. Zo lang hou ik het nooit uit, dacht ik. Maar later dacht ik: als zij het kunnen dan kan ik het ook.

Een dag of tien na mijn aankomst liet de officier die ik die eerste dag had aangesproken me bij zich roepen. Hij wist nog hoe ik heette. Hij begon in het Duits.

'Jij spreekt Duits, zeg je?'

'Jawohl, Herr Kommandant.'

'Laat maar eens horen dan,' ging hij in het Engels verder. 'Ik wil alleen maar Duits horen.'

Ik sprak een paar woorden Duits, zei ik tegen hem. Niet veel, dat wist ik wel, maar ik verstond genoeg.

'Hoe komt dat?'

'Ich lernte es in der Schule.'

'Waarom heb je Duits geleerd?'

'Man musste in der Schule eine andere Sprache lernen.'

'En koos iedereen Duits?'

'Nein, Herr Kommandant.'

'Wat kozen de anderen?'

'Fast alle studierten Französisch oder Spanisch.'

'Je uitspraak lijkt nergens op.'

'Ich weiss. Ich hatte keine Gelegenheit zu üben.'

'Waarom heb jij Duits gekozen?'

Ik riskeerde een glimlach en zei dat ik het gevoel had dat ik het ooit nodig zou hebben.

'Dat had je goed gezien dan,' antwoordde hij droog. 'Ik spreek Engels tegen je omdat ik geen tijd wil verspillen. Bevalt het je hier, in het kamp?'

'Nein, Herr Kommandant.'

'Waarom niet?'

Het woord voor vervelend kende ik niet, maar ik wist hoe ik hem duidelijk moest maken dat ik niks om handen had. *'Ich habe nicht genug zu tun hier. Hier sind zu viele Männer die nicht genug Arbeit haben.'*

'Dan heb ik een beter voorstel. Een werkploeg in de stad Dresden, hier vlakbij. Zou je dat liever doen?'

'Ik geloof dat...'

'In het Duits.'

'Jawohl, Herr Kommandant. Entschuldigen Sie.'

'In Dresden loop je net zo weinig gevaar als hier. Er is geen oorlogsindustrie, er liggen geen troepen en het zal niet gebombardeerd worden. Het eten is er iets beter en je zult er werk hebben om de tijd door te komen. We willen er een man of honderd naartoe sturen. We hebben daar toestemming voor. Ja?'

Ik knikte. *'Ich würde auch gerne gehen.'*

'Jij kunt je nuttig maken als tolk. De bewakers daar hebben geen opleiding. Ze zijn of oud of heel erg jong, dat zul je wel zien. Op het werk is ook niets tegen. Jullie zullen een voedselpreparaat maken dat hoofdzakelijk voor zwangere vrouwen bestemd is. Heb je er nog steeds zin in?'

'Ja, das gefällt mir sehr, Herr Kommandant, wenn es nicht verboten ist.'

'Het is toegestaan. Maar,' zei hij na een korte stilte en een schouderschokje ten teken dat er een addertje onder het gras zat, 'we mogen alleen gewone soldaten te werk stellen. Dat eist de Conventie van Genève. We mogen geen officieren of zelfs onderofficieren sturen. En jij bent sergeant. Zelfs niet als vrijwilligers.'

'Was kann ich tun?' vroeg ik. *'Ich glaube Sie würden nicht mit mir reden, wenn Sie wüssten dass ich nicht gehen kann.'* Waarom zou hij me anders hebben laten komen, als hij er niet iets op gevonden had?

'Herr Kommandant,' zei hij.

'Herr Kommandant.'

Hij liet iets uit zijn hand op tafel vallen en schoof een aan één kant geslepen scheermesje naar me toe. 'Als je je sergeantsstrepen afsnijdt kunnen we je als gewoon soldaat behandelen. Je zult er geen privileges door verliezen, hier niet en thuis niet. Laat het scheermesje hier als je weggaat en je strepen ook als je besluit om het te doen.'

Dresden was geloof ik de mooiste stad die ik ooit gezien had. Ik was in die tijd natuurlijk nog niet in veel wat je noemt echte steden geweest. Alleen in Manhattan, en in Londen, waar ik vooral kroegen en slaapkamers had gezien. Er liep een rivier doorheen en ik had nog nooit in mijn leven zoveel kerken bij elkaar gezien, met torens en koepels en kruisbeelden. Er was een groot plein met een operagebouw en een ander plein met een standbeeld van een man op een zwaar gebouwd paard, waar hele rijen tenten stonden voor de stromen mensen die uit angst voor de uit het oosten optrekkende Russen naar de stad gevlucht waren. Alles werkte. De trams reden op tijd. Kinderen gingen naar school. Mensen gingen naar hun werk, vrouwen en oude mannen. De enige man van onze leeftijd die we zagen had een lege mouw om het stompje van zijn arm gespeld. De schouwburgen waren open. Op een groot metalen bord stond een advertentie voor Yenidze-sigaretten. En een paar weken later werden er aanplakbiljetten opgehangen en zag ik dat er een circus naar de stad zou komen.

We werden ondergebracht in een oud slachthuis uit de tijd dat er nog slachtvee was. Onder het gebouw lag een uit massieve rots gehouwen vleeskelder waar we schuilden als de sirenes loeiden en de bommenwerpers overvlogen – altijd op weg naar plaatsen van groter militair belang. Overdag waren het Amerikanen, 's nachts Engelsen.

We hoorden de explosies in de verte en het geluid deed ons goed. Vaak konden we de vliegtuigen zien, heel hoog in de lucht en in grote formaties.

Op één na waren al onze bewakers jongens van onder de vijftien of amechtige ouwe mannen van boven de zestig. De uitzondering was een gemeen uitziende opzichter, een Oekraïener, zeiden ze, die om de paar dagen de fabriek en ons kwartier controleerde om te zien of we er nog waren en of onze uniformen goed bewaard werden. Als een van ons ernstig ziek werd, werd zijn uniform netjes opgevouwen en meegenomen. De Russen begonnen al aardig in de buurt te komen, en ze hoopten, vooral de Oekraïener, hun hachje te redden door zich voor Amerikanen uit te geven. De vrouwen en meisjes in de fabriek waren allemaal dwangarbeidsters, hoofdzakelijk uit Polen. De oudere vrouwen deden me soms aan mijn tantes en grootmoeder en zelfs aan mijn moeder denken, alleen magerder, veel magerder. Ik maakte voortdurend grapjes en flirtte met ze om ze op te vrolijken. Toen een paar van hen mijn grapjes beantwoordden of me met die diepe, hunkerende ogen aankeken, begon ik te denken: tjonge, dát zou nog eens gespreksstof opleveren. Met de bewakers maakte ik er ook geintjes over: dat ze een plekje voor me moesten zoeken waar ik met een *Fräulein* terecht kon voor ons *Geschmuse*.

'Rabinowitz, je bent geschift,' zei die Vonnegut meer dan eens tegen me. 'Eén zo'n geintje met een Duitse en ze schieten je dood.'

Ik was blij dat hij me waarschuwde. Hij moest gezien hebben hoe vaak ik op weg naar de fabriek of op de terugweg naar de meisjes keek.

'Dan organiseren we een dansavond,' besloot ik op een dag. 'Als we ze zover kunnen krijgen dat ze ons muziek geven, wed ik dat ik dat voor elkaar krijg.'

'Mij niet gezien,' zei Schweik met zijn zware accent, en hij herhaalde dat hij alleen een goede soldaat wilde zijn.

Vonnegut schudde eveneens zijn hoofd.

Ik besloot het alleen te proberen. De vliegtuigen ronkten vrijwel elke nacht over en de bewakers werden met de dag onrustiger.

'*Herr Reichsmarschall*,' zei ik tegen de oudste.

'*Mein lieber Herr Rabinowitz*,' speelde hij het spelletje mee.

'*Ich möchte ein Fest haben und tanzen. Können wir Musik haben, zum singen und tanzen? Wir werden mehr arbeiten.*'

'*Mein lieber Herr Rabinowitz.*' Zij vermaakten zich ook om mij. '*Es ist verboten. Das ist nicht erlaubt.*'

'*Fragen Sie doch, bitte. Würden Sie das auch nicht gerne haben?*'

'*Es ist nicht erlaubt.*'

Ze waren te benauwd om het te vragen. Daarna kwamen de circusaffiches en ik besloot om daar echt een gooi naar te doen, met ons drieën, Vonnegut, de goede soldaat Schweik en ik. Zij wilden er niks van weten. Ik snapte niet wat we te verliezen hadden.

'Waarom niet? Verdomme, hebben we daar niet allemaal zin in? Als we het hem nou 's samen gingen vragen. We zijn hard aan een verzetje toe. Als we hier uit onze neus blijven zitten vreten gaan we allemaal nog dood van verveling.'

'Ik niet,' zei Schweik in zijn vreselijk trage Engels. 'Mijn nederige excuses, Rabinowitz, maar ik heb geleerd dat ik al genoeg problemen krijg als ik gewoon doe wat ik doen moet. Ik draai al langer mee, langer dan je denkt, op meer plaatsen dan je vermoedt. Mijn nederige excuses...'

'Oké, oké,' viel ik hem in de rede. 'Dan doe ik het zelf wel.'

Die nacht hadden de bommenwerpers het op ons begrepen. De dag daarvoor hadden verspreid en laag vliegende Amerikaanse bommenwerpers overal bommen afgeworpen, maar het rare was dat er geen enkel patroon in zat en ze alleen huizen platgooiden. We vroegen ons af waarom. Ze legden de stad open voor de brandbommen, maar dat wisten we niet. Toen de sirenes die avond weer begonnen te loeien, verdwenen we zoals gebruikelijk in onze vleeskelder onder het slachthuis. Deze keer kwamen we er niet meer uit. Het alarm werd niet afgeblazen. Door de rotswanden en het betonnen plafond hoorden we vreemde doffe knallen en dreunen, heel anders dan normale explosies. Dat waren de brandbommen. Even later gingen de peertjes aan het plafond uit en vielen de zoemende ventilators stil. De elektriciteitscentrale was uitgeschakeld. We stikten niet, want we kregen frisse lucht door de luchtgaten. We hoorden een luid gebrul dat steeds dichterbij kwam en steeds harder werd, uren achter elkaar. Het had wel iets weg van de zucht waarmee een trein een tunnel inrijdt maar dan onophoudelijk, of van het gieren van een achtbaanwagentje op een steile helling. Maar het werd niet minder. Het brullende geluid was lucht, lucht die van kilometers in de omtrek door het laaiende fornuis van de stad met de kracht van een cycloon werd aangezogen. Toen het eindelijk afnam, tegen de ochtend, klommen twee bewakers voorzichtig de trap op om een kijkje te nemen. Lijkbleek kwamen ze terug.

'Es brennt. Alles brennt. Die ganze Stadt. Alles ist zerstört.'

'Alles staat in brand,' vertaalde ik met dezelfde zachte stem. 'De stad is weg.'

We konden ons niet voorstellen wat dat betekende.

's Morgens, toen ze ons naar buiten brachten, de regen in, waren alle andere mensen dood. Ze lagen dood op straat, verkoold tot zwarte stompjes en bruin van de as die neerdwarrelde uit de dichte rookwolken die nog steeds overal opstegen. Ze lagen dood in de zwartgeblakerde huizen waarin al het hout verbrand was, en dood in de kelders. De kerken waren verdwenen en het operagebouw was omgekiept en op het plein gevallen. Een tram was omvergeblazen en ook verbrand. Boven het dak van het zwartgeblakerde skelet van het station hing een enorme rookkolom en de regen was zwart van het roet en de as en deed me denken aan het troebele water uit de slang in de schroothandel waar we aan het eind van de dag de vloer mee schoonspoten. Aan de andere kant van het park zagen we bomen, alle bomen, in brand staan, als fakkels bij officiële gelegenheden, en ik moest denken aan laaiende vuurraderen, aan het vuurwerk in Coney Island voor de pier van Kermisland waar ik zo lang ik me herinner 's zomers elke dinsdagavond van genoot, aan de honderdduizenden fonkelende lichtjes van het Lunapark. Ons gebouw, het slachthuis waar we gewoond hadden, was met de grond gelijk gemaakt, net als alle andere gebouwen in onze wijk. We stonden zeker een uur roerloos te kijken, en toen kwam er een auto met iemand die nieuwe bevelen had, en die geüniformeerde mensen waren even verdoofd als wij. Het duurde ruim een uur voordat ze het eens werden, voordat ze naar de heuvels en de bergen wezen en zeiden dat we de stad uit moesten. Overal om ons heen, zover als het oog reikte, was alles en iedereen dood, mannen, vrouwen en kinderen, elke papegaai, poes, hond en kanarie. Ik had met iedereen even veel medelijden. Ik had medelijden met de Poolse dwangarbeidsters, medelijden met de Duitsers.

Ik had medelijden met mezelf. Ik deed er niet toe. Even scheelde het weinig of ik was in tranen uitgebarsten. Kon het ze niet schelen dat wij misschien hier zaten? Ik weet nog steeds niet waarom we gespaard bleven.

Ik zag in dat ik van geen enkel belang was. Zonder mij zou dit evengoed gebeurd zijn, met precies hetzelfde resultaat. Ik was nergens van belang, behalve thuis bij mijn gezin en misschien bij een paar vrienden. En op dat moment wist ik dat ik nooit meer zou stemmen. Op Truman had ik gestemd omdat hij goed voor Israël was, maar dat was de laatste keer. Na FDR heb ik voor niet één president nog respect gehad, en ik wil niemand van die brallerige Republikeinse of Democratische klootzakken de voldoening geven te denken dat ze mijn steun hebben bij het waarmaken van hun ambities.

'Dat weten ze niet, Lew,' zei Sammy jaren geleden tegen me, met dat bekende superieure, academisch gevormde glimlachje van hem. Hij probeerde me warm te krijgen voor Adlai Stevenson, en later voor John Kennedy. 'Ze wéten niet dat jij ze die voldoening niet wilt geven.'

'Maar ík wel,' antwoordde ik. 'En da's precies wat ik bedoel. We tellen gewoon niet mee, net zo min als onze stemmen. Hoe lang denk je dat het duurt voordat jij je buik vol hebt van Kennedy?'

Minder dan een week, geloof ik, lang voordat al die inauguratiebals afgelopen waren, en volgens mij heeft Sammy sinds die tijd ook niet meer gestemd, behalve misschien op Lyndon Johnson.

Ik hou niet zo bij wat er in de wereld gebeurt, want ik zie toch niet in wat dat uitmaakt. Ik bemoei me met mijn eigen zaken. Wat belangrijk is hoor ik vanzelf. Ik onthield wat ik geleerd had en het bleek helemaal te kloppen. Dat ik in dienst was geweest stelde niks voor, had helemaal niks te betekenen. Zonder mij zou precies hetzelfde gebeurd zijn – de as, de rook, de dooien, het resultaat. Ik had niks met Hitler te maken en niks met de staat Israël. Ik wil er de schuld niet van en ik wil er de eer niet van. De enige plaats waar ik ooit heb meegeteld is thuis, bij Claire en de kinderen. Voor het geval iemand ze ooit wil hebben, mijn kleinkinderen bijvoorbeeld, heb ik mijn spullen bewaard, mijn Bronzen Ster, mijn infanteriespeldje, mijn eervolle vermelding, de sergeantsstrepen waarmee ik afzwaaide en het schouderplaatje met in het rood de '1' van de Eerste Divisie, de Grote Rooie 1, die vóór mijn tijd door de hel was gegaan en het na mijn tijd nog eens dunnetjes overdeed. Er zijn inmiddels vier kleinkinderen. Ik hou van mijn hele familie en als iemand ook maar één vinger naar een van hen zou uitsteken, zou ik hem denk ik in elkaar slaan, misschien zelfs vermoorden.

'Zou je zijn rug breken?' vroeg Sammy tijdens zijn laatste bezoekje lachend.

'Ik zou zijn rug breken.' Ik lachte ook. 'Zelfs nu nog.'

Zelfs nu nog.

Als het weer zover is, kunnen de scherpschutters van radiologie in de weer komen en het vuur openen op wat zij een neoplasma noemen maar wat voor mij een nieuwe tumor is. Als het opkomt in wat zij het middenrif noemen en waar ik buik tegen zeg, ben ik zowel vóór als na die tijd beroerd, onpasselijk op een manier die amper te verdragen is en die ik volgens mij niet zal overleven als het niet ophoudt. Behalve als Sammy erbij is, dan ben ik 'ongepast' omdat hij graag speelt voor wat hij pedagoog noemt en ik betweter.

'Lew, vertel eens,' vroeg hij met een zacht lachje. 'Hoeveel ruggen heb je in je leven gebroken?'

'Die gozer op die motorkap die die tas gestolen had meegeteld?'

'Dat was geen vechtpartij, Lew. En bovendien heb je zijn rug niet gebroken. Hoeveel?'

Ik dacht even na. 'Niet een. Da's nooit nodig geweest. Ik hoefde er alleen maar mee te dreigen.'

'Hoe vaak heb je gevochten?'

'In mijn leven?' Weer dacht ik diep na. 'Maar één keer, Sammy,' herinnerde ik me, en nu moest ik echt lachen. 'Met jou. Weet je nog die keer dat je probeerde me te leren boksen?'

BOEK ACHT

22

RIJNREIS: MELISSA

Net als de held Siegfried in *Die Gotterdämmerung*, dacht Yossarian, begon ook hij de trip waaraan hij later terug zou denken als zijn eigen Rijnreis, met een snelle rits copulaties bij daglicht: Siegfried bij het ochtendgloren in zijn arendsnest in de bergen, Yossarian rond de middag in zijn M & M-kantoor in het Rockefeller Center. Maar de zijne liep vier weken later goed af in het ziekenhuis, met een gezondheidsverklaring na zijn aura en ingebeelde kleine beroerte en met vijfhonderdduizend dollar en de verkoop van een schoen.

Siegfried had Brünnhilde, sterfelijk nu, en zijn hol in de rotsen.

Yossarian had zijn verpleegster, de eveneens zeer menselijke Melissa MacIntosh, en een bureau, de vloerbedekking, de leren leunstoel en de ouderwets brede vensterbank in zijn kantoor in het tot M & M Gebouw omgedoopte Time-Life Gebouw, onder het raam dat uitzag op de ijsbaan waar Sammy en Glenda vaker hadden geschaatst dan Sammy zich nog herinnerde. Later waren ze man en vrouw geworden tot de dood hen scheidde.

Terwijl Yossarian zijn handen over haar lichaam liet dwalen, knikte hij ten teken dat de deur van zijn kantoor inderdaad niet op slot was, hoewel hij zelf de sleutel had omgedraaid, en dat het inderdaad niet uitgesloten was dat iemand hen op hun geile bezigheden zou betrappen, hoewel hij goed wist dat dit onmogelijk was. Haar angst prikkelde hem; haar rillingen, twijfels en besluiteloosheid hadden een duivelse uitwerking op zijn stijgende hartstocht en genegenheid. Melissa was buiten zichzelf van welopgevoede angst dat ze bij deze energieke – en blote – uitwisseling van seksuele vrijheden verrast zouden worden en vroeg blozend of hij, voor de verandering, snel klaar wilde komen. Maar ze lachte toen dat gebeurd was en hij haar over zijn list vertelde terwijl ze controleerde of hij zijn medicijnen had ingepakt en zich opmaakte om hem te vergezellen naar het vliegveld, waar de eerste etappe van zijn reis de vlucht naar Kenosha zou zijn. Behalve zijn normale toiletspullen wilde hij valium tegen slapeloosheid, Tylenol of Advil tegen de rugpijn en Maalox voor zijn hernia. Tot zijn verbazing bestond er inmiddels een directe lijnverbinding met Kenosha, Wisconsin.

Terwijl hij zijn tas dichtritste, ging de telefoon.

'Gaffney, wat nú weer?'

'Zou je me niet feliciteren?' vroeg Gaffney vrolijk, zonder acht te slaan op Yossarians onmiskenbare ergernis.

'Hebt u weer zitten luisteren?' vroeg Yossarian, met een snelle blik op Melissa.

'Waarnaar?' vroeg Gaffney.

'Waarom belt u?'

'Je weigert me de eer te geven die me toekomt, hè, John?'

'Waarvoor? Ik heb eindelijk uw rekening gekregen. Die viel erg mee.'

'Ik heb niet veel gedaan. Bovendien ben ik je dankbaar voor de muziek. Je weet gewoon niet hoe leuk ik het vind om onze opnames af te draaien. De Bruckner-symfonieën vind ik fantastisch in deze donkere tijd van het jaar, en de *Boris Godoenov* niet minder.'

'Zou u de *Ring* graag horen?'

'Vooral de *Siegfried*. Die hoor ik niet vaak.'

'Ik zal u waarschuwen als ik de *Siegfried* weer draai,' zei Yossarian sarcastisch.

'Fantastisch, Yo-Yo. Maar daar belde ik niet over.'

'Menéér Gaffney,' zei Yossarian, en hij wachtte even om dit door te laten dringen. 'Waar belt u dan wél over?'

'Dus het is weer meneer Gaffney, hè, John?'

'Het is nooit John geweest, Jerry. Wat wilt u?'

'Een beetje lof,' antwoordde Gaffney. 'Iedereen wordt graag geprezen als hij iets goed gedaan heeft. Zelfs señor Gaffney.'

'Waarvoor, señor Gaffney?'

Gaffney lachte. Melissa zat op de armleuning van de leren bank en vijlde haar nagels met een amarilvijl. Yossarian wierp een dreigende blik in haar richting.

'Voor mijn geschenken,' zei Gaffney. 'Ik voorspelde dat je naar Wisconsin zou gaan om mevrouw Tappman te bezoeken. Zei ik niet dat je in Chicago zou overstappen, op weg naar Milo en Wintergreen in Washington? Je vroeg me niet hoe ik dat wist.'

'Ga ik naar Washington?' vroeg Yossarian verbluft.

'Straks krijg je een fax van Milo. M2 zal het vliegveld bellen om je eraan te herinneren. Alsjeblieft, daar komt de fax net binnen, waar of niet? Weer precies in de roos.'

'Je hebt inderdáád zitten luisteren, hè, klootzak?'

'Waarnaar?'

'En wie weet zitten gluren ook. En waarom zou M2 me bellen als hij een paar deuren verder zit?'

'Hij is in het busstation met je zoon Michael om te kijken of hij zijn bruiloft daar wil houden.'

'Met Maxons dochter?'

'Hij heeft weinig keus. Ik heb nog een aardig grapje dat je waarschijnlijk leuk zult vinden, John.'

'Straks mis ik mijn vliegtuig.'

'Je hebt alle tijd. Je vliegtuig heeft bijna een uur vertraging.'

Yossarian barstte in lachen uit. 'Deze keer heb je het eindelijk mis, Gaffney,' kraaide hij. 'Ik heb mijn secretaresse laten bellen. Het vertrekt op tijd.'

Gaffney lachte eveneens. 'Yo-Yo, je hebt geen secretaresse en de luchtvaartmaatschappij heeft je iets voorgelogen. Het vertrekt vijfenvijftig minuten later. Je hebt je verpleegster laten bellen.'

'Ik heb geen verpleegster.'

'Dat doet me goed. Zeg alsjeblieft tegen juffrouw MacIntosh dat de nier weer werkt. Daar zal ze blij om zijn.'

'Welke nier?'

'O, Yossarian, schaam je. Je let niet altijd op als ze belt. De nier van de Belgische patiënt. En als je toch naar Washington gaat, waarom vraag je Melissa niet om...'

'Melissa, meneer Gaffney?'

'Juffrouw MacIntosh, meneer Yossarian. Maar waarom vraagt u haar niet of ze mee wil? Ik wed dat ze dat dolgraag zou doen. Ze is er waarschijnlijk nog nooit geweest. Dan kan ze naar het Nationaal Museum terwijl u uw zaken met Milo en Macaroni Cook afhandelt, en naar het Nationaal Lucht- en Ruimtevaartmuseum van het Smithsonian Institute.'

Yossarian legde een hand op de hoorn. 'Melissa, ik vlieg terug via Washington. Heb je zin om daar ook naartoe te komen?'

'Dolgraag,' antwoordde Melissa. 'Daar ben ik nog nooit geweest. Dan kan ik naar het Nationaal Museum terwijl jij je zaken afhandelt en naar dat luchtvaartmuseum van het Smithsonian Institute.'

'Wat zei ze?' vroeg Jerry Gaffney.

Yossarian antwoordde eerbiedig. 'Dat weet u geloof ik wel. U bent echt een man vol mysteries, hè. Ik kan nog steeds geen hoogte van u krijgen.'

'Ik heb uw vragen beantwoord.'

'Dan moet ik nieuwe bedenken. Wanneer kunnen we elkaar spreken?'

'Bent u dat alweer vergeten? In Chicago, als uw verbindingsvlucht vertraging heeft.'

'Is die dan vertraagd?'

'Ruim een uur. Vanwege onvoorspelbare sneeuwstormen in Iowa en Kansas.'

'Maar u kunt ze nu al voorspellen?'

'Ik hoor en zie dingen, John. Zo verdien ik mijn brood. Mag ik mijn grapje nu uitproberen?'

'Dat geloof ik graag. En je hebt zitten luisteren, hè? En wie weet zitten gluren ook.'

'Waarnaar?'

'Waar zie je me voor aan, Gaffney, voor een idioot? Wil je míjn grapje horen? Krijg de klere, Jerry.'

'Heel aardig, Yo-Yo,' zei Gaffney vriendelijk, 'hoewel ik het al eerder gehoord heb.'

In de parelgrijze limousine bedacht Yossarian, nu de opera *Siegfried* door zijn hoofd speelde, dat de heldentenor in dat stuk na het proeven van het bloed van de dode draak plotseling de taal der vogels kon verstaan. Ze droegen hem op het goud te pakken, de dwerg te doden en zich naar de berg te haasten om de betoverde Brünnhilde te vinden in haar ring van vuur, een boodschap in vogelgezang aan een knaap die nog nooit een vrouw had gezien en meer dan één blik op de welgevormde Brünnhilde moest werpen alvorens tot de onthutsende conclusie te komen dat *dit geen man was!*

Siegfried had zijn vogels, maar Yossarian had zijn Gaffney, die toen Yossarian hem vanuit de auto opbelde kon melden dat de legerpredikant tritium in zijn winden had.

Zuster Melissa MacIntosh had nog nooit van een dergelijke darmaandoening gehoord, maar beloofde bij een paar bevriende gastroenterologen te rade te gaan.

Yossarian wist niet zeker of hij dat wel wilde.

Hij voelde zich gekwetst en van zijn stuk gebracht door de vraag die zich opdrong en die hij niet durfde uitspreken: of ze een verhouding met die artsen had gehad en met hen naar bed was geweest, al waren het er maar vier of vijf. Het maakte hem tot zijn onvoorstelbare verrukking opnieuw duidelijk dat hij inderdaad verliefd meende te zijn. Dergelijke jaloerse gevoelens waren uiterst zeldzaam voor hem. Zelfs tijdens zijn hartstochtelijke verhouding met Frances Beach destijds ging hij er, hoewel zelf vrijwel monogaam, voetstoots van uit dat ze, zoals men destijds zei, 'vogelde' met andere mannen die te pas konden komen bij haar toneelaspiraties. Nu wentelde hij zich zwelgend in de euforische illusie van verliefdheid die hem opnieuw jong maakte. Hij schaamde zich er niet voor en was niet bang, behalve dat Michael of de andere kinderen erachter zouden komen terwijl het nog steeds in dit bizarre, extatische stadium verkeerde.

In de auto hield ze zijn hand vast, kneep in zijn dij, streek door de krullen op zijn achterhoofd.

Terwijl Siegfried meteen in de boze handen viel van een kwaadaardige dwerg die het op het drakegoud voorzien had en kwijlend van begeerte nadacht over een manier om hem af te maken als hij het goud te pakken had.

Hij had liever Melissa.

Zij en haar kamergenote Angela Piper, of Pijper, zoals hij haar tegenwoordig noemde, hadden geen goed woord over voor getrouwde mannen op zoek naar geheime vriendinnetjes, behalve als ze speciaal naar hén op zoek waren gegaan, en Yossarian was blij dat zijn laatste echtscheiding definitief was. Wat hij liever verzweeg was dat na de geslaagde verleiding alleen kortstondige verliefdheid en seks overbleven, zelfs bij beeldschone vrouwen, en dat onverwachte invallen en fetisjisme voor mannen van zijn leeftijd vaak opwindender waren dan Spaanse vlieg. Hij maakte nu al plannen om samen met haar het laatste vliegtuig uit Washington te nemen en in het halfdonker, met haar bij het raampje, te proberen in de ongeveer vijftig beschikbare minuten haar onderbroek te verwijderen. Tenzij ze een spijkerbroek aanhad, natuurlijk.

In tegenstelling tot Angela liet ze zich nooit voorstaan op de veelvuldige seksuele ervaringen waar haar zwoele kamergenote en boezemvriendin uit beider naam aanspraak op maakte. Haar taalgebruik was tamelijk preuts, maar niets scheen haar te verbazen en ze had nooit hulp of beschrijvingen nodig. *En* ze kende een paar trucjes waar zelfs hij nooit aan gedacht had. Daarnaast weigerde ze zo halsstarrig haar seksuele verleden op te graven dat hij al gauw ophield met wroeten.

'Wie is Boris Godoenov?' vroeg ze in de auto.

'De opera waar ik een paar avonden geleden naar zat te luisteren toen jij van je werk kwam en ik over moest schakelen omdat jij zonodig dat verrekte journaal moest zien.'

'Als je terug bent,' informeerde ze vervolgens, 'kunnen we dan samen naar de *Ring* luisteren?'

Ook in dit opzicht, bedacht hij, hadden ze het samen aanzienlijk beter getroffen dan hun Wagneriaanse prototypes.

De goede Brünnhilde had immers weinig vreugde gekend nadat Siegfried op heldentocht was gegaan, en viel ten prooi aan verraad, verdriet en jaloerse razernij toen hij terugkwam om haar gevangen te nemen en aan een andere man uit te leveren. Terwijl ze haar moordplannen smeedde, kwam geen moment de mogelijkheid bij haar op dat hij een toverdrankje had gekregen waardoor hij haar niet meer herkende.

Terwijl Yossarian Melissa gelukkig maakte.

Dat was iets wat hem al een hele tijd bij geen enkele vrouw gelukt was. Hij hoorde eveneens vogelgezang.

Melissa vond hem knap en grootmoedig toen hij tot de conclusie kwam dat ze haar vaste baan in het ziekenhuis inderdaad beter op kon geven en als privé-verpleegster meer geld en vrije tijd zou hebben, vooropgesteld – en dat was de grote vraag – dat ze bereid was af te zien van haar betaalde vakanties en haar pensioen. Maar om verzekerd te zijn van een veilige toekomst móest ze besluiten dat ze snel een man móest vinden, of hij nou knap of lelijk of lomp of een uilskuiken was – charme deed er niet toe – maar wél met een pensioenregeling en wél met een inkomen dat na zijn dood aan haar verviel. Melissa luisterde vol vervoering, alsof hij haar streelde en complimenten maakte.

'Heb jij een pensioenregeling?'

'Mij moet je erbuiten laten. Het moet iemand anders zijn.'

Ze vond zijn intelligentie immens.

Een eenvoudige belofte aangaande ouderwetse amalgaamvullingen in twee boventanden, kort na hun eerste kennismaking in het ziekenhuis gedaan en inmiddels nagekomen, betekende meer dan hij besefte; je zag ze als ze lachte en hij had beloofd ze te laten vervangen door porseleinen kronen als zij een oogje op de dokters hield zodat hij levend het ziekenhuis uit kwam. Dit geschenk betekende meer voor haar dan alle lange rode rozen en lingerie van Saks aan Fifth Avenue, Victoria's Secret en Frederick's of Hollywood, en vervulde haar met een uitbundige dankbaarheid die volkomen nieuw voor hem was. Zelfs Frances Beach, die zoveel aan Patrick te danken had, wist niet wat dankbaarheid was.

Soms werd John Yossarian 's nachts uit zijn slaap gehouden door de verontrustende gedachte dat de vrouw met wie hij zich vermaakte mogelijk al een beetje verliefd op hem was. Hij was er niet honderd procent zeker van of hij wel wou wat hij wilde.

Sinds de schok in de douche was het pad van zijn ware liefde zo over rozen gegaan dat hij zich in een surreële wereld van fantasie en verbeelding waande. Die gedenkwaardige avond na zijn onderhoud met Michael, in de bioscoop onder de foyer van zijn flat, was ze niet verbaasd toen hij een hand op haar schouder legde, haar hals streelde en vervolgens zijn andere hand in haar knieholte legde om te zien wat hij daar voor moois kon doen. Híj was de verbaasde partij toen ze alleen voor de vorm tegenstribbelde. De lente was in aantocht en ze had geen panty aan. Ze had haar jasje opgevouwen op haar schoot gelegd om een en ander smaakvol aan het oog te onttrekken. Toen zijn hand verder gleed en hij de zijden zachtheid van haar broekje en het kantwerk van krullen eronder voelde, had hij het toppunt van zijn aspiraties bereikt en was tevreden met het resultaat. Maar toen zei ze:

'Dit hoeven we niet hier te doen.' Ze sprak met de ernst van een chirurg die een onontkoombare diagnose stelde. 'We kunnen ook naar je flat gaan.'

Hij zag de film liever uit. 'Dit is prima. Zo kunnen we gewoon blijven kijken.'

Ze keek om zich heen. 'Ik voel me hier niet zo op mijn gemak. Ik zou het liever boven doen.'

Ze zouden nooit weten hoe de film afliep.

'Zo kan het niet,' zei ze korte tijd later in zijn appartement. 'Doe je niet iets om?'

'Ik ben gesteriliseerd. Ben je niet aan de pil?'

'Ik ook. Maar wat dacht je van aids?'

'Je kunt mijn medische verklaring zien. Ik heb hem ingelijst en aan de muur gehangen.'

'Wil je de mijne niet zien?'

'Dat risico neem ik.' Hij legde een hand op haar mond. 'In godsnaam, Melissa, praat niet zoveel.'

Ze trok haar benen op en hij perste zich ertussen en daarna wisten ze alle twee wat hun te doen stond.

De volgende ochtend laat, toen hij moest aannemen dat ze eindelijk klaar waren, was hij er vast van overtuigd dat hij nog nooit in zijn leven zo viriel en onvermoeibaar was geweest, en zo verlangend, verliefd, attent en romantisch.

Het was fantastisch, floot hij tussen zijn tanden terwijl hij zich waste na de laatste keer, waarna hij overschakelde op een swingende, gesyncopeerde versie van het voorspel en de orgastische liefdesmuziek van *Tristan*. Dit overtrof alles wat hij ooit in zijn libidineuze verleden had meegemaakt, en diep in zijn hart wist hij dat hij nooit meer, echt absoluut nooit meer, het gevoel zou hebben dat hij iets dergelijks opnieuw zou willen meemaken! Hij nam aan dat ze begreep dat hier een tamelijk zware anticlimax op zou volgen: hij achtte het zelfs niet uitgesloten dat het hem voor de rest van zijn leven zou ontbreken aan het verlangen, de wil, de lichamelijke begeerte en de elementaire fysieke middelen om nog ooit met haar of met welke vrouw ter wereld ook naar bed te gaan!

Hij herinnerde zich hoe Mark Twain in een van zijn betere geschriften de vergelijking van de kaars en de kandelaar gebruikte ter onderstreping van het feit dat het op seksueel gebied tussen mannen en vrouwen nooit een gelijke strijd kan zijn. De kandelaar was altijd beschikbaar.

En toen hoorde hij haar aan de telefoon.

'En dat was vijf!' vertrouwde ze Angela opgetogen en blozend van weelde toe. 'Nee,' ging ze verder, na een korte, ongeduldige pauze, 'maar mijn knieën doen hartstikke zeer.'

Zelf hield hij het subjectief gezien op een score van vijf drie-achtste, maar het nieuws dat haar botten ook zeer deden gaf hem iets meer vertrouwen in de nabije toekomst.

'Hij weet overal zoveel van,' ging ze verder. 'Hij weet alles van rentevoeten en boeken en opera's. Ik ben nog nooit zo gelukkig geweest, Ange.'

Dat stemde hem tot nadenken, want hij wist nog niet zo zeker of hij opnieuw de verantwoordelijkheid voor een vrouw die nog nooit zo gelukkig was geweest op zich wilde nemen. Maar deze pluim in zijn hoed streelde zijn ijdelheid.

En toen kwam de schok in de douche. Toen hij de kraan dichtdraaide, hoorde hij buiten de gesloten badkamerdeur sluw overleggende mannenstemmen. Hij hoorde een vrouw die duidelijk instemmend antwoordde. Er werd een val voor hem gezet. Hij knoopte de handdoek om zijn middel en liep de badkamer uit om het gevaar onder ogen te zien. Het was erger dan hij verwacht had.

Ze had de tv aangezet en keek naar het journaal!

Het was geen oorlog, er waren geen verkiezingen en geen rassenrellen, er was geen grote brand, storm, aardbeving of vliegramp – er was geen greintje nieuws en toch zat ze ernaar te kijken.

Maar terwijl hij zich aankleedde rook hij de geur van roerei en gebakken spek en sneetjes brood in de broodrooster. Zijn jaar alleen was het eenzaamste jaar van zijn leven geweest, en hij woonde nog steeds alleen.

Maar toen zag hij haar ketchup op haar eieren doen en moest hij zijn blik afwenden. Hij keek naar de buis.

'Melissa, liefste,' begon hij haar twee weken later voor te bereiden. Zijn arm lag weer op haar schouder en zijn vinger streelde verstrooid haar hals. 'Ik moet je vertellen wat er gaat gebeuren. Het heeft niets met jou als persoon te maken. Dit soort veranderingen overkomen een man zoals ik nu eenmaal, zelfs bij een vrouw waar hij heel veel om geeft: een man die vaak liever alleen is, die veel nadenkt en dagdroomt, die het eigenlijk helemaal niet zo begrepen heeft op het spel van geven en nemen waar het leven in gezelschap om vraagt, die dikwijls stil voor zichzelf zit te broeden en geen enkele belangstelling heeft voor wat andere mensen zeggen en zich weinig aantrekt van wat de vrouw doet, zolang ze hem er maar niet mee lastig valt. Het zou niet de eerste keer zijn, het overkomt me altijd.'

Ze knikte aandachtig bij alles wat hij zei, hetzij instemmend, hetzij met werelds begrip.

'Ik ben precies hetzelfde,' antwoordde ze ernstig, met glanzende ogen en blinkende lippen. 'Ik heb een hekel aan mensen die veel kletsen of tegen me praten als ik een boek of zelfs de krant probeer te lezen, of me opbellen als ze niets te zeggen hebben, of me dingen vertellen die ik al weet, of altijd hetzelfde zeggen of me in de rede vallen.'

'Ogenblikje,' viel Yossarian haar in de rede, aangezien ze nog een heleboel meer op haar lever scheen te hebben. Hij bracht een poosje in de badkamer door. 'Ik geloof echt,' zei hij toen hij terugkwam, 'dat ik te oud ben en jij echt te jong.'

'Jij bent niet te oud.'

'Ik ben ouder dan ik lijk.'

'Ik ook. Ik heb in je dossier gezien hoe oud je bent.'

Verdomme, dacht hij. 'Ik moet je ook vertellen dat ik geen kinderen wil en nooit een hond zal nemen en ook geen vakantiehuis wil, niet in East Hampton en niet ergens anders.'

Links en rechts van zijn voordeur lagen twee ruime slaapkamers, allebei met badkamer en ruimte voor een tv. Misschien konden ze zo beginnen en elkaar ontmoeten voor het eten. Maar daar stond de tv weer aan en hoorde hij weer stemmen waar ze niet naar luisterde. Je wist immers nooit wanneer er iets interessants kwam. Hoewel televisie de enige vrouwelijke ondeugd was die hij absoluut niet kon uitstaan, geloofde hij dat het met deze vrouw de moeite van het proberen waard was.

'Nee, ik zeg niet hoe ze heet,' zei Yossarian tegen Frances Beach na de eerstvolgende tumultueuze ACACAMMA-vergadering, waarop Patrick Beach een energiek betoog had gehouden ter ondersteuning van Yossarians anonieme suggestie dat het Metropolitan Museum zijn financiële problemen kon oplossen door alle kunst van de hand te doen en het gebouw en de grond aan Fifth Avenue aan een projectontwikkelaar te verkopen. 'Het is niet een vrouw die je kent.'

'Is het de vriendin van die smakelijke Australische waar je zo je mond van vol hebt, die Angela Piper?'

'Pijper.'

'Wat?'

'Ze heet Pijper, Patrick, niet Piper.'

Patrick keek scheel van verwarring. 'Ik had kunnen zweren dat je me verbeterde toen ik Pijper zei.'

'Dat deed-ie ook, Patrick. Laat hem maar kletsen. Is het die verpleegster waar je het over had? Ik zou het echt erg vinden als je zo diep zonk dat je met een van mijn vriendinnen trouwde.'

'Wie heeft het over trouwen?' protesteerde Yossarian.

'Jij,' lachte Frances. 'Je bent net die olifant die voortdurend alles vergeet.'

Zou hij echt opnieuw moeten trouwen?

Niemand hoefde de sceptische Yossarian te herinneren aan de zegeningen van het alleen wonen. Hij hoefde niet naar andermans telefoongesprekken te luisteren. Hij kon een complete *Lohengrin, Boris Godoenov* of *Die Meistersinger,* of vier hele symfonieën van Bruckner in zijn nieuwe CD-speler met automatische wisselaar leggen en een eindeloos paradijs van muziek creëren zonder dat een vrouwspersoon de betovering verstoorde met vragen als: 'Wat voor muziek is dit?', of: 'Vind je dat echt mooi?', of: 'Is dat niet wat zwaar voor 's morgens?', of: 'Kan het wat zachter? Ik probeer naar het journaal te luisteren', of: 'Ik heb mijn zuster aan de telefoon.' Hij kon de krant lezen zonder dat iemand het katern pakte dat hij juist wilde gaan lezen.

Een nieuw huwelijk zou nog te overleven zijn, meende hij, maar voor een nieuwe echtscheiding ontbrak hem de tijd.

23

KENOSHA

Dit was het soort zwaarwichtige twijfels waaraan Yossarian ten prooi was tijdens zijn vlucht naar het westen voor zijn afspraak met de vrouw van de legerpredikant, die inmiddels nog maar één doel had: haar zijn deelneming betuigen en samen toegeven dat ze een smadelijke nederlaag hadden geleden. Ze was zichtbaar teleurgesteld toen ze hem op het vliegveld herkende.

Ze hadden allebei op een jongere persoon gehoopt.

De held Siegfried, herinnerde hij zich later, had als een galeislaaf Brünnhildes paard over het water geroeid, kwam even later oog in oog te staan met een andere vrouw en was binnen de kortste keren verloofd.

Yossarian zat in de eerste klasse van een straalvliegtuig en had geen last van dergelijke demente dagdromen.

Siegfried moest een berg beklimmen en vuur trotseren om de vrouw Brünnhilde te kunnen opeisen.

Yossarian liet Melissa naar Washington vliegen.

Toen hij er na afloop op terugkeek, overwegend er een parodie voor *The New Yorker* over te schrijven, bedacht hij dat hij het er in vergelijking met de Wagneriaanse held aardig goed had afgebracht.

Hij was een half miljoen dollar rijker en bevond zich weliswaar in een impasse, maar had nog tijd van leven om zich eruit te bevrijden.

Aan het eind was Siegfried dood; Brünnhilde was dood, zelfs het paard was dood; het Walhalla was verwoest en de goden waren verdwenen. En vol verrukking liet de componist zijn sensuele muziek zegevierend als een gevoelige droom wegsterven, want zo is de berekenende natuur van kunst en kunstenaar.

Terwijl Yossarian alweer uitzag naar zijn volgende wip. Het mocht van de dokter. Heel zijn leven was hij gek op vrouwen geweest en meer dan eens in dat leven was hij op meer dan één vrouw tegelijk verliefd geweest.

Het havenstadje Kenosha aan Lake Michigan in Wisconsin, slechts veertig kilometer ten zuiden van het veel grotere stadje Milwaukee, had inmiddels een volwassen vliegveld en beleefde een opleving in economische activiteit die de vroede vaderen voor raadsels stelde. Plaatselijke sociologen schreven de bescheiden hausse, mogelijk ironisch, toe aan het zachte klimaat. Diverse kleine bedrijven van enigszins technische aard waren er neergestreken en een federale overheidsinstelling had laboratoria ingericht – een dekmantel voor de CIA, fluisterde men – in een al jaren leegstaande fabriek.

In de wachthal in New York had Yossarian de andere eersteklaspassagiers bestudeerd, allemaal mannen, allemaal jonger dan hij, allemaal in een uitstekend humeur. Tegenwoordig hielden alleen wetenschappers nog zo van hun beroep. Ze praatten met potloden in de aanslag en hun voornaamste onderwerpen van gesprek – hoorde hij tot zijn verbazing – waren tritium en deuterium, waar hij inmiddels iets van afwist, en lithiumdeuteride, wat bij navraag een verbinding van lithium en zwaar water bleek te zijn en tevens de meest gewilde springstof voor de beste kwaliteit waterstofbommen.

'Weet iedereen hiervan?' Hij vond het verbazingwekkend dat ze er zo openlijk over praatten.

Natuurlijk. Het stond allemaal zwart op wit in *De Nucleaire Almanak* en *Het Handboek Atoomenergie* van Hogerton, die best bij de paperbacks zouden kunnen staan.

Bij het instappen zag hij in de business class verscheidene prostituées en twee callgirls uit de seksclubs in zijn torenflat, die ook tippelden buiten de flat, bij de cocktailbars en de geldautomaten. De callgirls waren medebewoonsters. In de tweede klas zag hij groepjes daklozen die op de een of andere manier het geld bijeen geschraapt hadden om de gevaarlijke straten van New York vaarwel te zeggen en dakloos te worden in Wisconsin. Ze hadden zich voor deze bedevaart gewassen, waarschijnlijk in de toiletten van het busstation, waar affiches die Michael ooit ontworpen had waarschuwden dat roken, rondhangen, wassen, scheren, kleren wassen, neuken en pijpen in de wasbakken en toilethokjes ten strengste verboden waren, dat alcohol schadelijk kon zijn voor zwangere vrouwen en dat anaal geslachtsverkeer tot HIV-besmetting en leverontstekingen kon leiden. Michaels affiches hadden prijzen gewonnen. Hun handbagage bestond uit winkelwagentjes en papieren zakken. Yossarian wist zeker dat hij helemaal achterin de grote bruine vrouw met de korstige melanoomvlekken zag zitten die zich in haar roze hemd op de brandtrap zat te wassen toen hij er die ene keer met McBride was geweest. Hij zocht vergeefs naar de geschifte eenbenige vrouw die misschien wel drie of vier keer per dag, alsof het de gewoonste zaak van de wereld was, door de een of andere zwerver verkracht werd, en naar de bleke blondine, ook van de brandtrap, die lusteloos haar witte bloesje zat te verstellen.

Volgens de fysici in het vliegtuig, meende Yossarian te begrijpen – hoewel hij er niets van begreep –, ging de tijd in de wetenschappelijke wereld voortdurend zowel vooruit óf achteruit als vooruit én achteruit, en konden deeltjes door de tijd reizen zonder te veranderen. Waarom híj dan niet? Ook vernam hij dat subatomaire deeltjes altijd op zoveel mogelijk plaatsen tegelijk moesten zijn, waaruit hij de voorzichtige conclusie trok dat in zijn niet-wetenschappelijke wereld van mensen en groepen alles wat kon gebeuren ook gebeurde en alles wat niet gebeurde, niet kón gebeuren. Alles wat kán veranderen, verandert ook en wat niet verandert, kán niet veranderen.

Mevrouw Karen Tappman bleek een tenger, verlegen en nerveus oud vrouwtje te zijn, met een dubbelzinnige houding tegenover veel aspecten van de tragedie die hen bij elkaar had gebracht. Maar over één ding waren ze het al spoedig eens: dat híj er spijt van had dat hij gekomen was en zíj dat ze hem had uitgenodigd. Ze zouden al snel uitgepraat zijn. Ze konden niets nieuws bedenken. Hij had haar herkend, vertelde hij haar eerlijk, van de kiekjes van de legerpredikant die hij zich herinnerde uit de oorlog.

Ze glimlachte. 'Toen was ik iets over de dertig. Ik herken u nu ook van de foto in onze studeerkamer.'

Yossarian had niet verwacht dat de legerpredikant een foto van hem zou hebben.

'Ja hoor, ik zal hem u laten zien.' Mevrouw Tappman ging hem voor door de achterdeur van de eengezinswoning met verdieping. 'Hij heeft me dikwijls verteld dat u in Europa eigenlijk zijn leven gered hebt, net toen alles op zijn ergst was.'

'Ik geloof eerder dat hij geholpen heeft míjn leven te redden. Hij steunde me toen ik besloot om niet meer te vechten. Ik weet niet hoeveel hij u verteld heeft.'

'Alles, denk ik.'

'Ik zou toch niet door de knieën gegaan zijn, maar hij gaf me het gevoel dat ik gelijk had. Dat is een vergroting van de foto van u en de kinderen die hij altijd bij zich had.'

Eén muur van de studeerkamer hing vol foto's, een fotografisch verslag van bijna zeventig jaar, beginnend met de legerpredikant als klein jongetje met een hengel en een glimlach zonder voortanden, en met Karen als klein meisje in een feestjurk. De foto die hij zich herinnerde was van de dertigjarige Karen Tappman met haar drie kleine kinderen, alle vier dapper in de lens kijkend, met een triestig eenzame en verlaten blik in hun ogen alsof ze bang waren binnenkort iets te verliezen. Zijn oorlogsfoto's hingen aan een andere muur.

Yossarian bleef staan bij een heel oud, verbleekt bruin kiekje van de vader van de legerpredikant in de Eerste Wereldoorlog, een tenger figuurtje, doodsbang voor het fototoestel en met een veel te grote helm voor het kinderlijke gezicht eronder. Onwennig hield hij een geweer met bajonet in zijn handen, links aan zijn riem hing een in canvas verpakte veldfles en rechts een gasmasker in een canvas zak.

'Dat gasmasker hadden we vroeger als souvenir,' zei mevrouw Tappman, 'de kinderen speelden ermee. Ik weet niet waar het gebleven is. Tijdens een van de veldslagen kreeg hij gas binnen en hij lag een poosje in het veteranenziekenhuis, maar hij zorgde goed voor zichzelf en leefde nog een hele tijd. Hij stierf aan longkanker, in dit huis. Nu zeggen ze dat hij te veel rookte. Dit is zijn foto van u.'

Yossarian onderdrukte een glimlach. 'Dat zou ik geen foto van mij willen noemen.'

'Nou, hij wel,' antwoordde ze tegendraads, een onverwachte kant van zichzelf onthullend. 'Hij liet hem aan iedereen zien. "En dat is mijn vriend Yossarian," zei hij altijd. "Die heeft me erdoorheen gesleept toen de nood aan de man kwam." Dat zei hij tegen iedereen. Hij wil wel eens in herhaling vervallen, ben ik bang.'

Haar openhartigheid ontroerde Yossarian. De foto was van het soort dat de persofficier van het squadron van tijd tot tijd maakte als een bemanning bij hun vliegtuig wachtte alvorens op te stijgen. Hier zag hij zichzelf alleen op de achtergrond staan, tussen de mannen op de voorgrond en de B-25 bommenwerper. Vooraan zaten de drie dienstplichtige bemanningsleden schijnbaar zorgeloos op de stapel nog niet scherpgestelde duizendponders te wachten tot ze aan boord konden gaan. En Yossarian, even slank en jongensachtig als de rest, compleet met parachute en zwierige officierspet, had zich alleen maar even omgedraaid om te kijken. De legerpredikant had alle namen erbij geschreven, de naam Yossarian het grootst. Hier waren ze weer: Samuel Singer, William Knight en Howard Snowden, alle drie sergeants.

'Een van deze jongelui sneuvelde later,' zei mevrouw Tappman. 'Deze, geloof ik. Samuel Singer.'

'Nee, mevrouw Tappman, Howard Snowden is gesneuveld.'

'Weet u het zeker?'

'Toen was ik er ook bij.'

'Jullie lijken allemaal zo jong. Toen ik op het vliegveld stond te wachten dacht ik dat u er misschien nog steeds zo uit zou zien.'

'We wáren jong, mevrouw Tappman.'

'Te jong om te sneuvelen.'

'Dat vond ik ook.'

'Albert sprak bij zijn begrafenis.'

'Daar was ik ook bij.'

'Het viel hem erg zwaar, zei hij. Waarom wist hij niet. En hij kwam bijna woorden te kort. Denkt u dat ze hem gauw vrij zullen laten, dat hij weer naar huis kan?' Karen Tappman zag Yossarian schokschouderen. 'Hij heeft niets op zijn geweten. Hij moet het erg zwaar hebben. Ik ook. Mijn overbuurvrouw is weduwe en we bridgen 's avonds vaak. Vroeg of laat zal ik waarschijnlijk als weduwe moeten leren leven, maar ik zie niet in waarom ik daar nu al mee zou moeten beginnen.'

'Men maakt zich echt zorgen over zijn gezondheid.'

'Meneer Yossarian,' antwoordde ze afkeurend, plotseling op een andere toon. 'Mijn man is over de zeventig. Als hij toch ziek moet zijn, waarom dan niet hier?'

'Daar kan ik het alleen maar mee eens zijn.'

'Maar ik neem aan dat ze weten wat ze doen.'

'Daar zou ik het nooit of te nimmer mee eens zijn. Maar ze zijn ook bang dat hij ontploft.'

Ze begreep hem niet. 'Albert is helemaal niet driftig. Nooit geweest.'

Ze konden geen van beiden een nieuwe aanpak bedenken, want bij de plaatselijke politie gold hij als vermist, één ministerie beweerde niets van hem te weten, een tweede stuurde elke twee weken geld en groeten en een derde hield bij hoog en bij laag vol dat hij opgeroepen was als reservist.

'Ik vind het allemaal nogal verdacht, u niet?' merkte hij op.

'Hoezo?' vroeg ze.

De kranten, twee senatoren, een lid van het Congres en het Witte Huis zelf waren niet onder de indruk. In de laatste versie van het dossier van de legerpredikant onder de wet op Vrijheid van Informatie had Yossarian veranderingen bespeurd: al zijn gegevens waren doorgehaald behalve de woorden *de, het* en *een*. Er was geen belastingnummer en in de map zat alleen nog een snel neergekrabbelde persoonlijke brief van een soldaat uit augustus 1944 die helemaal zwart was gemaakt, met uitzondering van de aanhef 'Lieve Mary' en de mededeling van de censor, legerpredikant Tappman, onderaan: 'Ik ben krankzinnig verliefd op je. A.T. Tappman, Amerikaans legerpredikant.' Yossarian meende zijn eigen handschrift te herkennen, maar herinnerde zich niet dit ooit geschreven te hebben. Tegen Karen Tappman hield hij zijn mond, want hij wilde haar niet van streek maken door te beginnen over ene Mary in het verleden van de legerpredikant.

Volgens het door de FBI vervaardigde psychologisch profiel was de predikant het soort dominee dat met een andere vrouw op de loop gaat, en het empirisch bewijsmateriaal duidde er sterk op dat de vrouw met wie hij ervandoor was gegaan de organiste van zijn kerk was.

Mevrouw Tappman was niet overtuigd, aangezien er nooit een organiste in het spel was geweest en haar man sinds zijn pensioen geen kerk of gemeente meer had.

Yossarian wachtte tot ze bijna klaar waren met eten alvorens haar het nieuws te geven dat Gaffney hem in het vliegtuig, boven Lake Michigan, telefonisch had meegedeeld. Op haar verzoek gingen ze vroeg eten, wat hun drie dollar bespaarde op het vroege-vogelmenu. Dit was iets nieuws voor Yossarian. Ook kregen ze 65+ korting zonder dat ze zich moesten legitimeren. Dat was eveneens nieuw. Het nagerecht bestelde hij alleen omdat zij het ook deed.

'Ik wil u niet verontrusten, mevrouw Tappman,' zei hij toen ze hun dessert bijna op hadden, 'maar ze houden ook rekening met de mogelijkheid dat het...' het woord kostte hem enige moeite '...een wonder is.'

'Een wonder? Waarom zou ik daar verontrust over moeten zijn?'

'Sommige mensen zouden verontrust zijn.'

'Dat is misschien maar goed dan. Wie beslist daarover?'

'Daar zullen we nooit achter komen.'

'Maar ze moeten toch weten wat ze doen.'

'Zover zou ik niet willen gaan.'

'Ze hebben het recht om hem vast te houden, nietwaar?'

'Nee, dat hebben ze niet.'

'Waarom kunnen we dan niets doen?'

'Omdat we daar het recht niet toe hebben.'

'Dat begrijp ik niet.'

'Mevrouw Tappman, mensen met macht hebben het recht om alles te doen wat wij niet kunnen voorkomen. Dat is het addertje onder het gras waar Albert en ik in het leger mee te maken kregen. En hetzelfde gebeurt nu weer.'

'Dan is er niet veel hoop, hè?'

'We kunnen hopen op het wonder dat ze inderdaad concluderen dat het een wonder is. Dan moeten ze hem misschien laten gaan. Er is ook een kansje dat ze het...' Opnieuw aarzelde hij '...een natuurlijke evolutionaire mutatie noemen.'

'Om zwaar water te plassen? Mijn Albert?'

'Het probleem met de wondertheorie is een ander psychologisch profiel. Daar komt tegenwoordig vrijwel steeds een vrouw in voor, in een warm klimaat. Een vrouw, als u me toestaat, met volle borsten. Het past gewoon niet bij uw man.'

'Vindt u?' Haar antwoord was afgepast, uitgesproken met een kille waardigheid. 'Meneer Yossarian,' vervolgde ze met een strijdlustige, zelfverzekerde uitdrukking op haar scherpe gezicht, 'ik zal u iets vertellen wat we nog nooit aan iemand verteld hebben, zelfs niet aan onze eigen kinderen. Mijn man is al eens eerder getuige geweest van een wonder. Een visioen. Jazeker. In dienst. Een visioen om hem zijn geloof terug te geven op het moment dat hij publiekelijk wilde belijden dat hij het verloren had, dat hij niet meer kon geloven. Dus...'

Yossarian was even bang dat hij haar kwaad had gemaakt, maar haar vechtlust schonk hem nieuwe moed. 'Waarom wilde hij het tegen niemand vertellen?'

'Het was een ervaring voor hem alleen, niet voor publieke consumptie.'

'Mag ik die informatie doorgeven?'

'Het gebeurde tijdens die begrafenis op Pianosa,' vertelde ze, 'bij de begrafenis van die jonge Samuel Singer waar we het zojuist over hadden.'

'Het was Singer niet, mevrouw Tappman. Het was Snowden.'

'Ik weet zeker dat hij Singer zei.'

'Niet dat het iets uitmaakt, maar ik was degene die hem eerste hulp verleende. Maar ga alstublieft verder.'

'Ja, hij leidde de begrafenisdienst van die Singer en wist plotseling niet meer wat hij moest zeggen. Zo beschrijft hij het zelf. En toen keek hij naar de hemel om dit te belijden en zijn ambt op te geven, om ter plekke alle geloof in God of godsdienst of gerechtigheid of moraal of genade af te zweren, en op dat moment, precies toen hij dat wilde doen, met al die andere officieren en manschappen erbij, kreeg hij dit teken. Het was een visioen, het beeld van een man. En hij zat in een boom, net buiten het kerkhof, en hij keek met een treurig gezicht en íntrieste ogen naar de begrafenis en die ogen waren gericht op mijn man.'

'Mevrouw Tappman,' zei Yossarian met een diepe zucht en een bezwaard hart. 'Dat was ik.'

'In de boom?' Ze trok honend haar wenkbrauwen op. Zo'n uitdrukking had hij vaker gezien, op het gezicht van ware gelovigen, ware gelovigen van allerlei slag, maar de onwrikbare zelfverzekerdheid was nieuw. 'Uitgesloten,' zei ze met bijna brute zekerheid. 'De figuur was naakt, meneer Yossarian.'

Voorzichtig vroeg hij: 'Heeft uw man nooit verteld wat daar misschien achter zat?'

'Wat zou erachter moeten zitten, meneer Yossarian? Het was duidelijk een engel.'

'Met vleugels?'

'Dit is godslasterlijk. Voor een wonder hoefde hij geen vleugels te hebben. Waarom zou een engel vleugels moeten hebben? Ik wil mijn man terug, meneer Yossarian. Verder heb ik van niemand iets nodig.' Het huilen stond haar nader dan het lachen.

'Mevrouw Tappman, u heeft me de ogen geopend,' zei Yossarian vol medelijden en met hernieuwde energie. Een leven van scepticisme had hem geleerd dat een overtuiging, zelfs een naïeve overtuiging, als puntje bij paaltje kwam meer hoop geeft dan de woestenij van het niets. 'Ik zal mijn best doen. Ik heb een laatste strohalm in Washington, een man in het Witte Huis die me nog wat verschuldigd is.'

'Vraag hem alstublieft om iets te doen. Ik wil weten dat u nog steeds moeite doet.'

'Ik zal hem bidden en smeken. Hij heeft minstens één keer per dag een onderhoud met de president.'

'Met het lulletje?'

Het was nog vroeg toen ze hem bij zijn motel afzette.

Toen hij na drie dubbele whisky's de bar verliet, zag hij op de parkeerplaats een rode Toyota met een Newyorks nummer en een vrouwelijke bestuurder, die toen hij nieuwsgierig bleef staan haar lichten aandeed en wegscheurde, waarna hij gnuivend en enigszins beschonken concludeerde dat hij zich zowel de Toyota als de vrouw had ingebeeld.

Toen hij in bed lag, kauwend op chocolade en pinda's en drinkend uit een blikje Coca Cola uit de automaat buiten, voelde hij zich te wakker om te slapen en te loom voor het gewichtige prozawerk dat hij vol hoop opnieuw had meegenomen. Het boek was een paperback, getiteld *De dood in Venetië en zeven andere verhalen* en geschreven door Thomas Mann. Luchtiger proza vond hij tegenwoordig nog zwaarder te verteren. Zelfs zijn aanbeden *New Yorker* kon hem nog maar zelden boeien. De roddelrubrieken gingen vaak over beroemdheden die hij niet kende, de Oscars gingen meestal naar films die hij niet gezien had en naar acteurs en actrices die hij nooit had zien spelen of wier namen hij zelfs nog nooit had gehoord.

Hij miste Melissa, maar was toch blij dat hij alleen was; of liever, zoals hij zichzelf geamuseerd en ontwijkend corrigeerde, hij was blij dat hij alleen was, maar miste Melissa. Hij vond een klassieke zender en was diep geschokt toen hij een Duits Bachkoor de muziek uit de Amerikaanse musical *Carousel* hoorde inzetten. Met gestrekte wijsvinger wierp hij zich op de afstemknop. Bij de tweede zender had hij meer geluk: hij kwam terecht in een medley van het kinderkoor uit *La Bohème* en het kinderkoor uit *Carmen*. Die werden gevolgd, terwijl op de achtergrond de bliksem steeds meer geknetter veroorzaakte, door het aambeeldenkoor dat hij kende uit het Duitse *Das Rheingold*, in de goden afdalen in de ingewanden der aarde om goud van de dwergen te stelen voor de betaling van de reuzen die hun prachtige nieuwe huis, het Walhalla, hadden gebouwd op contractuele voorwaarden waar ze nu al onderuit probeerden te komen. Ze hadden de reuzen de godin die eeuwige jeugd schenkt beloofd, maar ze zouden genoegen moeten nemen met geld. Als je zaken met de goden deed, concludeerde Yossarian opnieuw, terwijl zijn ogen zwaarder werden, kon je ze het beste altijd vooruit laten betalen.

Terwijl dat koor van aambeelden langzaam in geknetter ten onder ging, hoorde hij vaag een nergens op slaand muzikaal tumult van woest, primitief gelach dat een hele reeks toonladders beklom en nauwelijks hoorbaar vanwege het sissen van atmosferische storingen overging in een totaal andere, desolate, wonderschone, engelachtige weeklacht van een kinderkoor in een door merg en been gaande polyfone klaagzang die hij meende te herkennen maar niet thuis kon brengen. Hij herinnerde zich de roman van Thomas Mann waarover hij ooit had willen schrijven en vroeg zich in zijn sufheid af of hij de kluts kwijt was en droomde dat hij de *Apocalypse* van Leverkühn hoorde, waarover hij gelezen had. Enige seconden later stierf het zwakke radiosignaal helemaal weg, zodat in die oerleegte van menselijke stilte uitsluitend het koppig gesijfel van die ontembare, sissende storing overbleef.

Die nacht droomde hij in zijn onrustige slaap dat hij weer in zijn torenflat in New York was en dat de vertrouwde rode Toyota met de gebakjes etende vrouw opnieuw op de plaats buiten zijn motelkamer in Kenosha werd geparkeerd, terwijl aan de rand van het parkeerterrein een stevig gebouwde, voor de FBI werkende jood van middelbare leeftijd met een buik en een baard onhoorbaar prevelend en met gebogen hoofd heen en weer drentelde. Een lange, magere, opvallende man met peenhaar en een pak van crêpe stond in een hoek en keek onschuldig toe met een grote plastic beker ranja met een rietje in zijn hand en vlammende ogen, terwijl een donkerder man met typisch oosterse trekken en piekfijn gekleed in blauw overhemd, roestbruine stropdas en geelbruin colbert met één rij knoopjes in een visgraatdessin met een dun paars streepje stiekem iedereen in de gaten hield. Sluw weggedoken in de schaduw stond een louche figuur met een donkere baret die een sigaret rookte zonder zijn handen te gebruiken, want die zaten diep in de zakken van een smerige, niet dichtgeknoopte regenjas die elk moment wijd open kon worden getrokken in een gore uitnodiging om van het weerzinwekkende uitzicht op zijn harige kruis en zijn ondergoed te genieten. Aan het eind van zijn droom maakte Yossarian een kort maar bevredigend nummer met zijn tweede vrouw. Of was het zijn eerste? Of allebei? Bij het ontwaken dacht hij schuldbewust aan Melissa.

Toen hij naar buiten ging om te ontbijten stond de rode Toyota met de Newyorkse nummerplaten en de kauwende vrouw weer op de parkeerplaats. Toen hij nieuwsgierig bleef staan reed ze weg en hij wist dat hij zich dingen inbeeldde. Ze kon onmogelijk echt zijn.

24

APOCALYPSE

'En waarom ook niet?' vroeg Jerry Gaffney op het vliegveld van Chicago. 'Gezien Milo's bommenwerper en het zware water van de legerpredikant en je twee echtscheidingen en zuster Melissa MacIntosh en die Belgische patiënt en dat avontuurtje met die getrouwde vrouw, is het logisch dat andere mensen belangstelling voor je hebben.'

'Van New York naar Kenosha voor één dag? Zo hard kan ze toch niet rijden, wel?'

'Onze wegen kunnen ondoorgrondelijk zijn, John.'

'Ze was in mijn droom, Jerry. Net als jij.'

'Daar kun je ons niet op aankijken. Je dromen zijn nog steeds helemaal privé. Weet je zeker dat het geen verbeelding was?'

'Mijn droom?'

'Ja.'

'Daardoor herkende ik je, Gaffney. Ik wist dat ik je al eens eerder gezien had.'

'Dat probeer ik je voortdurend duidelijk te maken.'

'Vorig jaar in het ziekenhuis. Toen was je ook een van die figuren die me in de gaten hielden, niet?'

'Niet jou, John. Ik controleerde een paar werknemers die zich ziek hadden gemeld. De ene had een stafylokokkeninfectie opgelopen en de andere een salmonella-vergiftiging...'

'Van een boterham met ei in de cafetaria, nietwaar?'

Toen Yossarian na de nodige omzwervingen, doordat onvoorspelbare sneeuwstormen in Iowa en Kansas de dienstregelingen in de war hadden gestuurd, op het vliegveld aankwam, zag hij vrijwel meteen een donkere, goed verzorgde, kwieke man van gemiddelde lengte en met enigszins oosterse trekken die met een vliegtuigticket zwaaide om zijn aandacht te trekken.

'Meneer Gaffney?' vroeg hij.

'Niet de Messias,' zei Gaffney grinnikend. 'Zullen we een kopje koffie gaan drinken? We hebben een uur de tijd.' Gaffney had de eerstvolgende vlucht naar Washington voor hem geboekt en overhandigde hem ticket en instapkaart. 'Je zult blij zijn om te horen,' zei hij met zichtbaar plezier, 'dat deze hele ervaring je alleen maar rijker heeft gemaakt. Ongeveer een half miljoen dollar rijker, schat ik. Voor wat je met Macaroni Cook geregeld hebt.'

'Ik heb niks met Macaroni Cook geregeld.'

'Milo wil dat je dat gáát doen. Ik begin je onderneming een beetje te beschouwen als een Rijnreis.'

'Ik ook.'

'Dat kan geen toeval zijn. Maar met een betere afloop.'

Gaffney was donker, stijlvol, hoffelijk en knap – van Turkse afkomst, vertelde hij, hoewel in Bensonhurst in Brooklyn, New York, geboren. Hij had een gladde huid. Zijn glimmende kale schedel was omkranst door kortgeknipt zwart haar en hij had zwarte wenkbrauwen. Zijn ogen waren smal en bruin en samen met zijn hoge, fijngesneden jukbeenderen gaven ze hem het intrigerende uiterlijk van een wereldburger uit het verre oosten. Hij was smetteloos gekleed, als om door een ringetje te halen, in een geelbruin colbert met één rij knoopjes in een visgraatdessin met een dun paars streepje, bruine broek, lichtblauw overhemd en effen roestbruine stropdas.

'In de droom,' zei Yossarian, 'had je dezelfde kleren aan. Was je gisteren in Kenosha?'

'Nee, nee, Yo-Yo.'

'Deze kleren zag ik in mijn droom.'

'Dan is je droom onmogelijk, Yo-Yo, want ik heb nooit twee dagen achter elkaar dezelfde kleren aan. Gisteren,' ging Gaffney verder, terwijl hij zijn agenda raadpleegde en zich duidelijk bewust van het effect over zijn lippen likte, 'droeg ik een iets donkerder colbert van Harris-tweed met een oranje werkje in de voering, een chocoladebruine broek, een zachtroze overhemd met een dun vertikaal streepje en een paisley-stropdas met kastanjebruin, kobaltblauw en amber. Je weet het misschien niet, John, maar ik geloof in netheid. Netheid is belangrijk. Ik kleed me elke dag voor een gelegenheid, zodat ik voor de gelegenheid gekleed ben als de gelegenheid zich voordoet. Morgen, zie ik hier, draag ik beige Iers linnen met groen als ik naar het zuiden ga, of een blauwe blazer met twee rijen hoornen knopen en een grijze broek als ik in het noorden blijf. De broek wordt van flanel. Het ligt helemaal aan jou, John. Heb je in je droom aan seks gedaan?'

'Dat gaat je niks aan, Jerry.'

'Je schijnt het overal elders te doen.'

'Dat gaat je ook niks aan.'

'Als ik alleen op reis ben droom ik de eerste nacht altijd over seks. Dat is een van de redenen waarom ik reizen niet erg vind.'

'Fantastisch, meneer Gaffney, maar dit gaat me niet aan.'

'Als mevrouw Gaffney meegaat hoef ik niet te dromen. Gelukkig wil zij ook op elke nieuwe plek onmiddellijk tot de geslachtsdaad overgaan.'

'Dat is ook fantastisch, maar ik wil er niks van weten en ik wil ook niet dat u iets van mijn ervaringen weet.'

'U moet beter oppassen.'

'Daar heb ik je verdomme voor ingehuurd. Ik word geschaduwd door jou en door andere mensen waar ik geen donder van afweet en ik heb er genoeg van. Ik wil mijn privacy terug.'

'Dan moet u de dominee opgeven.'

'Ik heb de dominee niet.'

'Dat weet ik, Yo-Yo, maar zij niet.'

'Ik ben te oud voor Yo-Yo.'

'Uw vrienden noemen u Yo-Yo.'

'Noem er eens een dan, druiloor.'

'Ik zal het nakijken. Maar u was aan het juiste adres toen u bij de Gaff aanklopte. Ik kan u precies vertellen hoe ze u schaduwen en u leren ze af te schudden en vervolgens kan ik u de methoden aan de hand doen die zij gebruiken om iemand als u, die geleerd heeft om ze te dwarsbomen, te dwarsbomen.'

'Spreek je jezelf nu niet tegen?'

'Jazeker. Maar intussen heb ik vier mensen gezien die u heel slim vermomd schaduwen. Kijk, daar loopt de man die we kennen als onze joodse FBI-er. Hij probeert het vliegtuig naar New York te nemen. Gisteren was hij in Kenosha.'

'Ik heb hem ergens gezien, maar ik wist het niet zeker meer.'

'Misschien in uw droom. Terwijl hij over de parkeerplaats drentelde en zijn gebeden opzei. Hoeveel herkent u er?'

'Minstens één,' zei Yossarian, die steeds meer plezier kreeg in hun contraspionagekomplot. 'En ik hoef niet eens te kijken. Een lange man in crêpe met sproeten en peenhaar. Het is bijna winter en hij draagt nog steeds crêpe. Klopt 't? Ik wed dat die er ook is, dat hij ergens met een papieren beker limonade tegen een muur of een pilaar leunt.'

'Dat is een ranjaman. Die wil gezien worden.'

'Door wie?'

'Dat trek ik even na.'

'Nee, laat mij het doen!' zei Yossarian. 'Ik zal die klootzak voor eens en voor altijd toespreken. Als jij even een oogje in het zeil houdt.'

'Ik heb een pistool in mijn enkelholster.'

'Jij ook al?'

'Wie nog meer dan?'

'McBride, een vriend van me.'

'Van het busstation?'

'Ken je hem?'

'Ik ben er geweest,' zei Gaffney. 'De bruiloft is in kannen en kruiken, dus u gaat er binnenkort ook weer heen.'

'O ja?' Dat wist Yossarian nog niet.

Gaffney leek opnieuw in zijn nopjes. 'Zelfs Milo weet het nog niet, maar ik wel. De kaviaar kan besteld worden. Mag ik het hem vertellen? De Beurscommissie moet toestemming verlenen. Vindt u die leuk?'

'Ik had hem al eerder gehoord.'

'Pas op uw woorden bij die agent. Misschien is hij bij de CIA.'

Yossarian was kwaad op zichzelf dat hij geen echte woede voelde toen hij naar zijn prooi liep.

'Hallo,' zei de man nieuwsgierig. 'Wat is er?'

Yossarian zei bruusk: 'Was u mij gisteren in New York niet aan het schaduwen?'

'Nee.'

En dat was alles.

'Was u in New York?' Yossarian klonk al veel minder bars.

'Ik was in Florida.' Zijn beleefde houding leek een ondoordringbaar masker. 'Ik heb een broer in New York.'

'Lijkt die op u?'

'We zijn tweelingen.'

'Is hij een geheim agent?'

'Daar hoef ik geen antwoord op te geven.'

'U dan?'

'Ik weet niet wie u bent.'

'Ik ben Yossarian. John Yossarian.'

'Mag ik uw geloofsbrieven zien?'

'Jullie schaduwen me allebei, nietwaar?'

'Waarom zouden we u schaduwen?'

'Daar probeer ik juist achter te komen.'

'Ik hoef u niets te vertellen. U hebt geen geloofsbrieven.'

'Ik heb geen geloofsbrieven,' bracht Yossarian beteuterd verslag uit bij Gaffney.

'Ik wel. Laat mij het maar eens proberen.'

En binnen een minuut stonden Jerry Gaffney en de man in het crêpe pak genoeglijk te praten alsof ze de beste vrienden waren. Gaffney trok zijn portefeuille en Yossarian meende te zien dat hij hem een visitekaartje gaf. Een politieagent en vier of vijf mannen in burger – mogelijk eveneens van de politie – schoten haastig toe en kregen ook een kaartje, evenals de mensen die nieuwsgierig bleven staan, en ten slotte ook de twee jonge zwarte vrouwen in het eetkraampje met hot dogs, voorverpakte boterhammen, zachte krakelingen met grote korrels koosjer zout en ranja. Uiteindelijk kwam Gaffney terug, zichtbaar in zijn sas. Zijn stem was zacht, maar dat wist alleen Yossarian, want verder leek hij even kalm als daarvoor.

'Hij schaduwt je niet, John,' zei hij, zo nonchalant dat eventuele pottekijkers hadden kunnen denken dat hij over het weer praatte. 'Hij schaduwt iemand die jou schaduwt. Hij wil weten hoeveel ze over jou te weten komen.'

'Wie?' wilde Yossarian weten. 'Welke?'

'Dat heeft hij nog niet ontdekt,' antwoordde Gaffney. 'Misschien ík wel. Veel mensen zouden dat grappig vinden, maar ik zie dat je niet lacht. Hij denkt dat je bij de CIA bent, John.'

'Dat is laster. Ik hoop dat je hem uit de droom geholpen hebt.'

'Ik weet nog niet zeker of je bij de CIA bent of niet. Maar zolang hij geen cliënt van me is vertel ik hem niets. Dit is het enige wat ik hem heb verteld.' Gaffney schoof nog een visitekaartje over tafel. 'Jij moet er ook een hebben.'

Yossarian bestudeerde het kaartje met gefronst voorhoofd, want het beschreef de gever ervan als de eigenaar van Makelaarsbedrijf Gaffney, met kantoren in New York City, aan de kust van New York en Connecticut en in de badplaatsen Santa Monica en San Diego in Zuid-Californië.

'Ik geloof niet dat ik dit helemaal kan volgen,' zei Yossarian.

'Het is een deknaam,' zei Gaffney. 'Een façade.'

'Nu snap ik het,' grinnikte Yossarian. 'Een dekmantel voor je detective-bureau. Ja?'

'Precies andersom. Het detective-bureau is een dekmantel voor mijn makelaarsbedrijf. In onroerend goed valt meer te verdienen.'

'Ik weet niet zeker of ik dat wel kan geloven.'

'Probeer ik geestig te zijn?'

'Geen idee.'

'Ik probeer hem zover te krijgen,' legde Jerry Gaffney uit, 'dat hij naar een van mijn kantoren komt en doet alsof hij een huis zoekt, terwijl hij probeert erachter te komen wie ik werkelijk ben.'

'Om erachter te komen wat voor spelletje hij speelt?'

'Om hem een huis te verkopen, John. Daar verdien ik mijn echte geld mee. Dit zou je moeten interesseren. Voor komende zomer hebben we eersteklas huurwoningen in East Hampton, voor het seizoen, voor het hele jaar of voor korte termijn. En ook een paar prachtige huizen aan het water, als je liever koopt.'

'Meneer Gaffney,' zei Yossarian.

'Is het weer zover?'

'Nu weet ik nog minder over u dan van tevoren. U zei dat ik deze reis zou gaan maken en ik ben nu halverwege. U voorspelde sneeuwstormen en voilà.'

'Meteorologie is geen kunst.'

'U schijnt alles te weten wat zich op aarde afspeelt. U weet genoeg om God te kunnen zijn.'

'In onroerend goed valt meer te verdienen,' antwoordde Gaffney. 'Zo weet ik ook dat God niet bestaat. Anders zou hij ook in onroerend goed zitten. Die is tamelijk geestig, niet?'

'Ik heb erger gehoord.'

'Ik heb er een die misschien nóg beter is. Ik weet ook veel van wat zich ónder de aarde afspeelt. Ik ben namelijk ook onder het busstation geweest.'

'Hebt u de honden gehoord?'

'Jazeker,' zei Gaffney. 'En het Kilroy-materiaal gezien. Ik heb ook connecties in het HSGPMZ, elektronische connecties,' voegde hij eraan toe, terwijl zijn dunne, sensuele lippen met hun diepe, bijna leverrode kleur zich opnieuw plooiden in die glimlach die tegelijk raadselachtig en op de een of andere manier incompleet was. 'Ik heb zelfs,' ging hij niet zonder enige trots verder, 'meneer Tilyou ontmoet.'

'Meneer Tilyou?' herhaalde Yossarian. 'Welke meneer Tilyou?'

'Meneer George C. Tilyou,' legde Gaffney uit. 'De man die het oude Kermisland in Coney Island gebouwd heeft.'

'Ik dacht dat die dood was.'

'Dat is hij ook.'

'Is dat het grapje?'

'Kunt u erom lachen?'

'Hoogstens glimlachen.'

'U moet toegeven dat ik mijn best doe,' zei Gaffney. 'En nu kunnen we beter opstappen. Kijk maar om als u wilt. Dan blijven ze volgen.

Straks weten ze niet meer wie ze moeten schaduwen, u of mij. U zult een voorspoedige vlucht hebben. Beschouw deze episode maar als een entr'acte, een intermezzo tussen Kenosha en uw zaken met Milo en Macaroni Cook. Iets als Wagners muziek voor Siegfrieds Rijnreis en de treurmuziek in de *Götterdämmerung*, of dat tussenspel van die galmende aambeelden in *Das Rheingold*.'

'Dat heb ik gisteravond nog gehoord, op mijn kamer in Kenosha.'

'Dat weet ik.'

'En ik heb iets gehoord waar de dominee misschien mee geholpen is. Zijn vrouw denkt dat hij al een keer een wonder heeft meegemaakt.'

'Dat is oud nieuws, John,' zei Gaffney neerbuigend. 'Alles in Kenosha wordt afgeluisterd. Maar ik heb misschien iets goeds voor jou. Je zou Milo een schoen kunnen aanraden.'

'Wat voor soort schoen?'

'Een militaire schoen. Misschien een officiële Amerikaanse regeringsschoen. Voor sigaretten was hij te laat. Maar het leger zal altijd schoenen nodig hebben. Ook voor dames. Wie weet ook bh's. Doe alsjeblieft de hartelijke groeten aan je verloofde.'

'Welke verloofde?' kaatste Yossarian terug.

'Juffrouw MacIntosh?' Gaffney trok zijn zwarte wenkbrauwen op tot het bijna leestekens werden.

'Juffrouw MacIntosh is mijn verloofde niet,' wierp Yossarian tegen. 'Alleen mijn verpleegster.'

Gaffney wierp schaterend zijn hoofd achterover. 'Je hebt geen verpleegster, Yo-Yo,' zei hij bijna schalks. 'Dat heb je me wel tien keer verteld. Moet ik het nakijken en tellen?'

'Gaffney, ga naar het noorden met je Ierse linnen of naar het zuiden met je blazer en je flanellen broek. En neem die schaduwen mee.'

'Alles op zijn tijd. Je houdt van Duitse componisten, nietwaar?'

'De rest stelt toch niks voor?' antwoordde Yossarian. 'Tenzij je de Italiaanse opera meetelt.'

'Chopin?'

'Die vind je in Schubert,' zei Yossarian. 'En alle twee samen in Beethoven.'

'Niet helemaal. En de Duitsers zelf?' vroeg Gaffney.

'Die zijn niet zo dol op elkaar, hè?' antwoordde Yossarian. 'Ik ken geen enkel ander volk dat zo wraakzuchtig en vijandig tegenover elkaar staat.'

'Behalve het onze?' opperde Gaffney.

'Gaffney, jij weet te veel.'

'Ik ben altijd leergierig geweest.' Gaffney biechtte dit met enige terughoudendheid op. 'Daar heb ik in mijn werk al veel aan gehad. Vertel eens, John,' ging hij verder, Yossarian veelbetekenend aankijkend. 'Heb je ooit gehoord van een Duitse componist met de naam Adrian Leverkühn?'

In gespannen ontzetting keek Yossarian naar Gaffney. 'Jazeker, Jerry,' antwoordde hij, terwijl hij het minzame, ondoorgrondelijke donkere gezicht tegenover hem bestudeerde om enige klaarheid te krijgen. 'Ik heb inderdaad wel eens van Adrian Leverkühn gehoord. Hij heeft een oratorium geschreven dat *Apocalypse* heet.'

'Ik ken hem van een cantate, *Fausts jammerklacht*.'

'Ik dacht niet dat die ooit uitgevoerd is.'

'Jawel hoor. Met dat vreselijk ontroerende kinderkoor en die satanische glissando's van woest lachende volwassenen. Dat gelach en dat trieste koor doen me altijd denken aan de foto's van nazi-soldaten tijdens de oorlog, jouw oorlog, die joodse kinderen in de getto's naar hun dood drijven.'

'Da's de *Apocalypse*, Jerry.'

'Weet je het zeker?'

'Absoluut.'

'Dat moet ik natrekken. En vergeet je schoen niet.'

'Welke schoen?'

25

WASHINGTON

'Een godverdomde schoen?' hoonde Wintergreen tijdens de volgende etappe van Yossarians Rijnreis. 'Wat is er zo fantastisch aan een godverdomde schoen?'

'Het is godverdomme maar een idee,' zei Yossarian in een van de hotelsuites waarin het kantoor in Washington van M & M O & Co zetelde. Voor zichzelf en Melissa had hij zijn oog laten vallen op een nieuwer hotel van soortgelijke standing met een gezelliger slag clientèle en, herinnerde hij zich later met gelukzalige ijdelheid in het ziekenhuis, toen het eerste gevaar bezworen en het risico van hersenbeschadiging en verlamming geweken was, een ruimere keus aan eersteklas pornofilms in alle talen van de lidstaten van de VN. 'Jullie zeiden toch dat jullie een gebruiksprodukt zochten.'

'Maar een schoen! Er zijn godverdomme zeker al minstens vijftig fabrieken die godverdomde schoenen maken voor klerelijers als wij.'

'Maar geen enkele met een exclusieve concessie voor het maken van een officiële Amerikaanse regeringsschoen.'

'Heren of dames?' vroeg Milo zich hardop af.

'Allebei, nu er ook vrouwen sneuvelen.' Yossarian had er al spijt van dat hij erover begonnen was. 'Laat maar zitten. Ik heb niet zo'n verstand van zakendoen. Ik snap nog steeds niet hoe jullie het voor elkaar kregen om eieren te kópen voor zeven cent, ze te vérkopen voor vijf cent per stuk en toch winst te maken.'

'Dat doen we nog steeds,' pochte Wintergreen.

'Eieren bederven,' mijmerde Milo op meelijwekkende toon. 'En breken. Geef mij maar een schoen. Eugene, zoek het eens uit.'

'Geef mij het vliegtuig maar,' mopperde Wintergreen.

'Maar wat doen we na het vlegtuig? Stel je voor dat er geen oorlog meer dreigt?'

'Ik zoek het wel uit.'

'Ik ben niet zo gelukkig met het vliegtuig,' zei Yossarian.

'Overweeg je weer om op te stappen?' vroeg Wintergreen smalend. 'Je protesteert al jaren.'

Zijn spottende opmerking deed zeer, maar Yossarian liet zich niet op de kast jagen. 'Jullie Shhhhh! kan de wereld toch vernietigen, hè?'

'Je hebt rondgeneusd,' zei Wintergreen.

'Dat kan hij niet,' zei Milo bedrukt. 'Dat hebben we tijdens die vergadering min of meer toegegeven.'

'Maar die van Strangelove misschien wel?' zei Wintergreen pesterig.

'Dat is juist de reden,' zei Milo, 'waarom we met Macaroni Cook willen praten.'

Yossarian schudde opnieuw zijn hoofd. 'En ik ben ook niet zo gelukkig met de atoombom. Ik zie er niks meer in.'

'Wie wil je dan dat het contract krijgt,' betoogde Wintergreen. 'Die godverlaten Strangelove?'

'En we hebben geen bom,' zei Milo sussend. 'Alleen plannen voor een vliegtuig dat hem af zal werpen.'

'En ons vliegtuig wérkt niet.'

'Dat garanderen we, Yossarian. Zwart op wit desnoods. Onze vliegtuigen kunnen niet vliegen, onze projectielen gaan niet af. Als ze opstijgen storten ze neer, als ze afgaan missen ze hun doel. We falen nooit. Da's ons bedrijfsmotto.'

'Kijk maar op ons godverlaten briefpapier,' voegde Wintergreen eraan toe, en snierend ging hij verder: 'Maar vertel 's, meneer Yo-Yo. Wat zou jij willen dat het sterkste land ter wereld was als het Amerika niet was? Daar wringt 'm godverdomme de schoen, hè?'

'Inderdaad, daar wringt 'm de schoen,' moest Yossarian toegeven.

'En als wíj die godverdomde oorlogsprodukten niet slijten aan iedereen die er zin in heeft, doen die verrekte bondgenoten en concurrenten van ons 't wel. Dat kun jij niet tegenhouden. De tijd begint te dringen voor die verrekte idealen van je. Maar zeg 's, als je toch zo slim bent, wat zou jíj godverdomme doen als je de baas was?'

'Dat zou ik ook niet weten,' gaf Yossarian toe, razend op zichzelf omdat hij onder de tafel gepraat werd. Dat overkwam hem vroeger nooit. 'Maar ik weet wel dat ik een zuiver geweten wil hebben.'

'Ons geweten is zuiver,' antwoordden ze alle twee.

'Ik wil me niet schuldig voelen.'

'Da's gelul, Yossarian.'

'En ik wil niet verantwoordelijk zijn.'

'Da's ook gelul,' wierp Wintergreen tegen. 'Je kunt er niks tegen doen en je zult wel degelijk verantwoordelijk zijn. Als de wereld toch de lucht in gaat, wat maakt het dan godverdomme uit wie het doet?'

'Dat ik in ieder geval schone handen hou.'

Wintergreen lachte ruw. 'Die worden je zó afgerukt, die schone handen van je. En niemand die zelfs maar weet dat ze van jou zijn. Ze vinden je niet eens.'

'Krijg de tyfus, Wintergreen!' riep Yossarian woedend. 'Loop voor mijn part naar de hel met jóuw zuivere geweten!' Hij draaide zich kwaad om. 'Was je maar vast dood, dan deed je me in dit leven eindelijk eens een plezier.'

'Yossarian, Yossarian,' zei Milo berispend. 'Wees nou 's redelijk. Van één ding kun je bij mij op aan... ik lieg nooit.'

'Tenzij hij geen keus heeft,' vulde Wintergreen aan.

'Dat weet hij geloof ik wel, Eugene. Mijn zedelijk besef doet voor dat van niemand anders onder. Wat jij, Eugene?'

'Absoluut, meneer Minderbinder.'

'Milo,' vroeg Yossarian, 'heb jij ooit in je leven iets oneerlijks gedaan?'

'O nee,' antwoordde Milo meteen. 'Dat zou oneerlijk zijn. Dat heb ik nooit nodig gehad.'

'En daarom,' zei Wintergreen, 'willen we dat geheime onderhoud met Macaroni Cook om hem te vragen in het geheim met de president te spreken. We willen open kaart spelen.'

'Yossarian,' zei Milo, 'ben je bij ons niet in veel veiliger handen? Onze vliegtuigen komen nooit van de grond. Wij hebben de technologie. Bel Macaroni Cook alsjeblieft.'

'Organiseer een gesprek en hou op met dat gezeik. En wij willen erbij zijn.'

'Vertrouw je me niet?'

'Je zegt godverdomme zelf dat je geen verstand van zakendoen hebt.'

'Je kan er niet bij, zeg je.'

'Inderdaad, en waar ik godverdomme niet bij kan,' zei Yossarian, eieren voor zijn geld kiezend, 'is hoe kerels als jullie er wel verstand van kunnen hebben.'

Macaroni Cook voelde snel aan wat er van hem verwacht werd.

'Ik weet het, ik weet het,' begon hij meteen nadat iedereen aan elkaar was voorgesteld tegen Yossarian. 'Jij vindt mij een zak, hè?'

'Zelden,' antwoordde Yossarian onverstoorbaar, terwijl de andere twee toekeken. 'Macaroni, als de mensen aan de dauphin denken, denken ze niet noodzakelijkerwijs aan jou.'

'Touché,' lachte Macaroni. 'Maar ik zit hier nu eenmaal graag. Vraag me alsjeblieft niet waarom.' Wat zij wilden, ging hij verder, was duidelijk onoirbaar, ongepast, onvergeeflijk en mogelijk tegen de wet. 'Normaal gesproken, heren, doe ik wat lobbyen betreft voor niemand onder, maar we hebben tegenwoordig nieuwe ethische richtlijnen.'

'Wie is de minister van Ethiek?'

'Die positie houden ze open tot Porter Lovejoy uit de gevangenis komt.'

'Ik heb een idee,' zei Yossarian, met het idee dat het een goed idee was. 'Jij mag toch lezingen houden, niet?'

'Dat doe ik vaak, ja.'

'En daar een honorarium voor vragen?'

'Anders zou ik er niet aan beginnen.'

'Macaroni,' zei Yossarian. 'Ik geloof dat deze heren willen dat je een lezing houdt. Voor een gehoor van één man. Een lezing voor de president waarin je hem aanbeveelt dat de regering hun vliegtuig koopt. Zou je zo'n lezing met succes kunnen houden?'

'Zo'n lezing zou ik met veel succes kunnen houden.'

'Dan geven zij jou als tegenprestatie een honorarium.'

'Ja,' zei Milo. 'Dan geven wij u een honorarium.'

'En hoeveel zou dat bedragen?' vroeg Macaroni.

'Milo?' Yossarian deed een stapje achteruit, want van zakendoen had hij nog steeds niet veel verstand.

'Vierhonderd miljoen dollar,' zei Milo.

'Dat klinkt redelijk,' antwoordde Macaroni even nonchalant, alsof dit ook voor hem dagelijkse kost was. En meteen daarna, herinnerde Yossarian zich geamuseerd toen hij later in zijn ziekenhuisbed de tijd doodde, vroeg Macaroni of hij het misschien leuk zou vinden om een kijkje te gaan nemen in de Presidentiële Spelletjeskamer. De andere twee moesten haastig naar een dringende financiële bijeenkomst die ze niet wilden missen, aangezien Gaffney's grapje over een antitrustvergunning voor het huwelijk van M2 met Christina Maxon uiteindelijk toch geen grapje geweest bleek te zijn.

'En jij, Yossarian...' begon Milo toen ze afscheid namen.

'Voor dat fantastische idee van je...' viel Wintergreen hem joviaal bij.

'Daarom hebben we hem nodig, Eugene. Jij, Yossarian, krijgt bij wijze van erkentelijkheid vijfhonderdduizend dollar.'

Yossarian, die nergens op gerekend had, antwoordde onbewogen, maar met een ondertoon van teleurstelling, want hij leerde snel: 'Dat klinkt redelijk.'

Milo voelde zich aangesproken. 'Dat is iets meer dan één procent,' drong hij gevoelig aan.

'En iets minder dan de gebruikelijke anderhalf procent commissie, toch?' zei Yossarian. 'Maar het klinkt niettemin redelijk.'

'Yossarian,' zei Wintergreen vleiend, 'je bent bijna zeventig en in aardig goede doen. Kijk eens in je hart. Maakt het echt iets uit of je honderdduizend dollar meer of minder verdient, of zelfs dat de wereld in een kernexplosie ten onder gaat als jij er niet meer bent?'

Yossarian wierp een lange blik in zijn hart en gaf eerlijk antwoord. 'Nee. Maar jullie tweeën zijn net zo oud. Maakt het jullie echt iets uit of je miljoenen dollars meer verdient of niet?'

'Jazeker,' zei Milo met nadruk.

'Da's nou het grote verschil tussen ons.'

'Goed, we zijn alleen,' zei Macaroni. 'Jij vindt me een zak, nietwaar?'

'Niet erger dan mezelf,' zei Yossarian.

'Ben je helemaal?' riep Macaroni Cook. 'Jij komt niet eens in de buurt! Kijk eens waar ik zojuist mee ingestemd heb!'

'Het idee kwam van mij.'

'Maar ik ging ermee akkoord!' zei Macaroni. 'Yossarian, die negen andere adviseurs hier zijn veel grotere zakken dan jij ooit zult worden en zelfs die kunnen niet aan me tippen.'

'Ik geef het op,' zei Yossarian. 'Jij bent een grotere zak dan ik, Macaroni Cook.'

'Ik ben blij dat je het met me eens bent. Kom, dan laat ik je onze spelletjeskamer zien. Ik krijg die videospelletjes al aardig onder de knie, beter dan de rest. Hij is erg trots op me.'

Het gerenoveerde Ovale Kantoor van de landspresident was aanzienlijk verkleind om plaats te maken voor de ruime spelletjeskamer waartoe het nu toegang gaf. In het sterk gekrompen presidentiële kantoor, dat nog maar plaats bood aan drie of vier andere personen, werd minder en korter vergaderd, sneller samengezworen en ogenblikkelijk in de doofpot gestopt. Dat gaf de president meer tijd voor videospelletjes, die hij levensechter vond dan het leven zelf, had hij een keer in het openbaar verklaard.

Wat de hele verbouwing goedmaakte was het grotere, veel indrukwekkender tweede vertrek, dat inclusief uitbreiding ruim plaats bood aan de stoelen en tafels met veel soortige monitoren, joysticks en andere hulpstukken die als robots tegen alle muren stonden. Meteen naast de ingang lag het zogenaamde MINISTERIE VAN OORLOG, met spelletjes als *De Napoleontische Oorlog, De Slag bij Gettysburg, De Slag bij Bull Run, De Slag bij Antietam, Overwinning in Grenada, Overwinning in Vietnam, Overwinning in Panama Stad, Overwinning in Pearl Harbor* en *Terug naar de Golfoorlog*. Een vrolijk affiche toonde een glimmende marinier met blozende appelwangen boven de woorden:

KOM BINNEN EN BEPROEF JE GELUK
IEDEREEN KAN SPELEN
IEDEREEN KAN WINNEN

Yossarian zag spelletjes als *Indianapolis Speedway, Bommen Los, Ontduik de Dienstplicht* en *Lach je Dood*. Het pronkstuk van de Presidentiële Spelletjeskamer was een enorm videoscherm achter een tafel met de afmetingen van een biljart met daarop een doorzichtige reliëfkaart van de VS in felle tinten groen, zwart, blauw en roze en geelbruin. Op het kleurige model stonden elektrische treinen op kriskras door het land lopende spoorlijnen die elkaar kruisten en soms in onderaardse tunnels verdwenen. Toen Macaroni met een raadselachtig glimlachje op de knoppen drukte en de maquette oplichtte en de treinen begonnen te rijden, zag Yossarian een model van een geheel nieuwe, op zichzelf staande en zich over diverse onderaardse niveaus uitstrekkende miniatuurwereld van een enorme complexiteit, die van grens tot grens reikte, zich tot in Canada en Alaska vertakte en de Atlantische en Stille Oceaan met elkaar verbond. De naam van het spelletje stond erbij:

TRIAGE

Het eerste wat hij zag was een speldje in de vorm van een hut in de staat Florida met de woorden 'Federaal Citrusdepot'. Veel wagons op de ondergrondse spoorlijn vervoerden projectielen, andere waren beladen met kanonnen en pantservoertuigen. Ook zag hij diverse Rode-Kruistreinen. Hij bespeurde een 'Federaal Kaasdepot Wisconsin' aan de oever van Lake Michigan, niet ver van Kenosha. Hij zag nog een Citrusvruchtendepot in Californië en een nationaal ondergronds netwerk van pizzeria's en vleeskluizen. Er stond een kernreactor aan de rivier de Savannah, wat nieuw voor hem was. De stervormige stad Washington D.C. was vergroot in het blauw weergegeven, met een witte cirkel eromheen; hij zag speldjes voor het Witte Huis, de Brandende Boom Golfclub, het HSGPMZ, de nieuwe Nationale Militaire Begraafplaats, het nieuwste oorlogsmonument en het Walter Reedziekenhuis. En als hij wat hij zag juist interpreteerde, bevond zich onder elk van deze plaatsen een perfecte ondergrondse kopie van wat erboven stond. Rondom de hoofdstad gaven pijlen de richting aan van ondergrondse spoorlijnen naar plaatsen als de Greenbrier Sociëteit in West Virginia, de Livermore Laboratoria in Californië, de Geneeskundige Hoofdinspectie in Atlanta, de afdeling Brandwonden van het academisch ziekenhuis in New York en tot zijn stomme verbazing ook het busstation van de Havendienst in New York, zo dicht bij zijn eigen flatgebouw.

Tot zijn verbijstering zag hij dat het busstation in verbinding stond met het HSGPMZ als onderdeel van een plaatselijk netwerk met een ondergrondse tentakel die door het ondergrondse kanaal onder Canal Street en liep onder de wal nabij Wall Street doorschoof. In Brooklyn zag hij Coney Island gesymboliseerd door een roestbruin fallisch torentje, dat hij herkende als de parachutesprong van het vroegere Kermisland. En onder de grond, op wat zich liet aanzien als een duplicaat van een pretpark, Kermisland, stond een grijnzend gezicht getekend dat hij eveneens kende, met steil haar en een heleboel tanden.

'Maar de onze werken,' deelde Macaroni hem trots mee. 'Anders zou het niet op onze landkaart staan. Hij heeft dit hele model zo laten bouwen dat het even goed is als dat in het spelletje. Als er één woord is dat zijn levensfilosofie weergeeft, is het wel: wees paraat.'

'Dat zijn toch twee woorden?' verbeterde Yossarian hem.

'Dat dacht ik vroeger ook,' zei Macaroni, 'maar nu zie ik het net zoals hij. Met golf gaat het ook steeds beter.'

'Zijn er daarom zoveel golfclubs hier?'

'Hij laat ze ook in de video zetten om alles gelijk te trekken. Zie je dat daar, in Vermont?' Yossarian zag een Ben & Jerry Federaal IJsdepot. 'Dat vond hij pas geleden in het videospelletje en nu wil hij er ook een. Häagen-Dazs krijgen we ook. Als het ooit zover komt, moeten we misschien een hele tijd onder de grond zitten en hij wil zeker weten dat hij het niet zonder ijs en golf zal hoeven stellen. Dit blijft tussen ons, maar we hebben al een negen-hole baan klaar onder Brandende Boom, een exacte kopie van die boven de grond. Daar is hij op dit moment aan het oefenen om de baan te leren kennen en te zijner tijd beter beslagen ten ijs te komen dan de anderen.'

'Wie zullen die anderen zoal zijn?' vroeg Yossarian.

'De mensen die uitverkoren zijn om gered te worden,' antwoordde

Macaroni, 'en het land van onder de grond te besturen als er boven niet veel meer over is.'

'Juist ja. En wanneer gebeurt dat?'

'Zodra hij de doos openmaakt en op de knop drukt. Zie je dat paneel naast de video? Dat is De Voetbal.'

'Voetbal? Waar?'

'Zo noemt de pers hem... de knop die al onze vliegtuigen en defensieve-offensieve wapens lanceert zodra het bericht van de grote aanval doorkomt of voor het geval we besluiten zelf te beginnen. Op den duur is dat toch onvermijdelijk.'

'Dat weet ik. En wat dan?'

'Dan gaan we naar beneden, het lulletje en ik, tot de sintels afkoelen en de radioactiviteit is weggewaaid. Samen met de anderen die uitgekozen zijn om te overleven.'

'En wie bepaalt dat?'

'De Nationale Onpartijdige Triage-Commissie. Ze hebben natuurlijk zichzelf gekozen, en hun beste vrienden.'

'Wie zit er in die commissie?'

'Dat weet niemand zeker.'

'En wat gebeurt er met mij en míjn beste vrienden?'

'Jullie zijn natuurlijk geen van allen onmisbaar.'

'Dat klinkt redelijk,' zei Yossarian.

'Jammer genoeg hebben we op dit moment geen tijd voor een spelletje,' zei Macaroni. 'Je zou ons eens moeten zien knokken om zuiver water. Heb je zin om het even te proberen?'

'Ik heb afgesproken met een vriendin in het luchtvaartmuseum van het Smithsonian Institute.'

'En ik moet geschiedenisles geven als hij terugkomt van het golfen. Da's geen sinecure.'

'Leer je veel?' vroeg Yossarian plagend.

'We leren allebei veel,' zei Macaroni beledigd. 'Goed, Yossarian, de koop is gesloten, dus laten we spijkers met koppen slaan. Hoeveel moet je hebben?'

'Waarvoor?'

'Dat je me die lezing bezorgd hebt. Jij deelt vanzelfsprekend in de winst. Zeg maar hoeveel.'

'Macaroni,' zei Yossarian verwijtend, 'ik kan onmogelijk iets van je aannemen. Dat zou smeergeld zijn. Ik wil geen cent.'

'Dat klinkt redelijk,' zei Macaroni, en hij grinnikte. 'Zie je wel dat ik een veel grotere zak ben dan jij. Alweer een gunst die ik je verschuldigd ben.'

'Eén kun je me er meteen retourneren,' herinnerde Yossarian zich later dat hij ernstig vroeg. 'Ik wil dat de dominee vrij komt.'

Waarop Macaroni prompt serieus werd. 'Ik heb het geprobeerd. Er zijn complicaties. Ze weten niet wat ze met hem aan moeten en het spijt ze dat ze hem ooit gevonden hebben. Als ze hem veilig als radioactief afval konden dumpen, zouden ze dat waarschijnlijk meteen doen.'

Ze moesten afwachten wat er na het tritium nog meer uit de predikant zou komen. Plutonium zou rampzalig zijn. En het zou nog erger zijn als het lithium werd, het medicijn dat hem op eigen verzoek was voorgeschreven ter bestrijding van zijn depressie; als dat zich met het zware water verbond tot het lithium deuteride van de kernbom zou het een catastrofe kunnen worden.

26

YOSSARIAN

Macaroni Cook moest zijn geschiedenisles voorbereiden en Yossarian had zijn afspraakje in het museum. Een week later dacht Yossarian aan Macaroni toen hij het busstation naderde en de kleine stoomfluitjes van de hete-pindaventers hoorde. Het geluid deed hem denken aan de melodieuze frasen van het 'Woudgemurmel' in *Siegfried* en de strijd om de toverring van gestolen goud die geacht werd de drager macht over de hele wereld te geven, maar hem in werkelijkheid allerlei ellende bezorgde en hem uiteindelijk in het verderf stortte. Toen hij het busstation binnenging stelde hij zich de Germaanse held, die eigenlijk een IJslander was, voor bij het hol van de sluimerende draak die niemand lastig viel. 'Laat me slapen,' grauwde hij tegen die smiecht van een god-koning Wodan, die hem stiekem kwam waarschuwen dat de onverschrokken held op komst was in de treurige – en ijdele – hoop dat hij uit dankbaarheid de ring terug zou krijgen.

De jonge Siegfried moest zijn draak tegemoet treden en Yossarian de woeste honden onder de ingang van die mysterieuze onderwereld van kelders, die McBride nu officieel mocht onderzoeken.

Terugblikkend kon Yossarian zich niet herinneren enig idee gehad te hebben van wat hij later te weten kwam in het ziekenhuis, toen hij overwoog een komisch geschrift aan zijn Rijnreis te wijden: dat hij die zelfde dag dubbel zou gaan zien en in het ziekenhuis terecht zou komen met zijn Melissa-probleem en zijn half miljoen dollar en de verkoop van een schoen.

Gezien de Duitse hereniging en het feit dat het land wederom bol stond van neonazistisch geweld meende hij dat de *New Yorker* zo'n bijtende parodie met beide handen aan zou nemen, deze Rijnreis van een moderne Amerikaanse Assyrische bourgeois-Siegfried van vage Semitische afkomst... als dat geen tegenstrijdigheid was. Maar de onvermijdelijke bezoekers en dokters ontnamen hem al spoedig niet alleen alle tijd maar ook het optimistisch vuur dat van zo'n essentieel belang is voor het hervatten en in praktijk brengen van serieuze literaire ambities.

Yossarian had tegen wil en dank bewondering voor de bedreven manier waarop Melissa en zelfs Angela zich onzichtbaar maakten tijdens de bezoekjes van zijn kinderen of van Frances en Patrick Beach door onopvallend met de achtergrond te versmelten of geruisloos de kamer uit te glippen – en vervolgens heel toevallig uit het niets te komen opduiken. Zelfs de ouwe Sam Singer, de staartschutter, op bezoek bij zijn potige vriend met kanker, kwam langs, én die rare, opgefokte vriend van hen uit Californië met het ronde gezicht en de spleetogen, die Yossarian wilde spreken vanwege diens contacten met Milo. In de zoveelste mystieke flashback naar een andere verwrongen waanvoorstelling had hij zelfs een fantasmagorische ontmoeting met een gruwelijke, in gips en verband gewikkelde oorlogsgewonde die De Soldaat in het Wit werd genoemd.

Siegfried, forceerde hij een analogie, was er te voet op uit getrokken om Brünnhilde te wekken met een kus, na het stelen van de ring die de dode draak had verdiend door als een reus te werken aan de bouw van het eeuwige Walhalla voor de onsterfelijke goden, die al wisten dat hun dagen eveneens geteld waren.

Terwijl Yossárian een taxi nam en meer voor Melissa in gedachten had dan een kus toen hij haar vrijwel alleen aantrof in de halfdonkere filmzaal van het museum, waar doorlopend een film over de geschiedenis van de luchtvaart werd vertoond. Maar hij werd zo meegesleept door de flakkerende oude beelden van de eerste vliegeniers dat hij volledig vergat zich aan haar te vergrijpen. Het tentoongestelde vliegtuig van Lindbergh vervulde hem met meer verbazing dan de modernste ruimtecapsule. Melissa was ook eerbiedig gestemd. De vierentwintigjarige Lindbergh moest met een periscoop vliegen, omdat een extra brandstoftank zijn uitzicht belemmerde.

Na het avondeten was hij te moe van zijn reis en al te zeer bekend met hun erotische agenda om veel voor seks te voelen. Als ze dat kwetsend vond, wist ze het goed te verbergen. Ietwat verbaasd stelde hij vast dat ze nog eerder sliep dan hij.

Rustig mediterend op zijn rug kwam hij spontaan tot het aangename besluit haar te verrassen met een vijfde deel van de gouden buit van een half miljoen dollar van die dag, en zelf voor de belasting op te draaien. Een geschenk van honderdduizend dollar als appeltje voor de dorst voor een hardwerkende vrouw met amper zesduizend dollar op de bank zou, dacht hij, zeker even positief ontvangen worden als de vervanging van de twee amalgaamvullingen, de negenennegentig rode rozen in twee dagen tijd en de frivole zijden bovenlingerie van Saks aan Fifth Avenue, Victoria's Secret en Frederick's of Hollywood. Iemand als zij zou een douceurtje van honderdduizend dollar waarschijnlijk een heleboel geld vinden.

Ze droeg een rok in het vliegtuig, maar zijn verlangen om met haar te stoeien was bekoeld. Hij praatte meer over de bruiloft in het busstation. Zij wilde er ook bij zijn, hoewel hij haar nog niet had uitgenodigd. Zijn hoogste prioriteit was een paar avonden zonder elkaar.

Voor Yossarian taande de ontuchtige verwachting van geile verrassingen en ontdekkingen met Melissa evenredig met de toenemende waarschijnlijkheid ervan. Ze waren te snel op intieme voet geraakt – dat was eerder gebeurd; het gebeurde elke keer – en hij had al besloten dat ze elkaar minder vaak moesten zien. Behalve als ze op het punt stonden om naar bed te gaan of bespraken wat ze zouden gaan eten, hadden ze vaak weinig te doen. Ook dat was al eerder gebeurd; ook dat gebeurde elke keer. En nietsdoen was vaak verkwikkender als je het alleen deed. Hij zou voor geen geld meer met haar gaan dansen en hij ging liever dood dan naar de schouwburg. Na de honderdduizend dollar konden ze misschien beter als goede vrienden uit elkaar gaan. Hij had nog niets tegen haar gezegd over die altruïstische ingeving. Hij had wel vaker wereldvreemde ideeën.

En op dat moment sloeg het toe.

Opnieuw was er sprake van een Rijnreis-contrast.

Siegfried ging op jacht en kreeg een mes in zijn rug.

Yossarian wilde naar het busstation en werd gered in het ziekenhuis.

Hij had zijn aura en zijn kleine beroerte gehad en de eerstvolgende tien dagen waren hij en zijn verpleegster Melissa, die hij eigenlijk minder vaak had willen zien, elke ochtend en vrijwel de hele middag en meestal ook 's avonds onafscheidelijk, tot ze naar huis ging om bij te slapen om de volgende dag weer paraat te zijn en hem in leven te houden door erop toe te zien dat niemand van de medische staf fouten maakte. Pas op de voorlaatste dag ontdekte ze dat ze zwanger was. Hij twijfelde er geen moment aan dat het van hem was.

BOEK NEGEN

27

HET BUSSTATION

De honden waren natuurlijk een opname. McBride huppelde naar de treden, waardoor ze zich roerden en aanvielen, en toen hij naar de volgende wipte, hielden ze op. Bij de woeste aanval waren drie dieren betrokken, zeiden de officiële audiologen. Of één – bedacht Yossarian – met drie koppen.

'Michael er niet?' vroeg McBride toen ze begonnen.

'Komt Joan niet?'

Joan, een advocate van de Havendienst, was McBrides nieuwe vriendin. Het zou amusant zijn, had Yossarian al gedacht, als zíj hun bruiloft ook in het busstation vierden. Hij zag het al voor zich: de 'Bruiloftsmars' uit *Lohengrin* in het politiebureau en de bruidsstoet langs de wandketenen naar het gemproviseerde altaar in een tot kapel omgetoverde cel achterin. McBrides kraamcel was nu McMahons rustvertrek. De speelcel voor kinderen deed dienst als recreatiekamer tijdens de lunchpauze en als pleisterplaats voor agenten die geen haast hadden om naar huis te gaan. Er lagen niet alleen damborden en legpuzzels, maar ook seksblaadjes, en er stond een tv en een video om de in beslag genomen harde porno te draaien onder het genot van hasj die ze afpersten van de eveneens door iedereen geminachte drugshandelaren. McMahon moest een oogje dichtknijpen. McBride was weer gedesillusioneerd.

'Waar is je vriendin?' vroeg McBride verlegen.

'Ze moet werken, Larry. Ze is nog steeds verpleegster.'

'Ben je niet jaloers?' wilde McBride weten. 'Op mannelijke patiënten en dokters?'

'De hele tijd,' gaf Yossarian toe, denkend aan avonturiers als hijzelf en zijn vingers aan het kant van haar onderjurk. 'Wat weet je van die agenten?'

'Ze zijn beneden. Ze denken dat ik bij de CIA werk. Ik weet niet of ik ze wel kan vertrouwen. Volgens mij is dat andere geluid ook nep.'

'Welk ander geluid? De carrousel?'

'Welke carrousel? Ik heb het over de achtbaan.'

'Welke achtbaan? Larry, die trein is geen achtbaan. Wachten we op Tommy?'

'Die zegt dat hij er niks mee te maken heeft omdat het niet op zijn kaart staat. Hij rust weer uit.'

Yossarian vond McMahon op de verwachte plaats, in bed met de televisie aan in de cel achter in het bureau. Hoofdinspecteur Thomas McMahon was met vrijwel al zijn kantoorwerk naar de cel met het bed verhuisd, had een nieuwe telefoonlijn laten aanleggen en bracht een groot deel van zijn werkdag door met rusten. Op vrije dagen kwam hij ook. Zijn vrouw was dat jaar aan longemfyseem overleden, en met een sigaret in zijn mond en een glazen asbak op de armleuning van een schommelstoel vertelde hij iedereen dat alleen wonen geen pretje was. De schommelstoel had hij opgedaan in een liefdadigheidswinkel voor kankeronderzoek. Zijn ogen stonden groot in zijn smalle gezicht en zijn botten leken scherp en hoekig, want hij was mager geworden. Ongeveer een jaar geleden was hij tijdens het achtervolgen van een jongeman die ergens anders in het gebouw een moord had gepleegd zo buiten adem geraakt dat hij nóg niet bijgekomen was. McMahon had een hekel aan zijn werk gekregen, maar weigerde met pensioen te gaan, want als weduwnaar was het aanhouden van het beroep dat hij haatte zijn enige plezier in het leven.

'Ze zijn tegenwoordig met meer mensen dan wij,' mopperde McMahon voortdurend over zijn misdadigers. 'En dat is iets waar universitaire betweters als jullie nooit aan gedacht hebben met die grondwet van jullie. Wat is de vangst vandaag?' vroeg hij, vermoeid zijn boulevardblaadje opvouwend. Hij vond het leuk om over groteske nieuwe misdaden te lezen. Als werk had hij er zijn buik van vol.

'Een dronkelap op de grond, drie dealers op stoelen. Twee zwart, één blank.'

'Dan kan ik beter even een kijkje gaan nemen.' McMahon zette zijn voeten op de grond en stond op, hijgend van iets wat best algehele uitputting kon zijn. Yossarian vond hem inmiddels ook een geschikte kandidaat voor ouderdomsdepressie. 'We arresteren namelijk lang niet elke crimineel die we zouden kunnen pakken,' hief hij zijn vaste klaagzang weer aan. 'We hebben niet genoeg mensen om het papierwerk te doen, niet genoeg cellen om ze vast te houden, niet genoeg rechters om ze te veroordelen en niet genoeg gevangenissen om ze op te sluiten. Da's iets wat veel van jullie, die altijd over de politie en de rechtbanken klagen, niet willen inzien, zelfs die man van *Time* magazine niet, die ze gerold hadden en die zo'n heibel schopte.' McMahon grinnikte. 'We moesten hem opsluiten, terwijl de dieven die hem bestolen hadden, stonden te lachen.'

McMahon lachte ook en vertelde het verhaal van de gepensioneerde reclamemedewerker van *Time, The Weekly Newsmagazine,* die helemaal blut was omdat hij zijn kleingeld aan bedelaars had gegeven en vervolgens van zijn portefeuille werd beroofd. Hij had een belastingnummer, maar kon niet bewijzen dat het van hem was. Hij sloeg op tilt toen de politie geen aanstalten maakte om een van de gehaaide zakkenrollers te arresteren. De portefeuille was al kilometers ver weg, dus bewijsmateriaal was er niet. 'We zitten opgescheept met jullie waardeloze juridische systeem waarin iemand onschuldig is tot we het tegendeel kunnen bewijzen,' zei McMahon. 'Sinds wannéér, zouden wij wel eens willen weten! Daar knapte hij volgens mij op af. Daar stonden de dieven. Hier stond de politie. En hij wist dat hij er helemaal niks aan kon doen. En hij kon zich niet identificeren. Hij kon niet eens bewijzen wie hij was. Toen ging hij zo over de rooie en maakte hij zo'n heisa dat we hem aan de ketting moesten leggen tot hij uitgeraasd was en zijn kop hield. Hij zag wat hem wachtte in de cel, waar hij geen schijn van kans zou hebben. Net zo min als wij, of jij. En toen kon hij niet bewijzen wie hij was. Da's altijd lachen geblazen. Dan krijgen ze 't altijd flink benauwd. Niemand van de mensen die we opbelden was thuis. Hij kon niet eens aantonen hoe hij heette. Op het eind...' McMahon grinnikte weer... 'moest hij de naam opgeven van een vriend in Orange Valley die een grote oorlogsheld in de Tweede Wereldoorlog geweest bleek te zijn. Nog steeds een hele piet bij de reservisten, een grote jongen in de constructie-industrie, zei hij, en een gulle gever aan het Politiesteunfonds. Berkowitz of Rabinowitz, zoiets heette hij, met een hele babbel door de telefoon, net als jij toen je ons de eerste keer belde, Yossarian, alleen was wat deze man zei de waarheid en niet het soort gelul waar jij destijds mee aankwam. En toen had die Singer geen geld om thuis te komen en Larry hier gaf hem twintig dollar voor een taxi, weet je nog? En raad eens. Hij betaalde het terug, hè, Larry?'

'Per post. Ik vind dat jij ook mee moet, Tommy.'

'Ik heb geen zin meer om dingen te onderzoeken. En ik heb het niet begrepen op die kerels. Volgens mij zijn ze van de CIA.'

'Dat denken zij van jou ook.'

'Ik ga terug naar je verloskamer.' McMahon begon weer moe te worden. 'Om even uit te rusten tot een van je zwangere kinderen arriveert en ons een van je baby's geeft die ze weg wil gooien. Tot dusver hebben we nog niemand gezien.'

'Omdat ik er van jou niets over mag zeggen. Er zijn genoeg gevallen.'

'Ze zouden ons allebei opsluiten. Maar wat je wel voor me kunt doen, Larry, is daar beneden iets bedenken om die getikte bruiloft die hij geregeld heeft, af te zeggen. Voor dat soort gedoe ben ik te oud.'

'Ze hebben al iets merkwaardigs ontdekt,' meldde McBride aan Yossarian. 'Een lift in de kelder waar geen beweging in te krijgen is, en we weten ook niet waar hij vandaan komt.'

De stilte buiten het politiebureau werd opeens verscheurd door een luide vechtpartij.

'Godverdomme,' kreunde McMahon. 'Wat heb ik toch de pest aan iedereen. Zelfs aan mijn agenten. En aan die zwangere moeders van jou ook.'

Twee gespierde jongemannen, goede maatjes, hadden elkaar een gebroken neus en een gescheurde lip geslagen tijdens een ruzie over het geld dat ze hadden gestolen van een goede vriendin, een jong, zwart herone-hoertje met een witte huid, geel haar, aids, syfilis, tbc en diverse nieuwe soorten gonorroe.

'Er is nog iets raars aan die geheime agenten,' zei McBride op vertrouwelijke toon buiten het politiebureau. 'Ze vinden die borden heel normaal, net of ze ze al eerder gezien hebben.'

Ze staken de grote hal onder het Communicatie- en Controlecentrum over en Yossarian bedacht dat hij nu, terwijl hij met McBride door die open ruimte liep, te zien was op een van de zestig monitoren. Misschien zat Michael er weer samen met M2 naar te kijken. Als hij in zijn neus peuterde, zou iemand dat zien. Wie weet, dacht hij, stond de peenharige man in het crêpe pak met een beker ranja op een ander scherm, of anders de vieze man in de smerige regenjas en met de blauwe baret, die bekeken werd terwijl hij van boven op hen neerkeek.

'Ze staan nergens van te kijken,' mopperde McBride. 'Het enige wat ze interesseert als we de bruiloft plannen is of zij en hun vrouwen ook een uitnodiging krijgen.'

Het trappenhuis was praktisch leeg, de grond bijna opgeruimd. Maar er hing een zware stank, een ranzige zoogdierenlucht van ongewassen lijven en hun vruchtbare afvalstoffen.

McBride ging hem voor, op zijn tenen om de eenbenige vrouw heen lopend die opnieuw werd verkracht, niet ver van de dikke bruine vrouw met de gezwollen, op melanoom lijkende moedervlekken die haar rok en onderbroek weer had uitgetrokken en met een paar vochtige handdoeken haar oksels en achterste waste, en Yossarian realiseerde zich opnieuw dat er niet één ding was waarover hij met haar wilde praten, behalve misschien om te weten te komen of ze in hetzelfde vliegtuig naar Kenosha had gezeten als hij, wat uitgesloten en zeer wel mogelijk was.

Op de laatste trap zat de magere blonde vrouw in het gerafelde rode truitje nog steeds dromerig een scheur in een smerig wit bloesje te naaien. Beneden in een hoek lag al een verse hoop menselijke stront. McBride zei er niets van. Ze liepen onder de trap door naar de gehavende metalen kast met de loze achterkant en de verborgen deur. Achter elkaar kwamen ze het kleine halletje weer in, tegenover de militair groene branddeur met de waarschuwing:

NOODINGANG
Verboden Toegang
Op Overtreders Wordt Geschoten

'Daar zien ze niets vreemds aan,' mopperde McBride. Yossarian duwde met één vinger de zware deur open en stond weer op het piepkleine platformpje onder het dak van de tunnel, boven aan de steile trap. De brede ruimte beneden was wederom verlaten.

McBride maakte een paar danspasjes op de treden, waar de slapende honden wakker werden, die hij onverrichterzake terug naar de roerloze vergetelheid stuurde waar ze in hun stille holen huisden en hun tijdloze uren sleten. Trots grinnikend keek hij naar Yossarian.

'Waar zijn de luidsprekers?'

'Die zijn nog niet gevonden. We mogen nog niet ver naar binnen. Dit is alleen een veiligheidsinspectie voor de president.'

'Wat is dat voor water?'

'Welk water?'

'God nog aan toe, Larry, ík ben degene die geacht wordt doof te zijn. Ik hoor water, een godverlaten rivier, een kabbelend beekje.'

McBride haalde onverschillig zijn schouders op. 'Ik zal het nakijken. We inspecteren vandaag allebei de kanten. We kunnen er niet eens achter komen of het geheim dient te zijn of niet. Zelfs dat is geheim.'

Onder aan de asymmetrische ellips van de trap gekomen, zag Yossarian vaag schouders en broekomslagen en sjofele schoenen, één paar vuilzwart, één paar oranjebruin. Niets kon hem meer verbazen toen hij, op de laatste tree beland, de twee mannen zag wachten: een lange, sympathiek ogende peenharige man met een crêpe colbert en een donkere, gedrongen, ruw uitziende, ongeschoren figuur in een sjofele regenjas en een blauwe baret. De donkere man had een nors gezicht, een slappe sigaret tussen zijn vochtige lippen en allebei zijn handen diep in de zakken van zijn regenjas.

Het waren Bob en Raul. Bob was niet de agent uit Chicago, maar Raul leek als twee druppels water op de man buiten Yossarians flat en in zijn droom in Kenosha. Raul liet zijn natte sigaret tussen zijn lippen rollen alsof hij humeurig protesteerde tegen een rookverbod.

'Was u vorige week in Wisconsin?' kon Yossarian niet nalaten om hem onder het mom van vriendelijke onschuld te vragen. 'In de buurt van het motel vlak bij de luchthaven van Kenosha?'

De man schokte vrijblijvend met zijn schouders en keek naar McBride.

'We hebben de hele afgelopen week samen de plattegrond bestudeerd van dat catering-bedrijf dat jij ingehuurd hebt,' antwoordde McBride voor hem.

'En ik was in Chicago,' droeg de roodharige man die Bob heette ongevraagd bij. Hij duwde een reepje kauwgom in zijn mond en gooide het verfrommelde groene papiertje op de grond.

'Heb ik u in Chicago ontmoet?' Yossarian keek hem onderzoekend aan, zeker wetend dat hij hem nog nooit had gezien. 'Op het vliegveld daar?'

Bob antwoordde welwillend: 'Alsof u dat niet wist.'

De stem had Yossarian eerder gehoord. 'Weet ú het?'

'Natuurlijk,' zei de man. 'U maakt zeker een grapje, hè? Ik snap het alleen niet.'

'Yo-Yo, de man die de bruiloft regelt wil zés dansvloeren en zés muziektenten, waarvan één als reserve voor het geval de andere vijf onklaar raken en ik heb geen idee waar ze de ruimte vandaan moeten halen en ik snap verdomme niet eens wat het betekent.'

'Ik *aussi*,' zei Raul, alsof het hem een zorg was.

'Ik praat wel met hem,' zei Yossarian.

'En rond de vijfendertighonderd gasten! Da's driehonderdvijftig ronde tafels. En twee ton kaviaar. Yo-Yo, dat is tweeduizend kilo!'

'Mijn vrouw wil ook komen,' zei Bob. 'Ik zal een pistool in mijn enkelholster hebben, maar ik zou ook graag net doen of ik uitgenodigd was.'

'Laat maar aan mij over,' zei Yossarian.

'Aan *moi* ook,' zei Raul, zijn sigaret weggooiend.

'Zorg ik ook voor,' zei Yossarian. 'Maar vertel eens, wat gebeurt hier? Wat is dit hier voor iets?'

'Dat komen we juist uitzoeken,' zei Bob. 'We zullen met de schildwachten praten.'

'Jij kunt hier beter zo lang wachten, Yo-Yo.'

'Yo-Yo,' grinnikte Raul spottend. 'Mijn *Dieu*.'

Het drietal keek links de tunnel in en Yossarian zag een soldaat in rood veldtenue met een mitrailleur op schoot in een Wener stoeltje zitten, met achter hem een tweede gewapende soldaat met een groter wapen. Aan de andere kant, in de nevelige oranje verte waar de tunnel zich vernauwde tot zijn vluchtpunt, zag hij nóg twee bewegingloze soldaten in precies dezelfde opstelling, alsof het spiegelbeelden waren.

'Wat is daar?' Yossarian wees in de richting van de gang naar KELDERVERDIEPINGEN A-Z.

'Daar hebben we nog niets gevonden,' zei McBride. 'Ga maar even kijken, maar niet te ver.'

'Er is nóg iets *très* vreemd,' zei Raul, eindelijk glimlachend. Hij stampte een paar keer op de grond en begon zo hard mogelijk op en neer te springen. 'Valt je iets op, mijn *ami*? Geen geluid hier, *nous* kunnen geen geluid maken.'

Iedereen schuifelde, stampte en sprong om het uit te proberen. Yossarian ook. Het bleef stil. Bob klopte tegen de trapleuning – met het verwachte resultaat. Toen hij op de grond klopte, hoorden ze niets.

'Is dat niet raar?' vroeg Bob glimlachend. 'Net of we hier helemaal niet zijn.'

'Wat heb je in je zakken?' vroeg Yossarian plotseling aan Raul. 'Je haalt je handen er niet één keer uit, niet in mijn droom en niet op straat buiten mijn flat.'

'M'n lul en m'n ballen,' zei Raul meteen.

McBride geneerde zich. 'Zijn pistool en zijn penning.'

'Dat zijn *mon* lul en *mes* ballen,' schertste Raul, maar hij lachte niet.

'Nog één vraag, als je naar de bruiloft wilt komen,' zei Yossarian. 'Waarom hebben jullie daar schildwachten, om mensen binnen te houden of om ze buiten te houden?'

De drie anderen keken hem verbaasd aan.

'Het zijn onze schildwachten niet,' zei Bob.

'Dat willen we juist weten,' legde McBride uit.

'Kom op, laten we *allons*.'

Met onhoorbare voetstappen liepen ze verder.

Yossarian maakte ook geen geluid toen hij overstak.

Toen zag hij nog iets raars. Ze hadden geen schaduw, hij zelf ook niet toen hij als een spook of geruisloze slaapwandelaar naar de witbetegelde richel liep. Het opstapje was eveneens wit en de leuning was van een eiwitachtig porselein dat bijna versmolt met het zuivere wit van de achtergrond, en ook hier was geen schaduw. Nergens lag vuil en het licht werd door niet één zwevend stofdeeltje weerkaatst. Het was net alsof hij nergens was. Hij herinnerde zich het kauwgompapiertje en de vochtige sigaret. Hij keek om en overtuigde zich dat hij gelijk had. Inderdaad.

Het verfrommelde groene papiertje dat Bob had weggegooid was nergens te bekennen. De onaangestoken sigaret was ook verdwenen. Terwijl hij rondkeek kwam het groene papiertje vóór zijn ogen door de vloer naar boven en lag het weer op de grond. Daarna gleed het weg en verdween uit het zicht. Toen kwam de onaangestoken sigaret terug, bleef even liggen en verdween weer. Ze waren uit het niets opgedoken en weer in het niets opgegaan en hij kreeg het griezelige gevoel dat hij alleen maar aan iets hoefde te denken om het tot verbeelde werkelijkheid te maken – als hij zich Melissa halfnaakt in ivoorkleurig ondergoed voorstelde, zou ze daar gedienstig liggen, wat klopte – en zich alleen maar op iets anders hoefde te concentreren om het weer te laten verdwijnen. Ze verdween. Toen wist hij zeker dat hij vaag de typische amechtige orgelmuziek van een carrousel hoorde. McBride was niet in de buurt om dit te bevestigen. Misschien deed het McBride aan een achtbaan denken. En toen wist Yossarian het ook niet meer, want nu speelde het stoomorgel in vrolijk walstempo de sombere, indringende Treurmuziek voor Siegfried uit het hoogtepunt van *Die Götterdämmerung*, een klein uur vóór de verbranding van Brünnhilde en haar paard, de verwoesting van het Walhalla en de laatste ogenblikken van die grote goden die altijd ongelukkig, altijd vertwijfeld waren.

Yossarian stapte op de richel en liep onder de boog door, voorbij het gedenkteken dat bevestigde dat Kilroy hier was geweest. Met een steek in zijn hart voelde hij dat Kilroy, de onsterfelijke Kilroy, ook dood was, gesneuveld in Korea of Vietnam.

'Halt!'

Het bevel galmde onder de boog door. Iets verderop zat een nieuwe gewapende schildwacht voor een stalen draaihekje, eveneens op een Wener stoeltje.

Ook deze soldaat was gekleed in een vuurrood tenue, met een groene pet die aan een jockeycap deed denken. Op zijn teken kwam

Yossarian dichterbij. Hij voelde zich gewichtloos, onwerkelijk, irrelevant. De schildwacht was jong, met kortgeknipt blond haar, scherpe ogen en dunne lippen, en toen Yossarian dicht genoeg bij hem was om sproeten te zien, zag hij ook dat de soldaat het evenbeeld was van de jonge Arthur Schroeder, de telegrafist met wie hij bijna vijftig jaar geleden naar Europa was gevlogen.

'Wie is daar?'

'Majoor John Yossarian, b.d.,' zei Yossarian.

'Kan ik u van dienst zijn, majoor?'

'Ik wil naar binnen.'

'Dan moet u betalen.'

'Ik hoor bij hen.'

'U zult toch moeten betalen.'

'Hoeveel?'

'Vijftig cent.'

Yossarian gaf hem twee kwartjes en kreeg een dun blauw rond kartonnen kaartje aan een wit touwtje met een cirkelvormige rij cijfers op de rand. In hulpvaardige gebarentaal deed de schildwacht voor dat hij het touwtje over zijn hoofd moest doen, zodat het kaartje op zjn borst hing. De naam boven het biesje op zijn borstzak luidde A. Schroeder.

'Er is een lift, majoor, als u meteen naar beneden wilt.'

'Wat is daar beneden?'

'Dat hoort u te weten, majoor.'

'Heet je Schroeder?'

'Jawel, majoor. Arthur Schroeder.'

'Da's verdomd raar.' De soldaat zei niets toen Yossarian hem onderzoekend aankeek. 'Ben je ooit bij de luchtmacht geweest?'

'Nee, majoor.'

'Hoe oud ben je, Schroeder?'

'Honderdzeven.'

'Da's een mooie leeftijd. Hoe lang ben je al hier?'

'Sinds 1900.'

'Hmmmmm. Was je zeventien toen je in dienst ging?'

'Inderdaad, majoor. De tijd van de Spaans-Amerikaanse oorlog.'

'Dat is allemaal gelogen, nietwaar?'

'Jawel, majoor.'

'Fijn dat je deze keer de waarheid spreekt.'

'Ik spreek altijd de waarheid, majoor.'

'Is dat ook gelogen?'

'Jawel, majoor. Ik lieg altijd.'

'Dat kan niet waar zijn dan, wel soms? Kom je uit Kreta?'

'Nee, majoor, ik kom uit Athens in Georgia. Ik heb op school gezeten in Ithaca in New York en nu woon ik in Carthage in Illinois.'

'Echt waar?'

'Ja, majoor. Ik kan niet liegen.'

'Je komt uit Kreta, nietwaar? Ken je de paradox van de Kretenzer die zegt dat Kretenzers altijd liegen? Je kunt hem dus onmogelijk geloven, nietwaar? Ik wil naar binnen.'

'U hebt een kaartje.' De schildwacht knipte een gaatje in het midden en nog een in een nummer. Het nummer stond voor de Menselijke Biljarttafel.

'Mag ik daar niet in?'

'U bent er al in geweest, majoor,' zei de schildwacht die Schroeder heette. 'Die dingen in die galerij daar zijn gealuminiseerde metaaldetectors. Verdovende middelen of explosieven zijn niet toegestaan. Pas op voor het lawaai en het felle licht.'

Yossarian liep door het draaihekje en het hekwerk van zilverkleurige metaaldetectors bij de ingang van de hal. Ineens viel de verlichting uit. Meteen daarna floepten verblindend witte schijnwerpers aan, zo fel dat hij bijna een stapje terug deed. Hij zag dat hij in een felverlichte zaal met lachspiegels stond. Een luid gebulder, net het knallen van een NMR-apparaat, maakte hem bijna doof. En hij zag dat de grotesk blinkende spiegels aan muren en plafond zijn spiegelbeeld op allerlei manieren vervormden, alsof hij van glanzend kwikzilver was en vanuit iedere invalshoek een andere vloeibare vorm had. Lichaamsdelen werden vergroot en uitgerekt alsof ze apart bestudeerd moesten worden; zijn reflecties zwollen op tot gigantische proporties. In één spiegel zag hij zijn hoofd en nek uitgerekt tot een dun blokje Yossarian, terwijl zijn romp en benen kort en gezwollen waren. In de spiegel ernaast leek zijn lichaam een monsterachtig grote bal en was zijn hoofd gekrompen tot de afmetingen van een druif, een puist met haar en een minuscuul gezichtje met samengeplette trekken en een grijnslach. Hij voelde dat hij op het punt stond om te lachen, en die onverwachte ontdekking werkte nog meer op zijn lachspieren. Elke spiegel toonde andere misvormingen, elke lens had een andere afwijking. Zijn ware gedaante, zijn objectieve uiterlijk, had geen absolute geldigheid meer. Hij begon zich af te vragen hoe hij er werkelijk uitzag. En toen begon de grond onder zijn voeten te bewegen.

De vloer schokte heen en weer. Hij paste zich soepel aan, want hij herinnerde zich de jolige trucjes van George C. Tilyou in zijn vroegere Kermisland. Dit was er een van. Het oorverdovende gebulder was opgehouden. De hitte van de lampen was intens. Het doordringendst was een oogverblindend, zuiver wit licht boven zijn rechteroog, geflankeerd door een ander, even heet, dat als een vuurbaak zijn linkeroog schroeide. Hij kon ze niet vinden. Als hij zich omdraaide, volgden ze zijn blik en bleven op dezelfde plaats, en opnieuw voelde hij de vloer onder zijn voeten tot leven komen, anders ditmaal, een scharende beweging waarbij de rechter- en de linkerhelft in tegenovergestelde richting langs elkaar heen schoven in het snelle, staccato tempo van een regelmatige hartslag. Ook hierop kon hij zich moeiteloos voortbewegen. De lichten werden indigo en grote delen van zijn lichaam leken zwart. Toen werden ze rood en werd hij weer flets en kleurloos. Het licht werd weer normaal en hij kreeg het bijna te kwaad bij het zien van het walgelijke beeld van zichzelf als dakloze – afstotelijk, smerig en verloederd. In een andere spiegel onderging hij een misselijkmakende metamorfose tot een gedrochtelijk insekt in een broos bruin pantser; toen was hij Raul, en Bob, en met een nieuwe schok van afkeer zag hij zichzelf weerspiegeld als de slonzige, slordige, plompe oudere vrouw met de dikke kin en het ruwe gezicht die hem schaduwde in de rode Toyota, en toen veranderde hij weer tot hij eruitzag zoals hij er altijd meende te hebben uitgezien. Hij haastte zich verder, maar werd aan het eind opgewacht door een laatste spiegel die hem als een gigantisch glazen obstakel de weg versperde. Hierin was hij nog steeds zichzelf, maar het gezicht van het hoofd op zijn schouders was dat van een glimlachende jongeman die hem hoopvol, onschuldig, naïef en uitdagend aankeek. Hij zag zichzelf toen hij nog geen dertig was, vol geloof in de toekomst, een optimist, niet minder knap en onsterfelijk dan de heerlijkste godheid die ooit bestaan had – maar nu niet meer. Zijn haar was kort, zwart en golvend en hij was nog in het stadium van zijn leven waarin hij zelfvoldaan de brutale verwachting koesterde dat alles mogelijk was.

Zonder aarzeling maakte hij gebruik van zijn snelheid om met een grote stap recht in de spiegel te lopen, dwars door die illusie van zichzelf als frisse jongeman met beginnend buikje heen, en kwam er aan de andere kant weer uit als een witharige, bijna zeventigjarige volwassene op het ruime terrein van een pretpark dat zich in een grote vlakke halve cirkel voor zijn blik ontrolde. Hij hoorde een carrousel. Hij hoorde een achtbaan.

Hij hoorde de hoge gillen van plezier en gespeelde paniek van een groep mannen en vrouwen die verderop in een platte schuit een hoge natte helling afgleden en met een grote plons in een poel belandden. Vlak voor hem draaide traag de volmaakte cirkel van een magisch vat, het Vat van Plezier, nummer 1 op zijn blauw-met-witte kaartje. De opstaande hoepels van de rechts om zijn as roterende ton hadden de frambozenrode kleur van snoep en de zoete siroop in de cafetaria's, terwijl het hemelsblauw van de rand bezaaid was met talloze witte sterren en gele kometen, met hier en daar een glimlachend rozerood schijfje maan. Hij liep er nonchalant doorheen, zich concentrerend op een denkbeeldige lijn tegen de draairichting, en belandde aan de andere kant in een gesprek tussen de overleden auteur Truman Capote en een man wiens naam hem deed opkijken.

'Faust,' herhaalde de onbekende.

'Dokter Faust?' vroeg Yossarian gretig.

'Nee, Irving Faust,' zei de man, eveneens een romancier. 'Goede recensies maar geen enkele bestseller. Dit is William Saroyan. Ik wed dat die naam je niet eens iets zegt.'

'Natuurlijk wel,' zei Yossarian op zijn tenen getrapt. 'Ik heb *De tijd van je leven* gezien. Ik heb *De jonge waaghals aan de vliegende trapeze* en *Veertigduizend Assyriërs* gelezen. Dát herinner ik me zeker.'

'Ze zijn geen van alle meer te krijgen,' treurde William Saroyan. 'Zelfs niet in bibliotheken.'

'Ik probeerde vroeger net zo te schrijven als u,' biechtte Yossarian op. 'Daar kwam ik niet ver mee.'

'Je miste mijn verbeeldingsvermogen.'

'Míjn stijl proberen ze ook na te doen,' zei Ernest Hemingway. Ze hadden alle twee een snor. 'Maar daar komen ze ook niet ver mee. Zin in een partijtje knokken?'

'Ik heb nooit zin in knokken.'

'Hem proberen ze ook te imiteren,' zei Ernest Hemingway, en hij wees op William Faulkner, die in diep stilzwijgen gehuld in een overvol hoekje zware drinkers zat. Faulkner had ook een snor. Hetzelfde gold voor Eugene O'Neill, Tennessee Williams and James Joyce, niet ver van de afdeling van schrijvers met tot depressie en zenuwinstortingen leidende oudedagsproblemen, waarin Henry James samen met Joseph Conrad zwijgend toekeek hoe Charles Dickens zich een plaatsje zocht in de dichtbevolkte zelfmoordenaarszone, waar Jerzy Kosinski probeerde Virginia Woolf te versieren, naast Arthur Koestler en Sylvia Plath. In een straal bruin zonlicht op paars zand zag hij Gustav Aschenbach op een strandstoel zitten en herkende het boek op zijn schoot als zijn eigen pocketuitgave van *De dood in Venetië en zeven andere verhalen*. Aschenbach wenkte hem.

Yossarian voegde hem in gedachten 'Val dood!', een opgestoken middelvinger en een ander obsceen gebaar toe en haastte zich verder langs de Zweep, de Krakeling en de Draaikolk. Toen hij opkeek, zag hij dat hij bespied werd door een bloed ophoestende Kafka in de donkere nis onder het dichte raam boven een gesloten steegje met de naam WANHOOPSPAD, waarachter Marcel Proust al zijn bewegingen gadesloeg. Hij kwam bij een door ijzeren steigers omgeven berg met hoog oprijzende rails en zag de naam DRAKERAVIJN.

'Verrek,' jubelde McBride, die nergens te bekennen was. 'Er is echt een achtbaan!'

De volgende attractie was de draaiende carrousel, barok, rijk versierd, vol spiegels, met beschilderde panelen in antieke witte profielen, afgewisseld met rechtopstaande ovale lijsten met spiegelglas op de zijkant en de kroonlijst. De opgewekte wals op het stoomorgel was inderdaad de Treurmuziek voor Siegfried, en in een van de in schreeuwende kleuren, door zwanen voortgetrokken schuitjes zat een bejaarde Duitse ambtenaar met een piekhelm op zijn hoofd, een borst vol onderscheidingen en de majestueuze houding van een keizer of monarch.

Yossarian zag de roeiboot eerder dan het water, het houten vaartuig met rijen van twee, drie en vier passagiers, dat in het smalle, door mensenhanden gemaakte kanaal voorbijdreef. Hij stond bij de Tunnel der Liefde, waarvan de ingang werd bewaakt door een man in een rood jasje en een groene jockeycap met een draagbare telefoon en een kniptang. Hij had peenhaar en een melkwitte huid en droeg een groene rugzak. Felgekleurde reclameborden met lavendelblauwe en bruingele plaatjes lokten mensen naar het fabelachtige wassenbeeldenmuseum in de Tunnel der Liefde, met als voornaamste attractie levensgrote wassenbeelden van de terechtgestelde ontvoerder van baby Lindbergh, Bruno Hauptman, en Marilyn Monroe naakt in bed, beide tot in de kleinste bijzonderheden wederopgewekt tot een levensechte dood. Het fabelachtige wassenbeeldenmuseum heette HET EILAND DER DODEN. Op het voorste bankje van de platte schuit die uit de donkere opening van de tunnel opdook en naar het inktzwarte gat van de volgende dreef, zag hij Abraham Lincoln met een stijve cilinderhoed op zijn hoofd roerloos naast de gezichtsloze Engel des Doods zitten – hand in hand leek het wel. Op hetzelfde bankje zag hij zijn gewonde telegrafist Howard Snowden. Naast elkaar op het tweede bankje in dezelfde boot zaten burgemeester Fiorello H. La Guardia en president Franklin Delano Roosevelt. De burgemeester droeg een zwierig soort cowboyhoed met opgerolde rand, FDR had een gekreukte vilthoed op en zwaaide met een sigarettepijpje, en alle twee glimlachten ze breed, alsof ze levend de voorpagina van een oude krant sierden. En op het bankje achter La Guardia en Roosevelt zag hij zijn moeder en vader, en vervolgens oom Sam en tante Ida, oom Max en tante Hannah, en toen zijn broer Lee, en hij wist dat ook hij zou sterven. Met een schok realiseerde hij zich dat al zijn vrienden en kennissen van vroeger van de ene dag op de andere oud waren geworden – niet een dagje ouder, niet van middelbare leeftijd, maar *oud*! De grote sterren van zijn tijd waren uit het firmament verdwenen en de gevierde romanciers en dichters van zijn generatie telden niet meer mee. RCA en *Time* en zelfs IBM en General Motors hadden nog maar weinig te betekenen, en Western Union was ter ziele. De goden begonnen weer oud te worden en het werd opnieuw tijd voor een radicale ingreep. Iedereen moet ooit dood, had Teemer tijdens hun laatste onderhoud verklaard. 'Iedereen!' had hij met onkarakteristieke emotionaliteit herhaald.

Yossarian haastte zich voorbij de Tunnel der Liefde met de levensechte wassenbeelden op het Eiland der Doden. Hij stak een witte voetbrug met rococo reling over en was weer in Napels in 1945, achter de onverstoorbare oude soldaat Schweik en de jonge Krautheimer die zijn naam had veranderd in Josef Kaa, in een rij die even buiten de inmiddels verdwenen Miniatuurspoorweg van L.A. Thompson aan Surf Avenue, voorbij het verdwenen Kermisland, stond te wachten om aan boord te gaan van een stoomschip dat hen terug zou brengen naar Amerika.

'Nog steeds hier?'

'Wat is er met je gebeurd?'

'Ik ben hier ook weer terug. Wat is er met jou gebeurd?'

'Ik ben Schweik.'

'Dat weet ik. De goede soldaat?'

'Goed? Dat weet ik niet.'

'Ik dacht dat ik nu de oudste zou zijn,' zei Yossarian.

'Ik ben ouder.'

'Dat weet ik. Ik ben Yossarian.'

'Dat weet ik. Jij hebt een keer de benen naar Zweden genomen, niet?'

'Erg ver kwam ik niet. Ik haalde Rome niet eens.'

'Ben je daar niet ontsnapt? Op een klein geel vlot?'

'Dat gebeurt alleen in de film. Hoe heet je?'

'Josef Kaa. Dat had ik toch al gezegd. Hoezo?'

'Ik kan tegenwoordig moeilijk namen onthouden. Hoezo?'

'Omdat iemand leugens over me verspreid heeft.'

'Misschien wachten we daarom nog steeds,' zei Schweik.

'Waarom ga je niet terug naar Tsjechoslowakije?'

'Waarom zou ik?' zei Schweik, 'als ik ook naar Amerika kan? Waarom ga jij niet naar Tsjechoslowakije?'

'Wat ga je in Amerika doen?'

'Honden fokken. Iets makkelijks. In Amerika heeft iedereen toch het eeuwige leven?'

'Niet echt,' zei Yossarian.

'Zal ik het naar mijn zin hebben in Amerika?'

'Als je geld verdient en denkt dat je rijk bent.'

'Zijn de mensen aardig?'

'Als je geld verdient en zij denken dat je rijk bent.'

'Waar blijft die boot, godverdomme?' kankerde Kaa. 'We kunnen hier niet eeuwig blijven wachten.'

'Toch wel,' zei Schweik.

'Daar komt-ie!' riep Kaa.

Ze hoorden het ratelen van ouderwetse wielen op ouderwetse ijzeren rails en een rijtje rood en lichtgoud geschilderde achtbaanwagentjes kwam in zicht en koerste naar het eind van de rit in L.A. Thompsons Miniatuurspoorweg. Maar in plaats van af te remmen en te stoppen, zoals iedereen verwachtte, reden de wagentjes door en begon de rit opnieuw, en terwijl Kaa dit bevend van teleurstelling en woede aanzag, keek Yossarian naar de passagiers. Opnieuw herkende hij Abraham Lincoln vooraan. Hij zag La Guardia en FDR, zijn moeder en zijn vader, zijn ooms en tantes en broer. En hij zag iedereen dubbel, de Engel des Doods en Snowden de telegrafist ook, hij zag iedereen twee keer.

Wankelend draaide hij zich om en rende terug, verbijsterd en paniekerig hulp zoekend bij soldaat Schroeder, die beweerde dat hij honderdzeven was. Maar hij vond alleen de twee McBrides en Bob en Raul, die samen met z'n vieren waren. McBride merkte op dat Yossarian raar deed, dat hij strompelde en scheef liep en met een onvaste hand steun zocht.

'Ja, ik voel me inderdaad raar,' gaf Yossarian toe. 'Mag ik alsjeblieft je arm vasthouden?'

'Hoeveel vingers steek ik op?'

'Twee.'

'En nu?'

'Tien.'

'En nu?'

'Twintig.'

'Je ziet dubbel.'
'Ik begin alles weer twee keer te zien.'
'Heb je hulp nodig?'
'Ja.'
'Hé, jongens, help eens een handje. Van hen ook?'
'Tuurlijk.'

28

ZIEKENHUIS

'Snijden maar,' zei de hersenchirurg in deze laatste etappe van zijn Rijnreis.

'Snij jij maar,' zei zijn assistent.

'Geen gesnij,' zei Yossarian.

'Kijk nou 's wie zich er ook mee wil bemoeien.'

'Zullen we?'

'Waarom niet?'

'Ik heb dit nog nooit gedaan.'

'Dat zei mijn vriendin ook altijd. Waar is de hamer?'

'Geen hamers,' zei Yossarian.

'Is het de bedoeling dat dit doorgaat terwijl wij proberen ons te concentreren?'

'Geef hier die hamer.'

'Leg neer die hamer,' beval Patrick Beach.

'Hoeveel vingers steek ik op?' vroeg Leon Shumacher.

'Een.'

'En nu?' vroeg Dennis Teemer.

'Nog steeds één. Dezelfde.'

'Hij maakt een grapje, heren,' zei gewezen actrice Frances Rolphe, geboren Frances Rosenbaum en uitgegroeid tot de milde Frances Beach, met een gezicht waar de leeftijd opnieuw van af te lezen was. 'Zien jullie dat niet?'

'We hebben hem helemaal beter gemaakt!'

'Ik wil eet,' zei Yossarian.

'Als ik u was zou ik die dosis halveren, dokter,' instrueerde Melissa McIntosh. 'Halcion maakt hem wakker en van Xanax wordt hij nerveus. Prozac maakt hem depressief.'

'Ze kent je verdomd goed, hè?' grinnikte Leon Shumacher, toen

Yossarian zijn eet had gekregen.

'We kennen elkaar.'

'Wie is die rondborstige blonde vriendin van haar?'

'Angela Pijper.'

'Hi-hi. Zoiets hoopte ik al. Hoe laat komt ze?'

'Na haar werk en voor het eten en misschien brengt ze haar vriendje de aannemer weer mee. Het is mogelijk dat mijn kinderen ook komen. Ik ben buiten gevaar, dus misschien willen ze afscheid komen nemen.'

'Die zoon van je,' begon Leon Shumacher.

'Die op Wall Street?'

'Het enige wat hij wilde weten was hoe het af zou lopen. Hij heeft waarschijnlijk weinig zin om hier nog meer tijd in te steken, als je toch niet doodgaat. Dat zei ik namelijk.'

'En ik zei van wel, uiteraard,' zei Dennis Teemer, in pyjama en ochtendjas, kwieker als patiënt dan als dokter. Zijn vrouw schaamde zich dood en vertelde vrienden dat hij een experiment uitvoerde. "Om hoeveel?" zei hij. Hij wou wedden.'

'Vind je het nog steeds natuurlijk?' protesteerde Yossarian.

'Dat we doodgaan?'

'Dat ík doodga.'

Teemer wendde zijn blik af. 'Volgens mij is dat natuurlijk, ja.'

'En dat jij doodgaat?'

'Oók ja. Ik geloof in het leven.'

'Dat kan ik niet volgen.'

'Alles wat leeft teert op andere levende dingen, Yossarian. Jij en ik nemen een heleboel. Dat moeten we een keer teruggeven.'

'Volgens een elementaire-deeltjesnatuurkundige die ik in een vliegtuig naar Kenosha tegenkwam is alles wat leeft opgebouwd uit niet-levende stoffen.'

'Dat weet ik ook.'

'Moet je daar niet om lachen? Moet je er niet om huilen? Raak je niet in de war?'

'In den beginne was het woord,' zei Teemer. 'En het woord was gen. Nu is het woord "quark". Ik ben bioloog, geen fysicus, en ik kan geen "quark" zeggen. Die horen thuis in een onzichtbare wereld van levenloze stof. Dus ik hou me bij het gen.'

'Wat is dan het verschil tussen een levend gen en een dode quark?'

'Een gen is niet levend en een quark is niet dood.'

'Ik kan ook geen "quark" zeggen zonder dat ik moet lachen.'

'Quark.'

'Quark.'

'Quark, quark.'

'Jij wint,' zei Yossarian. 'Maar is er verschil tussen ons en dat?'

'Een levende cel bevat niets levends, maar toch pompt het hart en praat de tong. Dat weten we allebei.'

'En een microbe? En een paddestoel?'

'Die hebben geen ziel?' waagde de chirurg-in-opleiding een gokje.

'De ziel bestaat niet,' zei de chirurg die hem opleidde. 'Dat zijn allemaal verzinsels.'

'Dat zouden ze de kardinaal moeten vertellen.'

'De kardinaal weet er alles van.'

'Zelfs een gedachte, deze gedachte, is gewoon elektrische activiteit tussen moleculen.'

'Maar er zijn goede gedachten en slechte gedachten,' kwam Shumacher scherp tussenbeide, 'dus we kunnen beter doorwerken. Heb je ooit samen met ene Richard Nixon in de marine gezeten? Hij meent dat hij je kent.'

'Nee.'

'Hij wil met je komen praten.'

'Ik ben nooit in de marine geweest. Hou hem alsjeblieft uit de buurt.'

'Heb je ooit altsaxofoon gespeeld in een jazzband?'

'Nee.'

'Heb je ooit samen met De Soldaat in het Wit in dienst gezeten?'

'Twee keer. Hoezo?'

'Die ligt een paar verdiepingen lager. Hij wil dat je bij hem langs komt om gedag te zeggen.'

'Als hij dat allemaal kon zeggen is het niet dezelfde.'

'Heb je ooit samen met ene Rabinowitz in het leger gezeten?' vroeg Dennis Teemer. 'Lewis Rabinowitz?'

Yossarian schudde zijn hoofd. 'Niet dat ik weet.'

'Dan heb ik het misschien mis. En met Sammy Singer, zijn vriend? Uit Coney Island, zegt hij. Hij denkt dat je hem misschien nog kent uit de oorlog.'

'Sam Singer?' Yossarian ging overeind zitten. 'Natuurlijk, de staartschutter. Een onderdeurtje, klein, mager, met zwart golvend haar.'

Teemer glimlachte. 'Hij loopt tegen de zeventig.'

'Is hij ook ziek?'

'Hij is bevriend met die patiënt van me.'

'Zeg maar dat hij langskomt.'

'Hoe gaat 't, kapitein?' Singer greep de hand die Yossarian hem toestak. Yossarian zag een man die zichtbaar opgetogen was om hem te zien, vrij klein en met lichtbruine, ietwat uitpuilende ogen in een vriendelijk gezicht. Singer grinnikte. 'Leuk om je weer te zien. Ik vroeg me wel eens af hoe het met je was. Volgens de dokter gaat alles goed met je.'

'Je bent dik geworden, Sam,' zei Yossarian goedgehumeurd, 'en een beetje rimpelig en misschien zelfs een beetje langer. Vroeger was je mager. En je bent erg grijs geworden en je haar wordt dun. Net als het mijne. Vertel eens, Sam. Wat is er de afgelopen vijftig jaar gebeurd? Nog iets nieuws?'

'Zeg maar Sammy.'

'Zeg maar Yo-Yo.'

'Ik maak 't geloof ik prima. Ik heb pas mijn vrouw verloren. Kanker van de eierstok. Ik voel me nogal losgeslagen.'

'Ik ben gescheiden, twee keer. Ik ben ook losgeslagen. Waarschijnlijk kan ik het best hertrouwen. Daar ben ik het meest aan gewend. Kinderen?'

'Eén dochter in Atlanta,' zei Sammy Singer, 'en één in Houston. Kleinkinderen ook, die al studeren. Ik dring me niet graag op. Ik heb een logeerkamer voor als ze bij mij komen. Ik heb lang voor *Time* gewerkt... maar niet als verslaggever,' voegde Singer er nadrukkelijk aan toe. 'Het ging prima, ik verdiende goed en toen stuurden ze me met pensioen om jong bloed binnen te halen om het tijdschrift drijvende te houden.'

'En nou is het praktisch ten onder,' zei Yossarian. 'Ik werk nu in dat ouwe Time-Life Gebouw in het Rockefeller Center. Bij de ijsbaan. Ben je daar ooit geweest?'

'Jazeker,' zei Singer, opbeurend bij de herinnering. 'Die ijsbaan herinner ik me. Daar heb ik veel plezier gehad.'

'Nu is het 't nieuwe M & M Gebouw, van M & M Ondernemingen en Milo Minderbinder. Herinner je je de ouwe Milo nog?'

'Allicht.' Sammy Singer lachte. 'Die gaf ons goed te eten, die Milo Minderbinder.'

'Inderdaad. Een betere levensstandaard dan ik daarvoor gewend was.'

'Ik ook. Ik hoorde later dat hij de piloot was die indertijd ons squadron bombardeerde.'

'Klopt. Een van de tegenstrijdigheden van het kapitalisme. 't Is gek, Singer. De laatste keer dat ik in het ziekenhuis lag, kwam ineens de dominee opduiken om me een bezoekje te brengen.'

'Welke dominee?'

'De onze. Dominee Tappman.'

'Natuurlijk. Die ken ik. Heel stille vent, hè? Kreeg bijna een zenuwinstorting toen Dobbs en Huple met hun vliegtuigen boven La Spezia in botsing kwamen en Nately en al die anderen sneuvelden. Zeggen die namen je nog iets?'

'Jazeker. Herinner je je Orr nog? In mijn tent?'

'Ja hoor. Ze zeggen dat hij op een vlot naar Zweden ontsnapte toen-ie na Avignon neerstortte, vlak voordat we weer naar huis gingen.'

'Ik ben hem een keer in Kentucky tegengekomen,' zei Yossarian. 'Hij was klusjesman in een supermarkt en we hadden elkaar weinig meer te vertellen.'

'Ik zat in dat vliegtuig dat neerstortte na die eerste vlucht naar Avignon. Hij zorgde overal voor. Weet je nog? Ik zat op het vlot met die koepelschutter, sergeant Knight.'

'Bill Knight, ik weet het nog goed. Hij heeft me er alles van verteld.'

'Dat was de tijd dat geen enkel zwemvest opgeblazen kon worden omdat Milo alle koolzuurcilinders gejat had om sorbets voor jullie officiersmess te maken. Hij had er alleen een briefje voor in de plaats gelegd. Dat was me er eentje, die Milo,' grinnikte Singer.

'Jullie kregen ook iedere zondag sorbets, niet?'

'Jazeker. En toen jatte hij de morfine uit de EHBO-doos, zei je, op die tweede vlucht naar Avignon. Was dat echt waar?'

'Ja hoor. Daar had hij ook een briefje voor teruggelegd.'

'Verkocht hij drugs in die tijd?'

'Geen idee. Maar eieren in ieder geval wel, verse eieren. Weet je nog?'

'Natuurlijk. Ik kan nog steeds niet geloven dat eieren zo lekker kunnen zijn. Ik eet ze vaak.'

'Ik voortaan ook,' besloot Yossarian. 'Je hebt me zojuist overtuigd, Sammy Singer. Het heeft geen enkele zin om me nog zorgen te maken over cholesterol, dacht je wel?'

'Herinner je je Snowden nog, Howard Snowden? Op die vlucht naar Avignon?'

'Sam, alsof ik die ooit zou kunnen vergeten. Ik zou alle morfine in de EHBO-doos gebruikt hebben toen ik hem zo zag creperen. Die verrekte Milo. Ik heb hem wel duizend keer vervloekt. Nou werk ik voor hem.'

'Ging ik echt zo vaak van mijn stokje?'

'Daar leek het wel op, ja.'

'Nu lijkt het komisch. Jij helemaal onder het bloed. En alles wat erna kwam. En dat gekreun. Hij had het koud, hè?'

'Ja, dat zei-ie. En dat hij doodging. Ik zat helemaal ónder, Sammy, en later kwam mijn eigen braaksel er ook nog bij.'

'En toen trok je je kleren uit en verdomde het een hele tijd om ze weer aan te trekken.'

'Ik had genoeg van uniformen.'

'Ik zag je bij de begrafenis in die boom zitten, naakt.'

'Ik had gympies aan.'

'En ik zag Milo naar je toe klimmen met zijn katoen in chocolade. We keken allemaal tegen je op in die tijd, Yossarian. Ik eigenlijk nog steeds.'

'Waarom, Sam?' vroeg Yossarian. Hij aarzelde. 'Ik ben maar een nep-Assyriër.'

Singer begreep hem. 'Nee, da's de reden niet. Niet sinds ons afzwaaien. Ik ben er bevriend geraakt met gojim. Jij bijvoorbeeld, toen die vent in South Carolina me in elkaar wou tremmen. En niet sinds mijn tijd bij *Time*, waar ik veel plezier heb gehad en met protestanten omging en mijn eerste zware drinkers leerde kennen.'

'We zijn geassimileerd. Da's ook het prettige van dit land. Als we net doen als zij is er kans dat ze ons binnenlaten.'

'Mijn vrouw heb ik er ook leren kennen. Weet je, Yossarian?'

'Yo-Yo?'

Sam Singer schudde zijn hoofd. 'Na ons trouwen heb ik mijn vrouw niet één keer bedrogen, gewoon nooit behoefte aan gehad, en iedereen vond dat raar, ook andere vrouwen. Maar zij niet. Misschien dachten ze dat ik homo was. Haar eerste man was het tegenovergestelde. Een ladykiller, wat ík eigenlijk altijd had willen worden. Tegen de tijd dat ze mij leerde kennen had ze liever mijn soort.'

'Je mist haar.'

'Ik mis haar.'

'Ik mis het getrouwd zijn. Ik ben er niet aan gewend om alleen te wonen.'

'Ik kan er ook niet aan wennen. Ik kan amper koken.'

'Ik kook ook niet.'

Sam Singer dacht na. 'Nee, ik geloof dat ik eerst tegen je opkeek omdat je officier was en in die tijd had ik het onnozele idee dat alle officieren iets meer in hun mars hadden dan wij. Anders waren wij ook wel officier geweest. Jij wekte de indruk dat je altijd precies wist wat je deed, behalve toen je de koers kwijtraakte en bijna met iedereen de Atlantische Oceaan overstak. Zelfs toen je allerlei idiote streken uithaalde leek het toch alsof er meer lijn in zat dan bij de meeste andere mensen. Naakt in de rij gaan staan om die onderscheiding in ontvangst te nemen. Gewéldig vonden we dat.'

'Ik deed het helemaal niet om stoer te doen, Sam. Meestal verkeerde ik in een staat van totale paniek. Soms werd ik 's morgens wakker en moest ik eerst raden waar ik was en dan wat ik daar in godsnaam uitvoerde. Dat overkomt me nog steeds.'

'Gelul,' zei Singer grinnikend. 'En het leek ook alsof je voortdurend van bil ging en wij niet.'

'Niet zo vaak als je denkt,' zei Yossarian lachend. 'Meestal was het alleen droogneuken.'

'Maar Yossarian, toen je zei dat je niet meer wilde vliegen, duimden we allemaal voor je. Wij hadden er onze zeventig missies ook opzitten en zaten in hetzelfde schuitje.'

'Waarom zeiden jullie dan niks om me te helpen?'

'Daar hadden we het lef niet voor. Meteen nadat ze jou opgepakt hadden, stuurden ze ons naar huis, dus wij hadden mazzel. Ik weigerde ook, maar toen mochten we inmiddels zelf kiezen. Wat hebben ze met jou gedaan?'

'Ook naar huis gestuurd. Ze dreigden me dood te schieten, me in de gevangenis te gooien, ze zeiden dat ze me het leven onmogelijk zouden maken. Ze bevorderden me tot majoor en stuurden me naar huis. Ze wilden geen rotzooi.'

'Bijna iedereen bewonderde je. En je schijnt nog steeds te weten wat je doet.'

'Wie zegt dat? Ik weet helemaal niks zeker meer.'

'Kom op, Yo-Yo. Op onze verdieping zeggen ze dat je zelfs iets hebt met een van de verpleegsters.'

Het scheelde weinig of Yossarian bloosde van trots. 'Is dat helemaal tot daar doorgedrongen?'

'We horen het zelfs van de dokter van mijn vriend,' ging Singer opgewekt verder. 'Destijds op Pianosa was je geloof ik ook dik bevriend met een verpleegster, nietwaar?'

'Even. Later liet ze me vallen als een baksteen. Het probleem van meisjes overdonderen, Sammy, is dat je aan het overdonderen moet blijven. Zo werkt het niet in de liefde.'

'Dat weet ik ook wel,' zei Singer. 'Maar jij en een paar anderen zaten samen met haar op het strand, in uniform, op de dag dat Kid Sampson verongelukte. Kid Sampson herinner je je toch nog wel, hè?'

'God nog aan toe, allicht,' zei Yossarian. 'Dacht je dat ik Kid

Sampson ooit zou kunnen vergeten? Of McWatt, die in het vliegtuig zat dat hem aan flarden scheurde. Met McWatt vloog ik altijd het liefst.'

'Ik ook. Die zat aan de stuurknuppel destijds boven Ferrara, toen we terug moesten en Kraft het loodje legde, en die bommenrichter, Pinkard heette hij, ook.'

'Zat jij ook in dat vliegtuig?'

'Jazeker. En ook toen Hungry Joe vergat aan de noodhendel te trekken om het landingsgestel uit te klappen. Waar hij later nog een medaille voor kreeg ook.'

'Ik kreeg een medaille voor die vlucht naar Ferrara.'

'Het is moeilijk te geloven dat het allemaal echt gebeurd is.'

'Dat denk ik ook wel eens,' zei Yossarian. 'Het is moeilijk te geloven dat ik zo met me heb laten sollen.'

'Precíes. Het is gek, die Snowden...' Singer aarzelde. 'Ik kende hem helemaal niet zo goed.'

'Mij was hij zelfs nooit opgevallen.'

'Maar nu heb ik het gevoel dat hij een van mijn beste vrienden was.'

'Ik ook.'

'En ik heb ook het gevoel,' ging Sammy door, 'dat hij me een grote dienst bewezen heeft. Het is bijna schunnig dat ik het zo zeg. Het klinkt immoreel. Maar het gaf me een verhaal, een dramatische gebeurtenis waar ik over kon vertellen en waardoor ik kon onthouden dat de oorlog echt was. Veel mensen geloven het maar half, voor mijn kinderen en kleinkinderen is het oud nieuws, oninteressant.'

'Breng je vriend maar een keer mee, dan zal ik hem vertellen dat het waar is. Waarvoor is-ie hier?'

'Een of ander onderzoek.'

'Door Teemer?' Yossarian schudde zijn hoofd.

'Ze kennen elkaar al jaren,' zei Singer.

'Ja ja,' zei Yossarian sarcastisch, duidelijk niet overtuigd. 'Tja, Sammy, en wat gaat er nou met ons gebeuren? Navigeren heb ik nooit gekund, maar ik schijn tegenwoordig iets meer gevoel voor richting te hebben. Ik ken een heleboel vrouwen. Ik wil hertrouwen.'

'Ik ken er ook een paar, hoofdzakelijk ouwe vriendinnen.'

'Je moet pas trouwen als je het gevoel hebt dat er niks anders opzit. Als je er niet echt behoefte aan hebt, maak je er toch niks van.'

'Ik ga misschien meer reizen,' zei Singer. 'Mijn vrienden adviseren me om een wereldreis te maken. Ik heb een hoop kennissen overgehouden aan mijn tijd bij *Time*. Ik heb een goeie vriend in Australië die jaren geleden de zogenaamde ziekte van Guillain-Barré kreeg. Hij is ook niet meer een van de jongsten en kan niet goed meer vooruit op zijn krukken. Ik zou hem graag nog eens zien. En ook één die gepensioneerd is en in Engeland woont, en één in Hong Kong.'

'Als ik jou was zou ik geloof ik gaan. Het geeft je in ieder geval iets te doen. En de vriend die hier ligt? Die patint van Teemer?'

'Die kan binnenkort waarschijnlijk weer naar huis. Hij was krijgsgevangene in Dresden, samen met Kurt Vonnegut en ene Schweik. Kun je je voorstellen?'

'Ik heb in Napels een keer in de rij gestaan met een soldaat die Schweik heette en een andere figuur met de naam Josef Kaa. Ik had zelfs nog nooit van Dresden gehoord tot ik er in dat boek van Vonnegut over las. Stuur je vriend maar een keer naar boven. Ik zou graag willen dat hij over Vonnegut vertelde.'

'Hij kent hem niet.'

'Vraag toch maar of hij even langskomt als hij zin heeft. Ik ben hier nog het hele weekend. En, Sammy, wil je een gokje wagen? Denk je dat we elkaar buiten het ziekenhuis nog zullen zien?'

Singer keek hem verbaasd aan. 'Dat hangt van jou af, Yossarian. Ik heb de tijd.'

'Ik zal je telefoonnummer opschrijven als je me dat wilt geven. Misschien is het de moeite van het proberen waard. Ik zou graag nog eens met je over William Saroyan praten. Vroeger probeerde je net zulke verhalen te schrijven als hij.'

'Jij ook. Hoe ging het?'

'Ik ben er na een tijdje mee opgehouden.'

'Ik uiteindelijk ook. *The New Yorker* ooit geprobeerd?'

'Elke keer.'

'Ik ook.'

'Volgens Sammy heb je zijn leven een keer gered,' zei de potige man in kamerjas en zijn eigen pyjama, die zich vrolijk en luchthartig met een hese, zelfbewuste stem had voorgesteld als Rabinowitz. 'Vertel eens hoe dat in zijn werk ging.'

'Vraag hem de bijzonderheden maar. Was u in Dresden?'

'Die bijzonderheden geeft hij je wel.' De blik van Rabinowitz ging weer naar Angela. 'Jongedame, u lijkt op iemand die ik ooit ontmoet heb en ik weet niet meer waar. Ook zo'n beeldje. Hebben we elkaar ooit gesproken? Vroeger zag ik er jonger uit.'

'Ik weet het niet. Dit is mijn vriend Anthony.'

'Hallo, Anthony. Luister goed, Anthony. Ik maak geen geintje. Zorg dat je haar goed behandelt vanavond, want als ik hoor dat je dat niet doet, ga ik haar bloemen sturen en lig jij binnen de kortste keren buiten. Hè, schat? Welterusten, engel. Je zal je best vermaken. Anthony, ik heet Lew. Maak er iets leuks van.'

'Komt voor elkaar, Lew,' zei Anthony.

'Ik ben gepensioneerd, maar ik liefhebber nog wat in huizen en zit samen met mijn schoonzoon in de bouw. En jij?'

'Ook met pensioen,' zei Yossarian.

'Jij werkt voor Milo Minderbinder.'

'Parttime.'

'Een vriend van me wil hem graag spreken. Ik breng hem wel een keer mee. Ik ben hier vanwege mijn gewicht. Ik moet voorzichtig aan doen wegens een lichte hartkwaal en soms val ik te veel af. Daar laat ik voor alle zekerheid even naar kijken.'

'Door Dennis Teemer?'

'Ik ken Teemer al jaren. Dat knappe blondje mag er wezen. Ik weet zeker dat ik haar eerder gezien heb.'

'Dat zou je je zeker herinneren.'

'Daarom weet ik het ook.'

'Ziekte van Hodgkin,' zei Dennis Teemer in vertrouwen.

'Verrek,' zei Yossarian. 'Hij wil niet dat ik het weet.'

'Hij wil het niemand laten weten. Zelfs mij niet. En ik ken hem al bijna dertig jaar. Hij vestigt records.'

'Is hij altijd zo geweest? Hij houdt van flirten.'

'Jij ook. Met iedereen. Jij wil dat iedereen hier gek op je is. Maar hij doet het veel openlijker. Jij bent achterbaks.'

'En jij bent een sluwe vos die veel te veel weet.'

In Rabinowitz zag Yossarian een lange, openhartige, stevig gebouwde man die enorm was afgevallen. Hij was bijna kaal, had een grijzende blonde borstelsnor en was op een agressieve manier geïnteresseerd in Angela, een onverwoestbaar seksueel zelfvertrouwen uitstralend dat het hare aantastte en wegdrukte. Yossarian zag geamuseerd dat ze haar schouders liet zakken om haar boezem kleiner te laten lijken, haar handen in haar schoot legde om haar rok omlaag te houden en preuts haar benen onder haar stoel trok. Dit was het soort aanmatigende vrolijkheid waar ze niet van gediend was maar geen verweer tegen had.

'En het is niet eens een Italiaan,' mopperde Yossarian.

'Jij bent ook geen Italiaan en van jou vind ik het niet erg. Het probleem is dat ik hem inderdaad ergens van ken.'

'Aha, juffrouw Piper, ik geloof dat ik het weet,' zei Rabinowitz, haar met een glimlach diep in de ogen kijkend toen hij binnenslenterde en haar opnieuw zag. 'U doet me denken aan een schat van een vrouwtje met een fijn karakter dat ik een keer zag bij een aannemer in Brooklyn waar ik zaken mee deed, in de buurt van Sheepshead Bay. Een Italiaan, Benny Salmeri heette-ie, geloof ik. U hield van dansen.'

'O ja?' antwoordde Angela, hem met halfgeloken opgemaakte oogleden aankijkend. 'Ik heb inderdaad een aannemer met de naam Salmeri gekend. Ik weet niet of het dezelfde is.'

'Hebt u ooit samen met een verpleegster op kamers gewoond?'

'Dat doe ik nog steeds,' zei Angela, op iets luchtiger toon. 'De zuster die hier zojuist dienst had. Dat is mijn kamergenote, Melissa.'

'Dat lekkere stuk met dat goede karakter?'

'Ze zorgt voor onze vriend hier. Daarom ligt hij hier. Ze neukt met ouwe mannen en bezorgt ze een beroerte.'

'Ik wou dat je daarmee ophield,' sprak Yossarian haar licht verwijtend toe toen Rabinowitz weg was. 'Zo verpest je haar vooruitzichten. En het was geen beroerte. Voor mij verpest je het ook.'

'En ik wou,' zei Angela, 'dat je niet tegen iedereen zei dat ik Pijper heet.'

Ze keken elkaar aan. 'Tegen wie heb ik dat dan gezegd?'

'Michael. Die dokter Shumacher.' Angela wachtte met opzet. 'Patrick.'

'Patrick?' Yossarian was verbaasd en voelde het antwoord al aankomen voordat hij de vraag gesteld had. 'Welke Patrick? Patrick Beach?'

'Patrick Beach.'

'O, verrek,' zei hij toen hij over de eerste schok heen was. 'Heb je iets met Patrick?'

'Hij komt wel eens langs.'

'Dan zul je zeker een keer moeten gaan zeilen en je waarschijnlijk te pletter vervelen.'

'Ik ben al een keer mee geweest. Ik vond het best leuk.'

'Heeft hij geen prostaatproblemen?'

'Op het moment niet. Daarom komt hij niet meer hier. Jij kende zijn vrouw goed. Denk je dat die het weet?'

'Frances Beach weet alles, Angela.'

'Ik ben niet de eerste.'

'Dat weet ze ook. Ik weet zeker dat ze het raadt.'

'Er is inderdaad iets gaande tussen jou en die verpleegster, niet?' raadde Frances Beach. 'Ik zou bijna zweren dat ik een ranzig coïtusluchtje ruik.'

'Ben ik zo doorzichtig?'

'Nee schat, zíj. Ze waakt veel meer over je dan nodig is. En ze doet veel te formeel als er andere mensen bij zijn. Zeg maar dat ze niet zo opgefokt moet zijn.'

'Daar wordt ze alleen maar opgefokter van.'

'En jij hebt nog steeds last van die vulgaire dwangneuroses die ik nooit heb kunnen uitstaan. Als een vrouw zich omdraait, kijk je altijd naar haar achterste, in haar geval met zichtbare trots. Als een trotse bezitter. Naar dat van mij kijk je ook, niet?'

'Ik weet dat ik die gewoonte heb. Ik ben er niet trots op. Jij ziet er nog steeds prima uit.'

'Dat denk je alleen maar omdat je herinneringen hebt.'

'Ik heb nog een andere kwalijke gewoonte, die je waarschijnlijk nog erger zult vinden.'

'Ik wed dat ik kan raden wat. Omdat ik het ook doe.'

'Raad dan eens.'

'Ben jij ook in dat rottige stadium dat je niet meer serieus in iemands gezicht kunt kijken zonder je meteen af te vragen hoe het eruit zal zien als het oud is?'

'Hoe wíst je dat in godsnaam?'

'We hebben altijd veel te veel op elkaar geleken.'

'Ik doe het alleen bij vrouwen. Dan bekoelt mijn belangstelling sneller.'

'Ik doe het bij ieder gezicht dat de eerste tekenen vertoont. Het is slecht en morbide. Deze zal lang meegaan.'

'Ze heet Melissa.'

'Zeg maar tegen haar dat ze me gerust kan vertrouwen. Ondanks het feit dat ik rijk en sjiek ben en als actrice nogal de reputatie had een rotwijf te zijn. Ik ben blij dat je niet om het geld trouwt.'

'Wie heeft het over trouwen?'

'Dat ik met Patrick trouwde was om veel meer dan alleen het geld. Ik geloof dat ik je mijn zegen kan geven. Hoewel ik niet erg kapot ben van haar vriendin. Patrick is weer aan het zeilen geslagen. En hij vliegt geloof ik ook. Wat kun je me nog meer vertellen?'

'Helemaal niks.'

'En ik wil het niet weten, ook deze keer niet. Ik zou me zo schuldig voelen als hij dacht dat ik iets in de gaten had. Ik wil niemands geluk in de weg staan, dat van hem al helemaal niet. Ik wou dat ik er ook iets rijker mee bedeeld werd, maar je weet hoe oud ik ben. De enige uitzondering is misschien onze vriendin Olivia. Ze komt niet vaak, maar als ze komt stik je zowat in haar bloemenluchtje. En ze ondertekent al haar kaartjes met "Olivia Maxon", alsof het een Britse titel is en je zeker duizend andere Olivia's kent. Je catering-bedrijf is fantastisch.'

'Het is van Milo Minderbinder.'

'Twee ton kaviaar is goddelijk.'

'Eén zou waarschijnlijk genoeg zijn geweest, maar iets extra is nooit weg. Die bruiloft in het busstation is geloof ik het leukste verzetje dat me wacht.'

'Voor mij is het zowat het enige. O, John, Johnny, wat heb je me aangedaan,' zei Frances Beach. 'Toen ik hoorde dat je ziek was, voelde ik me voor het eerst oud. Jij komt er wel weer bovenop, maar ik nooit meer. Er is iemand aan de deur. Kom binnen, alstublieft. Bent u Melissa?'

'Ja. Er is nog een andere bezoeker.'

'En ik heet Rabinowitz, mevrouw, Lewis Rabinowitz, Lew voor vrienden. Ik heb iemand bij me... de heer Marvin Winkler, zojuist uit Californië aangekomen om u met een bezoekje te vereren. Waar is onze beeldschone vriendin Angela? Marvin, dit is meneer Yossarian. Hij regelt het wel voor je. Winkler wil Milo Minderbinder spreken over een geweldig nieuw produkt. Ik zei dat we dat varkentje wel konden wassen.'

'Wat voor produkt?'

'Kunnen we onder vier ogen praten, Lew?'

'En, Winkler?'

'Kijk eens naar mijn voet.' Winkler was een man van gemiddelde lengte en een opmerkelijke omvang. 'Valt u niets op?'

'Waar moet ik naar kijken?'

'Naar mijn schoen.'

'Wat is daarmee?'

'Een spitstechnologisch produkt.'

Yossarian keek hem onderzoekend aan. 'Bent u serieus?'

'Over zaken maak ik geen grapjes,' antwoordde Winkler, die erg moeizaam praatte, alsof elk woord een zucht van pijn was. Zijn stem was zacht en keelachtig en vrijwel onhoorbaar. 'Daar loop ik al te lang voor mee. Na de oorlog knipte en verkocht ik surplusvoorraad legerfilm. Ik heb ook in het bakkerswezen gezeten en stond bekend om de beste geglazuurde doughnuts in New York, Connecticut en New Jersey. Alles wat ik deed was spitstechnologisch. Ik maak nog steeds chocolade paashazen.'

'Bent u ooit ergens mee doorgebroken?'

'Ik heb een paar keer net de bus gemist. Catering heb ik ook gedaan. Ik bezorgde ontbijt aan huis, zodat mensen 's zondags langer in bed konden blijven. Mijn bedrijf heette Greenacre Farms in Coney Island en ik was de enige eigenaar.'

'En ik was een klant. En ik heb nooit iets gekregen.'

'Het was niet rendabel.'

'Ik zal iets voor u regelen, Winkler. Ik kan er geen weerstand aan bieden. Maar u moet me wel vertellen waar het over gaat.'

'Ik zal geen woord weglaten.'

'We hebben inderdaad aan een schoen gedacht,' gaf Milo toe, 'om aan de regering te verkopen.'

'Dan zult u de mijne zeker willen hebben. Die is zuiver spitstechnologisch.'

'En wat betekent dat precies?'

'Dat er geen betere te krijgen is, meneer Minderbinder, en dat de regering geen enkele goede reden heeft om een andere te nemen. Kijk nog eens naar mijn voet. Ziet u die souplesse? In het begin ziet de schoen er nieuw uit; als hij ouder wordt, ziet hij er, zodra u hem ingelopen hebt, gebruikt uit. Als hij dof wordt kunt u hem poetsen, of laten zoals hij is, of indien gewenst afgetrapt dragen. U kunt hem lichter of donkerder maken of zelfs een ander kleurtje geven.'

'Maar wat doet hij?'

'Hij past over de voet en houdt de sok schoon en droog. Hij beschermt de huid van de voetzool tegen schrammen en verwondingen en andere pijnlijke ongemakken die het lopen met zich meebrengt. U kunt erin lopen, rennen, en er zelfs gewoon in zitten praten, zoals ik nu.'

'En hij verandert van kleur. Hoe zei u dat dat in zijn werk ging?'

'Door simpelweg dit magische plastic kaartje in de gleuf in de hiel te steken, ze naar de schoenmaker te brengen en hem te vragen ze te verven in de kleur van uw keuze.'

'Dat is inderdaad wonderbaarlijk.'

'Dat dacht ik ook.'

'Kunt u ze ook maken voor vrouwen?'

'Een voet is een voet, meneer Minderbinder.'

'Eén ding ontgaat me nog, meneer Winkler. Wat doet uw schoen dat de mijne, die ik nu aanheb, niet kan?'

'Geld verdienen voor ons allebei, meneer Minderbinder. Mijn produkt is zuiver spitstechnologisch. Zie eens wat een verschil.'

'Ik begin het te begrijpen. Bent u erg rijk?'

'Ik heb een paar keer net de bus gemist. Maar geloof me, meneer Minderbinder, ik heb enige ervaring. U doet zaken met de ontwerper en fabrikant van de spitstechnologische chocolade paashaas.'

'Wat maakt de uwe zo anders?'

'Hij was van chocola. Hij kon worden verpakt, vervoerd, uitgestald en, let wel, geconsumeerd worden als snoep.'

'Geldt dat ook niet voor andere paashazen?'

'Maar de mijne was zuiver spitstechnologisch. Dat drukken we op elk doosje. De consument wilde geen tweederangs chocolade paashaas en onze regering wil geen tweederangs schoen.'

'Aha, aha,' zei Milo opfleurend. 'U hebt verstand van chocolade?'

'Ik weet alles wat ervan te weten valt.'

'Vertel eens. Wilt u dit even proeven?'

'Natuurlijk,' zei Winkler, terwijl hij de bonbon zichtbaar vergenoegd aannam. 'Wat is het?'

'Katoen met chocola. Wat vindt u ervan?'

Voorzichtig, alsof hij iets zeldzaams, breekbaars en weerzinwekkends in zijn mond had, nam Winkler de kleverige massa van zijn tong, terwijl hij geen seconde zijn glimlach verloor. 'Ik heb nog nooit zulke lekkere katoen met chocola geproefd. Zuiver spitstechnologisch.'

'Maar het wil helaas maar niet gaan lopen.'

'Dat begrijp ik niet. Heeft u er veel van?'

'Pakhuizen vol. Hebt u ideeën?'

'Dat is mijn sterkste kant. Ik zal iets bedenken terwijl u mijn schoen naar uw tussenpersoon in Washington stuurt.'

'Komt voor elkaar.'

'Dan geef ik u dit in overweging. Verwijder de chocola van de katoen. Weef de katoen in fijne stof voor overhemden en lakens. In deze tijd bouwen we door af te breken. U hebt samengevoegd. Vandaag de dag expanderen we door in te krimpen. De chocolade kunt u tegen een fantastische prijs aan mijn bedrijf verkopen voor het geld dat ik van u voor mijn schoen krijg.'

'Over hoeveel schoenen beschikt u?'

'Op het moment heb ik alleen het paar dat ik draag en één paar thuis in de kast. Maar zodra we een contract hebben en ik genoeg geld vooruitbetaald krijg om mijn produktiekosten te dekken, kan ik er miljoenen produceren. Ik hou van vooruitbetaling, meneer Minderbinder. Anders doe ik geen zaken.'

'Dat klinkt redelijk,' zei Milo Minderbinder. 'Zo werk ik ook. Helaas hebben we tegenwoordig een ministerie van Ethiek, maar daar zal onze advocaat de scepter zwaaien zodra hij uit de gevangenis komt. Intussen hebben we onze privé-bemiddelaars. U krijgt uw contract, meneer Winkler. Handel is handel.'

'Dank u, meneer Minderbinder. Kan ik u met Pasen een paashaas sturen? Ik kan u op de lijst zetten.'

'Graag. Stuur me maar meteen duizend dozijn.'

'En wie kan ik de rekening sturen?'

'Er is altijd iemand die betaalt. Voor niets gaat de zon op, dat begrijpen we allebei.'

'Waar de zon schijnt is de maan overbodig, meneer Minderbinder. Ik vertrek met goed nieuws.'

'Ik kom met goed nieuws,' riep Angela vrolijk, in een extatische jubelstemming de ziekenhuiskamer binnenstormend. 'Alleen is Melissa bang dat je kwaad zult zijn.'

'Ze heeft een nieuwe vrijer gevonden.'

'Nee, nog niet.'

'Ze is weer terug bij haar ouwe.'

'Uitgesloten. Ze is over tijd.'

'Waarvoor?'

'Met haar menstruatie. Ze denkt dat ze zwanger is.'

Melissa deelde hem opstandig mee dat ze het kind wilde houden en dat het wat kinderen krijgen betreft voor hen alle twee erg kort dag begon te worden.

'Maar hoe kan dat?' zei Yossarian klaaglijk aan het eind van zijn Rijnreis. 'Je zei dat je gesteriliseerd was.'

'Jij ook.'

'Ik maakte maar een grapje.'

'Dat kon ik niet weten. Ik maakte dus ook een grapje.'

'Ahem, ahem, mag ik even storen,' zei Winkler, toen hij zich niet langer kon bedwingen. 'We hebben zaken af te handelen. Yossarian, ik heb alles aan u te danken. Hoeveel geld wilt u daarvoor hebben?'

'Waarvoor?'

'Dat u dat gesprek geregeld heeft. Ik sta diep bij u in het krijt. Noem uw bedrag maar.'

'Ik wil geen cent.'

'Dat klinkt heel redelijk.'

29

MENEER TILYOU

Veilig weggekropen in zijn privé-hiernamaals schepte meneer George Tilyou, inmiddels al zo'n tweeëntachtig jaar dood, er behagen in zijn bezittingen te bekijken en de tijd te zien verstrijken, aangezien die toch niet verstreek. Het gouden zakhorloge in zijn vestzak, met de gouden ketting en de hanger van groene bloedsteen in de vorm van een tand droeg hij alleen voor de sier. Hij wond het nooit op.

Gebeurtenissen werden natuurlijk gescheiden door een bepaalde tijdsspanne, maar die te meten was zinloos. De ritten in zijn twee achtbanen, het Drakeravijn en de Tornado, of op de paarden van zijn Hindernisbaan, alle voortgedreven door de onveranderlijke grootheden zwaartekracht en wrijving, veranderden nooit, evenmin als het boottochtje door zijn Tunnel der Liefde. Als hij wilde kon hij het tempo van zijn El Dorado carrousel natuurlijk wijzigen, en de draaisnelheid van de schijven in de Zweep, de Rups, de Draaikolk en de Pretzel verhogen of verlagen. Hij had geen bijkomende kosten. Hier ging niets kapot. IJzer roestte niet, verf bladderde niet af. Nergens was een spoortje stof of afval te bekennen. Zijn overhemd met de puntboorden was altijd schoon. Zijn gele huis zag er nog even fris uit als vijftig jaar geleden, toen hij het eindelijk naar beneden haalde. Hout kon niet kromtrekken of rotten, ramen klemden niet, glas brak niet, waterleidingen drupten niet. Zijn boten waren nooit lek. Het was niet zozeer dat de tijd stilstond, hij bestond gewoon niet. Meneer Tilyou genoot van de blijvendheid, de eeuwige bestendigheid. Dit was een plek waar mensen niet ouder werden. Er zouden voortdurend nieuwe mensen bijkomen en hun aantal zou nooit verminderen. Het was de droom van iedere kermisexploitant?

Toen hij zijn huis eenmaal terug had, was er niets meer ter wereld dat hij begeerde maar ontbeerde. Hij bleef op de hoogte van de ontwikkelingen buiten door zijn fortuinlijke vriendschap met generaal Leslie Groves, die van tijd tot tijd aanwipte om een praatje te maken en te genieten van de attracties in het pretpark. De generaal kwam in zijn privé-trein die stopte op meneer Tilyou's wisselspoor. Generaal Groves bracht kranten en tijdschriften mee, die net als al het andere afval gewoon in lucht opgingen als meneer Tilyou de paar verhalen die eigenaardig genoeg waren om zijn aandacht waard te zijn, gelezen had. Precies om de drie maanden kwam ook ene meneer Gaffney, een sympathieke kennis van een andere soort, die werkzaam was als privé-detective, even beneden om nieuws te vergaren. Meneer Tilyou vertelde hem niet alles. Meneer Gaffney was uitzonderlijk beleefd en uitstekend gekleed, en meneer Tilyou verheugde zich al op het moment dat hij voorgoed zou blijven. Van tijd tot tijd bracht generaal Groves gasten mee van wie hij dacht dat meneer Tilyou er graag van tevoren kennis mee zou maken. Meneer Tilyou had mannen en vrouwen te over en geen speciale behoefte aan dominees, dus hij voelde zich verre van gekwetst toen hij vernam dat de legerpredikant waarover generaal Groves gesproken had, niet aan hem voorgesteld wilde worden. In het grootste vertrek van de twee treinwagons die het elegante kwartier van generaal Groves vormden kon meneer Tilyou, toen hij de bediening eenmaal onder de knie had, zich op een unieke manier vermaken door via elk willekeurig raam vrijwel elke plaats ter wereld te bekijken. Meestal wilde hij alleen New York zien, hoofdzakelijk de buurten in Brooklyn die hij als zijn oude werkterrein en begraafplaats beschouwde: de pretparken in Coney Island en het Greenwood-kerkhof in de buurt van Sunset Park in Brooklyn, waar hij in 1914 – tijdelijk, zoals hij nu zelfvoldaan kon beweren – begraven was.

Het perceel waar zijn huis gestaan had bleef braak liggen en werd 's zomers gebruikt als parkeerplaats door de bezoekers, die nu auto's hadden. Waar zijn rijkgeschakeerde wonderland triomfen had gevierd stonden nu obscuurdere bedrijven. Nergens waar hij keek zag hij iets nieuws onder de zon dat hij begeerde. Zijn gouden jaren waren voorbij. Hij zag corrosie en verval aan het einde van een tijdperk. Als Parijs Frankrijk was, zoals hij vroeger vaak beweerde, dan was Coney Island in de zomer zeer zeker niet meer de wereld, en hij feliciteerde zichzelf dat hij hem op tijd gesmeerd was.

Hij kon met kleuren spelen in de coupéramen van generaal Groves, kon de zon zwart maken en de maan bloedrood. Het moderne silhouet van grote wereldsteden sloot niet aan bij zijn gevoel voor verhoudingen en proporties. Hij zag hemelhoge gebouwen en gigantische commerciële ondernemingen die van niemand waren, wat hem verbijsterde en ontstelde. Mensen kochten aandelen die ze misschien nooit zouden zien en die niets met eigendom of invloed te maken hadden. Zelf had hij, uit overwegingen van schaal en verantwoordelijk (moreel) gedrag, altijd uitsluitend werk en geld gestoken in projecten die helemaal van hem waren, en dingen bezeten die hij kon zien en bekijken en persoonlijk wilde gebruiken met een voldoening en plezier waar anderen van konden genieten.

Hij was inmiddels rijker dan de arme meneer Rockefeller en de autocratische meneer Morgan, die hun kapitaal in legaten hadden gestoken en hun vertrouwen hadden gesteld in een welwillend Opperwezen aan het hoofd van een geordend universum, en die nu met de teleurstelling moesten zien te leven.

Meneer Tilyou had het hun van tevoren kunnen vertellen, en hij liet niet na hun dat tot in den treure te vertellen.

Meneer Tilyou zorgde ervoor altijd een blinkend nieuw dubbeltje bij de hand te hebben voor meneer Rockefeller, die, hoewel er geen dagen waren, vrijwel dagelijks kwam bedelen omdat hij vol spijt probeerde al die blinkend nieuwe dubbeltjes, weggeschonken in een misplaatste gooi naar de publieke genegenheid die hij bij nader inzien nooit nodig had gehad, terug te krijgen.

Meneer Morgan, met zijn borende blik en eeuwige woede, was er vast van overtuigd dat er een diabolische vergissing was gemaakt waarvan hij het onverdiende slachtoffer was. Met de regelmaat van een klok, hoewel er geen werkende klokken waren, informeerde hij op hoge toon of de lastbrieven van hogerhand om zijn situatie recht te zetten al aangekomen waren. Hij was het niet gewend om zo behandeld te worden, bitste hij vol wrokkige verbazing en halsstarrige stupiditeit als het antwoord negatief was. Hij wist zeker dat hij in de hemel hoorde te zijn. Hij had de Duivel er al op aangesproken, en Satan ook.

'Dacht u dat God zich kon vergissen?' voelde meneer Tilyou zich ten slotte gedwongen te vragen.

Hoewel er geen weken waren, ging er bijna een volle week voorbij voordat meneer Morgan hierop een antwoord had.

'Als God alles kan, kan hij zich ook vergissen.'

Meneer Morgan was ook openlijk verontwaardigd over zijn onaangestoken sigaar, want meneer Tilyou had een algemeen rookverbod ingesteld. Meneer Morgan had een stok kaarten die hij met niemand wilde delen, en hoewel er geen uren waren, bracht hij er vele door met patience spelen in een van de gondels op de fonkelende El Doradodraaimolen, die oorspronkelijk voor keizer Wilhelm II van Duitsland was gebouwd. Op een van de meest opzichtige strijdwagens op dat rad van fortuin op weg naar nergens pronkte nog steeds het pompeuze keizerlijke wapen. Als de keizer aan boord was, speelde het orgel altijd Wagner.

Meneer Tilyou koesterde warmere gevoelens voor de twee vliegeniers uit de Tweede Wereldoorlog, ene Kid Sampson en ene McWatt – Coney Island was altijd vol geweest met passagierende matrozen en soldaten, geziene gasten in Kermisland. Meneer Tilyou was altijd blij als er weer iemand uit het oude Coney Island bij kwam, bijvoorbeeld de grote nieuwkomer Lewis Rabinowitz, die zich in een recordtijd thuisvoelde en de naam George C. Tilyou nog van vroeger kende.

Meneer Tilyou voelde zich thuis bij dit soort goedaardige mensen en was vaak van de partij als ze op hoge snelheid van de Tornado en het Drakeravijn naar beneden suisden. Voor zijn ontspanning en ook ter inspectie voer hij dikwijls door zijn Tunnel der Liefde, onder de vlammende reclamebeelden van de kidnapper van baby Lindbergh in de elektrische stoel en de dode Marilyn Monroe in haar bed, en gleed naar zijn wassenbeeldenmuseum op het Eiland der Doden om drijvend naar het verleden zijn toekomst te vinden. Hij voelde geen intutieve afkeer, integendeel, als hij plaats nam naast Abraham Lincoln en de Engel des Doods, meestal in de rij vóór een voormalige burgemeester van New York met de naam Fiorello H. La Guardia en de vroegere president Franklin Delano Roosevelt, stervelingen uit het verleden die voor hem in de toekomst lagen. Ze waren na zijn tijd gearriveerd, evenals de kidnapper en Marilyn Monroe. Meneer Tilyou kon zich er nog niet toe brengen om te zeggen dat de nieuwe bewoner van het Witte Huis weer een lul was, maar dat kwam doordat noch hij noch de Duivel schunnige taal bezigden.

Meneer Tilyou had ruimte om uit te breiden. Beneden hem lag een meer van ijs en een woestijn van gloeiend zand, enkele modderweilanden, een rivier van kokend bloed en een van kokend pek. Er lagen donkere wouden die hij kon krijgen als hij er iets voor kon bedenken, met zwartbebladerde bomen, een handjevol luipaarden, een leeuw, een hond met drie koppen en een wolvin, maar die mochten niet opgesloten worden, dus een dierentuin zat er niet in. Maar zijn fantasie begon minder soepel te worden en hij was bang dat het de leeftijd was. Hij had triomfen gevierd met symbolen, was gewend aan illusies. Zijn Hindernisbaan was geen echte baan, zijn park was geen park. Wat hij aanbood was collectief hooggehouden schone schijn. Zijn produkt was plezier. Zijn Tornado was geen tornado, zijn Drakeravijn geen ravijn. Er was ook niemand die dat dacht, en hij kon zich niet voorstellen wat hij zou moeten beginnen met een echte tornado of een authentiek ravijn en een levende draak. Hij wist niet zeker of hij bronnen van hilariteit zou kunnen aanboren in een woestijn van gloeiend zand, een regen van vuur of een rivier van kokend bloed.

Hij was nog steeds trots op het geduld en de vasthoudendheid waarmee hij zijn huis had teruggehaald. Het had dertig jaar geduurd, maar waar geen tijd bestaat heeft niemand haast.

Het huis was van licht hout en had twee verdiepingen en een zolder. Niemand scheen iets in de gaten te hebben toen kort na zijn dood de benedenverdieping verdween en het huis een verdieping lager werd. Voetgangers uit de buurt zeiden wel eens dat het leek alsof de letters op de onderste trede in de grond zakten, en dat was ook zo. Aan het begin van de oorlog was de naam half verdwenen. Tijdens de oorlog gingen jongens in dienst, gezinnen verhuisden en meneer Tilyou nam zijn kans opnieuw waar. Kort na de oorlog was er niemand die opkeek van het braakliggend perceel – dat al snel dienst begon te doen als parkeerterrein – op de plek waar het huis had gestaan. Toen niet lang daarna zijn pretpark Kermisland ook verdween en vervolgens de Tilyou-bioscoop zijn deuren sloot, verdween zijn naam van het eiland en uit de herinnering.

Nu had hij alles wat zijn hart begeerde en zat hij veilig thuis en was hij het voorwerp van afgunst van zijn Morgans en Rockefellers. Zijn komische lachspiegels konden hem en zijn kaartjesknippers niet vervormen.

Toen hij aan het eind van zijn werkdag – hoewel er geen dagen waren en hij geen werk had – terugkeerde naar zijn kantoor, trof hij daar meneer Rockefeller aan. Hij gaf hem weer een dubbeltje en joeg hem de deur uit. Het vereiste grote fantasie om die arme donder ook maar vaag in verband te brengen met het zakencomplex in het Rockefeller Center en met die ovale parel van een ijsbaan. Een hooghartig briefje op zijn cilinderbureau deelde hem mee dat meneer Morgan opnieuw in discussie wilde treden over meneer Tilyou's nieuwe antirookbeleid. Aangezien meneer Tilyou er weinig voor voelde om hem zo snel weer te zien, pakte hij zijn stofvrije bolhoed van het haakje aan zijn kapstok. Hij schikte de blaadjes van de bloem in zijn knoopsgat, die altijd vers was en altijd vers zou blijven. Met energieke tred haastte hij zich van het kantoor naar zijn huis, zacht meeneuriënd met de verrukkelijke Treurmuziek uit Siegfried die uit zijn carrousel opklonk.

Toen hij kwiek de drie treden van zijn trapje op sprong, struikelde hij op de bovenste, iets wat hem nog nooit overkomen was. Op de plank boven de dubbele gootsteen onder zijn keukenraam zag hij iets raars. Aan de vaas van Waterford- kristal met de witte lelies was niets veranderd, maar gek genoeg leek het waterpeil in de vaas ietwat scheef te staan. Hij pakte een waterpas en legde die op de vensterbank. De kille verrassing deed een rilling over zijn rug lopen. Het huis hing uit het lood. Verbaasd en met een diepe frons in zijn voorhoofd liep hij weer naar buiten. Toen hij naar zijn naam op de opstaande rand van de onderste trede keek, had hij geen waterpas nodig om te zien dat het trapje scheef liep, evenals zijn pad. Het zakte naar rechts. De letters T-I-L-Y-O-U kantelden mee en de ovale buikjes van de laatste twee waren al verdwenen. Hij verstijfde van schrik. Buiten zijn medeweten en buiten zijn wil was zijn huis weer aan het zinken. Hij had geen idee waarom.

BOEK TIEN

30

SAMMY

Om redenen die haar nooit duidelijk geworden waren scheen haar vader haar als kind niet te mogen, terwijl hij haar later, toen ze ouder werd en trouwde, hooguit tolereerde. Hij deed aardiger tegen haar zus en broer, maar niet veel.

Zij was de oudste van de drie. Haar moeder was liever voor haar, maar kon de sfeer in huis, die bepaald werd door de koele, afstandelijke vader, niet noemenswaardig verlichten. Ze waren luthers en woonden in Madison, Wisconsin, niet ver van de hoofdstad, waar 's winters de dagen kort en de nachten lang en donker waren en een ijskoude wind je door merg en been ging. 'Zo is hij altijd geweest,' vergoelijkte haar moeder zijn gedrag. 'We kenden elkaar van de kerk en van school.' Ze waren even oud en allebei maagd toen ze trouwden. 'Onze ouders hadden ons voor elkaar bestemd. Zo ging dat in die tijd. Ik geloof niet dat hij ooit echt gelukkig is geweest.'

Hij had een bedrijfje voor agrarische benodigdheden dat hij gerfd en uitgebreid had, en ging liever met zijn werknemers en leveranciers om, die hem graag mochten, dan met zijn gezin. Thuis voelde hij zich zelden op zijn gemak. Het had niets met haar persoonlijk te maken, hield haar moeder vol, want ze was altijd een braaf kind geweest. Maar na zijn dood, eveneens longkanker, ontdekten ze dat hij haar niets had nagelaten. Wel had hij een bedrag dat gelijk was aan het erfdeel van haar broer en zus aan haar drie kinderen vermaakt en haar gevolmachtigd om het te beheren. Het kwam niet echt als een verrassing.

'Ik had zoiets wel verwacht,' zei Glenda als het onderwerp ter sprake kwam. 'Maar dat wil niet zeggen dat het niet nog steeds zeer doet.'

Als jongeman had de lutherse vader, die muziek vervelend vond en verstoken was van elk gevoel voor dansen of de andere vrolijke onzin die de moeder zo leuk vond – ze maakte maskers voor Halloween en was dol op verkleedpartijtjes – talent getoond voor tekenen en grote belangstelling voor de constructie en architectonische details van gebouwen aan de dag gelegd. Maar in het harde plattelandsbestaan in een gezin dat bestierd werd door een vader die nog strenger en soberder was dan zijn zoon later zou worden, kreeg deze latente begaafdheid evenwel geen enkele kans. Van universiteit of kunstacademie was geen sprake, en wie weet waren zijn stugge persoonlijkheid en het stille, onuitsprekelijke leed dat hem kenmerkte, het rechtstreekse gevolg van het onderdrukken van zijn talenten. Pas later kon ze hem in dit licht bezien en sporadisch medelijden met hem hebben. Hoewel hij zuinig en met overleg zijn geld uitgaf, maakte hij zijn kinderen toch al vroeg duidelijk dat hij ze allemaal de kans wilde geven om te studeren en dat hij het op prijs zou stellen als ze die aannamen. Glenda was de enige die op dit ongebruikelijk gulle aanbod inging, en hij bleef zijn hele leven diep teleurgesteld in de anderen, alsof ze hem willens en wetens hadden gekwetst en afgewezen. Hij was tevreden met haar vorderingen op de lagere school, maar zijn lof was steevast doorspekt met kritiek en zo vol onuitgesproken verwijt dat ze er weinig plezier aan beleefde. Als ze met een 9 voor algebra of meetkunde thuiskwam, soms als enige in de klas, wilde hij, na een schoorvoetend compliment, altijd weten waarom ze die ene som van de tien fout had gedaan. Bij een 8- klaagde hij over de min, bij een 8 mopperde hij dat er geen plus bij stond. Er was niets komisch aan zijn ernst; wel aan de wrange humor waarmee ze erover vertelde.

Het is eigenlijk een wonder dat ze opgroeide tot zo'n opgewekte vrouw met zoveel zelfvertrouwen – competent en gedecideerd; precies wat ik nodig had.

Op de middelbare school slaagde ze erin, met enige hulp van haar moeder en veel aanmoediging van haar jongere zusje, tot *cheerleader* gekozen te worden. Omdat ze in die tijd nog steeds een beetje stil en verlegen was, liet ze zich niet meeslepen in het bruisende uitgaansleven van de andere meisjes en de sportlui van de school met hun lompe aanhang. Veel fuifjes en feestelijkheden liet ze aan zich voorbijgaan. Ze was een paar centimeter kleiner dan haar leeftijdgenootjes, met kuiltjes in haar wangen, bruine ogen en honingblond haar, mager als meisje maar met flinke borsten. Ze had zelden een vriendje, hoofdzakelijk omdat ze zich bij jongens soms niet erg op haar gemak voelde, en ook dit kwam haar op allerlei tegenstrijdige signalen van haar vader te staan. Hij was kwaad als ze alleen uitging, alsof dat iets onfatsoenlijks was, terwijl hij zich aan de andere kant persoonlijk aangesproken leek te voelen – alsof hij zelf een blauwtje liep – als ze in het weekend een avond thuis zat. Hij schilderde haar de gruwelijkste beelden van de levenslange grauwheid en problemen die haar als jong muurbloempje te wachten stonden, want in zijn ogen was hem als kind hetzelfde overkomen en had hij de kansen van zijn jeugd eveneens verspeeld. *Muurbloempje* was een woord dat hij vaak gebruikte. *Persoonlijkheid* was een ander. Hij was tot de grimmige conclusie gekomen dat het daar iedereen aan ontbrak. Noch zij, noch haar broer en zusje konden zich herinneren ooit door hem omhelsd te zijn.

Op seksueel gebied was ze weinig actief. Toen ze op een avond met een oudere voetballer in zijn auto zat te vrijen, had deze voor ze het wist haar onderbroek omlaaggetrokken, zodat ze verstijfde van schrik. Ze trok aan zijn penis, maar weigerde die te kussen. Het werd haar eerste kennismaking met sperma, waar ze de meisjes op school zo vaak over had horen giechelen en wijsheden over had horen debiteren, herinnerde ze zich met tegenzin toen ik ernaar vroeg. Ik probeerde me altijd groot te houden als ik in haar verleden wroette, maar ik vond het even pijnlijk als opwindend. Na haar ervaring met de voetballer selecteerde ze haar vriendjes strenger en weigerde voortaan om met oudere, zelfverzekerde en ervaren jongens uit te gaan. Tot ze op de universiteit Richard leerde kennen. Vrijen vond ze fijn en natuurlijk wond het haar op, maar het grijpen en graaien stond haar tegen, en voor zover ik kan nagaan bleven haar vrij heftige erotische opwellingen en sterke romantische hunkeringen de rest van haar tienerjaren onvervuld, ze werden met kuise, godsdienstige zedigheid onderdrukt.

Tijdens haar eerste studiejaar viel haar het grote geluk ten deel dat ze vriendschap kon sluiten met twee joodse meisjes uit New York en een beeldschone blonde muziekstudente uit Topanga Canyon in Californië. Ze was verbaasd en diep onder de indruk van hun – in haar ogen – savoir vivre, hun kennis en ervaring, hun luide stemmen en schaamteloze zelfverzekerdheid, van hun ongedwongen humor en vrijmoedige, onbeschroomde vertrouwelijkheden. Ze namen haar met plezier onder hun hoede. Ze leerde nooit met hetzelfde gemak en dezelfde ongegeneerdheid als haar vriendinnen en de andere studenten met seksuele termen te smijten, maar qua gevatheid en intelligentie, en ook wat de integriteit en trouw van haar vriendschap betrof, deed ze niet voor hen onder. In hun tweede jaar leidde het viertal een tamelijk zorgeloos bestaan in een groot huis dat ze samen gehuurd hadden. Na hun studie bleven ze contact houden en alle drie kwamen ze in die laatste maand op bezoek. De andere drie hadden van huis uit meer geld dan zij, maar ze deelden het grootmoedig met elkaar.

Richard was de eerste man met wie ze naar bed ging en ze waren allebei tevreden omdat hij zich trots en bekwaam van zijn taak had gekweten. Hij was twee jaar ouder dan zij en verder met zijn studie en inmiddels ook met de andere drie naar bed geweest, maar daar lette niemand op in die tijd. In de vakanties zagen ze elkaar in Chicago, waar zij 's zomers een baantje zocht omdat hij daar werkte en haar kon introduceren bij mensen uit diverse elkaar overlappende maatschappelijke kringen. Hij werkte op het streekkantoor van een grote verzekeringsmaatschappij uit Hartford, waar hij uitstekend voldeed en spoedig naam maakte als een ambitieuze, hardwerkende man met een bijzondere persoonlijkheid. 's Avonds na het werk en vaak ook tussen de middag gingen ze allebei graag een borrel drinken en over het algemeen vermaakten ze zich prima met elkaar. Ze wist dat hij andere vriendinnen in Chicago had, maar ontdekte dat ze dat niet erg vond. Zelf ging ze ook met andere mannen uit, net als tijdens haar studie, en meer dan eens maakte ze afspraakjes met mannen op kantoor van wie ze wist dat ze getrouwd waren.

Kort na haar afstuderen verhuisde ze naar New York, waar hij een veel betere positie bij een ander bedrijf had gekregen, en na verloop van tijd had ze haar eigen appartementje en een opwindende baan als researcher voor *Time* magazine. Na een poosje besloten ze het huwelijk uit te proberen.

Zij was klaar om te veranderen, maar hij niet. Hij bleef zich nodeloos uitsloven voor haar moeder en populair doen bij haar vader en zijn voorspelbare jovialiteit begon haar steeds meer te ergeren en tegen te staan. Hij moest vaak op zakenreis, maar bleef ook als hij thuis was tot 's avonds laat weg, en toen hun derde kind, Ruth, ter wereld kwam met een door een Trichomas-infectie veroorzaakte oogontsteking, wist ze genoeg over medicijnen en medische researchtechnieken om vast te stellen dat dit een geslachtsziekte was en genoeg van hem om te weten waar die vandaan kwam. Zonder een woord te zeggen ging ze naar haar gynaecoloog, liet haar eileiders afbinden en zei toen pas tegen haar man dat ze geen kinderen meer van hem wilde. Hoofdzakelijk vanwege de jonge baby duurde het nog twee jaar voordat ze uit elkaar gingen. Ze was te principieel om geld voor zichzelf te eisen, maar dat bleek al snel een ernstige misrekening te zijn, want de alimentatie voor de kinderen kwam altijd te laat en was altijd te weinig, en toen hij nieuwe vriendinnen kreeg, kon er helemaal niets meer af.

Hun gesprekken liepen steevast uit op ruzie, en toen ik op het toneel verscheen, vonden ze het alle twee makkelijker om mij als tussenpersoon te gebruiken. Haar moeder kwam naar New York om te helpen in het grote, goedkope huurappartement aan West End Avenue met de vele kamers, en zij vond een goedbetaalde baan op de advertentie-afdeling van *Time, The Weekly Newsmagazine,* waar ik haar leerde kennen. Op kantoor werkte ze achter een laag tussenschot, en als het niet druk was kwam ik daar vaak op leunen om even een praatje te maken. Ze was intelligenter, zorgvuldiger en betrouwbaarder dan haar chef, maar dat maakte bij dat bedrijf geen enkel verschil in die tijd – een vrouw kon geen redactrice of chef of journaliste worden, punt uit. Zonder mij zou ze het niet gered hebben en had ze misschien samen met haar moeder en haar drie kinderen de stad uit moeten gaan, in welk geval Naomi en Ruth geen tijd of geld gehad zouden hebben om te studeren. De privé-scholen in Manhattan zouden onbetaalbaar zijn geweest en Michaels dure individuele therapie – die uiteindelijk toch niets uithaalde – hadden ze ondanks de uitstekende ziektekostenverzekering bij Time Inc. ook niet kunnen bekostigen.

Ik mis haar inderdaad, zoals Yossarian in het ziekenhuis tegen me zei, en doe geen pogingen om dat te verbergen.

Ik mis haar vreselijk, en de paar vrouwen met wie ik nog omga – mijn vriendin, de welgestelde weduwe met haar mooie vakantiewoning in Florida, en twee vriendinnen van mijn werk die niks van hun eigen privé-leven hebben weten te maken, allemaal op leeftijd, net als ik – weten dat ik haar zal blijven missen en dat ik eigenlijk alleen nog maar mijn tijd uitzit. Ik vermaak me prima, met bridgen en cursussen en concerten in het Lincoln Center en de Hebreeuwse Club en korte uitstapjes en bezoeken aan oude vrienden en mijn vrijwilligerswerk als adviseur van de kankerbestrijding. Maar eigenlijk zit ik alleen maar mijn tijd uit. Anders dan Yossarian verwacht ik weinig nieuws of goeds meer van het leven en sinds Lew zichzelf ten slotte, zoals Claire het uitdrukte, 'toestond' om te sterven is veel van de lol eraf. Zijn familie is sterk en op de begrafenis werd niet gehuild, behalve door een oudere broer en een van zijn zusters. Maar thuis kreeg ik het toch even te kwaad toen Claire me vertelde over zijn laatste dagen en zijn laatste woorden: iets over mij en mijn wereldreis.

Ik verheug me steeds meer op de reis die ik aan het organiseren ben – om al het moois te zien natuurlijk, maar in de eerste plaats om kennissen in Australië, Singapore en Engeland te bezoeken; ook in Californië trouwens, waar Marvin en zijn vrouw nog wonen, en een neef van me met zijn gezin en nog wat andere jeugdvrienden uit Coney Island. Ik heb besloten om te beginnen met korte tussenstops in Atlanta en Houston om Naomi en Ruth en de kleinkinderen te bezoeken. De twee meisjes beschouwen me al jaren als hun eigen vader. Richard had er niets op tegen dat ik ze wettelijk adopteerde. Ik heb nooit het gevoel gehad dat het andermans kinderen waren, en het doet me weinig dat ik er geen van mezelf heb. Veel dieper gaat onze verhouding overigens niet. Zoals bij de meeste andere families die ik ken zijn we maar matig in elkaar geïnteresseerd en werken we elkaar snel op de zenuwen. Richard is nooit jaloers geweest omdat het zo snel tussen ons klikte, en zodra hij de kans schoon zag liet hij elk schijntje van belangstelling voor zijn gezin varen. Enkele jaren later was hij alweer een keer of wat getrouwd geweest en had bij de laatste nog een kind verwekt.

Ik zie er ook naar uit om meer te weten te komen over die belachelijke bruiloft in het busstation, de Bruiloft van het Eind van de Eeuw, zoals Yossarian en andere mensen tegenwoordig zeggen. Mij zullen ze ook een uitnodiging sturen, zei hij, terwijl ik ironisch mijn neus ophaalde.

'Ik ben daar een keer beroofd,' zei ik tegen hem.

'Mijn zoon is er een keer gearresteerd.'

'Ik ook,' zei ik.

'Omdat je beroofd was?'

'Omdat ik kwaad werd. Ik draaide helemaal door toen ik zag dat de politie niet ingreep.'

'Hij werd aan de muur geketend.'

'Ik ook,' vertelde ik hem, 'en ik geloof niet dat ik er nog ooit heen wil.'

'Zelfs niet voor een bruiloft? Zo'n soort bruiloft? Waarvoor tweeduizend kilo van de beste beluga-kaviaar besteld is?'

Ik denk niet dat ik ga. Er zijn nu eenmaal compromissen die gewoon te ver gaan. Hoewel Esther, de weduwe die mijn beste vriendin is, er 'dolgraag' heen zou willen, alleen maar om erbij te zijn en naar andere mensen te kijken.

Toen ik Glenda leerde kennen waren haar vrijgevochten jaren voorbij. Ik voelde me soms echt een beetje bekocht dat ik er in haar bandeloze glorietijd niet bij was geweest om mee te genieten van al dat seksplezier, net als al die andere mannen toen – en dat waren er meer dan ze uit zichzelf toegegeven zou hebben –, niet alleen met haar maar ook met haar kamergenootjes en andere vriendinnen. De gedachte aan de ongebondenheid van die vier destijds bleef me prikkelen en kwellen. Als student in New York en Greenwich Village was ik overigens ook niets te kort gekomen, en later leerde ik meisjes kennen op mijn werk en via mijn collega's, en in de twee jaar dat ik in Pennsylvania doceerde waren er elk semester wel een paar feestjes. Maar toen we trouwden deed ik er soms toch moeilijk over en was ik stiekem jaloers en beledigd door dat erotische verleden van haar, en kwaad op alle mannen, de jongens, die voetballer op de middelbare school, al die geile vrijers van haar. De grootste hekel had ik aan de mannen van wie ik me inbeeldde dat ze haar altijd moeiteloos de meest duizelingwekkende orgasmes bezorgden. Zelf tilde ze, geloof ik, niet zo zwaar aan viriele prestaties, maar ik deed dat wel, en in het rijtje schurken waarvan ze me verteld had of die ik desnoods zelf bedacht, was ook een plaatsje voor haar man Richard. In die onwaardige fantasieën zag ik hem als een allesveroverende cavalier en onweerstaanbare concurrent, zelfs toen ik zo wijs was geworden om hem af te schrijven als een lastige, ijdele, oppervlakkige leeghoofd, boordevol energieke plannen die alleen in zijn eigen smalle ambitieuze straatje van pas kwamen. Ook in Glenda's ogen was hij intussen alleen nog maar een vervelende, irritante kwast, en het idee dat ze op zo'n figuur jarenlang hartstochtelijk verliefd was geweest was zo beschamend dat we er allebei het liefst nooit aan dachten.

Ik snap nog steeds niet hoe iemand met huidkanker kon blijven werken en promotie kon maken en nieuwe vriendinnen en zelfs een paar echtgenotes kon krijgen. Maar Richard kreeg het voor elkaar. Lew had het me wel uit kunnen leggen, dacht ik altijd, maar ik wilde niet dat Lew wist wat ik van mezelf had ontdekt: dat ik nooit echt volwassen was geworden, zelfs niet bij Glenda, op het gebied van de omgang tussen mannen en vrouwen.

De eerste vriendin van Richard die we onder ogen kregen was de assistente van zijn oncoloog, een vlotte meid die alles van zijn ziekte wist, maar desondanks binnen de kortste keren bij hem bleef slapen en zijn telefoon aannam alsof het appartement van haar was. Daarna was de beurt aan haar beste vriendin – aan wie ze hem opgewekt doorgaf – die eveneens wist van zijn kanker maar toch met hem trouwde. Terwijl dat huwelijk stuk liep, volgde een hele reeks andere meisjes, soms zelfs meer dan één tegelijk, en toen kwam die elegante, intelligente dame van goede kom-af die zijn volgende vrouw werd – een bekende advocate met een groot kantoor in Los Angeles, waar hij, na het vinden van een nóg betere baan, naartoe verhuisde om bij haar te zijn en nog meer afstand te scheppen tussen hem en de eventuele aanspraken die zijn eerste gezin nog op hem kon maken. En dat waren nog maar de gevallen die hij ons zorgvuldig onder de neus wreef, de knappe meiden door wie hij zich liet ophalen als hij bij ons was geweest om – in de tijd dat hij nog van dat recht gebruik maakte – zijn kinderen te bezoeken, of om ruzie te maken over de alimentatie of over Michael, wiens problemen met de jaren steeds erger werden. Richard woonde al in het westen toen we voor de eerste keer dat afschuwelijke woord 'schizofrenie' hoorden noemen en in de bibliotheek en het archief van *Time* opzochten wat men indertijd onder een grensgeval verstond. Glenda kon mijn ontzag voor Richard totaal niet begrijpen.

'God nog aan toe, verkopen is zijn vak en het is een uitslover,' riep ze altijd vol minachting als ze mijn jaloerse overpeinzingen hoorde. 'Als hij het bij honderd vrouwen probeert, zijn er altijd wel een paar die hem beter vinden dan helemaal niks, of dan de sullen die ze al hebben. Kletsen kan hij, dat weten we.'

We wisten dat hij een zekere hardnekkige charme bezat, zij het niet voor ons. Als ze boos op hem was, gaf ik altijd het voorbeeld van de kranteberichten over de bewoner van het Witte Huis van het moment, zoals vroeger: hij was laaghartig, egoïstisch, verwaand, een oplichter en een leugenaar, dus waarom zou hij zich anders gedragen? Ik weet nog steeds niet of het lulletje dat we nu hebben een erger lulletje is dan de twee lulletjes daarvoor, maar het ziet er beroerd genoeg uit met Macaroni Cook als vertrouweling en die witharige parasiet en zakkenvuller C. Porter Lovejoy, net uit de gevangenis na het zoveelste presidentiële gratiebesluit, als zijn officiële geweten.

Ik pakte mijn werk als bemiddelaar tussen Richard en Glenda altijd heel sluw aan. Bij mij voelde hij zich ook verplicht om de toffe jongen en de man van de wereld uit te hangen, maar hij wist nooit zeker of ik erin trapte.

'Maak maar een lunchafspraak,' stelde ik een keer voor, toen Glenda en ik onze eerste vertrouwelijke gesprekken gevoerd hadden en elkaar op feestjes altijd opzochten. 'Dan doe ik het woord wel voor je.'

'Met wie?' vroeg ze.

'Bíj wie,' verbeterde ik haar automatisch.

'God nog aan toe!' riep ze, meteen opfleurend. 'Wat een pedant. Singer, je bent een aardige, slimme vent, maar wel een vreselijke pedant!'

Dat was de eerste keer dat ik het woord 'pedant' hoorde. En wie weet was dat ook het moment waarop ik bewust de strijd aanbond met mijn tegenzin om blijvende gevoelens voor een vrouw te koesteren – zelfs als ik een poosje hartstochtelijk verliefd op haar was geweest. Ik was niet bang om me te binden, alleen maar om gestrikt te worden. Maar, redeneerde ik, een vrouw die een woord als 'pedant' kende, die haar ex 'dubbelhartig' en 'narcistisch' noemde en een assistent-directeur op onze afdeling karakteriseerde als een 'neandertaler', was iemand met wie ik wel een gesprek zou kunnen voeren en misschien zelfs zou willen samenwonen, ondanks de drie kinderen, een eerste echtgenoot en het jaar verschil in leeftijd. En nog christelijk ook. De jongens uit Coney Island dachten dat ik gek geworden was toen ze hoorden dat Sammy Singer uiteindelijk toch ging trouwen: met een niet-joodse vrouw met drie kinderen en een jaar ouder dan hij. En niet eens rijk!

Glenda had nóg een eigenschap waar ik pas na haar dood iemand over vertelde, en dan alleen Lew nog maar, een keer bij de borrel, ik een Schotse whisky met ijs, hij nog steeds zijn Carstairs met Cola: als ze uitging en zich wilde vermaken was ze erg amoureus en gedurfd, vol ondeugende streken, vooral na ons trouwen. Er kwam geen eind aan haar spontane, opwindende invallen, en het was pas afgelopen toen ze ziek werd, minder vitaal. Na een feestje, als we met mensen die we amper kenden naar huis reden, begon ze soms te vrijen en te voelen en te wrijven, zodat ik de grootste moeite had om een normaal gesprek met het echtpaar voor in de auto te voeren en voortdurend onnatuurlijk luide grapjes moest maken ter verklaring van mijn gelach en gekreun op de achterbank, want om de zoveel seconden kwam ze boven water om iets te zeggen of een vraag te beantwoorden en dan dook ze weer naar beneden om mij onder handen te nemen, en het kostte me de grootste moeite om me zo te beheersen dat alleen mijn adem even stokte als het eindelijk zover was. Ze wist dat ik altijd op een ongelooflijke manier klaarkwam, nog steeds trouwens. Het gaat wat trager tegenwoordig, maar het gaat ook veel langer door. Lew zei dat ik tranen in mijn ogen had toen ik hieraan terugdacht, vertelde Claire de laatste keer dat we elkaar spraken, kort na Lews dood, toen ze op het punt stond om naar Israël te vliegen met het vage idee om daar een vakantiehuis aan zee te kopen, voor eigen gebruik en voor de kinderen die zin hadden om er ook heen te gaan.

Glenda en ik hebben elkaar nooit het hof gemaakt, daarom zijn we ook op zo'n manier getrouwd geraakt. Op een middag nam ze me mee naar de ijsbaan in het Rockefeller Center. Als jongen was ik een kei in rolschaatsen, want we hadden onze eigen versie van straathockey, en ik kreeg het schaatsen zo snel onder de knie dat ze even dacht dat ik haar iets op de mouw had gespeld. Op een zondag in het voorjaar huurde ik een auto en ging met haar en de kinderen naar Coney Island, waar ze nog nooit geweest waren. Ik liet ze Kermisland zien. Ze rolden allemaal rond in het Vat van Plezier en brulden om hun belachelijke spiegelbeelden in de lachspiegels, en later nam ik ze mee naar de overkant om ze het huis van de grondlegger, Tilyou, te laten zien. Ik wees op de gebeitelde naam op de onderste trede van het steeds dieper wegzakkende betonnen trapje, dat al bijna onder het trottoir verdwenen was. Ze geloofden me niet erg toen ik vertelde dat het huis volgens mij ook aan het zakken was en vroeger een verdieping meer had gehad. Een week later huurde ik een grotere auto en nam haar moeder ook mee, en na afloop aten we een vroeg zondagsmaal in een groot visrestaurant in Sheepshead Bay – Lundy's, heette het. Bij het afscheid bleef het niet bij één kus en toen we ons zo innig tegen elkaar aan drukten, wisten we dat dit het begin was. Ik voelde een diepe sentimentele genegenheid voor haar moeder. Ik miste de mijne. Glenda woonde in Noord en ik in het centrum, en op een avond, toen we na een verjaardagsborrel bij een ander meisje met een man of twaalf uitgebreid gingen eten en daarna in een jazzclub in Greenwich Village gingen dansen, werd het zo laat dat ze geen zin meer had om helemaal naar huis te gaan, en ik bood aan dat ze bij mij kon slapen. Dat was prima, zei ze. Ik had een bed op de vliering en een lange sofa.

'We hoeven niks te doen,' stelde ik haar gerust toen we thuiskwamen. 'Dat meen ik echt.'

'Natuurlijk wel,' zei ze met een vastbesloten lachje. 'En bij mij hoef je heus niet het verlegen jongetje uit te hangen. Ik heb je bezig gezien.'

Na die eerste keer gingen we zelden uit zonder plannen te maken om alleen te zijn. We gingen naar de film, we gingen naar de schouwburg, we gingen weekends weg. Eén keer wilde ze de meisjes meenemen naar *De koning en ik*.

Ik zei: 'De koning en mij, bedoel je zeker?'

Na de eerste verbazing zag ze dat ik een grapje maakte en ze joelde vrolijk en vol ongeloof: 'God nog aan toe! Eens een pedant, altijd een pedant, nietwaar! Hoe krijg je het verzonnen? Maar ik zou liever trouwen met een pedant dan met een zak, vooral een pedant waar ik mee kan lachen. Sam, het is tijd. Kom bij me wonen. Je zit toch voortdurend hier en ik heb plek. Je hebt niets tegen de kinderen, je geeft ze meer aandacht dan Richard ooit gedaan heeft. Je gaat met ze naar Coney Island en naar de koning en mij en je kunt het beter vinden met Michael dan wij. Naomi en Ruth kijken tegen je op, hoewel Naomi al groter is dan jij. En jij kunt het beter met mijn moeder vinden dan ik als ik ongesteld ben. Zeg maar niks. Kom maar gewoon bij ons wonen en zie hoe het gaat. Trouwen hoeft niet.'

'Da's niet waar. Dat weet je heel goed.'

'Niet meteen.'

Ik wist niet zeker of ik haar elke dag wilde zien.

'Nu zie je me ook elke dag, op kantoor. En we zijn elk weekend bij elkaar.'

'Dat is anders, dat weet je.'

'En als ik ontslag neem en jij onderhoudt me, zie je me minder vaak dan nu, als je op je werk bent.'

Ze was een minder goede huishoudster dan mijn moeder indertijd en kon maar matig koken. Zelfs haar eigen moeder kon het beter, en ook dat hield niet over. Ik zei dat ik er niet aan begon.

Maar we bleven tochtjes maken in de weekends en na een tijdje lag er altijd een stel schone kleren van me bij haar thuis en als het laat werd, was het makkelijker om te blijven slapen, en als ik toch bleef, was het al gauw makkelijker en later heel makkelijk om bij haar te slapen. Zij had ook kleren bij mij liggen, én een toilettas met een pessarium. Niemand bij haar thuis scheen het raar te vinden dat ik er was. Michael was de enige die uit nieuwsgierigheid wel eens een cryptische of komische opmerking maakte, maar Michael kon nieuwsgierig zijn naar de gekste dingen en was ze even snel weer vergeten. Soms verloor hij pardoes zijn belangstelling voor wat hij wou zeggen en schakelde halverwege een zin over op een ander onderwerp. De anderen meenden dat dit zijn speciale manier van plagen was. Hij liet ze in die waan, maar ik nam hem serieus en kreeg langzaam de indruk dat er meer achter zat.

Iedereen in huis werkte mee om ons het samenzijn makkelijker te maken: al snel werd ook de huiskamer, als het laat werd en de deur dicht was, ons privé-vertrek. Dat was maar goed ook, want soms waren we allebei geanimeerd door drank en liep een terloopse omhelzing plotseling op meer uit en dan konden de kleren alle kanten opvliegen. En in het begin, en ook nog jaren daarna, lieten we zelden een gelegenheid om het te doen voorbijgaan, elke avond, laat of niet, of 's morgens of 's middags als we op reis waren, zelfs als ze ongesteld was. Later werd het minder en kwam het er soms niet van, meestal omdat ze vreselijk in de put zat over Michael. Richard hadden we inmiddels helemaal afgeschreven. Dan was ze heel serieus en nam ik haar in mijn armen, waar ze zacht kon praten en uithuilen tot we elkaar een troostend kusje gaven, en als ze dan mijn erectie voelde, deden we het anders, met veel meer zorg en tederheid. Ik hield me in tot ik zeker was van haar reactie en dan kwam ik pas klaar. Soms had ze ook een orgasme, soms niet, maar ze was altijd blij dat ik bevredigd was en dankbaar dat ik de drukkende last van haar problemen met Michael, die nu ook de mijne waren, even van haar schouders had genomen. Ik ben er nog steeds van overtuigd dat ik nooit van mijn leven iemand ontmoet heb die zo onzelfzuchtig en goedaardig en grootmoedig was, of minder veeleisend of lastig, en ik kan me niet eens een voorstelling maken van de vrouw die een betere echtgenote en vriendin voor me zou zijn geweest. Dat bleef zo gedurende al de jaren dat we getrouwd waren, zelfs tijdens Michaels escapades en uiteindelijk onvermijdelijke zelfmoord, helemaal tot aan het moment dat ze zo vaak maagpijn en buikpijn had en de dokters na een onderzoek constateerden dat ze kanker aan de eierstok had, toen pas waren de wittebroodsweken voorbij.

En dat waren de beste, en dan bedoel ik écht de beste, jaren van mijn leven, zonder één minuut spijt. Beter dan de oorlog. Yossarian zou wel begrijpen wat ik daarmee bedoel.

Ze stierf na dertig dagen, zoals Teemer gezegd had. Ze werd steeds zwakker maar had weinig pijn, precies zoals hij zo goed als gegarandeerd had, en ik voel me nog steeds bij hem in het krijt staan als ik hem tegenkom in het ziekenhuis, waar hij nu voor Lew zorgt, en ik stond er echt van te kijken toen ik hoorde dat hij zich als psychiatrisch patiënt had laten inschrijven om hulp te zoeken voor de meedogenloze stress die zijn zelf bedachte en geformuleerde 'biologische theologie' – een veel te zware last om alleen te dragen – veroorzaakte. Overdag deed hij gewoon zijn werk, maar 's avonds sliep hij op de afdeling, alleen. Zijn vrouw kon bij hem intrekken, maar daar voelde ze niet veel voor.

Teemer, gespannen, vlijtig, melancholiek, was ook geen kuiken meer en Yossarian beschreef hem als een slachtoffer van zijn eigen oorlog tegen kanker. In zijn nieuwste levensvisie waren levende kankercellen en stervende samenlevingen aspecten van hetzelfde fenomeen. Hij zag overal kanker. Wat hij waarnam in een cel zag hij op grotere schaal in het organisme en wat zich in de mens afspeelde vond hij weerspiegeld in groepen. Hij torste een verbijsterende overtuiging met zich mee, een overtuiging die volgens hem even gezond was en even goed gedijde als een typische tumor van het soort waarin hij zich gespecialiseerd had: de overtuiging dat alle noodlottige excessen die hij onhoudbaar om zich heen zag grijpen voor onze manier van leven

even normaal en onvermijdelijk zijn als het vermenigvuldigen van de hem bekende kwaadaardige cellen in het leven van dieren en planten.

Als Dennis Teemer naar de menselijke beschaving keek, gekscheerde hij vaak in een pessimistische paradox, zag hij de wereld als niets meer dan de microkosmos van een cel.

'Deze kankercellen hebben nóg twee eigenschappen die je mogelijk zullen interesseren. In een laboratorium blijven ze eeuwig leven en ze kennen geen enkele zelfbeheersing.'

'Hmmmmm,' zei Yossarian. 'Zeg eens, Teemer, leeft een kankercel even lang als een gezonde?'

'Een kankercel ís een gezonde cel,' was het antwoord, waar niemand blij mee was, 'als we kracht, groei, beweeglijkheid en vermenigvuldiging als norm stellen.'

'Leeft hij net zo lang als een normale cel?'

'Een kankercel ís normaal,' luidde het frustrerende antwoord. 'Voor zijn doen. Waarom zou hij zich, biologisch gezien, anders gedragen? Ze kunnen eeuwig blijven leven...'

'Eeuwig?'

'In het laboratorium. Wat andere cellen niet kunnen. Ze hebben geen greintje zelfbeheersing en blijven zich onweerstaanbaar vermenigvuldigen. Klinkt dat niet gezond? Ze verhuizen en koloniseren en verspreiden zich. Waarom zou je, biologisch gezien, in de wereld der levende dingen, verwachten dat er geen cellen bestaan die agressiever zijn dan de rest?'

'Hmmmm.'

'En het leven, de biologie, doet altijd wat ze móet doen. Ze weet niet waarom en het maakt haar niets uit. Ze heeft geen keus. Maar anders dan wij zoekt ze niet naar redenen.'

'Dat zijn erg grote gedachten waar je mee werkt,' zei ik twijfelend.

'Ik wou dat hij ermee ophield,' zei zijn vrouw.

'Ik heb er plezier in,' zei Teemer met iets wat voor een glimlach door moest gaan. 'Radiotherapie, chirurgie en chemotherapie zijn mijn werk. Maar het werk deprimeert me niet. De deprèssie deprimeert me.'

'Ik wou dat hij weer thuiskwam,' zei mevrouw Teemer.

Hij voelde zich vereerd dat zijn medische collegae in de psychiatrie hem serieus namen: ze vonden hem getikt, maar dat was bijzaak.

Mijn ontmoeting met Yossarian bracht een stroom kostbare oorlogsherinneringen omhoog, inclusief afschuwelijke gebeurtenissen, gevaarlijk en stuitend, zoals de gewonde Snowden die stierf van de kou en Yossarian die verdwaasd in zijn eigen schoot zat over te geven.

En ik die elke keer opnieuw flauwviel als ik bijkwam en iets zag gebeuren wat ik niet aan kon zien: Yossarian die het vlees van een opengereten dij op zijn plaats duwde, verband doorsneed, kokhalsde, de glanzende stof van Snowdens parachute eerst als deken gebruikte om hem te verwarmen en vervolgens als lijkkleed. En dan die keer dat we moesten springen met Orr en dat er geen koolzuurcilinders waren vanwege Milo's sorbets, dagelijks geserveerd voor de officieren en alleen op zondag voor de manschappen. Het onderzoek onthulde dat er volgens de logistiek óf reddingvesten óf sorbets konden zijn, maar niet allebei. Men stemde voor sorbets, omdat daar meer mensen van zouden genieten dan er ooit op reddingvesten aangewezen zouden zijn. En die noodlanding met Hungry Joe. Ze gaven hem een lintje omdat hij teruggevlogen was en het vliegtuig nodeloos aan diggelen had laten vallen. En dan die onderscheiding voor Yossarian omdat hij een tweede luchtaanval op die brug bij Ferrara had gedaan, terwijl McWatt, de vlieger, zong: 'O verdomme, wat kan mij 't bommen.' Yossarian zag het dradenkruis verschuiven, wist dat hij zou missen en had zijn bommen niet verspild. Wij waren de enige vliegtuigen die nog kans maakten om het doelwit te raken en al het afweergeschut zou op ons gericht zijn.

'Dat wordt nóg 's overvliegen, niet?' hoorde ik McWatt over de intercom zeggen toen de brug onbeschadigd bleek.

'Inderdaad,' antwoordde Yossarian.

'Echt?' vroeg McWatt.

'Ja.'

'O verdomme,' zong McWatt, 'wat kan mij 't bommen.'

En we gingen inderdaad terug en raakten de brug en zagen Kraft, onze tweede vlieger in Amerika, in het vliegtuig naast ons sneuvelen. En later natuurlijk Kid Sampson, die door McWatts vliegtuig doormidden werd gehakt terwijl hij gein trapte op een drijvend vlot bij het strand. En McWatt had 'O verdomme, wat kan mij 't bommen' tegen de verkeerstoren gezongen, alvorens zich traag tegen een berg te pletter te vliegen. En natuurlijk altijd Howie Snowden, die op nog geen meter afstand kou lag te lijden en dood lag te bloeden en ineens riep:

'Het begint zeer te doen!'

En toen zag ik dat hij pijn had. Tot op dat moment had ik me niet gerealiseerd dat er pijn zou zijn. En ik zag de dood. En sinds die keer prevelde ik voor elke nieuwe bombardementsvlucht een gebedje, hoewel ik niet in God geloofde en geen vertrouwen had in bidden.

Thuis was niemand bijster geïnteresseerd in die oorlog, mijn oorlog, behalve Michael, wiens aandacht altijd van uitzonderlijk korte duur was. Voor de meisjes was het alleen een sterk verhaal en een reisbeschrijving. Michael luisterde altijd een paar minuten lang heel geïnteresseerd, maar dan vlogen zijn gedachten weer naar allerlei meer persoonlijke zaken. Als staartschutter zat ik achterstevoren op mijn knieën of op een stoeltje dat op een fietszadel leek. Daar kon Michael zich precies een voorstelling van maken, beweerde hij meteen, want hij had ook een fiets met een zadel en hij reed vaak naar het strand om naar de golven en de zwemmers te kijken, en kon ik vooruitkijken als ik achterstevoren zat? Michael, dat is helemaal niet geestig, mopperden de meisjes. Hij grinnikte alsof hij een grapje had gemaakt. Nee, antwoordde ik, ik kon alleen naar achteren kijken, maar een koepelschutter zoals Bill Knight kon zijn machinegeweer alle kanten uit draaien. 'Ik kan ook draaien,' zei Michael. 'Ik wed dat ik nog steeds een tol kan laten draaien. Hoe komt het eigenlijk dat we elk jaar op dezelfde tijd onze zwembroeken opruimen en... met onze tollen beginnen te spelen?' De meisjes hieven hun handen ten hemel. Glenda ook. Ik had niet de indruk dat Michael altijd leuk probeerde te zijn, hoewel hij die rol braaf speelde als hem dat werd aangewreven. We noemden hem Sherlock Holmes omdat hij details en geluiden registreerde die wij negeerden, en die rol speelde hij ook, even overdreven komisch en theatraal. Spreekwoorden stelden hem voor problemen waarvan ik het bestaan niet eens vermoed had. Dat een appel niet ver van de boom viel, begreep hij wel, maar niet hoe dat op andere dingen dan appels kon slaan. Hij had er geen idee van wat Glenda bedoelde toen ze hem adviseerde het ijzer te smeden terwijl het heet was, aangezien hij helemaal niet van plan was geweest om iets met ijzer te doen. Hij luisterde naar iedereen, net als zijn moeder toen die jong was. Hij hielp met afwassen als hem dat werd gevraagd, en toen zijn klasgenoten zeiden dat hij drugs moest nemen, deed hij dat ook. Toen wij zeiden dat hij op moest houden, hield hij weer op. Als iemand aandrong, begon hij weer opnieuw. Hij had geen boezemvrienden, hoewel hij daar een schrijnende behoefte aan scheen te hebben. Toen hij vijftien werd, wisten we dat hij niet zou kunnen studeren. Zonder hem iets te vertellen bedachten we baantjes waarin hij weinig contact met andere mensen zou hebben: boswachter, nachtwaker, vuurtorenwachter, dat waren onze wrangste grapjes en buitenissigste verwachtingen. Toen hij negentien werd, begonnen we ons af te vragen wat we met hem aan moesten. Michael nam ons de beslissing uit handen. Glenda vond hem toen ze met een mand wasgoed uit de achterdeur kwam. Op het achterplaatsje van ons vakantiehuisje op Fire Island stond maar één laag boompje, een grove den zeiden ze, en daar had hij zich aan verhangen.

Bij het zien van onze foto's van Michael konden we wel huilen. Glenda zei niets toen ik ze opborg in de kast waar ze haar foto's als cheerleader en de foto's van haar vader als verkoper van agrarische benodigdheden bewaarde – hetzelfde kastje waarin ik mijn luchtmachtmedaille en schuttersvleugels, mijn sergeantsstrepen, die oude foto van mij met Snowden en Bill Knight op die stapel bommen met Yossarian op de achtergrond en de nog oudere foto van mijn vader met gasmasker en helm in de Eerste Wereldoorlog bewaarde.

Niet lang daarna kreeg Glenda, die altijd gezond was geweest, last van vage klachten die niemand thuis kon brengen: het syndroom van Reiter, het virus van Epstein-Barr, schommelingen in de bloedspiegel, Lyme-ziekte, chronische-vermoeidheidssyndroom, gevoelloosheid en tintelen in handen en voeten en ten slotte spijsverteringsproblemen en de ziekte die maar al te weinig ruimte voor twijfel liet.

Ik leerde Teemer kennen via Lew, die ons aanraadde om op zijn minst een gesprek te hebben met de oncoloog die zijn ziekte van Hodgkin onder controle hield. Teemer las de rapporten en was het niet oneens met de conclusie. Het primaire gezwel in de eierstok was niet langer het grootste probleem. De uitzaaiingen konden veel problematischer zijn.

'Het hangt af,' luidde zijn ontwijkende advies na ons eerste onderhoud, 'van de individuele biologie van de tumoren. Helaas worden die in de eierstok pas opgemerkt als ze zich gemetastaseerd hebben. Ik geloof dat we...'

'Heb ik nog een jaar?' viel Glenda hem abrupt in de rede.

'Een jaar?' hakkelde Teemer, duidelijk verrast.

'Een goed jaar bedoel ik, dokter. Kunt u me dat beloven?'

'Dat kan ik u niet beloven,' zei Teemer met de ongelukkige grafstem die, merkten we al gauw, typisch voor hem was.

Glenda, die haar vraag quasi-opgewekt en met gespeeld zelfvertrouwen had gesteld, was diep geschokt door zijn antwoord. 'Kunt u me zes maanden beloven?' Haar stem klonk zwakker. 'Goeie maanden?'

'Nee, dat kan ik u niet beloven.'

Ze glimlachte geforceerd. 'Drie?'

'De beslissing is niet aan mij.'

'Lager ga ik niet.'

'Ik kan u één maand garanderen, en niet zonder problemen. Maar u zult niet veel pijn hebben. We zullen zien.'

'Sam.' Glenda slaakte een diepe zucht. 'Breng de meisjes maar naar huis. Ik geloof dat we plannen moeten gaan maken.'

Precies dertig dagen later stierf ze plotseling in het ziekenhuis aan een hartembolie tijdens het toedienen van een experimenteel nieuw medicijn, en ik heb altijd vermoed dat er buiten mij om een humanitaire afspraak was gemaakt. Yossarian, die Teemer goed kende, achtte deze mogelijkheid niet uitgesloten.

Met zijn buik en bijna spierwit haar zag Yossarian er anders uit dan ik me hem had voorgesteld. Ik was ook anders terechtgekomen dan hij gedacht had. Hij had meer aan advocaat of professor gedacht. Ik verbaasde me dat hij met Milo Minderbinder in zee was gegaan; hij was niet onder de indruk van mijn reclamewerk bij *Time*. Toch waren we het met elkaar eens dat het fantastisch was dat we het met geluk en op grond van natuurlijke selectie tot zulke welstand gebracht hadden. Het leek heel logisch dat we allebei een poosje les hadden gegeven en daarna in het advertentie- en PR-wezen waren gegaan vanwege het betere salaris en de interessantere werkomgeving, en dat we allebei geambieerd hadden proza te schrijven – waaronder uitgelezen toneelstukken en filmscripts – dat ons zou hebben verheven tot de elite der rijke beroemdheden.

'Nu zijn we gewend aan luxe en noemen het zekerheid,' zei hij weinig spijtig. 'Hoe ouder we worden, Samuel, hoe groter het gevaar om het soort mens te worden waar we als jongelui zo de pest aan hadden. Hoe had je je me wél voorgesteld?'

'Als een luchtmachtkapitein van tussen de twintig en de dertig met een enigszins getikt voorkomen die altijd wist wat hij deed.'

'En werkloos?' zei hij lachend. 'We hebben niet veel keus, hè?'

'Tijdens een verlof in Rome kwam ik een keer de kamer die ik met Snowden deelde binnen,' onthulde ik, 'en daar zag ik jou boven op die mollige meid liggen die altijd met iedereen die zin had naar bed ging en steeds van die lichtgroene onderbroeken droeg.'

'Die herinner ik me. Ik herinner me ze allemaal. Een leuke meid. Vraag jij je wel eens af hoe ze er nu uitziet? Da's een koud kunstje voor mij, ik doe het voortdurend. Ik heb het nooit mis. Maar ik kan niet achteruit werken. Als ik nu een vrouw zie kan ik niet zeggen hoe ze er vroeger uitzag. Ik vind het veel makkelijker om de toekomst te voorspellen dan het verleden. Jij niet? Praat ik te veel?'

'Dat laatste had een vraag van Teemer kunnen zijn.'

Ik meende ook een vonkje van de oude Yossarian te herkennen en dat deed hem deugd.

Hij en Lew lagen elkaar niet erg. Ik voelde dat ze zich allebei afvroegen wat ik in de ander zag. Op die bijeenkomsten in het ziekenhuis was plaats voor maar één gangmaker en Lew vond het moeilijk om het hoogste woord te voeren nu hij met zijn een meter tachtig nog maar zeventig kilo woog. Lew hield zich tactvol gedeisd als Yossarian deftig bezoek had, bijvoorbeeld Patrick Beach en de mondaine Olivia Maxon, die zo kinderlijk blij was met haar tweeduizend kilo kaviaar, en zelfs bij de dartele blondine en de knappe verpleegster.

We kwamen 's avonds vaak bij elkaar in Teemers kamer op de psychiatrische afdeling voor een discussie over geestelijke gezondheid, democratie, neodarwinisme en onsterfelijkheid, omringd door andere patiënten, allemaal zwaar onder de medicijnen, die ons dom en passief als koeien met open mond aan zaten te gapen, terwijl wij moeizaam onze conclusies trokken – wat me ook enigszins getikt leek. Leven of niet leven, dat was nog steeds de vraag voor Yossarian, en het stemde hem geen greintje milder als hij hoorde dat hij al veel langer leefde dan hij gedacht had, misschien zelfs al sinds het ontstaan van de soort, en dat hij, via het DNA dat hij aan zijn kinderen had doorgegeven, genetisch gesproken nog lang na zijn dood zou voortleven.

'Genetisch gesproken bedoel ik niet, Dennis, dat weet je heel goed. Geef me maar een gen dat de genen die me ouder maken uitschakelt. Ik wil eeuwig blijven zoals ik nu ben.'

Tijdens onze discussies bleek Teemer altijd op het krankzinnige af geobsedeerd door de uit het lab afkomstige wetenschap dat gemetastaseerde kankercellen genetische verbeteringen waren van de oorspronkelijke tumor, vele malen taaier, slimmer en verwoestender. Daarom moest hij ze beschouwen als een evolutionaire stap voorwaarts en zich afvragen of zijn medische bemoeienissen ten behoeve van zijn patiënten geen misdaden tegen de natuur waren, brutale schendingen van de naar evenwicht strevende stroom van het biologisch leven, dat hij overal waar leven was in synchrone harmonie zag ontstaan. Wat, moest hij zich afvragen, was er tenslotte zo edel aan het mensdom, of zo wezenlijk?

'We hebben geen enkele inbreng gehad in onze eigen evolutie, maar hebben alles met ons eigen verval te maken. Ik weet dat het revolutionair klinkt, maar met die mogelijkheid moet ik rekening houden. Ik ben neodarwinist en wetenschapper.'

'Ik ben schroothandelaar,' zei Lew, die langzaam genoeg van het ziekenhuis begon te krijgen. 'Zo ben ik begonnen.'

'Nee, Lew, jij bent begonnen in een zaadcel als een draadje DNA dat nog steeds niet weet wie je bent.'

'Gelul!' zei Lew.

'Precies,' zei Teemer. 'En meer zijn we niet.'

'Van mij mag je, Dennis,' zei Lew, die inmiddels ook zijn buik vol had van al dat geïntellectualiseer en de dag daarop naar huis ging om daar de ontwikkelingen af te wachten.

Strikt genomen pasten Yossarian en ik ook helemaal niet zo goed bij elkaar. Zijn filmscripts kende ik niet en hij leek me een beetje gepikeerd toen ik alleen maar glimlachte bij het horen van zijn idee voor een toneelstuk over het gezin Dickens en helemaal niet reageerde toen hij vertelde over zijn komische boek over Thomas Mann en een componist uit een van zijn romans die net als Faust een pact met de duivel had gesloten.

Het beviel me niet zo dat Yossarian zichzelf nogal bijzonder vond en zich zo liet voorstaan op zijn uitgebreide en gevarieerde vriendenkring.

En van mezelf beviel het me niet dat ik nog steeds geneigd was om tegen hem op te zien. Ik was stomverbaasd toen die McBride van het busstation bij hem op bezoek kwam, samen met een sympathieke, helder ogende vrouw die hij aan ons voorstelde als zijn verloofde. Ene Gaffney kwam langs en schudde verwijtend zijn hoofd toen hij Yossarian op zijn ziekbed zag liggen. Hij kwam met het idee van een oerpact tussen God, of misschien de Duivel, en de eerste mens, die mogelijk een vrouw was.

'Ik zal je intelligentie geven,' stelde de Schepper voor, 'genoeg kennis om alles op aarde te vernietigen, maar alleen als je die ook gebruikt.'

'Top!' zei onze voorouder, en dat was onze Genesis.

'Wat vind je ervan?' vroeg Gaffney.

'Ik moet er even over nadenken,' zei Teemer. 'Wie weet is het de sleutel tot mijn eenheidstheorie.'

'Kom naar huis,' zei zijn vrouw.

'Ben je helemaal?' riep Teemer. 'Niet voor ik klaar ben.'

McBride was de man in het busstation die me geld gaf om thuis te komen nadat ik daar gearresteerd was. Ik vond het fascinerend om te zien hoe goed hij met Yossarian op kon schieten en hoe ze samen aan die bruiloft in het busstation werkten, waar de president misschien per ondergrondse trein acte de présence zou geven en de kardinaal een van de celebranten zou zijn.

'Als je de kans krijgt,' spande ik subtiel met Yossarian samen, 'moet je de kardinaal vragen van wie Jezus zijn genen had.'

'Dat wil Teemer ook weten.'

Ik wil die wereldreis maken terwijl de wereld nog bestaat. In Hawaii woont een vroegere collega van me, en ook de ex van een vriend bij wie ik vroeger kunstwerken kocht toen ik nog dia-voorstellingen deed voor de advertentieverkopers bij *Time*. Ze is al jaren met iemand anders getrouwd. Ik zou ze graag allebei nog eens zien. Yossarian raadt me aan Nieuw Zeeland niet te missen als ik toch naar Australië ga, vooral het zuidelijke eiland met zijn hoge bergen en gletsjer. Misschien ga ik zelfs met lieslaarzen aan op forel vissen. Dat is ook iets wat ik nog nooit gedaan heb. In Sydney woont een oude collega samen met zijn vrouw in een huis aan de baai, met een zwembad voor de oefeningen die hij al sinds zijn negenentwintigste moet doen voor de spieren in zijn bovenlichaam, en ze hebben nu al bepaald dat ik minstens twee weken bij hen moet blijven. Hij kreeg de zogenaamde ziekte van Guillain-Barré na een inenting met antistoffen voor een verkoopbijeenkomst in Mexico, en hield er twee verlamde benen aan over. Yossarian kent ongetrouwde vrouwen in Sydney en Melbourne en heeft aangeboden om ze op te bellen en me te introduceren. Hij heeft me geadviseerd ze alle twee van tevoren een bos rode rozen te sturen. Volgens hem zijn rode rozen altijd in de roos. Daarna wil ik naar Singapore, waar mijn vroegere assistente woont met haar man, die advocaat bij een Amerikaans bedrijf is, en van daar naar Hong Kong, waar ik ook nog mensen ken. Van daaruit vlieg ik naar Italië, alleen maar naar Rome. Ik wil proberen het gebouw aan het begin van de Via Veneto te vinden waar we twee hele verdiepingen tot onze beschikking hadden. Ik zal Rome waarschijnlijk leuker vinden dan de laatste keer, toen ik in moest vallen voor een gehaast zakencongres, maar niet half zo leuk als de eerste keer, als jonge soldaat in oorlogstijd met een onverzadigbare honger naar Italiaans eten en een jeugdig libido dat uiterst ontvlambaar en wonderbaarlijk en eindeloos vernieuwbaar was. Daarna ga ik naar Engeland, waar nog meer vroegere collega's van me wonen. Eigenlijk is het jammer dat ik Parijs laat lopen, maar in Frankrijk ken ik niemand meer en ik geloof niet dat ik zou weten wat ik met mezelf moest doen als ik alleen ging. En daarna, na zes of zeven weken, terug naar mijn torenflat, naar een huis en een leven zonder de persoon die meer voor me heeft betekend dan alle anderen.

Ik heb veilige landen en neutrale vliegtuigmaatschappijen gekozen, maar waarschijnlijk word ik toch door terroristen gekaapt, zegt Esther bij wijze van grapje, en vervolgens doodgeschoten vanwege mijn Amerikaanse paspoort en joodse afkomst. Esther zou waarschijnlijk met me trouwen als ik mezelf ertoe kon brengen om haar te vragen, maar alleen als ze al haar bezittingen veilig kon stellen. Ze is bedillerig en eigenwijs. Het zou nooit iets worden.

Yossarian is er beter aan toe dan ik, omdat hij nog steeds belangrijke beslissingen moet nemen. Volgens Winkler althans, die op zijn kamer kwam om rapport uit te brengen over zijn contract met Milo Minderbinder voor zijn nieuwe spitstechnologische schoen – ik moet nog steeds lachen als ik denk aan onze jongenstijd, toen Winkler zijn nieuwe spitstechnologische bedrijfje voor het thuisbezorgen van ontbijtboterhammen opzette en ik de regel SLAAP UIT OP ZONDAGMORGEN! schreef voor zijn advertentiefolders – precies op het moment dat die opzichtige blondine de kamer binnenstormde met nieuws voor Yossarian dat als een bom ingeslagen moet zijn: bijna zeventig jaar en hij stond weer voor de ontzagwekkende keus van opnieuw vader worden of niet, voor de derde keer trouwen of niet.

'Godgloeiend,' was het woord dat Winkler zich herinnerde dat hij zei.

De vrouw die aldus bevrucht was geraakt was de donkere verpleegster. Voor iedereen die hen kende was het zonneklaar dat ze al een poosje iets met elkaar hadden. Als ze ooit een kind wilde hebben, moest het van hem zijn en als ze dit niet hield, waren ze over een tijdje misschien te oud.

'Realiseert ze zich wel,' riep Yossarian, 'dat ik tegen de tijd dat hij met me wil voetballen vierentachtig zal zijn?'

'Dat interesseert haar niet.'

'Wil ze dat ik met haar trouw?'

'Natuurlijk. Ik ook.'

'Luister... jij ook, Winkler...! kiezen op elkaar,' beval Yossarian. 'Ik wil niet dat iemand hier iets van hoort.'

'Aan wie zou ik het moeten vertellen?' vroeg Winkler, en hij gaf het meteen door aan mij. 'Ik zou het wel weten,' zei hij op de pompeuze toon die hij zich als zakenman graag aanmeet.

'Wat dan?' vroeg ik.

'Ik zou het niet weten,' antwoordde hij, waarop we opnieuw in lachen uitbarstten.

Als ik naar Yossarian in het ziekenhuis kijk en wat hij allemaal nog uithaalt, met dat enthousiaste blondje als vriendin en die zwangere verpleegster die met hem wil trouwen, en Patrick Beach en zijn vrouw op het bezoekuur, en dat duidelijke geheim tussen Beach en dat blondje, en ook tussen Yossarian en de vrouw van Patrick Beach, en McBride en zijn verloofde die om de haverklap op bezoek komen en al dat gedoe over het busstation en de maffe bruiloft die ze daar georganiseerd hebben en de tweeduizend kilo kaviaar die besteld zijn... al die dingen vervullen me met een schaapachtig gevoel van spijt dat ik van alles gemist heb en dat – nu het voorbij is – gelukkig zijn alleen niet genoeg was.

31

CLAIRE

Toen zijn maag weer begon op te spelen besloot hij de strijd op te geven en dood te gaan. Hij kon zich niets ergers meer voorstellen dan die misselijkheid. Dat hij zijn haar verloor was nog tot daaraan toe, zei hij om me op te beuren, maar dat andere, dat wist hij niet meer. Er waren intussen zoveel dingen waar hij ziek van werd: de kanker maakte hem beroerd, de medicijnen maakten hem beroerd, en nu had hij ook nog iets nieuws, lymfoom zeiden ze. Hij was het vechten gewoon moe. Hij had overal pijn. Hij zei dat de misselijkheid het ergst was. Ik voelde meteen dat hij deze keer anders was. We waren nog geen half uur thuis of hij begon met de sommen. Hij wist van geen ophouden.

'Wat is meer, acht procent of tien procent?'

'Van wat?' vroeg ik meteen. 'Tien procent. Wat anders?'

'O ja? Wat weegt meer dan, een pond veren of een pond lood?'

'Ik ben niet helemaal van gisteren hoor. Het is niet nodig om helemaal van de grond te beginnen.'

'Wat is meer waard, een pond koper of een pond kranten?'

Bij die herinnering glimlachten we allebei.

'Dat weet ik inmiddels ook.'

'O ja, tietenwijf? Even controleren dan. Hoeveel postzegels van drie cent in een dozijn?'

'Lew!'

'Goed dan, wat is meer, tien procent van tachtig dollar of acht procent van honderd dollar?'

'Ik zal iets voor je klaarmaken.'

'Precies even veel deze keer. Begrijp je dat niet?'

'Lew, laat me met rust. Straks wil je nog weten hoeveel zeven keer acht is. Zesenvijftig, Lew, oké?'

'Fantastisch. Is zeven keer acht meer dan zes keer negen? Kom op, schatje. Doe je best. Wat is het verschil?'

'God nog aan toe, Lew, waarom vraag je me geen dingen die ik weet? Wil je je omelet zacht of hard gebakken, of heb je je eieren vandaag liever omgedraaid?'

Hij had geen honger. Maar als hij kaas rook, moest hij altijd glimlachen. Veel at hij niet, maar zijn gezicht klaarde meteen op en het was een manier om zijn aandacht af te leiden. Het was net alsof hij dacht dat als ik die tafels van vermenigvuldiging van hem niet onthield, ik niet in staat zou zijn om een cent over te houden van wat hij me na zou laten. Het was afgelopen met scrabble en backgammon en rummy en triviant en als ik een video opzette, verveelde hij zich en viel in slaap. Hij kreeg graag brieven, hij was echt blij met die van Sammy; daarom vroeg ik hem ook of hij wilde blijven schrijven. Bezoek wilde hij niet. Daar werd hij moe van. Dat moest hij onderhouden. En hij wist dat hij hen ook ziek maakte. Emile kwam hem thuis behandelen als we dat nodig vonden, tenzij hij op de golfbaan was. Daar kwam hij vrijwel voor niemand meer vanaf, die huisarts van ons, zelfs niet voor zijn eigen gezin. Ik heb hem een keer flink de waarheid gezegd. Maar hij is ook moe. We hadden intussen allemaal onze buik vol van Teemer en ik geloof dat Teemer ons ook afgeschreven had. Die klets dat hij gek wordt is gewoon een trucje. Hij kan zijn patiënten gewoon niet meer uitstaan, dat heeft hij tegen Lew een keer duidelijk laten doorschemeren. Hij denkt dat we hém overal de schuld van geven. Daarom besloten we voortaan naar het dichtstbijzijnde ziekenhuis te gaan, want Teemer wist toch niets nieuws meer te bedenken. Lew ging er naartoe als hij moest en vertrok weer als hij er genoeg van had. Hier heeft hij zich altijd het meest thuis gevoeld, maar hij wilde niet thuis doodgaan. En ik wist waarom. Hij wilde me niet opzadelen met nog meer ellende. Daarom liet hij zich weer opnemen toen hij wist dat zijn tijd gekomen was. De verpleegsters waren nog steeds gek op hem, zowel de jonge als de getrouwde. Tegen hen kon hij nog steeds grapjes maken. Met hen kon hij nog steeds lachen. Misschien is het moeilijk te geloven – niet voor hem, want ik maakte het hem altijd meteen duidelijk als ik er narrig van werd – maar ik ben er altijd trots op geweest dat vrouwen hem zo aantrekkelijk vonden, hoewel ik me soms behoorlijk op kon winden als ik zag hoe dik zo'n getrouwde vrouw in de sociëteit het erbovenop legde en dat hij haar zo aanmoedigde dat ik me begon af te vragen waar het op zou houden. Wat ik dan het liefste deed was de duurste jurk gaan kopen die ik kon vinden en iedereen uitnodigen voor een groot feest om ze te laten zien dat ik nog altijd de vrouw des huizes was. Op vakantie genoot ik altijd van de geinige manier waarop hij het aanlegde met andere echtparen die ons wel gezellige lui leken. Maar deze keer was hij heel anders en die rekenlessen maakten me razend. Hij was kwaad dat ik niet zo snel kon leren als hij wou – je zou dat gezicht van hem eens moeten zien veranderen als hij zich opwond, met die kloppende zenuw naast zijn kaak, net een tijdbom. Dan werd ik ook altijd kwaad.

'Ik geloof dat hij zich klaar maakt om dood te gaan, mam,' zei Linda, mijn dochter, toen ik haar vertelde dat het me te veel begon te worden, en onze Michael, die dit hoorde, was het roerend met haar eens. 'Daarom begint hij steeds over rekenen en met dat gedoe over banken.'

Daar had ik helemaal niet aan gedacht, hoewel hij altijd een open boek voor me is geweest. O nee, zei ik, Lew zou de moed nooit opgeven. Maar ik had het mis en hij ontkende het niet eens.

'Wil je weten wat Linda denkt?' begon ik een keer te vissen. 'Volgens haar heb je besloten om je klaar te maken om dood te gaan. Je bent niet goed wijs, zei ik. Zoiets doen mensen niet, normale mensen, bedoel ik, en jij al helemaal niet.'

'O, schatje, da's heel lief van je,' zei hij opgelucht, en heel even leek hij gelukkig. Ik geloof zelfs dat hij glimlachte. 'Claire, ik ben het vechten beu,' zei hij zonder omwegen, en ik zweer je dat het er even op leek dat hij zou gaan huilen. 'Waarvoor zou ik?' Ik herinner me zijn blauwe ogen, hoe licht ze waren, hoe troebel ze plotseling werden. Hij hield zich groot met mij erbij, maar nu wed ik dat hij toch wel een paar tranen vergoot als hij alleen was, misschien zelfs meer dan een paar, misschien wel een heleboel. Wat hij tegen me zei was het volgende: 'Het zijn heel wat jaartjes geweest, Claire, vind je ook niet? Ik heb immers bijna de zeventig vol gemaakt. Zelfs Teemer vindt dat een flinke prestatie. Ik kan er niet meer tegen de hele tijd ongepast te zijn, altijd zo slap als een vaatdoek. Sammy heeft liever dat ik onpasselijk zeg in plaats van ongepast, maar weet hij veel. Het is nog niet zo lang geleden dat ik die knaap, die zakkenroller, beetpakte en op die motorkap tilde. Wat zou ik nou klaarmaken? Ik kan er niet tegen om zo mager te zijn. Daarom wil ik zo vaak terug naar het ziekenhuis. Ik kan er niet tegen dat jij me zo ziet, of de kinderen.'

'Lew, zo mag je niet praten.'

'Claire, luister goed. Zorg dat je altijd een heleboel contanten in een kluis hebt liggen voor het geval je acuut geld nodig hebt. Twee zijn meer dan genoeg. Als ik er niet meer ben zullen ze onze kluizen verzegelen, dus ik zou er maar een paar op je eigen naam gaan huren, bij verschillende banken, en er wat geld naar overhevelen. Je weet dat ik altijd alles graag van tevoren regel. Geef de kinderen ook maar een sleutel, dat ze die vast hebben, maar zonder te zeggen waar het geld ligt. Laat dat maar aan de notaris over, en die hoeft ook niet alles te weten. Notarissen moet je nooit vertrouwen. Daarom heb ik er altijd twee. Dank ze allebei af zodra ze elkaar beginnen te vertrouwen. We hebben een groot strandperceel op een van de eilanden waar ik je nooit over verteld heb en wat nou helemaal op jouw naam staat, en in Californië ligt nog een flinke lap grond waar je ook niks van wist. Dat moet je meteen van de hand doen voor de successierechten. Mijn partner daar kun je vertrouwen. Sammy Singer kun je ook advies vragen als je iets niet weet met de kinderen. Marvin Winkler ook. Maar hou de flat aan als je kunt, ondanks wat we vroeger over huisbazen zeiden. De munten van de wasautomaten alleen al maken het de moeite waard.'

'Dat weet ik ook, Lew. Dat zag ik eerder dan jij.'

'Ja hoor. Maar vertel 's, als je zo slim bent, Claire. Stel, je investeert een miljoen dollar in belastingvrije obligaties met een rentevoet van zes procent, hoeveel inkomen geeft dat je?'

'Per jaar?'

'Heel goed. Je hebt dat hoofdje niet voor niks.'

'Compleet met jackets op mijn tanden en een facelift.'

'Waarom kun je dan niet leren rekenen?'

'Zestigduizend dollar per jaar, zonder belasting.'

'Prima. Heel goed, schat. En dat maakt het zo mooi om rijk te zijn. Als Rockefeller of iemand anders honderd miljoen in die obligaties belegt, verdient-ie...'

'Zeshonderdduizend? Wat een hoop!'

'Nee, nog veel meer! Zes miljóen rente per jaar. Zonder een vinger uit te steken, belastingvrij, da's meer dan jij of ik ooit bij elkaar zullen zien. Is geld niet fantastisch? Goed, maar als je nou 's in plaats van een miljoen belastingvrij negenhonderdduizend dollar tegen die zelfde zes procent had geïnvesteerd...'

'God, Lew, hou alsjeblieft op!'

'Nadenken alsjeblieft. Rekenen.'

'Da's dat gedoe met negen keer zes weer, niet?'

'Inderdaad, da's het enige verschil. Dus hoeveel verdien je dan als het zes keer negen is?'

'Dat weten de kinderen wel.'

'Niks kinderen! Ik wil niet dat je op hen aangewezen bent en ook niet andersom. Mensen veranderen, mensen worden gek. Kijk maar naar Teemer. En naar die ruzie en ellende tussen Glenda en haar zuster over die boerderij van hun moeder. Je weet wat er met mijn vader gebeurde met die tienduizend dollar die ik van 'm leende, en met mijn moeder d'r hoofd, en die was niet eens oud.'

Toen zijn vader hem tienduizend dollar leende voor het opzetten van de handel in gebruikt sanitair die later onze houthandel werd, was het allemaal contant geld waarvan niemand wist waar hij het vandaan had gehaald of bewaard had voordat hij zijn voorwaarden vast liet leggen, allemaal heel officieel en volgens de wet, zodat het naar Minnie zou gaan en daarna naar alle anderen in het geval dat hem iets overkwam. Alles moest op papier en er moest rente betaald worden. De ouwe heer, de oude Morris, die zijn hele leven voor niemand bang was geweest, was bang dat hij op zijn oude dag arm zou zijn, hoewel hij al boven de tachtig was.

God, ik herinner me die schroothandel als de dag van gisteren, zo klein en krap, net breed genoeg voor een vrachtwagen en ongeveer even groot als het restaurant in de stad waar ik met Sam Singer een keer ben wezen eten. Maar de vrachtwagen stond altijd buiten, want binnen lag het vol schroot en achter ook. Hopen oud metaal, uitgesorteerd in messing, ijzer en koper, en een enorme weegschaal, groot genoeg om krantenbalen te wegen, en ongelooflijk veel vuil en smerigheid. De schone kranten kwamen uit de kelders van de flats in Coney Island, waar alle conciërges ze voor ons bewaarden – tegen betaling – en die vormden de buitenkant van de grote balen. Daarbinnen kon van alles zitten. Aan het eind van de dag schrobde iedereen, Lew, zijn vader, de broers, de zwagers en zelfs Smokey Rubin en de zwarte, hun lichaam en handen en nagels met koud water uit de slang, een grote industriële boender en loogzout, terwijl ik stond te wachten, helemaal opgedoft om uit te gaan.

Ratten waren het enige waar hij echt bang voor was, niet alleen de ratten zelf, hij kreeg al de griebels bij de gedachte alleen, ook in het leger toen hij in Europa was, en later in het kamp. In het slachthuis in Dresden was alles heel schoon, zei hij.

Al die dingen, de mensen, het werk, waren me vreemd, net zo vreemd als ik de Israëli's waarschijnlijk zal vinden als ik daar inderdaad een huis koop en er ooit ga wonen. Lew zou het een leuk idee gevonden hebben, ik in Israël, hoewel ik hem er nooit naartoe heb kunnen krijgen – het was vrijwel onmogelijk om hem ergens heen te krijgen waar hij de taal niet kende en de mensen niet wisten wie hij was. Ik geloof niet dat ik een verder plekje kan vinden om me terug te trekken en misschien van mijn herinneringen te genieten terwijl ik nieuwe avonturen beleef in een land vol oude wijsheid, met mensen met een moreel dat nog hoop en betekenis biedt. Ik wil ervan genieten.

Ik heb ook een joodse opvoeding gehad, maar in ons gezinnetje in het noorden van de staat ging het er heel anders aan toe. Mijn vader was boekhouder. Daarna werd hij bookmaker, net als Marvins vader, en begon zwaar te gokken, maar hij droeg altijd een kostuum met overhemd en stropdas en hield van panamahoeden en van die sjieke zwart-witte schoenen die ze vroeger hadden – ik zie ze nog voor me, met van die grote geperforeerde gaten. Die grote, luidruchtige, hardwerkende familie van Lew met hun Jiddisch en hun Brooklynse accent vond ik verwarrend maar ook aantrekkelijk, net als al die vrijmoedige, drukke, snelle jongens in Coney Island. Ik leerde hem kennen op een dubbele blind date samen met mijn nicht daar en eigenlijk zou ik met iemand anders gaan, maar toen hij toenadering zocht en duidelijk maakte dat hij best verder wilde gaan, waren alle andere jongens die ik ooit ontmoet had uitgepraat. We pasten precies bij elkaar. We hebben het er nooit over gehad, maar ik geloof wel dat ik zou willen hertrouwen, ongeacht of hij dat een leuk idee vond, mij lijkt het wel iets. We zijn jong getrouwd en ik ben eigenlijk mijn hele leven getrouwd geweest en ik weet niet of ik zal kunnen wennen aan alleen wonen. Maar of ik ooit iemand zal vinden om zijn plaats in te nemen is een grote vraag.

'Op mij hoef je niet te rekenen,' zei Sammy, toen ik mijn hart bij hem uitstortte.

'Dat ben ik ook geen seconde van plan geweest,' snauwde ik. Dat is zo'n gewoonte van me; het klonk botter dan ik het bedoelde. 'Sorry, Sam, maar ik zou nooit een slaapkamer met jou kunnen delen.'

'Dat geloof ik ook niet,' zei Sam met zijn lieve glimlach en ik was blij dat hij zich niet gekwetst voelde. 'Het zal niet meevallen om een vervanger te vinden.'

'Alsof ik dat niet weet. Maar hij was altijd jaloers op jou, echt jaloers op je leven in de stad. Althans op wat hij zich daarbij voorstelde. Zelfs toen je met Glenda getrouwd was, had hij het idee dat je elke nacht aan de boemel ging en alle mooie meiden versierde die je op kantoor en voor je werk tegenkwam.'

Sam was zichtbaar verguld. 'Dat heb ik nooit gedaan,' zei hij, enigszins trots en enigszins beschaamd. 'Niet één keer sinds mijn trouwen. Ik had er gewoon geen behoefte aan. Trouwens, Claire, je weet toch dat Glenda zeker nog twee jaar bij me op kantoor heeft gezeten, dus hoe dacht hij dat ik dat aan had moeten leggen? Waar denk je iemand te vinden, Claire? Je weet het zelf misschien niet, maar je stelt erg hoge eisen.'

Ik wist het ook niet. Ik had nog steeds een meerderheidsaandeel in die kunstacademie buiten Florence waarmee Lew me op mijn verjaardag een keer verrast had. Hoeveel vrouwen zijn er die ooit zo'n verjaardagscadeautje gekregen hebben? Maar Italiaanse mannen vertrouw ik niet zo en schilders zijn voor mij gewoon schilders. Israëlische mannen vertrouw ik evenmin, maar die zeggen tenminste eerlijk dat ze een nacht of een half uur van je lichaam willen genieten, en als het kan ook van je geld. De mannen van Coney Island ben ik ontgroeid. Bovendien zijn die er helemaal niet meer. Ik zal moeten liegen over mijn leeftijd en hoe lang zullen ze daar nog in trappen?

'Sam, herinner je je de schroothandel aan McDonald Avenue nog?'

De schroothandel herinnerde hij zich, maar niet alle familieleden, want die hadden weinig op met buitenstaanders en soms zelfs niet eens met elkaar. Er zaten altijd wel een paar gezinnen op elkaars lip in die kleine flat die Morris een keer gekocht had. Die waren niet altijd even dol op elkaar – zijn zwager Phil lag altijd dwars en stemde zelfs op Republikeinen als Dewey en Eisenhower en Nixon – maar ze namen het altijd voor elkaar op, echt ongekend, ook voor aangetrouwden en later voor mij, toen ik soms bleef eten en op de kamer van een van zijn zusters sliep, zelfs voordat we getrouwd waren. God sta degene bij die me kwetste of onheus bejegende, zelfs als ik ongelijk had. Behalve misschien Sammy en later Marvin met hun geplaag, en de paar andere grappenmakers die geintjes over mijn volle boezem maakten. Ik vond het niet leuk om van hem te horen dat ze mijn borsten belachelijk maakten en het over die grote tieten hadden, maar hij kon het maar niet met zichzelf eens worden of het misschien toch geen compliment was, zoals die sluwe Sammy Singer altijd beweerde. De ouwe heer kreeg meteen een zwak voor me en wierp zich op als mijn beschermengel omdat mijn vader overleden was. Hij beschouwde me als een wees. 'Nou mot je 's goed naar me luisteren Louie,' zei hij tegen hem, ook als ik er zelf bij stond. 'Of je trouwt met haar of je laat 'r met rust.' Hij wilde niet dat Lew bij ons thuis sliep, ook niet met mijn moeder erbij. 'Misschien dat je moeder niks ziet, maar ik wel.'

En Lew luisterde. Hij luisterde tot we getrouwd waren, toen ging het er meteen op los en hield het bijna niet meer op, zelfs niet in het ziekenhuis, bijna tot de laatste keer. Lew was een losbol en een versierder, maar voor zijn gezin was hij echt preuts. Hij zag niets in de bikini's en korte rokjes en vriendjes van de meisjes en wende er nooit aan. Ik hield er trouwens ook niet van. En van hun taalgebruik helemaal niet. Ze waren nog erger dan jongens en ik geloof dat ze niet eens beseften hoe smerig het was. Maar dat kon ik niet zeggen, want ik wou niet dat ze me voor even ouderwets aanzagen als hun vader als ik probeerde ze goede raad te geven. Zo kreeg ik hem ook klein in Fort Dix, waar hij die arme Duitse bediende die we Herman de mof noemden, het leven zuur maakte en ik wou dat dat afgelopen was. Ten slotte maakte ik er een eind aan door te dreigen dat ik me uit zou kleden en, hernia-operatie of niet, boven op hem zou klimmen waar Herman de mof, in de houding, bij stond. Zonder humor, zonder een lachje, liet hij Herman uiteindelijk gaan. En intussen had die zeker al een half uur lang stram in de houding zijn levensverhaal op staan dreunen. Hij had een echt gemene kant als het op Duitsers aankwam, en ik zweer dat ik hem bijna moest smeken om op te houden. Maar zo liet ik hem eieren voor zijn geld kiezen, want Lew was de enige man die me ooit naakt gezien had en ik was nog maagd destijds. We trouwden in 1945, kort na zijn terugkeer uit dat gevangenenkamp, na de hernia-operatie. En nadat ik hem al drie jaar lang pakketjes met koosjere salami en blikjes halva en andere bewaarbare lekkernijen gestuurd had, en zelfs lipstick en nylons voor de arme meisjes die hij volgens hem in Europa tegenkwam. Ik was zo verstandig om niet jaloers te zijn. De meeste pakjes kreeg hij trouwens niet eens, als krijgsgevangene al helemaal niet meer.

God, ze werkten wat af in die schroothandel, ze werkten zich kapot met dat dunne stalen baaldraad, dat soms brak en hartstikke gevaarlijk kon zijn. De ouwe heer was sterk voor drie en verwachtte hetzelfde van zijn zoons en schoonzoons, reden waarom de aanschaf van moderne persen voor de oude kranten altijd op de lange baan werd geschoven. Ze hadden baalhaken en tangen om het baaldraad vast te draaien, en pijpsnijders voor het loodgietersafval dat ze oppikten, maar hun handen waren hun beste gereedschap. En die enorme schouders. En daar stond Lew, een jongen eigenlijk nog, met ontbloot bovenlijf en een baalhaak in zijn rechterhand, en hij gaf me af en toe een bemoedigend knipoogje terwijl ik hielp met de boeken of wachtte tot hij klaar was om uit te gaan – een gemene steek met de baalhaak, een ruk, een kniebeweging en de baal tuimelde boven op een andere, waarna ze allebei trillend bleven liggen, iets wat ons altijd aan seks deed denken.

Morris wist wat geld waard was en had geen zin om het over de balk te gooien. Voordat hij ons de tienduizend dollar leende om voor onszelf te beginnen, inspecteerde hij het gebouw dat we wilden huren, een afgekeurde muizevallenfabriek die wemelde van de muizen – stel je voor, arme Lew – voor vijfenzeventig dollar per maand, meer konden we ons niet veroorloven. We kregen het geld – dat wisten we al – maar wel tegen tien procent rente, terwijl de banken vier procent vroegen. Maar hij nam het risico terwijl de banken niet thuis gaven, en het geld dat hij voor zijn oude dag bewaarde was ook voor de rest van de familie voor het geval die het ooit nodig had. Shylock nam genoegen met minder, zeiden we om hem te stangen, maar de ouwe was er nooit gerust op dat hij geld genoeg had voor zijn oude dag. Zelfs na zijn beroerte liet hij zich elke dag naar de schroothandel brengen om te doen wat hij kon.

Lew was het zesde kind, de tweede zoon van acht kinderen, maar toen ik hem leerde kennen nam hij de beslissingen al. Morris verwachtte dat Lew na de oorlog bij hem zou blijven werken en uiteindelijk de zaak misschien zou overnemen en voor de familie zou zorgen. Ik was zo dom te denken dat ik wilde dat hij in het leger bleef, maar dat zat er absoluut niet in. Hij had een paar duizend dollar overgehouden van zijn sergeantssalaris, grotendeels op de bank omdat hij al die tijd dat hij gevangen zat gewoon door kreeg betaald, en van het geld dat hij met gokken gewonnen had en naar huis had gestuurd. Zijn vader bood hem meer loon als hij bleef – voor de oorlog verdiende hij een dollar of dertig per week, nu zou hij vijfenzestig krijgen. Lew gaf hem een heel vriendelijk lachje.

'Nou moet je 's goed naar me luisteren, Morris, want ik wil het beter met je maken. Ik geef je een jaar voor niks, maar daarna wil ik mijn eigen salaris bepalen. En ík beslis waar, wanneer en hoe ik werk.'

'Aangenomen!' zei Morris, terwijl hij zijn gebit liet klepperen. In die tijd hadden alle oude mensen een kunstgebit.

Lew had natuurlijk altijd extra geld op zak om conciërges en schroothandelaren iets toe te steken. Soms kon je een gave stoomketel uit een flatgebouw halen. Die werd dan opgelapt en aan een andere huisbaas verkocht als gebruikt maar in uitstekende staat. Vanwege de tekorten kreeg je dit soort kansen vaak, ook met aanrechten, buizen, radiatoren, wc's, alles wat je in een huis nodig had. De schroothandelaren keken niet zo ver vooruit als wij. Conciërges – Lew sprak ze altijd aan met meneer en behandelde ze als beheerders of opzichters als hij iets met ze kwam regelen – zeiden nooit nee tegen een extra zakcentje. Er was zoveel van dat spul te krijgen dat we op het idee kwamen om een bedrijf voor bouwbenodigdheden buiten de stad te beginnen, waar ze dat soort zaken te kort kwamen. Ik geloof dat de eerste inval van mij afkomstig was. Het was een tijd om risico's te nemen. De belangrijkste ingrediënten waren gevoel voor humor en een sterke persoonlijkheid en daar ontbrak het ons intussen niet meer aan.

Ik moet nog steeds lachen als ik aan die tijd denk. We waren zo groen, allebei, en vaak wist ik nog meer dan hij. Ik wist wat steelglas was, terwijl Lew daar nog nooit van gehoord had. Maar toen ik een keer zei dat ik steelglas wilde, zorgde hij dat het er was voor ons eerste flatje. Het kwam van een zekere Rocky, een Italiaanse handelaar in ongeregeld die hij ergens had opgedaan, een echte ritselaar. Hij zag er altijd piekfijn uit, zelfs als hij naar de schroothandel kwam, een modeplaatje met een brillantinekop. Onze eerste auto kwam ook van Rocky, tweedehands. Rocky: 'Wat zoek je?' Lew: ''n Auto.' Rocky: 'Welk merk?' Lew: ''n Chevrolet. Blauw. Aqua, zegt ze.' Rocky: 'Wanneer?' Lew: 'Maart dit jaar.' En in maart kwam de auto. Dat was 1947 en de wagen was van '45. Net als het steelglas, waar Rocky ook nog nooit van gehoord had. Ik zie hem nog voor me, die tersluikse blik, de manier waarop hij op zijn hoofd krabde, hoe hij zijn hand door zijn golvende haar haalde. Maar verder geen enkel teken dat hij het produkt niet kende. Wie kende het in die tijd wel? Dat wist eigenlijk niemand in die tijd. Maar de week daarop kwamen de twee dozen, van Woolworth – elk glas apart in bruinachtig zijdepapier verpakt en elk in zijn eigen vakje. Gratis. Een huwelijksgeschenk van Rocky... jezus! Ik heb er nog steeds een paar van over, speciaal bewaard. En nu is het bijna vijftig jaar later en jézus! stel je voor, Rocky duikt op uit het niets en blijkt de man te zijn die samen met Lew dat perceel in Californië gekocht had en die ik volgens hem kon vertrouwen. Ze hebben al die jaren contact gehouden en Lew heeft er nooit met een woord over gesproken.

'Waarom heb je me dat nooit verteld?' wilde ik weten.

'Hij heeft vastgezeten,' zei Lew.

Bestaan zulke vriendschappen tegenwoordig nog? Lew had honger, altijd honger, en zat boordevol ambitie en voelde zich altijd enigszins een buitenstaander in de wereld om hem heen, waar hij bij wilde horen, heel zijn leven bij wilde horen en die hij tot zijn eigendom wilde maken. Hij had ook kunnen gaan studeren en ik weet zeker dat hij het even goed gedaan zou hebben als de anderen, want hij leerde snel. Maar hij vond het zonde van de tijd. Zijn moeder mocht me ook – allemaal eigenlijk – want ik was de enige die cadeautjes inpakte en er een lintje omheen deed. Ook hield ik haar vaak gezelschap, hoewel we elkaar weinig te vertellen hadden. Ik verstond amper Jiddisch en zij kende niets anders en na een tijdje kreeg ze volgens de dokters aderverkalking, hoewel het waarschijnlijk de ziekte van Alzheimer was, en toen kon vrijwel niemand meer een touw vastknopen aan wat ze zei. Tegenwoordig lijkt het wel alsof iedereen de ziekte van Alzheimer krijgt als ze niet eerst sterven aan kanker. Eerst Glenda, toen Lew.

'En mijn vader,' zei Sam. 'En vlak beroertes niet uit.'

'Dat doe ik ook niet. Mijn moeder heeft er een gehad.'

'De mijne ook, op het laatst,' zei Sam.

Ik bleef Lews moeder toch gezelschap houden. Mijn truc was dat ik altijd ja zei. Af en toe moest het nee zijn, dan begon ze te mummelen en haar hoofd te schudden en wist ik dat ik verkeerd gegokt had, en als niets werkte en we elkaar nog steeds niet begrepen, zei ik glimlachend: 'Misschien.'

Lew leerde erg snel, en toen hij in zee ging met die grote oliemaatschappij met zijn plan voor huisbrandoliemeters, zag hij dat er mensen waren met wie hij niets kon aanvangen en plaatsen waar hij niet welkom was, en we waren slim genoeg om nooit aan te dringen. Hij heeft nooit geprobeerd om bij de niet-joodse golfclub te komen, zelfs niet toen we daar waarschijnlijk genoeg vrienden hadden om lid te kunnen worden. Hij vond het leuker om ze als gasten uit te nodigen op de onze. We leerden allebei erg snel en toen we geld voor twee auto's hadden kochten we twee auto's. En toen buitenlandse auto's in de mode kwamen en beter bleken dan Amerikaanse, kochten we er daar ook twee van.

Geen kunstvezels voor Lew, geen imitatie, nooit. Op maat gemaakte katoenen overhemden, zolang de katoen tenminste niet uit Egypte kwam. Egypte kon die zenuw ook aan het trillen brengen na de oorlogen met Israël. Maatpakken van een kleermaker met de naam Sills, lang voordat iemand wist dat John Kennedy zijn pakken ook daar liet maken. En boven alles: manicures, manicures! Van manicures kreeg hij nooit genoeg. Ik ben ervan overtuigd dat dat kwam door dat vuil in de schroothandel en later ook in dat kamp. Zo brachten we op het laatst onze tijd door, want tv kijken kon hij niet meer. Pedicures gaf ik hem ook, dan lag hij grinnikend op zijn rug. Dat soort dingen hebben we na ons trouwen vaak gedaan, het was iets speciaals voor ons. In het ziekenhuis zei ik tegen de verpleegsters dat ze zijn nagels bij moesten houden als ze wilden dat hij het naar zijn zin had, en dat deden ze, ook de stafverpleegsters.

'Hij is lachend gestorven, weet je dat?' zei ik tegen Sam.

'Serieus?'

'Ja hoor. Tenminste, dat zeiden ze.' Ik koos mijn woorden met opzet, en Sammy sprong op van verbazing. 'Hij stierf terwijl hij lachte om jou.'

'Waarom?'

'Vanwege je brief,' zei ik, en zelf moest ik ook lachen. 'Ik ben blij dat je ons die lange reisbrief hebt geschreven.'

'Dat had je toch gevraagd.'

Gelukkig wel. Ik las hem er stukken uit voor en we moesten er allebei vaak hard om lachen. Zelf las hij hem ook. Hij nam hem mee naar het ziekenhuis toen hij wist dat het de laatste keer zou zijn en daar las hij hem voor aan de verpleegsters. En 's nachts vroeg hij de nachtzuster soms om hem voor te lezen. De verpleegsters daar waren gek op hem, ik zweer het je, heel anders dan die chagrijnige, arrogante tantes hier in New York. Hij vroeg altijd hoe het met ze ging en maakte ze complimentjes, ook de getrouwde vrouwen met kinderen en de oudjes. Hij wist feilloos hoe hij ze aan het lachen moest maken of wat hij moest zeggen als ze problemen hadden. 'Mary, zeg maar tegen je man dat hij beter op kan passen, want zo gauw ik weer een beetje boven jan ben, neem ik je na je werk en op je vrije dagen mee uit en dan kan hij zelf leren kokkerellen. En zijn eigen ontbijt maken ook, want wie weet wordt-ie dan wel eens wakker zonder jou.' 'Weet je wat, Agnes, morgen ga ik naar huis. Dan kom je me om een uur of vijf met je Honda ophalen en dan gaan we een borrel drinken en een hapje eten in Motel on the Mountain. En zorg dat je genoeg spullen meeneemt voor het geval je de hele nacht weg wilt blijven.' 'Daar hoef je heus niet om te lachen, Agnes,' zei ik dan, want ik zat er gewoon bij. 'Hij meent het echt. Ik heb hem vaker bezig gezien en hij krijgt altijd zijn zin. Da's ook de reden dat hij mij heeft.' Het was echt een leuke en volledige reisbeschrijving, die brief van Sam.

'Nieuw Zeeland, Australië, Singapore,' prees ik hem. 'En Hawaii, Fiji, Bali en Tahiti om het af te leren? Is dat echt waar?'

'Het meeste wel. Fiji, Bali en Tahiti niet. Dat heb ik er voor jullie bij gezet.

'Nou, dan heb je succes gehad. Hij vond het een kostelijk idee dat jij daar zat. "Arme Sammy," zei hij tegen de nachtzuster terwijl ze hem jouw brief die laatste nacht weer voor zat te lezen. Hij is 's nachts gestorven, zie je, en ze belden me 's morgens op en dit waren vrijwel zijn laatste woorden, Sam. "Dat ik nou net in het ziekenhuis moet liggen als hij me het hardst nodig heeft. Die arme kerel is zonder ons op wereldreis gegaan terwijl hij nog steeds niet geleerd heeft hoe hij een meisje moest versieren." '

BOEK ELF

32

BRUILOFT

De tweeduizend kilo topkwaliteit kaviaar werd door automatische machines in porties van vier gram verdeeld voor de vijfhonderdtwaalfduizend canapés die samen met fluitglazen importchampagne klaar stonden om door de twaalfhonderd kelners geserveerd te worden aan de vijfendertighonderd boezemvrienden en -vriendinnen van Regina en Milo Minderbinder en Olivia en Christopher Maxon en het handjevol kennissen van bruid en bruidegom. De buitensporige aanpak was met opzet gekozen om de aandacht van de media te trekken. Een deel van wat overbleef was voor de staf. De rest ging nog die zelfde nacht in koelwagens naar onderkomens buiten de stad en in New Jersey, waar de daklozen en andere busstationbewoners voor dat etmaal bijeengedreven waren en vastgehouden werden. De aldus verwijderde bedelaars, prostituées en drugshandelaars werden vervangen door variété-artiesten die hun rol overnamen en wier imitaties men authentieker en acceptabeler vond dan de originelen die als voorbeeld hadden gediend.

De kaviaar arriveerde in de keukens van de Commerciële Catering Divisie van Milo Minderbinder Ondernemingen en Co. in tachtig speciaal ontworpen vijftigpondsvaatjes. Er werden foto's van gemaakt voor publikatie in dure, moderne tijdschriften, gewijd aan goede smaak en majestueuze society-evenementen van de schaal van de Minderbinder/Maxon-bruiloft.

Scherpschutters in avondkleding van de Commerciële Moord Divisie van M & M hielden zich discreet schuil achter draperieën in de gangen en winkelgalerijen op de diverse balkons, met als voornaamste opdracht een oogje te houden op eventuele illegale acties van de scherpschutters van de gemeentepolitie en van de diverse regeringsbureaus die verantwoordelijk waren voor de veiligheid van de president, zijn echtgenote en andere regeringsambtenaren.

Behalve de kaviaar en champagne waren er nog sandwiches, gekoelde garnalen, mosselen, oesters, rauwe-groentehapjes met een mild kerriesausje en ganzeleverpastei.

Vulgariteiten waren ten strengste verboden, had Olivia Maxon meteen gestipuleerd.

Op dit punt werd ze gerustgesteld door de zelfverzekerde jongeman aan de knoppen van het computermodel van de op handen zijnde bruiloft, die zich afspeelde alsof hij al voorbij was op de monitoren van het Communicatie- en Controlecentrum van het busstation, waar de apparatuur voor het model genstalleerd was voor demonstratiedoeleinden en tests. Hij schakelde over naar een van de andere zestig videoschermen.

Op dat scherm, toen de gebeurtenis die nog niet had plaatsgevonden, voorbij was, beantwoordde de ambitieuze directeur van een mediaconglomeraat vragen die nog niet gesteld waren.

'Van vulgariteit was geen sprake,' beweerde hij nog voordat hij er zelfs geweest was. 'Ik was op de bruiloft. Ik vond het een fantastische gebeurtenis.'

Olivia Maxon, tijdelijk gesust door deze bemoedigende demonstratie van wat volgens alle voorspelingen móest gebeuren, kneep Yossarian in de arm in een gebaar van hernieuwd vertrouwen, drukte haar peuk uit en zocht een nieuwe sigaret. Olivia Maxon, een kleine, donkere, gerimpelde, glimlachende, modieus uitgemergelde vrouw, was er allesbehalve mee ingenomen toen Frances Beach zich onverhoeds terugtrok vanwege de ernstige beroerte van haar man, zodat zij veel meer dan haar lief was aangewezen bleef op John Yossarian, bij wie ze zich nooit helemaal op haar gemak had gevoeld. Frances bleef veel met Patrick thuis en had alle onaangekondigde bezoekjes verboden.

De apparatuur in de commandokoepel in de zuidelijke vleugel van het busstation tussen de begane grond en de eerste verdieping was het eigendom van Makelaarskantoor Gaffney, en de vlotte jonge computerdeskundige die een select gezelschap, bestaande uit Yossarian, Gaffney en Olivia Maxon, de werking ervan uitlegde, was bij Gaffney in dienst. Hij had zichzelf voorgesteld als Warren Hacker. Gaffney had zijn bourgognerode stropdas in een windsorknoop gestrikt. De schouders van zijn kamgaren jasje van die dag waren recht van snit.

Christopher Maxon zat thuis, aangezien hij volgens zijn vrouw toch van geen enkel nut zou zijn. Milo, verveeld door de herhaling van het toekomstige gebeuren, was naar het cirkelvormige balkon gedrenteld. Danig aangeslagen door de nabijheid van de travestieten aan de balustrade boven, die in beeldige zondigheid op de figuren beneden hen – dus ook hem – neerkeken, had hij de roltrap naar beneden genomen, waar hij op de komst van Yossarian wachtte om samen met hem een inspectietoer door het busstation te ondernemen, een privilege waar elk lid van het gezelschap recht op had en waar hij volgens sommige gezinsleden niet onderuit kon. Nu de vliegtuigorder binnen was, overwoog hij wolkenkrabbers. Zijn M & M Gebouw beviel hem en hij wilde er meer. Ook worstelde hij met een hardnekkig raadsel: tot zijn verwarring had hij zichzelf op een van de schermen gekleed in zwaluwstaart en witte das een kort toespraakje horen houden dat hij nog niet gelezen had en zichzelf vervolgens, hoewel hij nooit dansles had gehad, zien dansen met die zwartharige Olivia Maxon, die hij nog geen uur kende. Hij wist langzamerhand niet meer of het vandaag of morgen was.

Voordat hij naar beneden ging, had hij Yossarian even terzijde genomen. 'Wat is godverdomme het probleem,' vroeg hij afwezig, 'met die klotekaviaar?'

'Aan het geld ligt het niet,' zei Yossarian. 'Het ligt aan die klotevis. Maar ze geloven dat ze er intussen genoeg gevangen hebben.'

'Godzijdank,' zei Olivia toen ze dit goede nieuws opnieuw hoorde.

In de archieven van het Metropolitan Museum of Art lagen precedenten met leidraden en mijlpalen ter evenaring en verbetering. Het Minderbinder/Maxon-gebeuren zou alles overtreffen. Er was geld te over in het land, ondanks de recessie. Zelfs te midden van armoede was er ruimte voor grandioze verspilling.

Hoewel het voorjaar was, had de hoofdbloemist tachtig kerstbomen in de vijf eetzalen neer laten zetten, omringd met duizenden potten witte narcissen. De zuidelijke vleugel had twee afdelingen met dansvloeren en concertpodia – op de begane grond en op de eerste verdieping; de noordelijke vleugel alleen beneden. De ingangen aan Eighth Avenue en Ninth Avenue baadden al sinds een uur of vier 's middags in het licht van schijnwerpers, evenals de kleinere, minder opvallende toegangsdeuren in de zijstraten. Voor de mensen binnen, achter het donkere spiegelglas in de twee straten lange voorgevel, gaf dit het effect van vrolijk zonlicht op gebrandschilderde ramen. De bussen die buiten voorbijreden werden geprezen als knappe imitaties van de werkelijkheid, en de reactie op de vleugjes dieseldamp – binnengeblazen door het centrale luchtverversingssysteem – die van tijd tot tijd tussen de natuurlijke parfumwolken van de vrouwen te ruiken waren, was even enthousiast: 'Net echt!' Alle kleinere cateringbedrijven, bloemisten en andere personen onder contract bij M & M's Commerciële Catering Divisie NV, hadden geheimhoudingsovereenkomsten getekend bij de Commercile Moord Divisie van M & M O & Co, en het geheime karakter van die vertrouwelijke documenten werd overal rondgebazuind.

De benedenverdieping van de noordelijke vleugel, gescheiden van de zuidelijke door een straat die de bruid met haar gevolg zou moeten oversteken, was omgetoverd tot kapel en selecte eetzaal. Om deze verbouwing mogelijk te maken was het noodzakelijk geweest de zware trappen naar de kelderverdiepingen, een informatiebalie en het enorme kunstwerk van kleurige bewegende ballen dat normaal gesproken een groot deel van de hal in beslag nam, te verwijderen. Trappen, informatiebalie en kunstwerk stonden tentoongesteld onder een tijdelijke overkapping in het Metropolitan Museum waar normaal gesproken de grote zaal was, en trokken redelijk veel bezoek en vrij lovende recensies van de kunstcritici. De grote zaal van het museum was tegen een vergoeding van tien miljoen dollar naar het busstation overgebracht. De verwijdering van trappen en kunstwerk uit de noordelijke vleugel had ruimte geschapen voor rijen kastanjehouten kerkbanken en, nog veel belangrijker, voor de Tempel van Dendur uit dat zelfde Metropolitan Museum, die de curatoren na de nodige vriendelijke druk en een bedrag van nog eens tien miljoen dollar eveneens voor deze gelegenheid hadden uitgeleend. De personen die op dit moment een oogje op de videoschermen in het Communicatie- en Controlecentrum hielden, zouden binnenkort in deze noordelijke vleugel van het busstation de huwelijksplechtigheid gadeslaan. Tevens had men plaats ingeruimd voor een kleine tafel voor de belangrijkste deelnemers aan de plechtigheid en hun twee gasten uit het Witte Huis, als ook voor zes ronde tafels, elk met tien stoelen, voor de mensen die het nauwst bij het gebeuren en de topfiguren aan de lange tafel buiten de tempelzuilen betrokken waren. Het altaar in de Tempel van Dendur stond in een zee van bloemen en brandende kaarsen.

Een miljoen honderdtweeëntwintigduizend champagnekleurige tulpen waren aangekocht als aardigheidje en aandenken. De vijf eetzalen waren verlucht met een enorme verscheidenheid aan schitterende kroonluchters uit diverse tijdperken, gewikkeld in grillige wilgetakken. Plukjes raffia sierden de wilgetakken en in alle bladeren en alle tachtig kerstbomen fonkelden lichtjes. Wonderschone wandtapijten als tafelkleden, zeeën van kunstzinnig gerangschikte kaarsen, antieke kooien vol levende vogels, en zeldzame boeken en oud zilverwerk uit verschillende eeuwen waren overal een lust voor het oog.

Grote boeketten zomerasters in de tweentwintighonderd Malakse potten aan weerszijden van alle ingangen van de grote vertrekhallen gaven de helft van de benedenverdieping van de zuidelijke vleugel het aanzien van Versailles in het klein, met duizenden flakkerende lichtjes in de aardewerken potten die miljoenen kaarsen moesten voorstellen. In honderdvier vitrines aan de muren van alle eetzalen imiteerden levende acteurs en actrices de houdingen en activiteiten van de schooiers, hoertjes, drugshandelaars, jonge weglopers, verslaafden en andere zwervers die anders het busstation bevolkten. De nog winstgevende winkels in het station hadden geld gekregen om de hele nacht open te blijven, wat de originaliteit van omgeving en achtergrond nog eens onderstreepte, en veel gasten vermaakten zich tijdens de pauzes met inkopen doen. Eenenzestig welgeschapen eeneiige vrouwelijke tweelingen, het maximum dat in de hele wereld voor dit soort werk beschikbaar was, poseerden als zeemeerminnen in de ongeveer vijftig kunstmatige vijvers en fonteinen, terwijl achtendertig eeneiige mannelijke tweelingen voor heraut en vaandelzwaaier speelden en iedereen die vragen stelde humoristisch te woord stonden.

Assistenten van de Havendienst in rode jasjes stonden overal klaar met instructies en aanwijzingen. De vertrekhal van de vliegveldbussen was opengehouden ten behoeve van de gasten die van het overdadige Minderbinder/Maxon-gebeuren rechtstreeks wilden doorvliegen naar overdadige feesten in Marokko en Venetië, muziekfestivals in Salzburg of Beiroet, de Bloemententoonstelling in Chelsea of het Wimbledon-toernooi in Engeland.

De beste bemiddelingsbureaus hadden er door middel van intensieve sollicitatiegesprekken op toegezien dat alleen de beschaafdste modellen en toneelspelers van de beste achtergrond en de beste toneelscholen werden ingehuurd voor het spelen van de mannelijke en vrouwelijke hoeren en andere behoeftige en verloederde stationsbewoners die daar anders leefden en werkten. Ze wierpen zich op hun rollen met zo'n gezonde gretigheid en ontwapenende geestdrift voor goed en fatsoenlijk vermaak dat ze alle harten in het gevarieerde publiek veroverden. Tegen het einde van het feest, zagen de bewakers van de videoschermen, mengden ze zich in hun kostuums en gespeelde hoedanigheden onder de gasten, een inval die de algehele hilariteit zeer ten goede kwam.

Andere acteurs, actrices en modellen van beiderlei kunne beeldden personen uit beroemde schilderijen en films uit en wandelden door de diverse galerijen in de karakteristieke houding van de mensen die ze speelden. Er waren een aantal Marilyn Monroe's, een paar Marlon

Brando's in de rol van Stanley Kowalski, enige Humphrey Bogarts, een handvol stervende Dantons en minstens twee Mona Lisa's, die iedereen herkende. De kelners droegen losse witte bloezen en geborduurde tunieken uit diverse tijdperken. Het bookmakerskantoor, Arby's restaurant op de eerste verdieping en Lindy's bar-restaurant beneden waren omgebouwd tot zeventiende-eeuwse Vlaamse eet- en drinkhuizen, met de bij dat soort taveernes passende eigentijdse snuisterijen en kunstvoorwerpen. In een van deze tableaus stond een magere man met een melkwitte huid, rode oogjes en koperkleurig haar, die een sigaret rookte in plaats van een pijp en alles om zich heen nauwgezet in de gaten hield. Hij droeg Beierse lederhosen en was uitgerust met wandelstok en groene rugzak, en Yossarian, die er vaag van overtuigd was dat hij hem eerder had gezien, wist niet of hij daar werkte of bij het decor hoorde. Er liepen diverse zelfportretten van Rembrandt rond en één Jane Avril. Jezus Christus was niet vertegenwoordigd.

Na het eten zouden de gasten de gelegenheid krijgen om te dansen of langs de antieke Griekse en Romeinse standbeelden naar Zaro's Broodmand te wandelen om Zaro's brood, boerenkandij of loten in de Newyorkse Staatsloterij te kopen, of om binnen te gluren bij een Drago Hakkenbar of een Tropica Vruchtensapbar, waar de sinaasappelpiramiden in Franse Directoire-stijl verlucht waren met guirlandes, rosetten en kwasten. Veel mensen hadden nog nooit sinaasappelpiramides gezien. De middenstukken op de eettafels bestonden uit vergulde magnoliablaadjes en voorjaarstakken, en de zuilen onder het Communicatie- en Controlecentrum stonden er majestueus bij in het zilverkleurige schijnwerperlicht, omringd door schuimende fonteinen en een groot aantal reclamebanieren en -wimpels die in het kunstmatige briesje bolden en flapperden als zeilen. De gang naar de vertrekhaltes van de lange-afstandbussen naar Kenosha in het westen en de Noordpool in het noorden was omgebouwd in Grieks-Renaissancistische stijl en ingericht met Italiaanse wandtapijten, Japanse lantaarns, middeleeuwse harnassen en gebeeldhouwde notehouten lambrizeringen uit een Frans château. De gang ertegenover was gevuld met Regency-meubels, volgepropte sitsen kussens en mahoniehout achter de smeedijzeren poorten van een middeleeuwse binnenplaats. Het Hof van Charles Engelhard, eveneens geleend van het Metropolitan, baadde in roze en goud licht en was versierd met vijftigduizend Franse rozen, bijna even veel in goud gedoopte magnoliablaadjes en een dansvloer die voor de gelegenheid beschilderd was met groene, gele, rode en zwarte harlekijnblokken.

Zevenenveertig etiquettemeesters van Buitenlandse Zaken hadden hun diensten verleend bij de gevoelige kwestie van het plaatsen der gasten, en hadden erop toegezien dat alle vijfendertighonderd genodigden de correcte, zij het niet altijd meest gewenste, plaats aan tafel kregen toegewezen. Veel van de vijfendertighonderd waren ontevreden of zelfs beledigd door de oplossing waar uiteindelijk voor gekozen werd, maar putten enige troost uit de zichtbare teleurstelling van anderen.

Ereplaatsen bestonden niet, behalve aan het tafeltje bij de Tempel van Dendur in de noordelijke vleugel voor de familie en natuurlijk de president en zijn vrouw, waar Macaroni Cook in afwachting van de komst van de leider des volks diens plaats al had ingenomen.

Zijn echtgenote was eerder gekomen om handtekeningen van beroemdheden te verzamelen.

'Ik vraag me af waar de president blijft,' zei Olivia Maxon vol ongeduld en verwachting. 'Ik wou dat hij kwam.'

Hij zou, wisten sommige mensen, rechtstreeks per speciale sneltrein van het geheime ondergrondse HSGPMZ-station in Washington naar het busstation komen. En natuurlijk zou hij vrijwel als laatste arriveren, precies op tijd om de mensen met een brede glimlach toe te zwaaien, zo weinig mogelijk handen te schudden en vervolgens de bruid weg te geven terwijl hij tegelijkertijd zijn plaats naast M2 innam als getuige voor de bruidegom. Dit was eveneens een nieuw snufje in de plechtigheid dat beloofde een precedent voor andere bruiloften te zullen scheppen, wie weet zelfs voor koninklijke families met eeuwenoude tradities.

Alle andere tafels waren rond, zodat niemand aan het hoofd kon gaan zitten, en hadden demonstratief democratisch allemaal dezelfde stoelen. En aan elk van de driehonderdvierenveertig ronde tafels buiten de noordelijke vleugel zaten een belangrijke publieke figuur en een multimiljonair, of een vrouw die met zo iemand getrouwd was. De multimiljonairs waren niet geheel voldaan, aangezien ze gehoopt hadden op óf de president óf een van de acht uitgenodigde miljardairs, die zich stuk voor stuk zeer bewust waren van hun metaforische betekenis als godheden, trofeeën, inspiratiebronnen en ornamenten.

De kardinaal had verzocht om de president als tafelgenoot, of anders de gouverneur, de burgemeester, één eigenaar van een grote Newyorkse krant, minimaal twee van de acht miljardairs en één Nobelprijswinnaar voor fysica om te bekeren. In plaats daarvan gaf Yossarian hem Dennis Teemer, die hem de ware feiten van het biologisch leven bij moest brengen, één uitgever en één teleurgestelde multimiljonair, die gehoopt had op een tête-à-tête met een miljardair. Hij gaf ze een tafel met uitzicht op de bruid aan de Ninth Avenue-kant van de zuidelijke vleugel, niet ver van het politiebureau en het tafeltje van Larry McBride, diens nieuwe echtgenote, Michael Yossarian en zijn oude vriendin Marlene, buiten het bureau tussen de Sport Spot Lingeriezaak en Jo Ann's Notenbalk. McMahon was ook van de partij, uit zijn cel gekomen ter ere van McBride en zijn nieuwe wederhelft, niet in smoking maar officieel in zijn inspecteursuniform.

McBride stond op de nominatie voor een presidentiële aanbeveling voor de meesterlijke manier waarop hij plaats had gevonden voor de driehonderdeenenvijftig tafels voor de vijfendertighonderd beste vrienden van Regina en Milo Minderbinder en Olivia en Christopher Maxon, die geen beste vrienden hadden en er ook geen wilden, én voor de Tempel van Dendur en andere monumentale constructies in de vijf schitterende zalen, én voor alle concertpodia en dansvloeren. Ook was hij verantwoordelijk voor het coördineren van de activiteiten van andere personen in disciplines waar hij geen enkele ervaring mee had.

Van essentieel belang bij de voorbereiding was de vrije doorgang voor de bruidsstoet van de Ninth Avenue-kant van de zuidelijke vleugel tot vrijwel de Eighth Avenue-kant, helemaal tot bij Walgreene's apotheek, waar de stoet afboog, via de uitgang aan 41st Street naar buiten liep, onder een afdak 41st Street overstak en de noordelijke vleugel binnenging, richting kapel en eetzaal en het trouwaltaar in de Tempel van Dendur. De Tempel van Dendur, de Blumenthal Patio, het Hof van Engelhard en de grote zaal van het befaamde Metropolitan Museum van New York, de vier heiligdommen van het museum, die tegenwoordig werden ingezet bij feesten en voor andere maatschappelijke en reclame-doeleinden, waren deze avond allemaal overgebracht naar het busstation en zodanig opgesteld dat alle gasten uitzicht hadden op hun eigen befaamde monument met een glorieuze catering-geschiedenis.

McBride had de tafels zo gearrangeerd dat alle gasten op zijn minst een glimp van de bruid en haar gevolg zouden opvangen als die via de roltrappen van het metro-niveau naar de Ninth Avenue-kant van het busstation opstegen en waardig naar Eighth Avenue en uiteindelijk de noordelijke vleugel schreden. Deze bepaald niet korte route stelde de organisatoren in staat het gebeuren op te luisteren met een buitengewoon muziekprogramma en het een uniek cachet te verlenen. Stomverbaasd luisterde Yossarian naar de eerste vertrouwde noten.

Het openingsstuk voor de huwelijksviering was de prelude van de opera *Die Meistersinger*.

En tijdens de eerste schallende, jubelende akkoorden van dit stuk zag Yossarian de bruid als de opgaande zon met de roltrap naar boven komen. De vlotte, opgewekte muziek, die genoeg tijd in beslag nam voor de lange wandeling, leek voor de gelegenheid geschreven. De snelle tempowisselingen vielen vooral in de smaak bij de bloemenmeisjes en bruidsjonkers, die helemaal in hun element waren toen de prelude werd gevolgd door de 'Dans der leerlingen' voor de twee minuten en zes seconden die de laatste personen in de bruidsstoet nodig hadden om de zijuitgang naar de noordelijke vleugel te bereiken. Toen de bruid de hoek was omgeslagen en de straat overgestoken, weerklonk een stijve orkestrale versie van 'Het prijslied' uit die zelfde Wagneriaanse opera, die bleef hangen op een zachte, trillende noot toen de bruid in de kapel aankwam en ten slotte bleef staan voor de kardinaal, een hervormde rabbijn en zes prelaten van andere godsdiensten die daar samen met de bruidegom en hun belangrijkste assistenten haar komst afwachtten. Tijdens de plechtigheid was op de achtergrond zacht het 'Liebesnacht'-duet uit *Tristan* te horen, waarbij de kardinaal door de vingers moest zien dat deze hemelse muziek ook vleselijk was en de rabbijn probeerde te vergeten dat ze gecomponeerd was door Wagner. Het gelukkige paar werd in de loop van de plechtigheid negen keer tot man en vrouw verklaard, door de acht geestelijken en door Macaroni Cook, die nog altijd de plaats van de afwezige president innam. Toen ze zich van het altaar afwendden voor een kuise zoen alvorens zich naar de dansvloer te begeven, waren de zwellende melodieën die hen begeleidden, zo kondigde Hacker al aan voordat ze begonnen, de slotakkoorden van *Die Götterdämmerung*, met de ijle, gevoelvolle tonen van het thema 'Verlossing door liefde'.

'Kent u dat?' vroeg Hacker.

'Jazeker,' zei Yossarian blij en verbaasd en bijna geneigd om mee te fluiten met de vredige violen en het slaperige koper, stijgend en dalend naar een zo heilig einde. 'Ik wilde het net voorstellen.'

'Gelooft u dat?' vroeg de jongeman aan Gaffney, terwijl hij op de pauzeknop drukte.

'Nee hoor,' herriep Yossarian zijn woorden voordat Gaffney antwoord kon geven. 'Maar het is perfect: vredig, lieflijk, melodisch, erotisch en zeker ook climactisch en definitief.' Hij zei niets over zijn stiekeme, wraakzuchtige voorgevoel dat hij op de monitoren een andere *Götterdämmerung* zich zag afspelen, dat het bijna sluitingstijd was voor alle mensen die hij zich zo onstuimig zag vermaken, ook voor hemzelf en Frances Beach – want hij zag zichzelf met haar dansen – , en wie weet ook voor Melissa en McBride en zijn nieuwe echtgenote, en voor de bruid en M2. 'Je gasten vinden het vast prachtig, Olivia. Als ze naar de dansvloer gaan neuriet gegarandeerd iedereen de *Götterdämmerung*.'

'Nee hoor,' sprak de arrogante jongeman hem zelfingenomen tegen. 'Nee meneertje. Voor als ze weggaan hebben we namelijk nog iets veel beters in petto. Luister straks maar.'

Gaffney knikte. 'Je zei geloof ik dat je het al kende.'

'Het is een kinderkoor,' zei de computertechnicus. 'Terwijl Wagner wegsterft, mixen we er langzaam een kinderkoor in dat de meeste mensen nog nooit gehoord hebben. Je reinste engeltjes. En precies op het ontroerendste moment knallen we er een komische noot doorheen, een koor van muzikale lachers om de sfeer te vestigen waar we de rest van de avond naar streven. Een koor van lachende mannen dat de kinderen ondersneeuwt en overstemt, en hupsakee! Ze zijn allebei van de hand van een Duitse componist met de naam Adrian Leverkühn. Kent u die?'

'Ik heb de naam wel eens gehoord,' zei Yossarian voorzichtig, met het vreemde gevoel dat de tijd opnieuw rare dingen met hem deed. 'Het is een romanpersonage,' zei hij er hatelijk bij.

'Dat wist ik niet,' zei de jonge Hacker. 'Dan weet u wel hoe goed hij was. De koren komen allebei uit zijn cantate *Fausts Jammerklacht*, maar dat hoeven de mensen niet te weten.'

'Da's maar goed dan,' bitste Yossarian, 'want daar klopt niks van. Ze komen uit zijn oratorium de *Apocalypse*.'

De computerbolleboos gaf Yossarian een meewarig glimlachje. 'Meneer Gaffney?'

'Hij vergist zich, Hacker,' zei Jerry Gaffney, terwijl hij Yossarian met een subtiel, hoffelijk schouderophalen zijn excuses aanbood. 'Die fout maak je voortdurend, Yo-Yo. Het is niet de *Apocalypse*. Het komt uit *Fausts Jammerklacht*.'

'Wel godverdomme, Gaffney, je hebt het weer mis. En ík kan het weten. Ik overweeg al een kleine vijftien jaar om een roman over dat werk te schrijven.'

'Heel apart, Yo-Yo. Maar niet echt serieus en geen serieuze roman.'

'Hou op met dat ge-Yo-Yo, Gaffney. We hebben weer ruzie. Ik heb onderzoek gedaan.'

'Je wilde Thomas Mann en Leverkühn met elkaar in aanraking brengen, nietwaar? En die Gustav Aschenbach en Leverkühn tijdgenoten maken. Noem je dat onderzoek?'

'Wie is Gustav Aschenbach?' vroeg Hacker.

'Een dooie in Venetië, Warren.'

'Ik heb het geschil zó opgelost, heren, met mijn computer hier. Als u even drie-tienduizendste seconde wilt wachten. Ah-ha, kijkt u maar. Alstublieft, meneer Yossarian, *Fausts Jammerklacht.* U heeft het mis.'

'Je computer vergist zich.'

'Dit is een model, Yo-Yo,' zei Gaffney. 'Dat kan zich niet vergissen. Ga door met de bruiloft. Laat ze maar eens zien hoe die ging.'

Op het grootste scherm werd de zon zwart, de maan kreeg de kleur van bloed en de schepen in de rivier en de haven kapseisden.

'Warren, hou op met die grapjes.' Gaffney was boos.

'Ik doe niks, Jerry, eerlijk. Ik haal het elke keer weg maar het blijft terugkomen. Daar gaan we.'

De muziek van Leverkühn, zag Yossarian, viel goed in de smaak. Toen de smeltende harmonieën aan het eind van *Die Götterdämmerung* wegstierven, klonken heel ijl de eerste klanken op van een jong kinderkoor waarvan Yossarian zich niet kon herinneren dat hij het ooit gehoord had, eerst zacht en ongrijpbaar als een ademtocht, dan langzaam aanzwellend tot het zijn eigen wezen kreeg, een hemels voorgevoel van hartverscheurende smart. En toen, op het moment dat de lieflijke, pijnlijke, trieste voorafschaduwing tot schier ondraaglijke intensiteit aangroeide, werd het koor ruw onderbroken door schetterende, onbekende atonale toonladders van onverbiddelijke mannenstemmen in daverende koren van meedogenloos gelach, van gelach, gelach, gelach waar de luisteraars met verbijsterde opluchting en met stormachtig toenemende vrolijkheid op reageerden. Al spoedig schaterden de toehoorders mee met het barbaarse, kakofonische koor van jubelende uitbundigheid dat uit alle luidsprekers weerklonk, zodat de gala-avond werd ingeluid met een noot van onstuimige vrolijkheid, en met eten en drinken en muziek en nog meer ingenieuze demonstraties en esthetische lekkernijen.

Yossarian was er ook, en vol ontsteltenis zag hij dat hij even hard lachte als de rest. Hij keek zichzelf verwijtend aan, terwijl Olivia Maxon, naast hem in het Communicatie- en Controlecentrum van het busstation, zichzelf naast hem in de kapel in de noordelijke vleugel mee zag lachen, en verklaarde dat het goddelijk was. Nu trok Yossarian op beide plaatsen een berouwvol gezicht en maakte met zijn chagrijnige uitdrukking, zowel hier als daar, duidelijk dat hij er niet bij wilde horen. Gebiologeerd naar deze toekomst kijkend, zag hij zichzelf tot zijn verbazing gekleed in zwaluwstaart en witte das: hij had nog nooit in zijn leven een zwaluwstaart en witte das gedragen, de voorgeschreven kledij voor alle mannen in dat elitaire groepje insiders. Even later danste hij een ingehouden two-step met Frances Beach, gevolgd door een dans met Melissa, de bruid en Olivia. Wat Yossarian zichzelf het meest kwalijk nam, bedacht hij nu, terwijl hij zag hoe zwijgend, gelaten en gedwee hij wachtte op het begin van de beloofde bruiloft, was dat hij niet echt een hekel aan Milo Minderbinder had, ook niet vroeger, dat hij Christopher Maxon sympathiek en onzelfzuchtig vond en dat Olivia Maxon, hoewel onorigineel en onveranderlijk, hem uitsluitend op de zenuwen werkte als ze sterke uitspraken deed. Hij had het vage gevoel dat hij zich hoorde te schamen, en nóg een vaag gevoel dat hij zich meer diende te schamen voor het feit dat hij zich niet schaamde.

Hij zat samen met Melissa en Frances Beach aan een tafel vanwaar hij zich kon onderhouden met de Minderbinders en Maxons, in de buurt van Macaroni Cook en de presidentsvrouwe, die nog steeds op de president zaten te wachten. De voor Macaroni gereserveerde stoel aan het tafeltje naast Yossarian was leeg. Angela, die dolgraag gekomen zou zijn, was er niet, want Frances Beach had haar de toegang geweigerd.

'Ik vind het rot van mezelf dat ik het zo opneem,' vertrouwde Frances hem toe. 'Maar ik kan er niets aan doen. Ik heb het verdorie zelf ook gedaan. Meer dan eens. Met Patrick bijvoorbeeld.'

Toen hij danste met Francis, voor wie hij die speciale, wederzijdse vriendschap koesterde die sommige mensen liefde zouden noemen, voelde hij bot, ribben, elleboog en schouderblad in plaats van vleselijke lust, en hield hij haar onwennig in zijn armen. Tijdens zijn even onbeholpen dans met de zwangere Melissa, wier benarde situatie, koppigheid en besluiteloosheid een bijna eindeloze woede bij hem opriepen, werd hij bij de eerste aanraking van haar buik in de zeegroene jurk geil en zou hij haar het liefst meteen weer mee naar een slaapkamer genomen hebben. Yossarian tuurde naar die buik om te zien of hij molliger was geworden óf dat de ingreep die de situatie weer recht moest trekken al gedaan was. Gaffney sloeg hem geamuseerd gade, alsof hij wederom zijn gedachten kon lezen. Frances Beach op de bruiloft zag het verschil in reactie en mijmerde neerslachtig over de trieste waarheden van haar leven.

'We zijn ongelukkig met onszelf als we jong zijn en ongelukkig met onszelf als we oud zijn, en wie dat weigert te zijn is vreselijk aanmatigend.'

'Mooie uitspraken geef je haar,' probeerde Yossarian Hacker enigszins agressief uit zijn tent te lokken.

'Vind ik ook. Hij komt van meneer Gaffney hier. 't Klinkt heel echt.'

'Dat mag ook wel.' Yossarian wierp een woedende blik op Gaffney. 'Zij en ik hebben dit gesprek namelijk al eens gevoerd.'

'Dat weet ik,' zei Gaffney.

'Dacht ik wel, lul,' zei Yossarian zonder boosheid. 'Neem me niet kwalijk, Olivia. Zo praten we altijd tegen elkaar. Gaffney, hou je me nog steeds in de gaten? Waarom?'

'Ik kan er niets aan doen, Yossarian. Dat is mijn werk, zie je. Ik máák geen informatie, ik verzamel 't alleen. Het is niet echt mijn schuld dat het lijkt alsof ik alles weet.'

'Wat gaat er gebeuren met Patrick Beach? Hij knapt niet op.'

'O jee,' zei Olivia huiverend.

'Volgens mij,' antwoordde Gaffney, 'gaat hij dood.'

'Vóór mijn bruiloft?'

'Erná, mevrouw Maxon. Maar, Yo-Yo, van jou zou ik dat ook zeggen. Van iedereen eigenlijk.'

'Van jezelf ook?'

'Tuurlijk. Waarom niet?'

'Je bent God toch niet?'

'Ik ben makelaar. Is God niet dood? Zie ik eruit alsof ik dood ben? Tussen haakjes, Yossarian, ik overweeg om ook een boek te schrijven.'

'Over onroerend goed?'

'Nee, een roman. Misschien kun jij me helpen. Het begint op de zesde scheppingsdag. Straks vertel ik je meer.'

'Straks ben ik bezig.'

'Welnee. Je hebt pas om twee uur afgesproken met je verloofde.'

'Ga je weer trouwen?' Olivia leek ingenomen met het idee.

'Nee,' zei Yossarian. 'En ik heb geen verloofde.'

'Jawel hoor,' zei Gaffney.

'Laat hem maar kletsen.'

'Hij weet nog niet wat hij gaat doen, maar ik wel. Verder met de bruiloft, Warren.'

'Hij is er nog steeds niet,' meldde Hacker verbaasd, 'en niemand weet waarom.'

Tot dusver was alles van een leien dakje gegaan, behalve dan dat de president nog steeds niet gekomen was.

De plichtsgetrouwe, onvermoeibare McBride had parkeerruimte voor de auto's georganiseerd en ze gecordineerd met de aankomende en vertrekkende bussen, zodat hij ze van tijd tot tijd allemaal naar de opritten en haltes op de tweede en derde verdieping moest sturen. De duizendachttien parkeerplaatsen in de parkeergarages boven boden plaats aan het gros van de bijna zeventienhonderdvijfenzeventig limousines die verwacht werden. De meeste waren zwart, de rest parelgrijs. Andere wagens werden naar de parkeerplaats aan de overkant geloodst, waar het trottoir vol stond met kebabtentjes en pindaventers en schoenpoetsersstalletjes met gezellige oude zwarte en bruine mannen die als het warm was onder een strandparasol bij hun kraampje sliepen. Ze maakten gebruik van de wasbakken en wc's in het busstation, ondanks het tijdloze schilderwerk van Michael Yossarian dat een expliciet verbod instelde op 'Roken, Rondhangen, Scheren, Wassen, Bedelen, Tippelen', orale seks en copulatie. Veel van de mensen die onder het vijftig meter lange metalen en matglazen afdak de straat naar het station overstaken, vonden de armoedige straatscènes amusant, denkend dat ze speciaal voor de gelegenheid geënsceneerd waren.

Fotografen hielden alle toegangsdeuren van het gebouw onder schot, alsof er een beleg geslagen was, en van heinde en ver waren buitenlandse verslaggevers toegestroomd. In totaal had men zevenduizend tweehonderddrie perskaarten verstrekt aan geaccrediteerde journalisten. Dit was een record voor een Amerikaanse bruiloft. Zesenveertig buitenlandse krantenmagnaten waren te gast.

De uitnodigingen voor het gala-evenement waren verzonden in enveloppen die stijf en vierkant waren, want ze waren van platina, en Sammy Singer was de enige van de vijfendertighonderd genodigden die het af liet weten met de hoffelijke mededeling dat hij al een reis naar Australië had geboekt. Sam Singer steeg opnieuw in Yossarians achting. Geheim agenten Raul en de peenharige Bob – met echtgenotes – waren aanwezig als bewakers en als gasten. Yossarian had ze met opzet verbannen naar de buitenste tafeltjes, zo ver mogelijk van elkaar; nu zag hij tot zijn verbazing en ergernis dat ze tijdens de bruiloft die op dat moment plaatsvond toch samen aan zíjn tafeltje in het binnenste heiligdom van de noordelijke vleugel zaten, dicht genoeg in de buurt om een oogje in het zeil te houden en tegelijkertijd te genieten van het episch gebeuren waar ze zelf in meespeelden, en dat Jerry Gaffney, die niet uitgenodigd was, samen met zijn vrouw ook aan zijn tafel zat! Iemand had zonder iets te zeggen zijn instructies herroepen.

Zoals verwacht begon de limousine-opstopping eerder dan verwacht. Rond zes uur kwam de eerste golf gasten, die zich de kans niet wilden laten ontglippen om gefotografeerd te worden voordat de grote massa belangrijkere personen arriveerde. Veel van de vroege klanten, waaronder ook de presidentsvrouwe, waren gekomen om vooral niets te missen.

Het was een feest voor moderedacteuren.

Vrouwen werd vooraf een hart onder de riem gestoken door Olivia Maxons aankondiging dat 'geen enkel gewaad te gewaagd' zou zijn. Ook waren ze dankbaar voor een voorproefje van vooraanstaande mode-ontwerpers van de trends in hun nieuwste collecties. Het resultaat was een spectaculaire show van hyper bij-de-tijdse haute couture, die met uitzonderlijke zuiverheid door de camera's geregistreerd werd en waarin de dames vol zelfvertrouwen zowel toeschouwsters als medespeelsters waren. De bijna tweeduizend vrouwelijke gasten vertegenwoordigden talloze stijlen, maar iedereen was modieus gekleed.

Ze droegen van alles, van cocktailjurken tot baljapons, arriverend in paradijselijk fonkelende glinsteringen van ongevoerd linnen met gouden biesjes en Indiase kralen, in een subtiel kleurenscala dat zich voornamelijk bewoog tussen ivoor en perzik en zeegroen. Luipaardvlekken waren een zeer geliefd patroon op chiffonrokken en mousseline jurken met kwastjeszomen en zijden jasjes. Er waren vrouwen in lange avondgewaden, die dolblij waren zoveel andere vrouwen in lange avondgewaden te zien, waaronder veel met subtiele borduurpatronen op lichte, ruisende zijde. De korte rokken waren eveneens van veelkleurige chiffon. Jasjes waren van roze, oranje en groengeel satijn, afgezet met bergkristal in plaats van spijkers, terwijl lange zwarte bobbinet overrokken van voren de knie lieten zien en van achteren tot de vloer reikten, en zij die het lef hadden gehad om goed te gokken, pronkten extra trots met hun sexy tricot avondkleding.

Na de champagne, kaviaar en cocktails en ruim voordat de bruid en M2 hun opwachting maakten, werden alle lichten in het busstation plechtig gedempt en nam iedereen plaats rondom het dichtstbijzijnde podium om te luisteren naar een begaafde violiste van de leeftijd van een jonge Midori en vier klonen, die capriccio's van Paganini speelden. De klonen waren onmogelijk van het origineel te onderscheiden en er waren geen prijzen voor de juiste gok. Christopher en Olivia Maxon waren aanwezig, in het echt én meer dan levensgroot op de reuze-tv's van de bewaking die de afmetingen van een filmdoek hadden. Ze zaten uiterst rechts op de voorste rij op de benedenverdieping van de noordelijke vleugel en plotseling zagen alle gasten dat één enkele schijnwerper zodanig was opgesteld dat zijn licht direct op Olivia viel, die met gevouwen handen en een blik van beheerste verrukking op haar illustere gezicht op haar stoel zat. Zoals de mensen in het Communicatie- en Controlecentrum konden zien op de monitoren die met krantenkiosken verbonden waren, werd ze in het nieuwste toekomstige nummer van *U.S. News and World Report* reeds beschreven als 'de koningin van de nouvelle society'. In de krantenkiosken van het busstation die speciaal voor hen open waren gehouden konden ze bovendien lezen dat *Time, The Weekly Newsmagazine* zou schrijven: 'Olivia Maxon is een prinses in de nieuwe maatschappelijke orde en het busstation is haar paleis.'

De sprookjesachtige essentie van de verbintenis van twee miljardairsfamilies werd benadrukt door een kaarslichtceremonie in stijlvol wit-op-wit, waarin alle jurken van de tientallen vrouwen en meisjes in het gevolg van de bruid door Arnold Scaasi ontworpen waren. De bruid zelf droeg een gebroken witte tafzijden jurk met delicaat gouden borduurwerk en een negen meter lange sleep. Haar tulen sluier werd op zijn plaats gehouden door een tiara van parels en diamanten. Haar hofdame was een gewezen Miss World die ze nog nooit ontmoet had. Haar entourage van bruidsmeisjes bestond uit twintig kastanjebruine en veertig vlasblonde meisjes, allemaal langer en oogverblindender dan zijzelf en gekleed in gebroken witte, met gouddraad bestikte moiré. Honderdtwintig kinderen van onder de twaalf, gerekruteerd onder vrienden en familieleden van beide kanten, waren gekleed als bloemenmeisjes en bruidsjonkers. De moeder van de bruidegom, Regina Minderbinder, was nerveus in designer beige, terwijl Olivia Maxon, in perzikkleurig satijn met overlappende, met tienduizenden zaadparels afgezette ruches, in één woord oogverblindend was met haar enorme donkere ogen en parmantige wipneusje en het glinsterende cabochon van smaragd dat haar blanke hals sierde.

De bruidsstoet verzamelde zich in de beslotenheid van de bagageafdeling van het Greyhound Busbedrijf op het kelderniveau. Daar werden het stille meisje en haar complete gevolg, bestaande uit haar Miss World, zestig beeldschone bruidsmeisjes en honderdtwintig bloemenmeisjes en bruidsjonkers, door persoonlijke couturiers en grimeurs gebaad, verzorgd, gekamd en anderszins klaar gemaakt voor de grote gebeurtenis. Toen het moment daar was, stelden ze zich op in lange rijen onder de gesynchroniseerde roltrappen en stapten na een tot op de seconde uitgekiende muzikale aanwijzing op de bewegende trap om zich naar de verwachtingsvolle menigte boven te laten dragen. Een triomfantelijke, hartverwarmende fanfare van gebiedende Wagneriaanse akkoorden kondigde hun komst aan op de benedenverdieping van de zuidelijke vleugel, en de bruid steeg op aan de arm van haar stiefoom Christopher Maxon, stapte van de roltrap en werd ontvangen door een ceremonieel huldeblijk van eerbiedig applaus van de mensen aan de tafeltjes bij het politiebureau, tussen de Sport Spot Lingeriezaak en Jo Ann's Notenbalk, die hen het eerst zagen.

Begeleid door het voorspel op *Die Meistersinger* en de 'Dans der leerlingen' leidden de bruid en Christopher Maxon hun honderdeenentachtigkoppige gevolg tot ieders grote opluchting foutloos door het middenpad van de zuidelijke vleugel naar Walgreen's apotheek en de draai naar de uitgang en de straat buiten – waar al het motor- en voetverkeer omgeleid was – waarna ze, begeleid door een sentimentele orkestuitvoering van 'Het prijslied' de noordelijke vleugel betraden en uiteindelijk de kapel en de Tempel van Dendur bereikten.

Toen de rituelen van de plechtigheid verricht en de entr'acte van Leverkühns kinderklacht en gruwelijk gelach uit de *Apocalypse* voorbij waren – en het was de *Apocalypse*, wat die absurde Gaffney ook beweerde – veranderden de vele ruimtes in met zachte muziek gevulde eetzalen. Veel rustige dansvormen van weleer werden gedanst, terwijl de mensen hun plaatsje opzochten en zich voorbereidden op hun eerste diner – het tweede was gepland als klapstuk van de avond! De vijfendertighonderd boezemvrienden en -vriendinnen van de Minderbinders en Maxons draaiden en neigden op zachte muziek tussen gangen van gepocheerde zalm in champagne-aspic, kalfslams-kipschotels, orzo met porcini en voorjaarsgroenten. De wijnen voor deze hoofdmaaltijd waren Cordon Charlemagne Latour 1986 en Louis Roederer Cristal Champagne 1978.

De muziek speelde telkens twintig minuten. Gedurende de tien minuten durende pauzes kon men genieten van het interessante schouwspel van groepjes musici die naar een ander podium verhuisden om voor een ander publiek te spelen. In ganzenpas gingen ze de roltrappen op en af, zonder dat iemand hen ook maar één keer uit de maat hoorde spelen. De kelners die met hun dienbladen achter hen aanliepen, wiegden met heupen en schouders op de muziek en de hulpkelners haastten zich als windgeesten tussen de tafels door, ruimden ze geruisloos af en brachten de resten naar de op gereserveerde parkeerplaatsen klaarstaande gigantische vuilniswagens, die zich, zodra ze volgeladen waren, met gillende banden een weg zochten tussen de koelwagens die met grote snelheid nieuwe etenswaren aanvoerden. Een aantal krasse, uitgelaten oudjes volgde de musici de roltrappen op en af in een eigen danscreatie en met een eigen lied dat ze de 'De Hullie-Gullie' noemden. Even later speelden alle orkestjes 'De Hullie-Gullie' terwijl ze hun nieuwe locatie opzochten. Toen dit op satellietvideo werd herhaald, versnelde men het tempo om de hortende bewegingen van stomme films na te bootsen en veel mensen die Milo Minderbinder in zijn zwaluwstaart niet kenden, dachten aan Charlie Chaplin met zijn snor en trieste glimlach.

Meteen na de gepocheerde zalm in champagne-aspic, de kalfslams-kipschotel, de orzo met porcini en de voorjaarsgroenten en vóór de koffie en het dessert, werden op iedere tafel drie bevroren mango-sinaasappelsorbets in de vorm van de grote Egyptische sfinx neergezet. De eerste sfinx had het gezicht van Milo Minderbinder en de tweede dat van Christopher Maxon, inclusief de onaangestoken sigaar. De derde Egyptische sfinx – waarvan iedereen abusievelijk aannam dat hij de president zou voorstellen – had het onbekende gezicht van een man die later ene Mortimer Sackler bleek te zijn. Nog maar weinig mensen wisten wie Mortimer Sackler was, en deze aardigheid werd ontvangen als het zoveelste geslaagde grapje van de avond. Plotseling kondigde een vrouwenstem over de luidsprekers aan:

'Wegens files op rijksweg 3 zijn alle vertrekkende en aankomende bussen vertraagd.'

De verzamelde gasten schaterlachten en applaudisseerden opnieuw.

De feestvierende menigte was nog maar nauwelijks van haar vrolijkheid bekomen of tot hun geschokte verrukking werd de eerste gang van een nieuwe maaltijd geserveerd: een tweede diner of verrassingssouper. Dit bestond uit kreeft, gevolgd door fazantebouillon, gevolgd door kwartel, gevolgd door gepocheerde peer met gesponnen suiker. En deze maaltijd, zei de geestdriftige stem van een lyrische, anonieme ceremoniemeester over de luidsprekers, was 'een rondje van de zaak'. Waarmee hij bedoelde dat het de familie Maxon gratis werd aangeboden door de ouders van de bruidegom, Regina en Milo Minderbinder, ten teken van hun liefde voor hun nieuwe schoondochter, hun eeuwige vriendschap voor haar stiefoom en stieftante Olivia en Christopher Maxon en hun diepe dankbaarheid jegens iedere gast die zich verwaardigd had om naar het feest te komen. Na de gepocheerde peer en de gesponnen suiker, toen het tijd werd voor Milo's toespraakje, dat op het moment dat de mensen in het Communicatie- en Controlecentrum het hem zagen houden nog niet geschreven was, las hij stijfjes het volgende huldeblijk aan zijn echtgenote voor:

'Ik heb een schat van een vrouw en we houden erg veel van elkaar. Ik heb dit nog nooit in een microfoon gedaan, maar ik kan het maar op één manier zeggen. Jippie.'

Hij herhaalde dit drie keer voor drie andere batterijen videocamera's en microfoons en had elke keer moeite met het woord 'jippie'. Christopher Maxon, wiens ronde gezicht één grote glimlach was, wist het puntiger te brengen:

'Mijn moeder zei vroeger altijd: "Je moet niet zéggen dat je van iemand houdt, je moet het laten zíen." En dit is mijn manier om "ik hou van je" te zeggen tegen mijn vrouw Olivia, die vanavond zoveel voor de economie heeft gedaan. Mensen die over een recessie praten... nou, bekijk het maar.'

Aan een verre tafel buiten de tempel in de zuidelijke vleugel kwam de burgemeester van New York onder beleefd applaus overeind om aan te kondigen dat Olivia en Christopher Maxon zojuist tien miljoen dollar aan het busstation hadden geschonken voor de aanleg van keukenfaciliteiten voor toekomstige gelegenheden, en nog eens tien miljoen dollar aan het Metropolitan Museum van New York voor de gulle samenwerking en het uitlenen van de Tempel van Dendur, de Blumenthal Patio, het Hof van Engelhard en de grote zaal.

Olivia Maxon sprong overeind en riep: 'Geen wonder... na dit alles! Ik heb mijn man nog nooit zo opgewonden gezien over een schenking aan een instelling.'

Toen kwam de bruidstaart, waar hele legioenen banketbakkers en leerjongens van het Patisserie-café op de hoek van Ninth Avenue en 39th Street maanden op gezwoegd hadden. Het eerdere applaus viel in het niet bij de spontane storm van waardering toen de bruidstaart op een wagentje binnen werd gereden, neergezet en onder luid applaus onthuld op het grote concertpodium in de zuidelijke vleugel vóór Au Bon Pain, waar vroeger een bank was geweest en het plafond hoog genoeg was. De taart was een wonderbaarlijk monument van slagroom, gesponnen suiker, ontelbare glaceersels en luchtige platformen van lagen rul, gewichtloos Moscovisch gebak, gevuld met ijs en chocolade met likeursmaakjes – alles op een nog nimmer vertoonde schaal. De bruidstaart was dertien meter hoog, woog zevenhonderdvijftig kilo en had één miljoen honderdzeventienduizend dollar gekost.

Iedereen vond het jammer dat hij niet in het Metropolitan Museum bewaard kon worden.

De bruid kon de taart zelf niet aansnijden. Daar was ze te klein voor.

In een bij deze gelegenheid passend schouwspel werd de taart van bovenaf aangesneden door een team gymnasten en trapeze-artiesten in witte maillots en roze lijfjes van het Ringling Brothers en Barnum & Bailey Circus dat juist zijn tenten had opgeslagen in Madison

Square Garden, maar een paar straten verderop. Hij werd geserveerd op vijfendertighonderd borden, alle gedecoreerd met een uit gesponnen suiker vervaardigd takje lathyrus. De borden waren van Spodeporselein en werden samen met de etensresten bij het afval gegooid om tijd te sparen en het strakke schema, ontworpen om botsingen tussen haastige cateringwagens en passagiersbussen te vermijden, niet in de war te sturen. Er was meer dan genoeg taart voor de vijfendertighonderd gasten, en de resterende vierhonderd kilo werd in blokken gesneden en haastig naar de daklozenasielen gebracht om het geëvacueerde uitschot de kans te geven zich te goed te doen voordat de slagroom kon bederven en het ijs smelten.

Limousines en bestel- en vuilniswagens gebruikten de helft van de vierhonderdvijfenzestig genummerde vertrekhaltes van het busstation en volgden het aankomst- en vertrekschema van de veertig busbedrijven met hun tweeduizend ritten en tweehonderdduizend passagiers per dag nauwgezet. Vertrekkende passagiers kregen gratis kaartjes om ze aan te moedigen haast te maken. Binnenkomende passagiers werden rechtstreeks naar hun trottoirs, metro's, taxi's en stadsbussen geloodst, en ook zij leken bewegende onderdelen in een knap, zorgvuldig uitgedacht gebarenspel.

Het was begrijpelijk dat de president zo laat zou komen dat hij niet met alle vijfendertighonderd andere gasten een babbeltje zou hoeven maken, maar niemand had verwacht dat hij de huwelijksplechtigheid zelf en de twee daarop volgende maaltijden zou missen. Onverwacht en onvoorbereid moest Macaroni Cook de rol van getuige van de bruidegom op zich nemen én de bruid van Christopher Maxon overnemen om haar aan M2 te schenken. Hij kreeg het voor elkaar, maar erg presidentieel zag het er niet uit.

Yossarian, in het Communicatie- en Controlecentrum, zag zichzelf gekleed in zwaluwstaart en witte das naar Macaroni Cook kijken, wiens ogen in toenemende nervositeit heen en weer schoten tussen Yossarians tafel en zijn horloge. Yossarian, die zich op verschillende tijdstippen en verschillende dagen op beide plaatsen tegelijk bevond, begon het op beide plaatsen te duizelen van verwarring. In beide posities kon hij de presidentsvrouwe tegen Macaroni Cook horen klagen dat je vaak geen idee had van wat er in het hoofd van de president omging. Ten slotte begreep hij wat Cook bedoelde en stond op.

In de grote vertrekhal van de zuidelijke vleugel stond een kunstwerk van de befaamde beeldhouwer George Segal: drie levensgrote menselijke figuren, twee mannen en een vrouw, die buspassagiers op weg naar een deur symboliseerden. Yossarian wist dat de drie standbeelden in het holst van de nacht verwijderd waren en vervangen door drie als standbeelden vermomde gewapende geheim agenten met een reputatie van vasthoudendheid en koelbloedige passiviteit. Ze hadden walkie-talkies onder hun kleren en luisterden de hele dag al zonder een vin te verroeren naar berichten uit Washington over de bewegingen en vermoedelijke aankomsttijd van de meest geëerde gast.

Yossarian bleef nonchalant naast een van de als standbeeld poserende mannen staan en vroeg, *sotto voce*:

'Waar is-ie godverdomme?'

'Hoe moet ik dat godverdomme weten?' vuurde de man terug, bijna zonder zijn lippen te bewegen. 'Vraag haar maar.'

'De zak verdomt het om uit zijn kantoor te komen,' zei de vrouw, helemaal zonder haar lippen te bewegen.

Niemand wist wat de reden van het oponthoud was.

Intussen gingen de feestelijkheden verder. Het coördineren van de aan- en afvoer van apparatuur en voorraden en de personeelsdivisies was even moeilijk als een militaire invasie in de Arabische Zee, met minder ruimte voor zichtbare blunders. Ervaren logistieke experts uit Washington waren naar New York gestuurd om McBride en het Planningscomité van Milo Minderbinders Commerciële Catering Divisie NV een handje te helpen.

De strategie werd uitgestippeld in het hoofdkwartier van CCDNV en niet alleen uitgevoerd in hun keukens en winkels, maar ook in de enorme gaarkeukens van het Metropolitan Museum en in de talloze levensmiddelenwinkels met opslagruimte en voedselverwerkingsmachines die voor deze noodsituatie gerekruteerd waren. Aangezien de ontwerpers van het busstation niet op een toekomst in het cateringwezen gerekend hadden, was het gebouw niet voorzien van keukens en zag men zich genoopt bondgenootschappen te sluiten met talrijke individuele levensmiddelenzaken en eethuizen in de buurt.

Het plan was, zag Yossarian, dat de voornaamste leveranciers uren voor zonsopgang bij het busstation zouden arriveren – wat ook gebeurde, zag hij – en dat de te gebruiken ruimtes binnen door gewapende mannen in burger bezet en voor het publiek afgesloten zouden worden.

Om 7.30 uur stonden vijftienhonderd werknemers op de hun toegewezen posities klaar om in actie te komen.

Om 8.00 uur had een team technici een lopende band in CCDNV opgesteld voor het maken van de canapés en andere kleine sandwiches en voor het snijden en garneren van de gerookte zalm. Het werk was pas gedaan toen vierhonderd dozijn van deze hapjes klaargemaakt en weggestuurd waren.

Om 8.15 uur kregen de oorspronkelijke landingstroepen in beide ruimtes versterking van zestig koks, zeventig elektriciens, driehonderd bloemisten en vierhonderd kelners en barkeepers.

Om 8.30 uur begon het schoonmaken van de tweeduizend kilo oesters en de tweeduizend kilo mosselen, het koken van de honderd kilo garnalen en het bereiden van de tweehonderdvijftig liter cocktailsaus.

Om 9.00 uur arriveerden de tafels, stoelen en aankleding en waren er genoeg elektriciens en loodgieters om het vele werk te doen, terwijl de groentesnijders in CCDNV en het Metropolitan Museum in recordtempo de ingrediënten voor de rauwe-groentehapjes fijnsneden: duizend bosjes selderij, zevenhonderdvijftig kilo wortelen, duizendeneen bloemkolen, vijftig kilo courgettes en honderd kilo rode paprika's.

Om 10.00 uur dansten alle honderdvijftienduizend rode, witte en zwarte ballonnen met het opschrift PAS GETROUWD triomfantelijk boven alle gangen naar de vertrekhaltes en alle hoofd- en zijingangen.

Om 12.00 uur waren de elektriciens klaar met het ophangen van de speciale kroonluchters.

Om 13.00 uur werden de verplaatsbare wc's aangeleverd en discreet op de daarvoor aangewezen plaatsen gezet. Er waren vijfendertighonderd van deze verplaatsbare wc's in voorjaarsachtige pastelkleuren, voor iedere gast één, achter de loze voorgevels van modeboetieks voor dames en van herenkledingzaken voor heren, en de gasten realiseerden zich verrast en gecharmeerd dat niemand van hen zich op een door andere mensen bezoedeld toilet zou hoeven neerlaten. Alle wc's werden onmiddellijk na gebruik onopgemerkt door stuwadoors, vrachtwagenchauffeurs en gezondheidsingenieurs via achteruitgangen meegenomen, op gereedliggende schuiten in de Hudson geladen, op het ebgetij buitengaats gebracht en in de oceaan gedumpt, iets wat pas enige dagen later aan het licht kwam; ook dit vooruitziende idee was een hoogtepunt van het beschaafde bacchanaal, en veel gasten slopen er opnieuw heen om de ervaring nogmaals te ondergaan, alsof ze voor de tweede keer een ritje maakten op een attractie in een kiemvrij pretpark. 'Waarom heeft niemand hier ooit eerder aan gedacht,' was een veelgehoord commentaar.

Vroeg in de namiddag, om 14.45 uur, arriveerde de bestelde vijf ton ijs en om klokslag 15.00 uur begonnen tweehonderd kelners, gevolgd door nog eens tweehonderd toen het eerste contingent op weg was, en nog eens tweehonderd toen de tweede tweehonderd zich verspreid hadden, alle tafels te dekken, terwijl de zeshonderd reservisten zich bezighielden met het koelen van witte wijn, water en champagne en het opzetten van honderdtwintig voedselkraampjes op de begane grond en de eerste verdieping, als ook op de ruime tweede verdieping, waar voor de late uurtjes harde muziek en woeste danspartijen gepland waren.

Om 16.00 uur namen de musici hun plaats in op de podia en dansvloeren.

Om 17.00 uur waren vijftig stevige dessertbuffetten verrezen en hadden de ruim twaalfhonderd veiligheidsagenten van de gemeente, het rijk en de Commerciële Moord Divisie van M & M strategische posities in het busstation ingenomen. Buiten stonden vrachtwagens met eenheden van de Nationale Garde op wacht met het oog op mogelijke ordeverstoringen van protestgroepen die de feeststemming van het gala-gebeuren zouden kunnen bederven.

Na het binnenrijden, neerzetten en aansnijden van de bruidstaart was het opnieuw tijd voor dansen en gelukwensen. Voor de diverse finales kwam iedereen samen in de grote zaal van het Metropolitan Museum, waar nog meer tafels met lekkernijen van gesponnen suiker wachtten.

Voordat de menigte uiteenviel in kleine, gezellige, bijna samenzweerderige groepjes, werd een aantal toosten op de Minderbinders en Maxons uitgebracht en een aantal korte toespraakjes gehouden. Hebzucht was goed, beweerde een beursspeculant van Wall Street. Er was niets mis met verspilling, pochte een andere. Waarom zouden ze niet met hun geld te koop lopen? Er was niets smakeloos aan slechte smaak, brulde de volgende, die werd toegejuicht om zijn geestigheid.

'Dit was het soort gebeurtenis,' kraaide een zegsman van de daklozen, 'waar je als Newyorkse dakloze trots op kunt zijn.'

Maar hij bleek een nepfiguur te zijn, de zegsman van een reclamebureau.

Het formele einde van de activiteiten werd aangekondigd door een sentimentele herhaling van het thema 'Verlossing door liefde' door alle vijf orkestjes van die avond, de violiste en haar vier klonen en de eerdere orkestmuziek, en veel van de aanwezigen gaven elkaar schaamteloos een arm en neurieden de muziek uit volle borst mee, als een woordeloze versie van de nieuwste vervanger van 'Auld Lang Syne' of die andere onsterfelijke meedeiner 'Till We Meet Again'.

Aan de wildebrassen en herrieschoppers die besloten hadden om te blijven bowlen op de banen boven of de hele nacht te dansen of anderszins gebruik te maken van de fascinerende attracties en faciliteiten van het busstation, werd bij de eetkraampjes, die de hele nacht open zouden zijn, een derde maaltijd verstrekt, en alle videoschermen gaven aan wat beschikbaar was:

PLAATSVERVANGEND MENU
Fricassee de Fruits de Mer
Les trois Rôti Primeurs
Tarte aux Pommes de Terre
Salade à Bleu de Bresse Gratinée
Friandises et Desserts
Espresso

Vervolgens zag Yossarian, nog peinzend over het Plaatsvervangend Menu, zichzelf tot zijn schrik in zwaluwstaart en witte das en geflankeerd door Milo Minderbinder en Christopher Maxon tegen een televisiecamera zeggen:

'Deze bruiloft was een eenmalig hoogtepunt. Ik denk niet dat iemand van ons ooit nog zoiets zal meemaken.'

'God nog aan toe,' zei zijn werkelijke ik, en hij hoopte dat zijn laconieke ironie niemand zou ontgaan.

Het stond wel vast dat de Minderbinders en Maxons het busstation van de Havendienst hoog hadden opgestuwd in de vaart der grote eetgelegenheden aan het eind van de oude en het aanbreken van de nieuwe eeuw. Iedere gast kreeg bij zijn of haar vertrek een kleurrijke brochure, uitgegeven door het busstation en het Metropolitan Museum, wier belangen danig met elkaar verstrengeld waren geraakt. Voor het luttele bedrag van 36 000 dollar kon iedereen ter wereld feestruimte in een van beide instituten afhuren.

Men ging ervan uit dat het merendeel van de gasten om 01.00 uur 's nachts zou vertrekken. Toen dat gebeurde, waren de elfhonderdtweeëntwintigduizend champagnekleurige tulpen die als aardigheidje en aandenken werden uitgedeeld spoedig op. De jongere, energiekere lui bleven bowlen en eten en zich uitleven op de muziek van discjockey in de nachtdisco op de bovenste verdieping. Uiteindelijk gingen degenen die zich nog steeds niet konden wegrukken liggen slapen op stevige, schone rieten banken in de vertrekhallen of zochten de brandtrappen op, met nieuwe, ongebruikte matrassen op de bordessen en overlopen. Na het ontwaken konden ze verse sinaasappelsap halen bij de drankenbars en ontbijten met pannekoeken en eieren in de koffietentjes. De trappenhuizen waren leeggemaakt en grondig gereinigd; in plaats van naar desinfectiemiddelen rook de lucht er naar aftershave en dure parfums. Voor de trappenhuizen was een vrouw met één been en een kruk ingehuurd om rond te lopen, mompelend dat ze verkracht was, maar het was een slechte actrice met een knap gezichtje dat cosmetica en een fraai been dat panty's aan de vrouw had gebracht. Een grote, sierlijke, moederlijk aandoende zwarte vrouw met kwaadaardig uitziende moedervlekken en een volle altstem neuriede spirituals.

Tegen 04.30 uur 's ochtends hadden de achtentwintig Cosa Nostra-schoonmaakbedrijven die via de Washingtonse Cosa Loro contractueel aan de Commerciële Catering Divisie van M & M O & Co verbonden waren, de laatste resten afval verwijderd, en om 06.00 uur, toen de eerste geregelde busreizigers arriveerden, was alles weer normaal, zij het dat er geen schooiers en daklozen waren. Die bleven in gedwongen ballingschap tot alles veilig was.

'Dat was heel uitgekookt van je,' zei Gaffney lovend over Yossarians korte toespraakje.

'Ik kan niet geloven dat ik dat echt gezegd heb,' zei Yossarian berouwvol.

'Dat heb je ook niet, nóg niet. Wat vind je ervan?' wilde Gaffney weten, terwijl ze op de monitor zagen hoe de menigte in het busstation die er nog niet was zich tamelijk lusteloos verspreidde en in bleke afspiegelingen terugkeerde naar de plaatsen vanwaar ze nog niet gekomen waren. 'Mevrouw Maxon schijnt tevreden te zijn.'

'Dan is haar man het ook. Al die Wagner-muziek vind ik prachtig. En ik moet er ook om lachen. Vind je het einde van *Die Götterdämmerung* wel tactvol gekozen?'

'Jazeker. Zou jij liever een requiem horen?' In Gaffney's donkere ogen fonkelden pretlichtjes.

'Hij wordt weer zwart, die godverlaten zon,' zei Hacker luchtig. Hij lachte. 'Ik schijn 'm niet weg te kunnen krijgen.'

'De zon kan niet zwart worden,' snauwde Yossarian, opnieuw kwaad op hem. 'Als de zon zwart was werd de hele hemel zwart en zou je hem niet zien.'

'O nee?' lachte de jongeman spottend. 'Kijk dan eens.'

Yossarian keek en zag dat de zon op de centrale monitoren inderdaad zwart was in een blauwe hemel, de maan was weer rood geworden en alle schepen in de haven en de naburige wateren, de sleepboten, pramen, tankers, vrachtschepen, vissersboten en diverse soorten pleziervaartuigen lagen opnieuw ondersteboven.

'Het is een storing,' zei Hacker. 'Gewoon een storing. Ik moet er gewoon nog wat aan werken.'

'Ik heb nog een andere storing gezien,' zei Yossarian.

'De president, bedoel je?'

'Die is helemaal niet op komen dagen, hè? Ik heb hem niet gezien.'

'We kunnen hem niet uit zijn kantoor krijgen. Hier, kijk maar.' Yossarian herkende de wachtkamer van het Ovale Kantoor in Washington. 'Hij wordt geacht eruit te komen, zich naar het HSGPMZ-gebouw te laten rijden en daar op de nieuwe supertrein te stappen, maar hij gaat elke keer de verkeerde kant uit. Naar zijn spelletjeskamer.'

'Dan zul je je model opnieuw moeten programmeren.'

Hacker liet opnieuw zijn quasi-wanhopige spotlachje horen en liet het antwoord aan Gaffney over.

'Het model kan niet opnieuw geprogrammeerd worden, Yo-Yo. Dit is het model. Je zult het Witte Huis moeten herprogrammeren.'

'Ik?'

'Daar zit hij op het ogenblik,' zei Hacker. 'Wat heeft hij eigenlijk in die verdomde spelletjeskamer?'

'Vraag Yossarian maar,' zei Gaffney. 'Die is er geweest.'

'Een videospelletje,' zei Yossarian, 'dat *Triage* heet.'

BOEK TWAALF

33

ENTR'ACTE

Milo raakte snel verveeld, ging op zakenreis en was niet in het busstation toen het alarm ging, niet veilig onder de grond met Yossarian.

'Waar is meneer Minderbinder?' vroeg McBride toen Yossarian alleen bij het platform aankwam waar McBride en Gaffney stonden te wachten.

'Meer wolkenkrabbers voor het Rockefeller Center op de kop tikken,' meldde Yossarian spottend. 'Of voor zichzelf. Hij wil ze allemaal hebben.' Wie weet, dacht Yossarian toen ze de smeedijzeren trap af liepen, blijken die monsterhonden die we nu horen er op een dag toch echt te zijn. Wat een fantastische afscheidsgrap zou dat zijn! Ze hadden alle liften gevonden, zei McBride triomfantelijk. Michael en zijn vriendin Marlene hadden genoeg gekregen van het wachten en waren samen met Bob en Raul diep in de kelders afgedaald. McBride moest Yossarian nog iets laten zien.

'Hoe diep is diep?' vroeg Yossarian met gevoel voor humor.

McBride lachte nerveus en antwoordde over zijn schouder, met een schuldige blik: 'Elf kilometer!'

'Elf kílometer?'

Gaffney moest lachen om die kreet van verbazing.

En de líften! vervolgde McBride. Omhoog met een snelheid van anderhalve kilometer per minuut, omlaag met honderdzestig kilometer per uur. 'En roltrappen hebben ze ook, helemaal tot beneden! Meer dan zestig kilometer diep, zeggen ze.'

'Gaffney?' vroeg Yossarian, en Gaffney knikte langzaam. 'Gaffney, Milo is niet gelukkig,' deelde Yossarian hem quasi-serieus mee. 'Dat weet je, neem ik aan.'

'Milo is nooit gelukkig.'

'Hij is bang.'

'Waarvoor nu weer? Het contract is binnen.'

'Hij is bang dat hij niet genoeg heeft gevraagd en minder voor de Shhhhh! zal krijgen dan Strangelove voor zijn toestel. En ze werken niet eens.'

Gaffney bleef zo abrupt staan dat Yossarian tegen hem aanbotste en tot Yossarians stomme verbazing was Gaffney's gebruikelijke zelfverzekerdheid even helemaal zoek.

'O nee? Hoe kom je daarbij?'

'Wel dan?'

Gaffney ontspande zich. 'Natuurlijk, Yo-Yo. Ik dacht heel even dat je meer wist dan ik. Ze werken al.'

'Da's onmogelijk. Ze zouden niet werken. Daar heb ik hun woord voor.'

'Ze breken hun woord.'

'Dat hebben ze me beloofd.'

'Ze breken hun beloftes.'

'Ik heb een garantie.'

'Niets waard.'

'Ik heb het zwart op wit.'

'Stop maar in je Vrijheid van Informatie-dossier.'

'Ik snap er niks van. Hebben ze Strangelove verslagen?'

Gaffney lachte zijn stille lachje. 'Yossarian, beste vriend, ze zíjn Strangelove. Ze zijn natuurlijk gefuseerd. Ze zijn toch al lang identiek, op hun naam en hun bedrijf na. Die toestellen vliegen al jaren.'

'Waarom heb je dat nooit gezegd?'

'Tegen wie? Niemand heeft er ooit naar gevraagd.'

'Je had het tegen mij kunnen zeggen.'

'Jij hebt er ook niet naar gevraagd. Vaak heb ik er voordeel van als ik dingen vóór me houd. Soms is kennis macht. Sommige mensen zeggen dat het ultieme wapen goed voor mijn bedrijf zal zijn, andere zeggen van niet. Daarom ben ik vandaag ook hier. Om daarachter te komen.'

'Welk bedrijf?'

'Mijn makelaarsbedrijf natuurlijk.'

'Makelaarsbedrijf!' zei Yossarian spottend.

'Je weigert me te geloven,' zei Gaffney glimlachend, 'en toch denk je dat je de waarheid wilt horen.'

'De waarheid werkt toch bevrijdend?'

'Ben je gek,' antwoordde Gaffney. 'Nu niet, vroeger niet en nooit niet.' Hij wees naar McBride. 'Kom, Yo-Yo. Hij heeft je nog een waarheid te laten zien. Herken je die muziek?'

Yossarian wist bijna zeker dat hij de muziek van Leverkühn weer uit de luidsprekers hoorde komen, een deel van het nooit geschreven werk, in een warme rubato, legato, vibrato, tremolo, glissando en ritardando orkestuitvoering voor massaconsumptie, zonder trillende, schokkende voorboden van angstaanjagende climaxen.

'Gaffney, je vergist je met die Leverkühn, weet je dat. Dit is uit de *Apocalypse*.'

'Dat weet ik intussen. Ik heb het opgezocht en ik had het fout. Je hebt geen idee hoe zwaar het me valt om dat toe te geven. Maar ik wed dat ik weet wat je volgende vraag is.'

'Is je iets opgevallen?' vroeg Yossarian toch maar.

'Natuurlijk,' zei Gaffney. 'We hebben geen schaduw hier en onze voetstappen maken geen geluid. Is jóu iets opgevallen?' vroeg Gaffney terwijl ze zich bij McBride voegden. Hij doelde niet op de schildwacht op zijn stoel bij de lift onder het boogje. 'Nou?'

Kilroy.

Kilroy was verdwenen.

De woorden op het bord waren weggewist.

McBride onthulde dat Kilroy dood was. 'Het leek me beter om het je te vertellen.'

'Ik had al zo'n gevoel,' zei Yossarian. 'Er zijn mensen van mijn leeftijd die dat heel erg zullen vinden. Vietnam?'

'O nee, nee,' antwoordde McBride verbaasd. 'Kanker. In prostaat, botten, longen en hersenen. Natuurlijke dood, staat er op zijn overlijdensakte.'

'Een natuurlijke dood?' herhaalde Yossarian treurig.

'Het had erger kunnen zijn,' zei Gaffney meevoelend. 'Het belangrijkste is dat we Yossarian nog hebben.'

'Precies,' zei McBride hartelijk. 'Yossarian leeft nog.'

'Leeft Yossarian nog?' herhaalde Yossarian.

'Jazeker, Yossarian leeft nog,' zei McBride. 'Misschien kunnen we zíjn naam op de muur zetten.'

'Prima, en voor hoe lang?' antwoordde Yossarian, en op dat moment ging het alarm.

McBride schrok. 'Verrek, wat is dat?' Hij keek verschrikt. 'Is dat het signaal niet?'

Gaffney knikte. 'Ik geloof van wel.'

'Wacht even!' McBride rende al richting schildwacht. 'Ik zoek het wel uit.'

'Gaffney?' vroeg Yossarian bevend.

'Hier beneden heb ik geen idee,' zei Gaffney grimmig. 'Misschien is het oorlog, triage-tijd.'

'Moeten we dan niet als de weerlicht weg zien te komen? Laten we wegwezen.'

'Geen paniek, Yossarian. Hier is het veel veiliger.'

BOEK DERTIEN

34

FINALE

Toen hij het alarm hoorde en de gekleurde lampjes op het paneel zag knipperen, was de president zo trots dat hij iets in beweging had gezet dat hij stralend van voldoening onderuit zakte om het effect te bekijken – tot het tot hem doordrong dat hij niet wist hoe hij het moest stopzetten. Vergeefs drukte hij op alle knoppen. Hij stond op het punt om hulp te roepen toen de hulp zijn kamer binnenstormde in de vorm van Macaroni Cook, de gezette man van Buitenlandse Zaken wiens naam hem nooit te binnen wilde schieten, zijn magere assistent van de Nationale Veiligheidsraad, de Dunne, en de luchtmachtgeneraal die pas tot lid van de Gezamenlijke Stafchefs was benoemd.

'Wat is er gebeurd?' schreeuwde generaal Bingam met een gezicht dat vertrokken was van afschuw en verwarring.

'Het werkt,' zei de president grinnikend. 'Zie je wel? Net als dat spelletje hier.'

'Wie valt ons aan?'

'Wanneer is het begonnen?'

'Worden we aangevallen?' vroeg de president.

'U hebt al onze raketten gelanceerd!'

'U hebt onze vliegtuigen de lucht in gestuurd!'

'Ik? Waar dan?'

'Overal! Met die rode knop waar u voortdurend op drukte.' 'Deze? Wist ik veel.'

'Níet áánkomen!'

'Hoe kon ik dat nou weten? Roep ze maar terug. Zeg maar dat het me spijt. Het was per ongeluk.'

'De raketten kunnen niet teruggeroepen worden.'

'De bommenwerpers wel.'

'We kunnen de bommenwerpers niet terugroepen! Stel je voor dat iemand terugslaat. We moeten ze eerst vernietigen.'

'Dat wist ik niet.'

'En onze retorsiebommenwerpers moeten ook de lucht in voor het geval ze na onze eerste aanval terug willen slaan.'

'Kom mee, meneer de president. We moeten ons haasten.'

'Waar naartoe?'

'Onder de grond. Naar de schuilkelders. Triage... weet u nog wel?'

'Allicht. Dat was ik aan het spelen voordat ik hiermee begon.'

'Goddomme, meneer de president! Wat valt er te lachen?'

'Er is hier godverdomme niks leuks aan!'

'Kan ík dat weten?'

'Kom op, voortmaken! Wij zijn de mensen die moeten blijven leven.'

'Kan ik mijn vrouw ophalen? Mijn kinderen?'

'Blijf jij ook maar hier!'

Als uitzinnigen stormden ze de kamer uit naar de wachtende ronde lift die hun enige ontsnapping was. De Dikke vocht vertwijfeld om binnen te komen, werd beentje gelicht door C. Porter Lovejoy en tuimelde samen met Lovejoy, die zich als een dol geworden aap aan hem vastklampte, de lift in.

Terwijl ze de warme krulspelden, lichtblauw en daarom goed bij haar ogen kleurend, uitdeed, haar lippen stiftte en zich opmaakte alsof ze een avondje uitging – ze had zo haar redenen om op haar mooist te zijn – besloot zuster Melissa MacIntosh opnieuw om tijdens de lunch met John Yossarian op eigen kracht te beslissen welke afspraak ze na zou komen: die met haar verloskundige om het kind te houden, of die met haar gynaecoloog om de zwangerschap te beëindigen. Ze had geen flauw idee dat zich elders iets rampzaligs kon hebben voorgedaan.

Ze had er begrip voor dat hij niet zo snel wilde hertrouwen. Ze nam nog een bonbon uit de grote doos die binnen handbereik stond en die ze gekregen had van de Belgische patiënt en zijn vrouw toen hij na bijna twee jaar ziekenhuis, levend, weer naar huis mocht. Ze was blij dat ze weer naar Europa vlogen, want ze had de neiging te veel met andere mensen mee te leven en nu wilde ze al haar aandacht concentreren op haar eigen probleem.

Yossarian kon haar zeer doordachte redenen geven waarom hij nu geen vader wilde worden.

Die maakten geen indruk. Hij was beter van de tongriem gesneden dan zij en daarom voor haar gevoel geraffineerder. Zij kon voor zichzelf, en soms tegen haar kamergenote Angela, toegeven dat ze niet altijd even doordacht handelde en wel eens vergat om vooruit te kijken.

Maar ze zag niet in waarom dat een zwakte zou zijn.

Ze had iets wat Yossarian ontbeerde: vertrouwen, het geloof dat mensen zoals zij, goede mensen, recht hadden op een goede afloop en die ook zouden krijgen. Sinds de beroerte van Peter begon zelfs Angela, die genoeg kreeg van werken en pornografie en dik werd en zich zorgen maakte over aids, vol heimwee over Australië te praten, waar ze nog vrienden en familie had, bijvoorbeeld haar lievelingstante in het verpleeghuis, die ze wilde bezoeken. Nu al dat gedoe met condooms erbij kwam, leek het haar veel beter om seks af te zweren en te gaan trouwen.

Twee avonden geleden had Yossarian erg op hun leeftijdsverschil gehamerd en haar bijna opnieuw omgepraat – ze feliciteerde zichzelf ermee dat ze zich niet had laten overdonderen.

'Daar zit ik helemaal niet mee,' antwoordde ze uitdagend, terwijl ze gedecideerd haar rug rechtte. 'Als het moet, kunnen we ook zonder jou verder.'

'Nee, nee,' wierp hij, bijna kwaadaardig, tegen. 'Stel je voor dat jíj eerder doodgaat!'

Daar weigerde ze op in te gaan. Het idee dat haar dochtertje zou overblijven met een vader van over de zeventig was te ingewikkeld om zelfs maar te overwegen.

Ze wist dat ze gelijk had.

Ze was ervan overtuigd dat Yossarian haar financieel zou steunen, zelfs als ze het kind tegen zijn wil hield en ze niet bij elkaar bleven. Ze wist instinctief dat ze wat dat betrof van hem op aan kon. Goed, hij reageerde minder amoureus dan in het begin. Hij stelde niet meer plagend voor om samen lingerie te gaan kopen en had haar ook nog niet voor dat doel mee naar Parijs of Florence of München genomen. Hij stuurde alleen nog rozen als ze jarig was. Maar zelf was ze ook minder amoureus, bedacht ze enigszins spijtig, en soms moest ze zichzelf bewust aansporen om met meer wellust te streven naar de bevredigende sensuele wapenfeiten die ze vroeger veel spontaner leverden. Op Angela's vragen gaf ze toe dat Yossarian nooit meer jaloers scheen te zijn en al zijn belangstelling voor haar seksuele verleden verloren had. Hij wilde zelfs nog maar zelden met haar naar de film en had al een keer opgemerkt, zonder boosheid en nauwelijks als verwijt, dat het nog nooit voorgekomen was dat een vrouw met wie hij een verhouding had tot het eind toe even vaak naar bed wilde als hij. Ze pluisde haar verleden na om te zien of dit ook zo was bij haar andere vrienden. Overigens spande hij zich ook niet meer zo in om haar te behagen en trok hij zich er weinig van aan als het niet lukte.

Voor haar speelde dit alles geen rol van betekenis.

Melissa MacIntosh wist dat ze gelijk had en zag niet in wat er aan haar verlangens mankeerde. Zo vóel ik het gewoon, verklaarde ze haar dogmatische intuïties altijd, en nu zei haar gevoel dat als ze geduldig was, als ze gewoon op haar strepen stond en vriendelijk maar hardnekkig voet bij stuk hield, dat hij dan uiteindelijk zoals altijd overstag zou gaan. Wat het kind betrof had hij sterke argumenten. Zij had er maar één, een zwak argument dat evengoed doorslaggevend was: zij wilde de baby.

De mogelijkheid dat hij misschien niet eens naar het restaurant zou komen om hun gesprek voort te zetten kwam pas bij haar op toen ze een laatste blik op haar flatje wierp alvorens te vertrekken. Geschrokken zette ze de gedachte uit haar hoofd, want over de consequenties daarvan dacht ze liever niet na.

Ze had schoenen met hoge hakken aangedaan om er aantrekkelijker uit te zien en liep verleidelijk klikkend met snelle passen over het trottoir.

Buiten, op de hoek waar ze een taxi wilde nemen, stonden zoals ze al verwacht had onderhoudswagens van het elektriciteitsbedrijf en waren mannen bezig het asfalt open te breken voor onderhoud en reparaties. Ze waren altijd in de weer, die elektriciteitsmensen, al bijna sinds het begin der tijden, dacht ze, terwijl ze hen klikkend voorbijliep. Ze ging zo op in de bijzonderheden van de op handen zijnde confrontatie dat ze zich nauwelijks realiseerde dat de hemel abnormaal donker was voor de tijd van de dag.

Ontslagen na zijn lange verblijf in het ziekenhuis, vloog de Belgische patiënt terug naar Brussel en zijn leidinggevende functie bij de Europese Gemeenschap. Hij noemde zichzelf gekscherend 'de zieke man van Europa'. Hij was redelijk gezond en opgewekt van aard, maar sterk vermagerd en verzwakt en voortaan aangewezen op één stemband, één long en één nier. Op advies van de dokter had hij zijn drankgebruik tijdens zijn twee weken als poliklinisch patiënt beperkt tot wijn en bier. Door het gaatje in zijn keel, permanent gemaakt door een gemplanteerd plastic buisje voor suctie of intubatie, waardoor hij, als hij de clown wilde uithangen, ook kon praten, inhaleerde hij sigaretterook en piepte hij tevreden. Roken mocht hij niet, maar dit telde niet mee, vond hij. Zijn dartele, speelse echtgenote, blij dat ze hem levend terug had gekregen, rookte voor allebei. Met getuite lippen nam ze vakkundig trekjes van haar eigen sigaret en blies de rook koket in kleine straaltjes precies door de chirurgische opening met het plastic buisje en de afneembare dop. Als ze thuis waren, gaf dit steevast aanleiding tot kroelen, kussen en kietelen en een poging de liefde te bedrijven. Tot hun blijdschap en verbazing lukte dat veel vaker dan elk van beiden tot voor kort voor mogelijk had gehouden. Hij verborg zijn prothese voor het oog van buitenstaanders achter een hoge boord en een grote knoop in zijn stropdas, of onder een halsdoek, sjaaltje of kleurige strik, en hij ontdekte dat hij een zwak had voor stippen. Deze zieke man van Europa had nóg een geheim, een geheim waarvan alleen zijn vrouw op de hoogte was, te weten zijn absolute overtuiging dat noch hij, noch zijn collega's, noch enige organisatie van deskundigen bij machte was om ook maar iets te ondernemen dat van blijvende positieve invloed zou zijn op het economisch lot van zijn werelddeel of van de westerse wereld. De mens had weinig in te brengen bij het menselijk gebeuren. De geschiedenis volgde haar eigen koers, onafhankelijk van de mensen die haar maakten.

Om zijn ontslag uit het ziekenhuis te vieren had het echtpaar een feestje gehouden op zijn kamer en alle verpleegsters en stafleden een fles champagne, een pond Fanny Farmer-bonbons en een slof sigaretten cadeau gedaan. Ze hadden ook geld willen geven, ieder een biljet van honderd dollar, ware het niet dat de ziekenhuisleiding geldelijke giften bezwaarlijk vond.

In vliegtuigen reisden de Belgische patiënt en zijn vrouw gewoonlijk eerste klas, maar ze gingen ook graag met de bus, omdat ze daar dicht en intiem bij elkaar konden zitten en tijdens het roken gewaagd en ondeugend hun armen en dijen tegen elkaar konden wrijven en elkaar onder een deken konden betasten en tot een climax brengen.

Toen ze boven de Atlantische Oceaan vlogen, zaten ze nietsvermoedend in hun eerste-klasstoelen naar een komische film te kijken op het moment dat het alarm waar ze niets van wisten afging. Ze sloegen nauwelijks acht op de vele wolkachtig witte condensstrepen die onder en boven hun vliegtuig uiteenrafelden achter pijlsnelle onzichtbare voorwerpen die zichtbaar werden toen de video uitviel, de boordverlichting fel oplichtte en de panelen voor de raampjes omhoog schoven. Het liep tegen de avond en ze vlogen naar het oosten, dus de donker wordende hemel verontrustte hen niet. De zon achter hen was loodgrijs van kleur. Het defect aan de video-apparatuur had kennelijk ook de luidsprekerinstallatie aangetast. De koptelefoons boden geen muzikaal of ander vermaak en toen een van de stewardessen vooraan in het vliegtuig door een microfoon opheldering wilde geven, was ze niet te verstaan. Toen de passagiers vrolijk en quasi-geërgerd ander boordpersoneel bij zich wenkten om een antwoord te krijgen en de stewards en stewardessen zich over hen heen bogen om antwoord te geven, maakten hun stemmen geen geluid.

Dennis Teemer hoorde het niet en de kardinaal, die eerder door een gevoel van naderend onheil bezocht was, werd niet ingelicht. Velen werden geroepen, maar deze wetenschapper en deze zielzorger waren niet van de partij. Omdat het toch onmogelijk was om de bevolking tegen luchtaanvallen te beschermen, waren er geen openbare schuilkeldervoorzieningen, en men achtte het niet raadzaam om angst en vertwijfeling te zaaien met een waarschuwing die, als de gevreesde nucleaire tegenaanval uitbleef, ongegrond zou zijn.

Toen het alarm ging, werd uitsluitend een handjevol bevoorrechte gelukkigen opgeroepen, afgehaald en in de ondergrondse schuilkelders toegelaten. Dit waren mannen met zeldzame kwaliteiten die van essentieel belang werden geacht voor het voortzetten van de Amerikaanse manier van leven onder de grond. Ze werden opgepikt en snel naar de gecamoufleerde ingangen van hittebestendige liften vervoerd door speciale teams van toegewijd politiepersoneel van HSGPMZ, dat tot op het moment van de waarheid geen moment bij de mogelijkheid had stilgestaan dat ze zelf ook als ontbeerlijk zouden worden afgedankt.

'Dit is Harold Strangelove en het zal u ongetwijfeld verheugen dat ik en mijn voornaamste medewerkers hier heelhuids zijn aangekomen en als vanouds beschikbaar zijn voor de beste contacten en adviezen, als ook onze eerste-kwaliteit bombast,' zei de stem duidelijk verstaanbaar door de luidsprekers. 'De president is achtergebleven en de leiding berust nu bij mij, aangezien ik meer weet dan iedereen. Onze raketten zijn gelanceerd en u kunt ervan op aan dat ze hun doel bereiken, zodra we hebben vastgesteld wat het doel van de lancering was. We weten nog niet of de aangevallen gebieden iets terug zullen doen. Om de mogelijkheid van represaillemaatregelen zoveel mogelijk te beperken hebben we al onze bommenwerpers ingezet. Over enkele ogenblikken verbreken we de radiostilte en kunt u meeluisteren. In de tussentijd verzeker ik u dat we niets over het hoofd gezien hebben. Tot op zekere hoogte, of liever diepte – zestig kilometer, om precies te zijn – hebben we al een levensvatbare gemeenschap gevestigd en zolang iedereen precies doet wat ik zeg zal die soepel en democratisch blijven functioneren. Militair gesproken kan ons niets gebeuren. We hebben al het benodigde personeel hier om een nucleaire tegenaanval te overleven, mocht die plaatsvinden. We hebben politieke leiders, beroepsbureaucraten, medici, intellectuelen, ingenieurs en andere technici. Wat willen we nog meer? Alle ingangen naar onze schuilplaatsen zijn inmiddels verzegeld door onze speciale HSGPMZ-troepen. Iedereen die fortuinlijk genoeg is om hier te zijn maar genoeg krijgt van het leven onder de grond en naar buiten wil, zal niets in de weg gelegd worden. Dit is een vrij land. Maar zonder mijn persoonlijke goedkeuring worden geen nieuwe bewoners toegelaten. We zijn in ruime mate voorzien van alles wat een redelijk en te goeder trouw persoon zich kan wensen, en menselijkerwijs gesproken is er vrijwel geen limiet aan de tijd die we hier in alle comfort kunnen doorbrengen, vooropgesteld dat iedereen doet wat ik zeg. We hebben een keur van recreatiemogelijkheden. We hebben overal aan gedacht. En dan nu, voor de laatste ontwikkelingen, de nieuwe voorzitter van mijn Gezamenlijke Stafchefs met een rapport over de militaire situatie van dit moment.'

'Amerikaanse medeburgers,' zei generaal Bingam. 'Als ik eerlijk moet zijn heb ik even weinig idee van het waarom van deze oorlog als u, maar we weten dat onze redenen gegrond zijn, dat we voor een rechtvaardige zaak vechten en dat onze militaire operaties als vanouds met succes bekroond zullen worden. Onze anti-raketraketten staan stuk voor stuk paraat en hebben waarschijnlijk ongelooflijk veel succes bij het neerhalen van de raketten waarmee de vijand mogelijk terugslaat. Onze sterkste troeven op het moment zijn onze zware bommenwerpers. We beschikken over honderden van deze toestellen voor onze eerste luchtaanval en we gaan ze nu, zuiver bij wijze van preventieve maatregel, het groene licht geven. En dan mag u nu meeluisteren naar mijn onderhoud met de commandant van onze aëronautische operaties. Daar gaat-ie. Hallo, hallo. Dit is Bingam, Bingam, Bigman Bernie Bingam in het ondergrondse hoofdkwartier in Ben & Jerry's-voorraaddepot in Washington, over. Hallo, commandant, hoort u mij? Hoort u mij?'

'Häagen-Dazs.'

'Dank u, commandant Whitehead. Waar bent u?'

'In onze zwevende strategische commandopost, vijftien kilometer boven het geografisch centrum van het land.'

'Uitstekend. Beveel uw eenheden tot actie over te gaan. Elke seconde telt. En verander vervolgens van locatie.'

'Dat hebben we al gedaan toen ik me meldde.'

'Dus dat klopt niet meer?'

'Het klopte toen al niet.'

'Uitstekend. Rapporteer alle waargenomen vijandelijke raketten of vliegtuigen. Jullie horen meer na je landing.'

'Jawel generaal. Waar moeten we landen?'

'Hmmmmm. Misschien ís er niks meer. Daar hebben we geloof ik even geen rekening mee gehouden. Land maar in de gebieden die jullie platgegooid hebben. De rest gaat volgens plan.'

'Echt, generaal Bingam?'

'Absoluut, commandant Whitehead.'

'Häagen-Dazs.'

'Ben & Jerry's. Dokter Strangelove?'

'Dat was fantastisch.'

'Werkelijk, dokter Strangelove?'

'Absoluut, generaal Bingam. We hebben niets vergeten. Nu moet ik u even om vergiffenis vragen, want we blijken toch één kleinigheidje over het hoofd te hebben gezien.' Met opzet slecht articulerend maakte hij nederig en blijmoedig zijn excuses. 'We hebben geen vrouwen mee onder de grond genomen. O zeker... ik zie al die macho's al kreunend naar hun hoofd grijpen en doen alsof ze ongelukkig zijn. Maar denk eens aan de tweedracht die ze hier op dit moment zouden zaaien. Het is niet mijn taak om officiële aanbevelingen te doen, maar het hoofd van onze medische dienst wijst me erop dat onthouding altijd een uitstekend substituut is geweest voor het schone geslacht. Andere afdoende alternatieven zijn masturbatie, fellatio en sodomie. We verzoeken iedereen condooms te gebruiken, waar uw apotheken en supermarkten ruime voorraden van hebben aangelegd. Om de bevolking op peil te houden moeten we uiteindelijk waarschijnlijk toch een aantal vrouwen toelaten, als ze er dan nog zijn. Wat de zielzorg betreft geloven we dat we van elke belangrijke godsdienst een paar geestelijken hebben. Zolang die nog niet gevonden zijn staat hier een man zonder geloof paraat om te voorzien in de geestelijke behoeften van mensen van alle gezindten. Wat betreft de oorlog kunt u volkomen gerust zijn. We hebben niets aan het toeval overgelaten. Voor na onze eerste aanval hebben we geheime defensieve-offensieve vliegtuigen klaar staan voor een tweede luchtaanval om alle wapens te vernietigen die onze eerste aanval overleefd hebben en tegen ons gebruikt zouden kunnen worden. Het enige waar u bang voor hoeft te zijn is de angst zelf. We zijn er bijna honderd procent van overtuigd dat we misschien vrijwel niet veel te vrezen hebben, dank zij onze nieuwe oude versies van de oude nieuwe Stealth-bommenwerper, mijn eigen Strangelove Z-M-Op en de Minderbinder Shhhhh!. Er zullen geen kranten zijn. Alle rapporten zullen van officiële instanties afkomstig zijn, dus u heeft geen enkele reden om ze te geloven, en we zullen ze tot een minimum beperken. Häagen-Dasz.'

'De Shhhhh!?' Yossarian was met stomheid geslagen.

'Ik zei toch dat ze zouden vliegen.'

'Gaffney, wat gaat er gebeuren?'

'Ik kan mijn bronnen niet bereiken.'

De elf kilometer diepe afdaling in de supersnelle lift had bijna vijf minuten geduurd. Met de rit naar het onderste, zestig kilometer diepe niveau zouden nog eens twintig minuten gemoeid zijn en het tweetal sprak af om een stuk met de roltrap te doen.

'Kun je er niet naar raden? Waar moet dit heen?'

Gaffney had een antwoord. 'Terug naar het begin, zeggen de natuurkundigen. Dat is mijn idee voor de roman die ik misschien wil gaan schrijven. Hij begint na die twee verhalen over de schepping van Adam en Eva. Daar zijn twee versies van, wist je dat?'

'Dat wist ik,' zei Yossarian.

'Het zou je verbazen hoeveel mensen dat niet weten. Mijn verhaal begint aan het eind van de zesde scheppingsdag.'

'En hoe gaat het dan verder?'

'Het gaat terug,' kraaide Gaffney, zijn idee voor de roman onthullend alsof die al een doorslaand succes was. 'Het gaat terug naar de vijfde dag, net als een film die achteruit draait. In het begin van mijn verhaal verandert God Eva weer in een rib en geeft Adam zijn rib terug, precies zoals in de tweede versie. Wat doet hij namelijk? Hij vernietigt Adam en Eva naar zijn beeld en gelijkenis, zoals we in de eerste versie zien, alsof ze nooit geschapen waren. Hij laat ze gewoon verdwijnen, samen met het vee en het ander kruipend en wild gedierte dat hij op die zesde dag geschapen had. Op mijn tweede dag, zijn vijfde, worden de vogels en vissen teruggenomen. Dán verdwijnen de zon en de maan, samen met de andere lichten in het uitspansel des hemels. Dan worden de fruitbomen en planten van de derde dag verwijderd en de wateren keren terug en het droge land dat Aarde heet verdwijnt. Dat was de derde dag. De dag daarna neemt Hij het uitspansel in het midden der wateren weg dat Hij de Hemel genoemd had. En dan, op de eerste dag, mijn zesde, verdwijnt het licht ook en is er niets meer om de dag van de duisternis te onderscheiden en is de aarde opnieuw woest en leeg. We staan weer aan het begin, voordat er iets bestond. En dan steel ik iets uit het nieuwe testament voor een heel slimme zet. In den beginne was het woord en het woord was God, weet je nog wel? Nu nemen we natuurlijk het woord weg en zonder woord is er geen God. Wat vind je ervan?'

Yossarian zei sarcastisch: 'Kinderen zullen er dol op zijn.'

'Zou er een goede film van te maken zijn? Want in deel 2 begint het hele gedoe twee of drie miljard jaar later weer van voren af aan en wordt alles op precies dezelfde manier weer geschapen, tot in de kleinste bijzonderheden.'

'Gaffney, zo lang kan ik niet wachten. Ik heb een zwangere vriendin boven die binnenkort een baby krijgt als ik haar d'r zin geef. Kunnen we niet weer een paar kilometer gaan lopen. Ik vertrouw die lift niet.'

Toen Yossarian al afdalend naar beneden keek, kon hij zijn ogen niet geloven. Hij was zijn bril kwijt, maar zelfs mét bril zou hij gedacht hebben dat zijn ogen hem bedrogen.

Bij het horen van het alarm besloot generaal Leslie R. Groves, die in 1970 aan een hartkwaal gestorven was, te rennen voor zijn leven – naar beneden, naar de vloeibare kern van de aarde, waar het heet was als in de hel, dat wist hij, maar niet zo heet als bij een kernexplosie of de hitte die de legerpredikant zou produceren als hij zich bleef ontwikkelen tot een nucleaire mengeling van tritium en lithiumdeuteride en een kritieke massa bereikte.

'Niet slaan! Niet beetpakken! Niet aanraken!' blafte hij tegen zijn ondergeschikten bij wijze van dienst aan zijn vaderland en afscheidsgebaar voor de predikant, die weigerde mee te gaan om zijn eigen hachje te redden. 'Zorg dat hij niet te heet wordt! Dan kan hij afgaan!'

Toen de generaal de benen nam, volgde de hele wetenschappelijke, technische, natuurkundige en huishoudelijke staf zijn voorbeeld, zodat de predikant even later alleen was, op de gewapende commando's bij alle ingangen na.

* * *

Toen de trein met een ruk tot stilstand kwam, zag de legerpredikant de glinsterende ijsbaan in het Rockefeller Center uit het beeld verdwijnen en de omringende wolkenkrabbers op het videoscherm wankelen en schots en scheef tegen elkaar vallen. Eerder had de predikant Yossarian, in het gezelschap van een jongere man die zijn zoon had kunnen zijn, de straat over zien steken achter een lange, parelgrijze limousine met banden die bloedsporen achter leken te laten, gadegeslagen door een sinistere, kwaadaardig loensende, schonkige figuur met een wandelstok en een groene rugzak. Later kon hij Yossarian niet meer vinden, ook niet buiten het Metropolitan Museum, waar hij diverse keren op overschakelde om een kijkje te nemen. Hij dacht er niet aan om hem bij het busstation van de Havendienst te zoeken tijdens de keren dat hij melancholiek die gebouwen bekeek. Het was de plaats waar hij was aangekomen bij zijn eerste bezoek aan de stad. Teruggaan naar Kenosha viel hem steeds moeilijker. Drie avonden per week zag hij zijn vrouw naar de weduwe aan de overkant sloffen, in een auto stappen en naar de Presbyteriaanse kerk gaan voor het zoveelste partijtje bridge met een groepje van voornamelijk weduwen en weduwnaars, vol verdriet dat hij niet meer bij haar leven hoorde.

Toen de trein stilstond en de ijsbaan naar beneden viel, hoorde hij rennende voetstappen en luide stemmen en wist hij dat er iets aan de hand was. Hij wachtte tot iemand hem instructies kwam geven. Nog geen tien minuten later was hij moederziel alleen. Generaal Groves vertelde hem precies waar het op stond.

'Nee, ik wil naar buiten,' besloot hij.

'Daar is het misschien oorlog.'

'Ik wil naar huis.'

'Albert, word toch eens kwaad. Word jij nooit kwaad?'

'Ik ben zo kwaad dat ik wel kan ontploffen.'

'Ook een hele goeie! En ik zal doen wat ik kan om de weg vrij te maken.' De predikant hoorde hem zijn laatste bevelen schreeuwen en toen was hij vertrokken.

Voorzichtig, behoedzaam stapte de predikant uit de trein. Hij had wat geld van de generaal gekregen en zijn belastingnummer had hij ook weer terug. Alles wees erop dat hij de laatste was. Niet ver van hem vandaan zag hij een paar gloednieuw uitziende roltrappen. Hij was helemaal alleen, op de schildwachten in hun rode veldjack, groene broek en bruine kistjes na. Ze waren gewapend en bewaakten alle ingangen. Ook stonden ze boven en onder de roltrap die naar beneden ging. Het stond hem vrij om omhoog te gaan, vrij om te vertrekken.

'Het zou wel eens moeilijk kunnen zijn om terug te komen, meneer.'

Op de roltrap begon hij meteen te klimmen om zo weinig mogelijk tijd te verliezen. Hij kreeg steeds meer haast. Boven aangekomen volgde hij de pijl naar een ronde lift met doorzichtige panelen, die na het indrukken van de bovenste knop omhoog schoot met een snelheid die hem even de adem benam en zijn ingewanden tegen zijn middenrif drukte. Door de doorzichtige verticale panelen zag hij eerst een golfbaan voorbij glijden, gevolgd door een lunapark met achtbaan en reuzenrad en suppoosten in jasjes van dezelfde kleur als de speciale gevechtstroepen. Hij zag wegen met militaire voertuigen en auto's met burgers. Hij gleed langs een spoorweg met mobiele raketten en een andere met gekoelde goederenwagons met de opschriften KAAS UIT WISCONSIN en BEN & JERRY'S IJS. Toen de lift na ongeveer twintig minuten tot stilstand kwam, vond hij opnieuw een paar splinternieuwe roltrappen. Aan het eind daarvan stapte hij in een andere lift en drukte opnieuw op de bovenste knop. Daarna waren het weer roltrappen. Hij had het gevoel dat hij al kilometers gestegen was. Hij werd niet moe. Hij keek voortdurend omhoog en tot zijn ongeloof en verbijstering stond hij plotseling oog in oog met Yossarian, die met grote snelheid de andere roltrap afdaalde. Ze herkenden elkaar onmiddellijk en keken elkaar verbluft aan.

'Wat doe jíj hier?' riepen ze allebei tegelijk.

'Ik? Wat doe jíj hier?' reageerden ze allebei in koor.

Ze vervolgden hun weg in tegenovergestelde richting.

'Dominee, niet naar buiten gaan!' schreeuwde Yossarian door zijn handen naar boven. 'Daar is het gevaarlijk. Het is oorlog. Kom weer naar beneden!'

'Val dood!' riep de legerpredikant, en hij vroeg zich af waar die woorden in godsnaam vandaan kwamen.

Nu ze er eenmaal uit waren, dreven ze hem voort met een vrijheidsgevoel dat hem zelf fanatiek voorkwam. Ten slotte stormde hij de laatste roltrap op en stond voor een brede weg vol auto's en zich voorthaastende voetgangers, met aan de overkant een steile, smeedijzeren trap met om de tien of vijftien treden een rond tussenbordes, die boven uitkwam bij een platform voor een grote ijzeren deur. Hij klom omhoog zonder acht te slaan op de woest aanslaande wilde honden achter zich. Boven stond een schildwacht. Op de deur stond de mededeling:

NOODINGANG
Verboden Toegang
Indien in gebruik, deur op slot doen en vergrendelen

De schildwacht deed geen enkele poging om hem tegen te houden. Hij draaide zelfs heel gedienstig de sleutel om, schoof de grendel opzij en trok de deur open. Aan de andere kant stonden twee andere schildwachten die hem ook geen strobreed in de weg legden. Hij moest door een metalen kast heen en kwam uit in een soort dienstvertrekje en van daar in een gang onder een trap die schuin boven zijn hoofd omhoogliep. Toen zag hij een deur die op de straat uit kwam. Zijn hart sprong op. Hij begon het licht te zien, zei hij tegen zichzelf, duwde de deur open en stond, na een snelle blik op een klein hoopje stront in een hoek, buiten onder een donkere hemel.

Hij bevond zich bij het busstation, in een zijstraat onder het niveau waar de bussen vertrokken. Een bus die warm stond te draaien stond op het punt om naar Kenosha, Wisconsin, te vertrekken. Hij had maar twee medepassagiers. Toen hij lekker zat snoot hij zijn neus, hoestte een keer om zijn keel schoon te maken en slaakte een diepe zucht van verlichting. Bij elke tussenstop zou hij proberen te bellen, net zo lang tot hij haar aan de lijn had. De vertrekhalte lag onder een beschermend afdak en het verbaasde hem niet dat het zo donker was. Maar toen ze de tunnel uit waren en op de grote weg reden, was de hemel niets lichter. Zonder veel belangstelling keek hij uit zijn raampje en zag dat de zon zelf asgrijs en aan de rand zelfs zwart was. Op donkere dagen in Wisconsin had hij wel vaker van die fletse zonnetjes achter dikke wolken gezien. Het viel hem niet op dat er geen wolken waren.

Tijdens de dagelijkse redactievergadering van de *New York Times* waarin de opmaak van de voorpagina van de volgende editie werd doorgenomen, besloot men te voorspellen – en de nieuwslezers op de tv zouden het dientengevolge berichten – dat er een onverwachte zonsverduistering had plaatsgehad.

Frances Beach, die zich helemaal toelegde op het verzorgen en verkwikken van een zieke echtgenoot, had al jaren geleden alle belangstelling verloren voor wat de *New York Times* of welke krant dan ook te melden had op alle gebieden behalve mode. Het verbaasde haar niet dat ze in haar laatste jaren opnieuw hevig verliefd was geworden op Yossarian. Wat altijd aan hun genegenheid had ontbroken, concludeerde ze mild, terwijl ze met een spijtige glimlach van haar boek opkeek en haar bril afnam, was dramatiek en conflicten. Geen van beiden had de ander eigenlijk ooit echt nodig gehad. Wat er mis was met hen tweeën was dat er nooit iets mis was gegaan.

Claire Rabinowitz was in een strijdlustige stemming jegens al haar medepassagiers op de El Al-vlucht naar Israël, waar ze het zomerhuis aan zee buiten Tel Aviv waarvoor ze een aanbetaling had gedaan in de vorm van een koopoptie, met eigen ogen ging bekijken. Ze had weinig oogcontact gehad met de mensen in de eerste-klasfoyer of in de wachtruimte bij de uitgang waar ze uit agressieve nieuwsgierigheid en om de tijd te doden ook heen was gegaan. Er was niet één man aan boord, jong of oud, met of zonder gezin, die ook maar in de buurt kwam van wat ze trots als haar maatstaven beschouwde. Er was er niet één bij die bij haar Lew in de schaduw kon staan. Sammy Singer, in Californië of op weg naar Hawaii of Australië, had iets dergelijks voorspeld en ze beschouwde zijn waarschuwing als een compliment. Als ze over Lew praatte, met haar kinderen of met Sam, had ze het nooit over 'haar' Lew, maar in haar gedachten was hij dat nog steeds. Het begon haar steeds makkelijker te vallen om toe te geven dat wat ze eens gehad had nooit meer terug zou komen. Ze nam aan dat de andere passagiers eveneens joods waren, zelfs degenen die er net zo Amerikaans en agnostisch uitzagen als zij.

Toen ze tegen zonsopgang de Middellandse Zee overstaken, was er niets dat deed vermoeden dat er een nieuwe ramp had plaatsgevonden. Een kort nieuwsbericht meldde dat een olietanker ergens beneden hen een cruiseschip had geramd. Ze was in een slecht humeur en wat haar betrof mocht iedereen dat zien. Een ander aspect van haar latente teleurstellingen was dat de vlucht naar Israël haar in tegenstelling tot wat ze gehoopt had nog niet het gevoel had gegeven dat ze naar huis ging.

Kort na het alarm voelde meneer George C. Tilyou zijn wereld beven. In zijn Hindernisbaan zag hij de stroom van zijn El Dorado-carrousel uitvallen en de elegante platforms met de keizer aan boord stilvallen. Tot zijn verbazing zag hij dat zijn twee piloten uit de Tweede Wereldoorlog verdwenen waren, alsof ze een oproep gekregen hadden. Zijn kennis uit Coney Island, meneer Rabinowitz, bestudeerde het mechaniek van een afstand, alsof hij naar een defect zocht dat hij mogelijk kon verhelpen. Meneer Tilyou liep fronsend terug naar zijn kantoor. Hij veegde zijn bolhoed af aan zijn mouw en hing hem terug op zijn haakje aan de kapstok. Hij voelde zijn woede verdwijnen. Zijn depressie keerde terug.

Zijn afspraak met het hogere gezag, met Lucifer en wie weet Satan in eigen persoon, om een verklaring te eisen voor het vreemde gedrag van zijn huis was opnieuw uitgesteld. Het was inmiddels zonneklaar dat het langzaam wegzonk, zonder zijn fiat en buiten hem om. Zorgvuldige metingen hadden deze subversieve verdwijning aan het licht gebracht. Terwijl hij er, zittend aan zijn cilinderbureau, naar keek, zag hij het voor zijn ogen verzakken. Voordat hij zich goed en wel realiseerde wat er gebeurde was de hele benedenverdieping weg en had zijn huis nog maar één verdieping. Nog terwijl hij keek begonnen van boven zijn hoofd steeds grotere stofwolken neer te dwarrelen, gevolgd door grote ruwe klompen aarde, steen en ander puin. Er kwam iets naar beneden, knarsend en kreunend, dat hij niet in zijn plannen had opgenomen. Hij zag losgerukte elektriciteitsdraden bungelen. Hij zag buizen van gebout plaatstaal. Hij zag pijpen. Hij herkende een enorme bodem met een dichte wirwar van zware, druipende koelbuizen, gevat in een kristalhelder jasje van smeltende rijp.

Zijn neerslachtigheid verdween.

Hij zag een Japanner in een rood jasje en met schaatsen onder, die zich vertwijfeld aan een hoek van de vloer vastklampte.

Het was de ijsbaan van het Rockefeller Center!

Hij kon een glimlach niet onderdrukken. Hij zag meneer Rockefeller wit wegtrekken, beven en in paniek wegvluchten. Meneer Morgan liet zich naakt en huilend en met gebogen hoofd op de grond vallen en begon te bidden. De keizer had ook geen kleren.

Meneer Tilyou moest lachen. Niets nieuws onder de zon? Hier zag hij iets nieuws gebeuren, leerde hij een les die hij nooit voor mogelijk had gehouden. Zelfs de hel was niet eeuwig.

Yossarian kon zijn oren niet geloven. Waar ter wereld had de dominee zo overtuigend 'Val dood' leren zeggen? Tegen de tijd dat Yossarian beneden was, was de legerpredikant boven uit het zicht verdwenen. Gaffney was net aan het vertellen dat ze beter weer naar de liften konden gaan om zich bij McBride en de anderen te voegen, toen de stem van Strangelove opnieuw door de luidsprekers klonk met de mededeling dat ze nergens bang voor hoefden te zijn behalve voor een tekort aan kleermakers.

'Die hebben we ook vergeten en sommige mensen hier in ons hoofdkwartier lopen er nogal slordig bij. We hebben strijkijzers, maar niemand weet hoe die werken. We hebben stoffen en draad en naaimachines. Maar we hebben iemand nodig die kan naaien. Hoort iemand me? Neem contact op als u kunt naaien.'

'Häagen-Dazs. Ik kan wassen en strijken. Mijn geschutsofficier is de zoon van een kleermaker.'

'Kom onmiddellijk terug en meld je op het hoofdkwartier.'

'Jazeker, meneer, maar hoe komen we daar?'

'Dat zijn we ook vergeten!'

'Gaffney,' zei Yossarian, toen ze nog vijftien kilometer te gaan hadden. 'Hoe lang blijven we hier?'

'Het zou best kunnen dat mijn toekomst hier ligt,' zei Gaffney. 'Als we beneden even tijd hebben wil ik je iets laten zien. Het ligt op driekwart hectare aan een meer onder Vermont, vlakbij een golfbaan en prima ski-mogelijkheden in Ben & Jerry-land, voor het geval je aan kopen denkt.'

'Nu? Denk je dat ik op dit moment koopplannen heb?'

'Een mens moet altijd vooruitzien, zegt de goede Señor Gaffney. Het ligt aan het water, Yo-Yo. Over een paar maanden is het drie keer zoveel waard. Je moet het echt gaan zien.'

'Geen tijd. Ik heb een lunchafspraak.'

'Die gaat misschien niet door.'

'Misschien wil ik er toch heen.'

'Alles is afgelast als het echt oorlog is.'

'De bruiloft ook?'

'Als er bombardementen zijn? De bruiloft zelf hoeft niet meer; we hebben hem toch op video.'

'Zijn er bombardementen?'

Gaffney haalde zijn schouders op. McBride wist het ook niet, ontdekten ze, toen ze na de laatste lift met de lange roltrap naar het onderste niveau afdaalden. Hetzelfde gold voor het rare stel geheim agenten, die geen idee hadden wat hun verder te doen stond.

Toen Strangelove terugkwam, had hij een antwoord. 'Nee, er zijn nog geen raketten waargenomen. Dat is enigszins verwarrend, maar de mensen hier hebben niets te vrezen. Slechts één luchtmacht ter wereld heeft bommen die zo diep in de grond kunnen dringen alvorens te ontploffen en ze zijn allemaal van ons. We hebben niets over het hoofd gezien, behalve een paar kappers. Terwijl we op tegenaanvallen wachten hebben we wat kappers nodig, één desnoods. Kunnen alle kappers die dit horen onmiddellijk contact met ons opnemen. We hebben niets over het hoofd gezien. Over twee of drie weken functioneren al onze faciliteiten als iedereen zich aan de regels houdt. Voor het geval iemand denkt dat mijn instructies tot moeilijkheden zullen leiden, volg dan alstublieft deze instructie op en vertrek vandaag nog. En nu zal generaal Bingam, nadat we vastgesteld hebben dat er geen kleermakers of kappers aan boord zijn, al onze Z-M-Ops en Shhhhh!'s bevel geven om een tweede luchtaanval te ondernemen.'

Raul trok een gezicht en zei: '*Merde.*' De slungelige, peenharige, sproeterige Bob zag er veel minder opgewekt uit dan normaal. Ze maakten zich allebei ongerust over hun gezin.

McBride maakte zich eveneens zorgen. 'Als het buiten oorlog is, weet ik niet of ik hier wel wil zitten.'

Michael vond dat hij goed zat, Marlene was het met hem eens en Yossarian kon hem geen ongelijk geven.

Er was behoefte, zei Strangelove, aan een schoenmaker.

'*Merde,*' zei Raul. 'Die man verkoopt zo'n *merde.*'

'Ja, we hebben niets over het hoofd gezien, maar dat zijn we ook vergeten,' vervolgde dokter Strangelove met een geaffecteerd lachje. 'We hebben pakhuizen vol prachtige nieuwe spitstechnologische schoenen, maar vroeg of laat zullen die gerepareerd en gepoetst moeten worden. Maar afgezien van dus ook dit hebben we niets over het hoofd gezien. We kunnen hier eeuwig blijven wonen als iedereen doet wat ik zeg.'

Ze stonden bij het perron van een station naast een smalspoor waarvan Yossarian zeker wist dat hij het eerder gezien had. De tunnels waren te klein voor normale treinen en vereisten iets met de afmetingen van een pretparktrein.

'Daar komt er weer een,' riep McBride. 'Ik ben benieuwd wat er deze keer in zit.'

Hij liep naar het perron om het beter te kunnen zien, toen een vuurrood locomotiefje met een matige snelheid en veel belgerinkel in zicht kwam. Het liep op elektriciteit, maar had een rode schoorsteen met een werkje van blinkend koper. De bel werd geluid door een grinnikende, al wat oudere technicus met een rond HSGPMZ-insigne op de schouder van zijn rode uniformjas, die aan een stuk waslijn trok dat van de klepel naar zijn stuurinrichting liep. Het locomotiefje rolde soepel voorbij en trok een aantal smalle, open passagiersrijtuigen mee waarin de mensen twee aan twee achter elkaar zaten. Yossarian kon wederom zijn ogen niet geloven. McBride wees in opperste opwinding naar de eerste twee figuren op het eerste bankje van het eerste rijtuig.

'Hé, die ken ik! Wie zijn dat ook weer?'

'Fiorello H. La Guardia en Franklin Delano Roosevelt,' antwoordde Yossarian, en hij zei niets over de twee oudere echtparen die samen met zijn oudste broer op de banken achter hen zaten.

In het volgende rijtuig herkende hij John F. Kennedy en zijn echtgenote, achter de vroegere gouverneur van Texas en zijn vrouw, die bij de moordaanslag in dezelfde auto hadden gezeten.

En in het rijtuig achter deze onsterfelijken, alleen op zijn bankje, zat een verward, verwilderd en verwezen uitziende Macaroni Cook, met achter hem twee regeringsambtenaren die Yossarian zich herinnerde van het journaal, één dikke en één dunne. Achter hen, op het laatste bankje van dit derde en laatste rijtuig, zaten C. Porter Lovejoy en Milo Minderbinder. Lovejoy had het hoogste woord en telde iets af op zijn vingers. Ze leefden allebei, en Milo glimlachte bovendien.

'Ik had durven zweren,' zei Yossarian, 'dat ze Milo achtergelaten hadden.'

Gaffney vormde geluidloos één woord: 'Onmogelijk.'

Dat was het moment waarop Yossarian besloot zijn afspraak met Melissa na te komen. Hij voelde er niets voor om hier beneden bij Strangelove en die anderen te blijven zitten. Gaffney was diep geschokt en dacht dat hij gek was. Dit was niet voorzien.

'O, nee, nee, Yo-Yo.' Gaffney schudde zijn hoofd. 'Je kunt niet naar buiten. Dat is totaal zinloos. Uitgesloten.'

'Gaffney, ik ga. Je hebt het weer mis.'

'Maar je zult niet ver komen. Je zult het niet lang uithouden.'

'Dat zien we wel. Ik doe mijn best.'

'Wees vooral voorzichtig. Het is gevaarlijk buiten.'

'Hier binnen ook. Iemand zin om mee te gaan?'

Alsof McBride hierop had zitten wachten sprong hij naar voren en ging naast Yossarian staan. 'Zonder mij zou je er nooit uit komen.' Hij fluisterde in Yossarians oor: 'Ik maak me zorgen over Joan. Ze is daar helemaal alleen.'

Gaffney wachtte liever tot hij veel meer wist. 'Op dit moment weet ik genoeg om geen risico te nemen.'

Michael nam liever ook geen risico's, en ook dit kon Yossarian hem niet kwalijk nemen.

Bob en Raul beschikten over te veel informatie om hun leven nodeloos in gevaar te brengen en konden zich ondergronds even goed zorgen maken over hun gezin.

Toen Michael zijn vader, wiens amourette hem zowel met trots als met schaamte vervulde, met de roltrap naar de lift zag gaan om een lunchafspraakje met zijn zwangere vriendin na te komen, kreeg hij het matte, ellendige gevoel dat een van hen beiden ging sterven, wie weet zelfs allebei.

Yossarian, die haastig de roltrap beklom om zo snel mogelijk buiten te zijn, werd bezield door een vreugdevol optimisme dat meer bij Melissa paste dan bij hem, de woordeloze – en redeloze – overtuiging dat hem niets kon gebeuren, dat een rechtvaardig mens niets ergs kon overkomen. Dat was onzin, dat wist hij. Maar ook wist hij, diep van binnen, dat hij even veilig zou zijn als zij, en hij twijfelde er geen seconde aan dat ze het alle drie, hij, Melissa en de nieuwe baby, zouden redden... dat het hun voor de wind zou gaan en dat hun leven nog lang en gelukkig zou zijn.

'Häagen-Dazs.'

'Wat was daar de bedoeling van?' vroeg vlieger Kid Sampson, achter in de onzichtbare en geruisloze sub-supersonische aanvalsbommenwerper.

'Was je vader schoenmaker?' antwoordde vlieger McWatt. 'Ben je een kapperszoon?'

'Nee, en naaien kan ik ook niet.'

'Dan moeten we verder. Bombardementsvlucht nummer zoveel.'

'Waarheen?'

'Dat ben ik vergeten. Maar de traagheid stuurt ons wel. Onze traagheidsgeleiding brengt ons altijd op onze bestemming.'

'McWatt?'

'Sampson?'

'Hoe lang zijn we nu al bij elkaar? Twee jaar, drie?'

'Voor mijn gevoel eerder vijftig. Sampson, weet je waar ik spijt van heb? Dat we nooit meer gepraat hebben.'

'We hebben toch nooit meer gehad om over te praten?'

'Wat is dat daar beneden? Een raket?'

'Even op mijn radar kijken.' Beneden hen liepen, vrijwel loodrecht op hun eigen koers, vier evenwijdige condensstrepen, als van straalmotoren die krijt uitstoten. 'Da's een lijntoestel, McWatt. Een passagiersvliegtuig op weg naar Australië.'

'Ik vraag me af hoe die passagiers zich zouden voelen als ze wisten dat wij hier weer rondvlogen... spookrijders in de lucht.'

'McWatt?'

'Sampson?'

'Moeten we er echt weer opnieuw tegen aan?'

'Lijkt me wel, jou niet?'

'Echt?'

'Ja.'

'Ja. Ik denk het ook.'

'O verdomme, wat kan mij 't bommen.'

Sam Singer had geen illusies. In tegenstelling tot Yossarian koesterde hij niet de hoop dat hij nog een idylle mee zou maken en weer op iemand verliefd zou worden. Omdat hij de harde noodzaak van het alleen-leven, waarvoor hem geen acceptabel alternatief was geboden, gelaten had aanvaard, hadden de genadeloze ontberingen hem niet kleingekregen. Hij had het hierover gehad met Glenda, die ondanks haar dodelijke ziekte meer over zijn eenzame toekomst piekerde dan hij kon opbrengen.

Hij bezocht vrienden, las meer, keek naar het journaal. Hij had New York. Hij ging naar de schouwburg en de bioscoop en soms naar de opera, hij had altijd prettige klassieke muziek opstaan op een van de FM-zenders, ging een avondje of twee per week bridgen met buurtbewoners die over het geheel genomen even gelijkmoedig en aardig waren als hij. Gustav Mahlers vijfde symfonie vervulde hem iedere keer weer met ontzag en verbazing. Hij had zijn vrijwilligerswerk voor de kankerbestrijding. Hij had zijn vriendinnen. Hij dronk niet meer dan vroeger. Hij leerde snel alleen eten, afhaalmaaltijden thuis, lunches en diners in koffietentjes en kleine restaurants in de buurt, sobere maaltijden, alleen aan een tafeltje waar hij ook las, zijn boek of tijdschrift of zijn tweede krant van die dag. Een enkele keer kaartte hij nog met zijn nog levende kennissen uit Coney Island. Hij bracht er nog steeds niet veel van terecht. Hij had ruim gelegenheid om 's avonds uit te gaan.

Tot dusver was hij erg ingenomen met zijn wereldreis en erg verbaasd over zijn welbehagen en de enorme voldoening die het hem bracht. Het was een fijn gevoel om weer uit huis te zijn. In Atlanta en Houston, bij zijn dochters en schoonzoons en kleinkinderen, merkte hij voor het eerst dat hij genoeg van hun gezelschap had voordat een van hen duidelijk zijn buik vol had van het zijne. Het zou de leeftijd wel zijn, excuseerde hij zich elke avond voor zijn vroege vertrek. Zoals altijd had hij erop gestaan om in een hotel te slapen. In Los Angeles zat hij als vanouds op één golflengte met Winkler en zijn vrouw. Ze werden alle drie precies even snel moe. Hij bracht een paar gezellige bezoekjes aan zijn neef en diens gezin en was oprecht gecharmeerd van de vroegwijze intelligentie en schoonheid van de kinderen. Maar hij moest toegeven dat er tussen hem en alle jonge volwassenen in wier gezelschap hij verkeerde, meer gaapte dan een generatiekloof.

Eenmaal buiten New York was hij blij dat hij zijn cassetterecorder en een paar degelijke boeken die serieuze betrokkenheid vereisten had meegenomen.

Op Hawaii lag hij overdag in de zon en herlas *Middlemarch*. Nu hij wist wat voor vlees hij in de kuip had, kon hij er veel meer van genieten. Tijdens zijn twee avonden daar at hij bij de gescheiden echtgenote van zijn oude vriend en haar nieuwe man, en samen met de vrouw, inmiddels weer alleen, met wie hij bij *Time* magazine gewerkt had en die destijds ook een kennis van Glenda was geweest. Als ze hem gevraagd had om de nacht bij haar door te brengen zou hij daar zeker op ingegaan zijn, maar dat had ze kennelijk niet door. Lew of Yossarian zouden het veel beter hebben aangelegd.

Hij verheugde zich enorm op de twee weken in Australië bij goede oude vrienden, eveneens uit zijn tijd bij *Time*. Bij hen vond hij het niet erg om in hun huis in Sydney te logeren. Hij en Glenda waren er al een keer eerder geweest. De man liep met metalen wandelstokken. Het was jaren geleden dat ze alle twee in New York waren geweest. Elke dag vóór het ontbijt trok hij dertig of zestig baantjes – Sam wist niet meer precies hoeveel – in het smalle zwembad aan de havenkant van het huis, en na het onbijt nog eens dertig of zestig, allemaal om zijn bovenlichaam in conditie te houden voor de wandelstokken en de auto met handbediening waar hij in reed sinds de ziekte die hem veertig jaar geleden had verlamd aan beide benen. Boven de gordel had hij waarschijnlijk nog steeds de spieren van een gewichtheffer. Ze hadden vijf volwassen kinderen. Ook naar hen zag Sam uit. Een van hen was boer in Tasmanië, en ze waren van plan daar naartoe te vliegen en twee dagen bij hem te logeren. Een andere zoon was veefokker, een derde werkte in een genetisch laboratorium aan de universiteit van Canberra. Alle vijf waren getrouwd. Niemand was gescheiden.

Sam vertrok midden in de nacht uit Hawaii aan boord van een Australisch lijntoestel en zou de volgende ochtend na het ontbijt in Sydney aankomen. Hij las, hij dronk, hij at, hij sliep en werd wakker. De dag brak aarzelend aan met een morsige dageraad en de zon leek schoorvoetend op te gaan. Beneden het vliegtuig lag een ononderbroken wolkendek. Het onzekere daglicht bleef dicht op een lage horizon hangen en wilde niet sterker worden. Aan één kant was de hemel marineblauw, met een volle gele maan die laag en veraf als een vijandige klok in het uitspansel hing, aan de andere kant was de lucht grijs en zwart, bijna de kleur van houtskool. Hoog boven zich zag hij de witte condensstrepen van een onzichtbare formatie die met veel grotere snelheid oostwaarts vloog, haaks op de koers van zijn eigen vliegtuig, en hij nam aan dat ze afkomstig waren van een militair squadron op ochtendmanoeuvre. Het uitvallen van de intercom veroorzaakte in eerste instantie enige consternatie bij de bemanning, maar de andere navigatiesystemen bleven functioneren en er was geen reden tot paniek. Eerder hadden ze een vaag nieuwsbericht opgevangen over een botsing tussen een olietanker en een vrachtschip ergens beneden hen.

Even later duwde Sam Singer een bandje met de vijfde symfonie van Gustav Mahler in zijn cassetterecorder. Opnieuw hoorde hij allerlei verrassende nieuwe dingen. Die opmerkelijke symfonie was een onuitputtelijke schatkist van geheimen en veelvuldige genoegens en weergaloze schoonheid, subliem en onvergetelijk mysterieus in haar mystieke gehalte en de genialiteit waarmee ze de menselijke ziel beroerde. Hij wachtte ongeduldig op het moment waarop de slotakkoorden van de finale zich juichend naar hun triomfantelijke einde spoeden, om weer bij het begin te kunnen beginnen en zich opnieuw mee te laten voeren door de fascinerende bewegingen waarin hij zich op dit moment koesterde. Hoewel hij het aan zag komen en zich er altijd schrap voor zette, raakte hij elke keer weer in de ban van de trieste, lieflijke melodie die zo zacht aanzwelt onder de waarschuwende hobo's aan het begin van de eerste beweging, zo lieflijk treurig en joods. De melodie van het korte adagio dat erop volgde, was van een schoonheid die haar weerga niet kende. Melancholieke muziek vond hij de laatste tijd indrukwekkender dan herosche. De grootste angst die hem kwelde in zijn eenzame flat was het idee daar dood te gaan en te verrotten. Het boek dat hij op zijn schoot had liggen toen hij achteruit leunde om te gaan lezen, was een pocketuitgave van acht verhalen van Thomas Mann. De gele maan werd oranje en even later zo rood als de ondergaande zon.

DANKBAARHEIDSBETUIGING

Als ik niet besloten had om deze roman geen inleidende opmerkingen mee te geven, zou ik hem hebben opgedragen aan Valerie, mijn vrouw, en opnieuw, zoals de eerste keer, aan mijn dochter Erica en mijn zoon Ted. Ook zou ik hem opgedragen hebben aan Marvin en Evelyn Winkler, man en vrouw, en aan Marion Berkman en de herinnering aan haar man Lou – vrienden sinds mijn jeugd die ik dankbaar ben voor meer dan hun aanmoediging, hulp en medewerking.

Michael Korda toonde zich een geweldige en perfecte eindredacteur voor mij, ontvankelijk, kritisch, ongezouten, waarderend.

Eén hoofdstuk van deze roman, door een komisch toeval dat met de titel 'Dante', werd voorbereid en geschreven tijdens mijn verblijf als gast van het Bellagio Studie- en Conferentiecentrum van de Rockefeller Foundation aan het Comomeer in Italië. We hebben er weergaloos genoten, en Valerie en ik zullen iedereen die daaraan meegewerkt heeft altijd dankbaar blijven voor de gastvrijheid en werkfaciliteiten, en voor de warme vriendschappen die ontstonden tussen ons en onze medebewoners en nog steeds bestaan.